[illegible] TAN

HEYRN YN Y TÂN

ATGOFION ADDYSGWR

Gwilym E. Humphreys

GWASG PANTYCELYN

Dymuna'r cyhoeddwyr gydnabod cymorth
Adrannau Cyngor Llyfrau Cymru.

ISBN: 1-903314-10-0

Cyhoeddwyd ac argraffwyd gan Wasg Pantycelyn, Caernarfon

CYNNWYS

Cyflwynedig
i fy mhriod, Carys,
i fy mhlant, Nia a Gareth,
ac er cof am fy rhieni, James a Rachel Humphreys

RHESTR LLUNIAU

Nia a Gareth yn ffair haf gyntaf Cymdeithas Rhieni Rhydfelen, Gorffennaf 1964.
Cyflwyno cyfres o raglenni gwyddonol i ysgolion ar y teledu, 1965.
Dawns rhieni Ysgol Bryntaf, 1971.
Gwledd ganoloesol yng Nghastell Caerdydd.
Cerdded llwybr arfordir Sir Benfro: Pwllderi, hydref 1975.
Taith gerdded yn Llangynidr, Gwent, Gorffennaf 1981.
Y teulu yn Annedd Wen, Heol San Mihangel, Caerdydd, 1976.
Gwilym fwstasiog yng ngardd Annedd Wen, Caerdydd, 1977.
Yn ystafell y prifathro, Rhydfelen, 1974.

Rhwng tudalennau 132 a 133

Aled Roberts a'r awdur yn ymlacio ar Lyn Windemere, Awst 1977.
Ymweliad â'r Senedd Ewropeaidd yn Strasburg, 1986.
Ein cartref, Bodlondeb, ar lan y Fenai, Bangor (tynnwyd yn 1995).
Gweinidog a blaenoriaid Eglwys y Graig, Penrhosgarnedd, 1990.
Yr ysbaid annisgwyl yn 'Pen-y-bryn', Québec – hydref 1992.
Cyfarwyddwyr Addysg Gwynedd 1974-96 gyda thri Cadeirydd Addysg.
Staff swyddfa ganolog Awdurdod Addysg Gwynedd, Caernarfon, Mai 25, 1993.
Pedwarawd 'Troad' (Homer, Monw, Carys a Gwilym) yn canu yn sosial y Tabernacl, Trelew, Patagonia, 1995.
'Criw Cathrin' ger pwerdy hydroelectrig yr Andes, Patagonia, 1995.
Carys a Gwilym wedi croesi'r ffin o'r Wladfa i Chile, 1995.
Rhaeadrau Igazú, gogledd Ariannin ger y ffin â Brasil.
Coleg Meirion-Dwyfor, Pwllheli.
Criw snwcer nos Iau, 1997.

Rhwng tudalennau 188 a 189

Yr Arglwydd Cledwyn yn agor Adeilad Syr Hugh Owen, Y Coleg Normal, 1996 (wedi'r tân).
Bwrdd Llywodraethwyr olaf y Coleg Normal, 1996.
Cyngor yr Eisteddfod Genedlaethol, Ebrill 1997.
Agor Eisteddfod Genedlaethol Meirion a'r Cyffiniau yn y Bala, 1997.
Ar faes y Brifwyl yn y Bala, 1997.
Arwisgo'r Dr W. R. P. George yn Gymrawd yn Eisteddfod Genedlaethol Bro Ogwr, 1998.
Arwisgo Ceiri Torjussen, enillydd Tlws y Cerddor, Eisteddfod Genedlaethol Môn, 1999.
Seremoni derbyn Cymrodyr Prifysgol Cymru Bangor, Gorffennaf 1999.
Y pedwar ohonom yng ngardd Bodlondeb, 1999.
Ar fordaith i'r Caribî, Chwefror 2000.

RHAGAIR

Yn Chwefror 1995, derbyniais lythyr oddi wrth olygydd Gwasg Pantycelyn (William Owen, Borth-y-gest) yn gofyn a wnawn i roi'r cynnig cyntaf i'r Wasg i gyhoeddi unrhyw gyfrol y byddwn yn ei hysgrifennu wedi imi ymddeol. Gan fy mod bob amser yn awyddus i gefnogi'r Hen Gorff a'i sefydliadau, ymatebais gan ddweud y rhown y cyfle cyntaf i Wasg Pantycelyn ond nad oedd gennyf unrhyw fwriad ar y pryd i ysgrifennu dim byd sylweddol.

Yn yr un sêt fawr â mi yng Nghapel y Graig, Penrhosgarnedd, mae gŵr a chanddo'r ddawn i weld addewid yn y mannau rhyfeddaf. Roeddwn yn ceisio darlithio i Gymdeithas y Gymraeg mewn Addysg yng Ngorffennaf 1992 ar y testun *Rhwng y Trulliad a'r Pobydd* (newidiadau addysgol yr Ysgrifenyddion Addysg Kenneth Butler a Kenneth Baker) ac i Gymdeithas y Graig, Penrhosgarnedd, yn Nhachwedd 1993, ar y testun *Gwefr, Gofid a Gobaith* – sgwrs hunangofiannol. Yn bresennol yn y ddau gyfarfod yr oedd y dywededig flaenor, Maldwyn Thomas. Pan afaelodd yn awenau cyhoeddi Gwasg Pantycelyn, fe'm hatgoffodd o'm haddewid ysgrifenedig a oedd ar ffeil; roedd o'r farn fod gennyf 'stori gwerth i'w dweud'. Gan fod eraill wedi awgrymu hynny hefyd, droeon, a chan fod gan Maldwyn ddawn perswadio yn ogystal â dawn dweud, fe gytunais ar funud gwan i roi cynnig arni, er i mi ei rybuddio nad oeddwn yn llenor o unrhyw fath, ac rwyf yn sicrach o hynny heddiw nag erioed.

Noswyl Nadolig 1997, sylwais ar erthygl olygyddol drawiadol *The Times* a dyma rannau ohoni:

> *From birth to death we are creatures of time, shaped by a period of years – the age into which we are born, and by the past of family, nation and history, that has formed us in ways both conscious and unconscious . . .* ***We find our identity by telling our story,*** *the story that is ours to tell, but which can only be told in intersection with other stories, other personal matters of meaning and purpose. So we find ourselves persistently propelled on a quest to find an overarching story in which we may discover our full meaning and identity.*

Gwyddwn fod yn rhaid i mi geisio dweud fy stori.

Er mwyn sgrifennu'r stori honno, bûm yn poeni sawl cyfaill a chyngydweithiwr am ffeithiau a phapurau a lluniau gan fod fy nghof yn pallu ac ambell ddigwyddiad wedi troi'n chwedl yn hytrach na ffaith yn fy meddwl. I'r llu ohonynt, rwy'n ddiolchgar gan fawr obeithio i mi wneud cyfiawnder â'r deunydd a ddaeth i law ganddynt. Bu rhai mor garedig â darllen y deipysgrif yn ei ffurf amrwd a diolchaf yn arbennig i'm chwaer hynaf, Mair, am ei sylwadau buddiol ar y blynyddoedd cynnar ac i nifer o gyn-gydweithwyr a chyfeillion eraill am eu cymorth gyda phenodau diweddarach. Bu raid i Carys a dau gyfaill gwyliau a chyn-rieni Rhydfelen, Hilary a Hywel Lewis, ddioddef gwrando arnaf yn darllen rhan gynta'r llyfr am chwarter awr bob bore a nos dan haul Creta, ond cefais fy nghalonogi'n fawr gan iddynt ofyn am sesiwn ganol dydd hefyd ar ôl y darlleniadau cyntaf. Yr oedd eu sylwadau'n dra buddiol ac adeiladol.

O safbwynt y lluniau, hoffwn gydnabod yr hawlfreintiau a ganlyn: *Nene* (papur bro Rhosllannerchrugog); Arfon Pritchard; Dennis Gilpin; BBC; Ronnie Williams; Yr Eisteddfod Genedlaethol; Jeff Pit; *Daily Post*; Prifysgol Cymru, Bangor; Robin Griffith (lluniau ar gyfer y clawr yn arbennig). Yn ogystal â hynny, rhoddwyd, neu cafwyd benthyg, lluniau gan y cyfeillion a ganlyn: Alun Evans; Margaret Parry Jones; Tom Vale; Ceinwen Elias; Owen Edwards; Nêst Roberts; Coleg Meirion-Dwyfor; J. E. Thomas; Mary Jones; Handel Morgan; Glyneth Torjussen; Harry R. Lloyd; Glyn O. Phillips. Diolchaf am yr hawl i atgynhyrchu'r lluniau (ond gydag ymddiheuriadau diffuant i unrhyw un y methais gysylltu â hwy i sicrhau eu caniatâd).

Bu Nia a Gareth yn fy annog yn gyson i barhau gyda'r gwaith gan awgrymu beth y gallwn ei gynnwys, a beth i'w hepgor! Bwydodd Carys fi â gwybodaeth o'i dyddiaduron personol pan ballai fy nghof a diolchaf yn arbennig iddi hi am ddioddef fy ymneilltuaeth i'r stydi am oriau ben bwygilydd yn ystod y creu a'r golygu.

Bu Maldwyn Thomas yn Swyddog Cyhoeddi creadigol a thra charedig ac rwyf bellach yn *diolch* iddo am fy mherswadio i ddweud fy stori. Beth bynnag yw ei gwerth i unrhyw un arall, cefais i gyfle i ail-fyw fy mhrofiadau diddorol, i f'adnabod fy hun yn well, ac i ryfeddu'n fwy nag erioed at fy nibyniaeth drwy gydol fy ngyrfa ar gymaint o gydweithwyr teyrngar a charedig.

Nid oeddwn yn gwbl hapus gyda'r syniad o sgrifennu hunangofiant gan ei fod, o anghenraid, yn debygol o fod yn fyfiol iawn ei bwyslais. Y perygl a welwn oedd methu cyfleu bod fy ngyrfa'n llwyr ddibynnol ar gefnogaeth, teyrngarwch ac ysbrydoliaeth fy nghydweithwyr a'm teulu. Pa bynnag lwyddiant a gefais fel arweinydd, gellid yn sicr briodoli llawer o'r llwyddiant hwnnw i syniadau, egni a brwdfrydedd y rhai o'm hamgylch ac yn arbennig eu parodrwydd i dorchi eu llewys gyda mi yn y gwaith.

Anhawster arall a ragwelwn, ac a brofais wrth ysgrifennu, oedd penderfynu pwy i'w henwi wrth ddweud fy stori. Rwy'n ymwybodol i mi fethu crybwyll enwau nifer dda o gydweithwyr a chyfeillion a gafodd gryn ddylanwad arnaf, ar ryw adeg neu'i gilydd ac mewn gwahanol gyd-destunau – rhai a fu'n rhannu gwaith a hamdden gyda mi. Oherwydd i mi orfod bod yn ddethol wrth gyflwyno'r stori a hepgor llu o weithgareddau a datblygiadau proffesiynol a digwyddiadau cymdeithasol, yr oeddwn hefyd yn methu cynnwys cyfeiriad at rai y mae gennyf gryn feddwl ohonynt ac yn ddyledus iddynt am sawl cymwynas. Siâp y stori yn unig, ac nid diffyg gwerthfawrogiad, sy'n golygu na chawsant eu henwi. Hyderaf y caf faddeuant ganddynt; gallaf eu sicrhau nad yw fy ngwerthfawrogiad ohonynt yn ddim llai.

Rwy'n ddyledus i J. Elwyn Hughes am olygu iaith y testun, i Martin Davies, Afiaith, am lunio mynegai ac i Wasg Pantycelyn am waith glân a chymen.

Erfyniaf faddeuant am bob llithriad ac esgeulustra er i mi geisio cymryd pob gofal.

GWILYM E. HUMPHREYS

PENNOD 1

Gosod Gwreiddiau

Casgliad o adeiladau pren wedi cael llyfiad o baent llwyd mewn ardal lwyd a oedd yn ymddangos mor ddigroeso; pedwar ugain o bobl ifanc fywiog rhwng un ar ddeg a thair ar ddeg oed, a hanner dwsin o athrawon petrusgar-frwdfrydig wedi ymgasglu i'r gampfa i wasanaeth boreol go arbennig, a'r gŵr ifanc a safai o'u blaenau yn ei ŵn ddu yn methu coelio bod y peth wedi digwydd. Diwrnod cyntaf Ysgol Rhydfelen, a minnau'n cael y fraint o wireddu breuddwyd nad oeddwn wedi credu y byddai'n bosibl, sef cael bod yn brifathro ar ysgol uwchradd Gymraeg – a hynny mewn ardal Seisnigedig yn y de. Ddwy flynedd yn gynharach, roeddwn wedi ffarwelio ag Ysgol Uwchradd Llangefni, Môn, ac wedi dweud mewn cyfarfod gwobrwyo wrth adael ei bod yn resyn na ddefnyddid y Gymraeg yn gyfrwng mewn ysgol uwchradd ym Môn lle'r oedd tua 90% o'r disgyblion yn Gymry iaith gyntaf. A dyma fi mewn ardal dra gwahanol yn y Forgannwg ddiwydiannol lle'r oedd y Gymraeg yn brwydro am ei hanadl, ond yn gwneud hynny'n gryf ac yn ddewr. Dyma fi, yn ŵr ifanc deg ar hugain oed, yn arwain gwasanaeth cynta ysgol y bu ymgyrchu hir a dygn i'w sefydlu, ysgol yr oedd pawb, ond y brwdfrydigion o rieni a dyrnaid o Gymry da eraill, yn proffwydo dyfodol pur ansicr iddi gan 'nad oedd lle o ddifrif i'r Gymraeg o fewn addysg uwchradd'. Roedd addysg Gymraeg yn iawn, ac yn ddigon diniwed, ar gyfer y cynradd ond menter ryfygus, yn ymylu ar aberthu plant ar allor yr iaith, oedd dod â'r Gymraeg i fyd addysg-go-iawn! Cofiaf yn dda mai Mathew 5 oedd y darlleniad o'r ysgrythur a ddewisais ar gyfer y bore hwnnw ac mae'n sicr i mi deimlo bod yr ymadrodd 'halen y ddaear' yn briodol i'r disgyblion a'u rhieni a oedd yn barod i ymddiried ynom fel criw o athrawon ifanc, prin ein profiad. Roeddem yn ymwybodol o'r ymddiriedaeth (a chlywais i 'run o'm cydweithwyr yn mynegi unrhyw arwydd o amheuaeth erioed) yn nyfodol yr hyn a alwai'r wasg yn 'arbrawf' a rhai gwleidyddion gwrth-Gymreig (a rhai felly oedd llawer o wleidyddion Cymru yn 1962 rhag ofn ein bod wedi anghofio) yn symudiad gwleidyddol-genedlaetholaidd, sinistr. Profiad gwerthfawr yw cael bod yno ar ddechrau unrhyw beth, boed eglwys, neu gymdeithas, neu fudiad, neu glwb. Yn Ysgol Rhydfelen, ddydd Llun, Medi 3, 1962, y profais i un o fy 'eiliadau tragwyddol', chwedl Islwyn Ffowc Elis. Cefais lawer o brofiadau cynhyrfus a chyfoethog – a rhai siomedigaethau hefyd – o fewn y byd addysg ond prin bod yr un yn fwy arhosol na'r un a brofais y bore hwnnw pan agorwyd drws i addysg uwchradd Gymraeg ar gyfer cymoedd Morgannwg, ac a brofodd erbyn hyn yn agor llifddorau i'r llanw Cymraeg yn ne orllewin Cymru. Tyfodd yr 80 yn 6000 a mwy erbyn hyn.

Treuliais dair blynedd ar ddeg yn Ysgol Rhydfelen fel ei phrifathro cyntaf – blynyddoedd llawn cyffro a llawn boddhad a balchder, ac mae'n sicr i'r tri a'm holynodd yn y swydd (mae dau ohonynt, ysywaeth, wedi ein gadael) brofi o'r un wefr ac o'r teimlad bod yn yr ysgol honno naws arbennig iawn. Mae'n anodd dweud o ble a sut y crëwyd yr awyrgylch hwnnw, ond mae yno o hyd fel y profais i wrth gael fy nghroesawu i'r ysgol gan Bryan James, y prifathro carismatig presennol, bedair blynedd ar hugain ar ôl gadael. Cafodd Carys a minnau noson i'w chofio yn gwylio perfformiad gwefreiddiol gan gant a hanner o ddisgyblion brwd o'r ddrama-gerdd 'Brachi' a oedd yn olrhain gwreiddiau Eidalaidd rhai o blant yr ardal a fu, ac sydd, yn ddisgyblion yn yr ysgol.

✦ ✦ ✦

Ac nid yng Nghymru y deuthum innau i'r byd. Tŷ gweinidog Eglwys Liscard Road, Wallasey, oedd y man a bore Sul, Medi 27, 1931, yr achlysur. Dywedwyd wrthyf ryw dri pheth am fy ngeni: yn gyntaf, fy mod yn lwcus o gael fy ngeni'n fyw oherwydd bod fy llinyn bogail am fy ngwddw (effaith manglo rhy egr gan fy mam, meddai Carys!); yn ail, bod fy nhad, y Parchedig James Humphreys, wedi gwirioni'n llwyr iddo gael mab ac iddo gyhoeddi fy nyfodiad yn yr oedfa foreol y Sul hwnnw. Fel y digwyddodd pethau, y fi oedd yr unig fab o bedwar o blant: cawsai Mair, fy chwaer hynaf, ei geni yn Wallasey, Sir Gaer, fel finnau (ond ddwy flynedd ynghynt), ac er inni fyw fel teulu ym Mae Colwyn am bum mlynedd hapus iawn rhwng 1932 a 1937, yn Rhosllannerchrugog y daeth fy nwy chwaer iau, Ceinwen ac Ann, i'r byd. Ond nid wyf yn teimlo fymryn llai o Rosiach na hwy! Gan mai blwydd oed oeddwn yn gadael Wallasey, nid oes gennyf, yn naturiol, gof yn y byd am y lle hwnnw ond clywais fy rhieni'n canmol y croeso a gawsant yn eglwys gyntaf fy nhad ar ôl ei ordeinio. A'r trydydd peth a ddywedwyd wrthyf? Fy mod yn debyg i Saunders Lewis mewn un nodwedd o leiaf: mab i weinidog yr Hen Gorff yn Wallasey oedd yntau ac yno y'i ganed! 'Defnyddiais' y ffaith i mi gael fy ngeni yn Lloegr ar fwy nag un achlysur ac yn arbennig wrth agor trafodaeth ar iaith addysg eu plant gyda mewnfudwyr i Wynedd pan oeddwn yn Gyfarwyddwr Addysg y sir, ac wrth gellwair ynglŷn â chymwysterau dwbl i chwarae i ddwy wlad ar y cae pêl-droed neu rygbi.

Ym Mae Colwyn, yn ystod pum mlynedd ein harhosiad yno o 1932 ymlaen, roeddem fel teulu bach yn gartrefol iawn, a fy nhad, yn ôl pob sôn, yn ychwanegol at ddatblygu'n bregethwr grymus a diwinydd praff, yn amlygu ei ddiddordeb byw ym mhobl ifanc Eglwys Bethlehem. Pan ddathlodd yr eglwys honno ei chanmlwyddiant yn 1997, dywedwyd amdano ei fod yn 'un yr oedd gan yr ieuenctid feddwl mawr ohono'. Atgoffodd hyn fi o'r ddawn a amlygodd trwy gydol ei weinidogaeth, ac yn arbennig yn ddiweddarach yn y Rhos, i gael pobl ifanc i drafod eu Ffydd yn naturiol o fewn awyrgylch hamdden a mwynhad. Tystia ugeiniau, sy'n parhau'n selogion y Ffydd ac yn arweinyddion eu heglwysi bellach, iddynt ddod i ddeall ystyr eu cred a'i galwad arnynt drwy weithgareddau a gweinidogaeth fy nhad yn yr eglwys ac yn yr Aelwyd, trwy ei bregethu grymus, a'i ddosbarthiadau nos ar destunau mawr y Ffydd.

Atgofion niwlog sydd gennyf am Fae Colwyn ond daeth llawer o atgofion yn ôl i mi yn ystod oedfa'r dathlu yn 1997. Cofiais yr organ bib hardd sydd yng nghapel braf Bethlehem, a Morris Ellis yn godwr canu – swydd y bu imi ei chynnwys yn gynnar iawn ymhlith dwy arall fel uchelgeisiau plentyndod. Bod yn orsaf-feistr ym Mae Colwyn lle gwisgai'r deiliad het silc oedd yr ail; sieff oedd y trydydd ac, os cofiaf yn iawn, yr het wen uchel oedd yn apelio! Diau y gall seico-ddadansoddwr wneud rhywbeth â'r meddyliau cynnar hyn! Cefais gyflawni un ohonynt, o leiaf.

Mae gweddill fy atgofion yn gysylltiedig ag 'oglau, neu 'wynt' ys dywedir yn y Rhos. Ger parc Eirias, lle treuliais oriau lawer gyda Mair, fy chwaer, ar y siglenni, ar gychod padlo'r llyn mawr ac yn hwylio cychod bach ar y llyn llai, mae man coediog, llaith ac afonig yn llifo drwyddo i'r môr – y *Dingle* yw'r enw ar y lle – a gallaf o hyd glywed yr 'oglau mwsoglyd a llaith sydd yno. Mae 'oglau siop Peacocks, Bae Colwyn, yr un mor fyw yn fy ffroenau – hollol wahanol i unrhyw 'oglau a glywais yn unman arall ond roedd yn cyniwair teimladau braf a phleserus. Y trydydd oedd yr 'oglau a geir ar ôl storm o fellt a tharanau – 'oglau glân, iachus a phur, os oes modd ei ddisgrifio o gwbl, ac yn gweddu'n union i'r gollyngdod a deimla plentyn ar ôl pryder ac ofn yn y storm – a oedd yn digwydd yn amlach ers talwm, rwy'n sïwr! Yn ddiweddarach, clywais yr un 'oglau yn y labordy ffiseg yn Ysgol Ramadeg y Bechgyn, Rhiwabon, o ganlyniad i greu arc drydanol mewn arbrofion electrostatig; y trydan yn troi ocsigen (O_2) yn osôn (O_3) – a nwyon eraill, megis ocsidiau nitrogen – wrth iddo fynd drwy'r aer, rwy'n credu. Yr oedd fy nhad yn honni, pan symudodd ef a fy mam i fyw i Lanelwy yn 1958, bod llawer o 'osôn iachusol' yn aer y Rhyl ac âi fy mam ac yntau yno'n gyson i'w anadlu ac i fwyta *Clwyd Ices – often licked, never beaten!* Ond i mi, atgofion am fellt plentyndod ym Mae Colwyn sydd fwyaf byw yn fy ffroenau – a hefyd un 'oglau tra gwahanol a ddylanwadodd yn fawr ar fy arferion yfed.

Dechreuais yn yr ysgol yn Ysgol y Babanod, Douglas Road, Bae Colwyn, ym Medi 1936, ychydig wythnosau cyn fy mhen-blwydd yn bump oed – dipyn yn hŷn na phlant heddiw fel y cawn sôn yn ddiweddarach – a'r unig gof gwirioneddol sy gennyf o'r cyfnod yw arogl y llefrith poeth a'r horlics a ddarperid yno amser chwarae yn y bore. Mewn ysgol arall, yn ddiweddarach yn y Rhos, cofiaf yr un 'oglau a geid wrth gynhesu poteli llefrith ar y peipiau poeth – arogl sydd i mi yr arogl mwyaf cyfoglyd a chwbl amhleserus mewn bodolaeth. Ychydig iawn o arogleuon eraill sy'n troi arnaf i'r un graddau; bûm yn gweithio mewn awyrgylch o sylffid hydrogen (H_2S), oglau wyau drwg, am flynyddoedd fel cemegydd heb unrhyw drafferth. Ond arogl llaeth. Ych a fi! Dwn i ddim ai ar fy ngof i ynteu ar ansawdd yr addysg gynnar a dderbyniais y mae'r bai, ond ni allaf gofio dim arall am ysgol Douglas Road ac eithrio nad oeddwn yn or-hapus o orfod dechrau yno ym Medi 1936 ac mai Saesneg oedd iaith y plant a'r athrawon bron i gyd. Doedd dim Saesneg gen i a'm chwaer yn mynd yno ond dysgasom Saesneg dros nos megis, yn hollol ddidrafferth. Ond un o'r pleserau pennaf oedd mynd ar ôl yr ysgol i orsaf reilffordd Bae Colwyn, i weld y gorsaf-feistr a'i het silc, wrth gwrs – ac, erbyn meddwl, i glywed 'oglau mwg y trenau stêm! Ac ar y ffordd, loetran wrth ffenestr siop Dicks lle'r arddangosid llongau hwylio llawer mwy a chrandiach na fy nghwch bach dinod i, ac yno y byddwn yn gwthio fy nhrwyn ar y gwydr a breuddwydio fy mod yn berchen ar un ohonynt.

Mae gennyf ddau atgof arall am Fae Colwyn.

Y drws nesaf inni, roedd tair chwaer ddi-briod mewn oed yn byw a doedd y tair ddim ar delerau da â'i gilydd. Yn wir, roeddent mor annibynnol ar ei gilydd nes eu bod yn defnyddio drysau gwahanol – ffrynt, canol a chefn – i fynd i mewn ac allan o'r tŷ. Pan âi ein pêl ni i'w gardd (a digwyddai hynny'n aml i ardd a oedd yn dipyn o anialwch), byddem yn ddiplomataidd iawn yn curo bob un o'r tri drws ac yn gofyn i'r tair chwaer yn eu tro am ganiatâd i chwilio amdani.

Ond cwtogwyd ar fy chwarae ym Mae Colwyn gan i mi ddioddef cryn dipyn o'r asthma ac weithiau byddai gofyn i'r meddyg (a'r bardd – Dr Parry Hughes) ddod i'm gweld yng nghanol y nos i drin fy nghyflwr. Byddai'r aflwydd yma yn dod arnaf ar adegau tra anghyfleus a chofiaf i mi golli mwy nag un o'r arddangosiadau tân gwyllt ym Mharc Eirias yn ystod misoedd yr haf, achlysur a oedd mor gynhyrfus i ni'r plant. Siom fawr oedd colli un o'r rhain. Ac mae siom plentyn yn brifo.

Roeddem fel teulu bach yn hapus iawn ym Mae Colwyn a byddem yn mwynhau mynd am dro i'r wlad i gyfeiriad Ysgol Rydal neu i lan y môr. Yn ystod mis Awst, byddem yn mynd am oddeutu mis o wyliau i dŷ taid a nain (rhieni fy nhad) yn Rhydymwyn, ger yr Wyddgrug. Ar y trên y teithiem – doedd gynnon ni ddim car – ac rwy'n cofio y byddem yn newid trên yn *Hope Junction*. Roedd Trem Alyn, cartref taid a nain, yn dŷ braf – hen ficerdy gwyngalchog yn edrych i lawr ar Rydymwyn ac wedi ei amgylchynu gan goed uchel, a sŵn y brain yn fyddarol ben bore a chyda'r nos. A'r un mor fyddarol oedd Tobi'r ci – mwngrel bach gwyn yn cyfarth yn uchel ond yn gwmni ffyddlon i taid a nain ac Anti Eirian, chwaer fy nhad, a oedd yn byw gartref cyn iddi briodi'n ddiweddarach. Byddai Mair a minnau'n canu pennill 'gwneud' i Tobi wrth chwarae yn yr ardd wyllt a hynod atyniadol i ni'r plant.

Tobi bach, llon ac iach
Redodd ddoe ar ôl hen wrach!

Yng ngardd Trem Alyn roedd digon i'n diddori – siglen wneud yn hongian o gangen uchel, digon o goed afalau, eirin a gellyg, ac roedd y tŷ bach dwbl yng ngwaelod yr ardd gyda hen gomics fy nhad yn gorchuddio'r waliau yn dipyn o ryfeddod! Rhyfeddod hefyd oedd aros mewn tŷ heb drydan a gweld y seremoni nosweithiol o nain yn cynnau'r lampau olew, a hefyd ceisio edrych i mewn drwy ffenestr, o'r tu allan, i ystafell nad oedd y drws byth yn cael ei agor – a llosgi ein coesau yn y dalan poethion wrth wneud hynny.

Mwynwr oedd fy nhaid, Edward Humphreys, dyn gweddol fyr, mwstasiog a chetyn yn ei law yn wastadol. Roedd yn gymeriad lliwgar a ffraeth, yn eitha cerddorol ac wedi bod yn aelod o'r Côr Meibion lleol ac yn mwmian rhai o'r cytganau, fel *Comrades in Arms*, yn aml. Roedd yn Gymro twymgalon mewn oes pan oedd tueddiad i ddibrisio'r Gymraeg. Cofiaf ei weld yn eistedd â'i glust ar y radio (neu'r *weiarles*, a defnyddio gair y cyfnod) i wrando ar y gwasanaeth Cymraeg fore Sul neu ar yr ychydig o raglenni Cymraeg eraill. Radio yn rhedeg ar fatris potel oedd ganddo ac, ar adegau, roedd yn anodd clywed fawr ddim ohoni nes i taid fynd â'r poteli i'w hailwefrio yn yr Wyddgrug. Bu'n selog iawn fel blaenor yn Bethel, Rhosesmor, fel ei dad, James Humphreys, o'i flaen. (Am gyfnod, bu'r tad a'r mab yn y sêt fawr yr un pryd a cheir cyfeiriad at fy hen daid fel un huawdl ar ei liniau yn *Y Siswrn*, Daniel Owen.) Yn ôl pob sôn, roedd fy nhaid a'm hen daid yn ddawnus iawn yn y gwaith o 'holi'r ysgol' – cyfarfod holi'r 'myfyrwyr' ar faes llafur yr Ysgol Sul am y flwyddyn.

Yr oedd nain yn ddynes dalsyth, denau ac yn foneddigaidd iawn ei hosgo. Roedd yn groesawus iawn ohonom fel teulu. Rwy'n cofio'n dda bod ei phrydau bwyd yn hynod flasus a'i bara cartref yn rhywbeth i edrych ymlaen ato ar bob ymweliad. Un o deulu Hoosons oedd nain a gwelir nifer o gaffis Hooson ar hyd ac ar led gogledd Cymru.

Ar ddechrau'r rhyfel mawr, rwy'n cofio inni gyrraedd Rhydymwyn a gweld bod ffens enfawr wedi ei chodi ar waelod gardd Trem Alyn a oedd yn ein hatal rhag mynd i grwydro yn yr hen weithfeydd mwyn gerllaw. Yr ochr arall i'r ffens, roedd ffatri ryfel wedi'i hadeiladu – i gynhyrchu nwy mwstard, fel y deellais yn ddiweddarach – a fu Rhydymwyn byth yr un fath wedyn.

PENNOD 2

Bwrlwm y Rhos

Yn ystod ein cyfnod ym Mae Colwyn, cofiaf i fy nhad fynd i'r Bala am fis i ddarlithio yng ngholeg yr enwad a bu ond y dim iddo fynd i swydd ddarlithio barhaol yno. Bûm yn dyfalu droeon beth fyddai fy hynt pe byddem wedi mynd fel teulu i'r Bala bryd hynny. A fyddwn wedi dotio ar ferch 'fenga bengolau Swyddfa'r Post yn chwech oed? Ond yn 1937, cafodd fy nhad alwad i fod yn weinidog ar eglwys y Capel Mawr, Rhosllannerchrugog – eglwys fwya'r Presbyteriaid ar y pryd gyda thros 800 o aelodau. Cofiaf yn dda y symud o'r dref glan y môr i'r pentref glofaol ar y bryn. Ond glofaol neu beidio, fe gefais i well iechyd yno nag ym Mae Colwyn ac ymhen rhai blynyddoedd diflannodd yr asthma. Ar wahân i hynny, cafodd y lle argraff fawr arnaf o'r cychwyn ac ni allwn fod wedi dymuno cael tyfu mewn ardal gyfoethocach ei phrofiadau a mwy cynhesol ei phobl. Yn ddiweddarach, clywais yr ymadrodd nad *lle* yw y Rhos ond *pobol*, a gwir hynny.

Er bod ein cartref ni – Arwel, mans y Capel mawr – ar Allt y Gwter yn dŷ helaeth a gardd eang a choed o'i gwmpas, casgliad blêr o dai bach wedi eu codi blith draphlith o gwmpas pyllau glo preifat yw'r Rhos a'i strydoedd yn gorfod dilyn lleoliad yr adeiladau, a hynny'n gul ac igam ogam. Mae gennyf gof o fy mhrifathro yn Ysgol Ramadeg Rhiwabon, y lliwgar J. T. Jones, yn disgrifio person tra cheidwadol ei syniadau fel un oedd 'mor gul ag Entri Tunnah'! Honno oedd y gulaf o holl fân strydoedd y pentref. Os cofiaf yn iawn, roedd yn yr ardal chwech ar hugain o gapeli a'r un nifer o dafarndai. Coliars, neu lowyr, oedd y mwyafrif helaeth o'r dynion, yn gweithio yn y pyllau cyfagos, Hafod a Bersham, ac yn Gresford lle lladdwyd 266 o ddynion yn y danchwa fawr yn 1934, a'r creithiau'n aros. Deuai'r mwyafrif ohonynt adref o'r pyllau yn wynebddu cyn cael ymolchi mewn twb yn eu cartrefi cyfyng ond cynnes. Nodwedd arall a wnaeth argraff ar fy meddwl oedd gweld y mamau'n magu eu plant yn dynn mewn siôl a'r coliars ar eu cwrcwd yn *sgowsio* (sgwrsio) ar gonglau'r strydoedd. Ond y nodwedd arbennig oedd yr iaith – Cymraeg tra gwahanol i'r un a siaradai fy rhieni – fy mam o ben Llŷn a'm tad o sir y Fflint – ond Cymraeg a siaradai pawb, ac eithriadau prin oedd clywed Saesneg er bod y Rhos mor agos i'r ffin â Lloegr ac wedi ei amgylchynu gan ardaloedd Seisnigedig iawn, tre Wrecsam, a phentrefi fel Rhiwabon, Johnstown, Acrefair a Chefn Mawr. Fe ddeuthum i gysylltiad â'r plant o'r ardaloedd hyn yn ddiweddarach yn yr ysgol ramadeg yn Rhiwabon, dair milltir o'r Rhos.

Yn 1937, mewnfudwyr a oedd wedi dod i weithio yn y pyllau glo a'r gweithfeydd brics oedd trigolion y Rhos ac fe glywid cyfeirio at rai fel Twm Stiniog neu Wil Porthmadog gan ddynodi o ble y daethant i fyw a gweithio yn yr ardal. Roedd yno deulu o Balas – hynny yw, rhai o'r Bala. Mae enwau eraill yn dynodi dylanwad o Loegr drwy'r gweithfeydd yn yr ardal. Ond, at ei gilydd, o ardaloedd Cymraeg cyfagos y deuai llafur y gweithfeydd gan ymgartrefu yn y pentref ar y bryn. Pan ddeuai Saeson i'r ardal, aent i fyw i Johnstown a phentrefi cyfagos yn hytrach nag i'r Rhos. Yn ôl Dr Gwenfair Parry yn ei hysgrif 'Y Gymraeg yn Rhosllannerchrugog yn 1891' [Rhifyn XIV y gyfres *'Cof Cenedl'* (Gomer 1999)]:

> Yn ogystal â'r ymrannu ieithyddol hwn, ceid yn y Rhos doreth o ffactorau economaidd a chymdeithasol a fu'n hanfodol i gadwraeth y Gymraeg; yr oedd yn gymuned glòs, hunangynhaliol a chanddi gnewyllyn o bobol ifanc ac oedrannus a oedd yn gymharol sefydlog . . . y Gymraeg oedd iaith bywyd beunyddiol y dref [sic], ac ni ellir llai na synio amdani fel ynys o Gymreictod ym mharth dwyieithrwydd neu'r fro *frontier*.

Tafodiaith o'r Bowyseg yw iaith y Rhos ac mae nifer o'r geiriau a'r ymadroddion a glywir yn y pentref i'w clywed hefyd mewn rhannau eraill o'r hen Bowys. Ond mae'r termau gwaith a'r oslef yn unigryw. Dywed Thomas Eyton Jones yn ei gasgliad o eiriau ac ymadroddion a geiriau'r Rhos yn *Nene* (papur bro bywiog y Rhos): 'Saif y Rhos yn agos iawn i Glawdd Offa ac nid rhyfedd felly i ddylanwad y Saesneg fod yn amlwg ar Gymraeg y pentref poblog. Ac ystyried teneued y llen rhyngddo a Lloegr, mae'n rhyfeddach fod cyn lleied o olion a dylanwad y Saesneg arni. Llwyddodd ein tadau i Gymreigeiddio y Saesneg yn hytrach nag i'r Saesneg fynd yn arfer ar y tafod yn llwyr: *haff-soc*, *wot-ffor*, *hadleins*. Ceir hefyd enghreifftiau o golli rhannau o eiriau ac o newid trefn cytseiniaid a llafariaid a chyfnewid *'f'* am *'w'*: *gorfedd*, *arfedd*, *cylfog*, *llerfith*, *hangofio*, *bachdan*. Ceir hefyd ffurfiau llygredig: *cnau*, *nafud*, *towlu*, *tolldi*, *cŵat*, *wosdat*, a geiriau wedi eu cywasgu: *gatre*, *puro* (am bapuro), *pure*, *peini*, *ffyle*.'

Mae'r canlynol yn enghreifftiau o eiriau dieithr ond nodweddiadol o'r Rhos: *sgows*, *mor haden*, *uswydd*, *rhidens*, *ar get*, *dodo*, *dim am*, *paste grochon*, *bradgyfarfod*, *odi*, *bawedd*, a cheir dywediadau o'r pwll fel *bach gwag (siom)*, *fflamio*, *ceg fel ffal*, *yn 'y ngyrru i i fyny'r trilie*, *sbragio*, *chware (ar y dôl)*.

Ceir blas o dafodiaith y Rhos yn y detholiad a ganlyn o 'Cân y Coliar', J. Rhosydd Williams:

'Rôl iddo adel ysgol
Pan oedd o'n dair ar ddeg,
Mi ath i waith yr Hafod
Yn llon, un bore teg;
Cyn gwbad am helyntion
Y pwll, a'i lwch, a'i laid,
'Roedd am gal bod yn goliar
'Run fath â'i dad a'i daid.

C'ath waith yn fuan wedyn
I ddechre ar y sgrin,
Am chwech o'r gloch y bore,
A'r stem yn hir a blin;
Ond pan ddoth amser swilio,
Ni welwyd pwt mwy hy,
Yn nylu am 'i gatre,
Mor browd o'i wyneb du.

Ond teimlo nath o'n fuan,
Ryw hireth – hireth mawr –
Fu bron â magu'r lleche
O isho mynd i lawr;
A chlwed oedd yr alwad
O hyd i baratoi,
Pan fydde'r soni'n windio
A'r trilie mawr yn troi.

C'ath bapur lamp o'r diwedd
A lleuswyd ef i'r pwll,
O'r awyr iach a'r gole,
I'r angar afiach, mwll;
'Roedd coliars ar 'u crwcwd
O'i gwmpas o yn llon,
A fonte'n fawr i helbul
Y foment ryfedd hon.

Mi gweles i o'n dwad
Un tro yn ôl o'r gwaith,
Dau arall efo gythow
I'w helpio ar y daith;
I gŵat o yn llardie
A'i glôs yn rhidans mân,
Yng wulod Allt y Gwter,
Ac wedi ffeulio'n lân.

'Roedd wedi cael ryw shegfa
Go fawedd yn y pnawn;
Ond wedi cyrraedd adre
C'ath drawiad di-âm iawn;
Bu ar 'i gefn am snose
Heb yngan gair o gŵyn,
'Roedd hi wedi galw arnow,
Ac ni fu byth mo'i fwyn.

Er fy mod i, oherwydd i mi adael y Rhos i bob pwrpas pan euthum i'r coleg yn 1949, wedi colli'r dafodiaith a'r eirfa a godais yn gyflym ar ôl cyrraedd yno yn 1937, nid oes rhaid i mi dreulio mwy nag ychydig oriau yn y pentref cyn y gallaf eu harfer yn weddol rugl unwaith eto, ac fe geisiaf fynd yno mor aml ag y bo modd er nad oes gennyf bellach unrhyw gysylltiad teuluol â'r ardal. Bûm yno'n darlithio droeon ac, yn gymharol ddiweddar, cefais y fraint o bregethu o bulpud y Capel Mawr lle pregethodd fy nhad am un mlynedd ar hugain. Ni wn a wyf yn nodweddiadol o blant y mans ond yr oeddwn wrth fy modd yn gwrando arno'n pregethu ac yn ymwybodol iawn o'r paratoad manwl a wnâi cyn esgyn i'w bulpud. Byddai'n sgrifennu ei bregethau sawl gwaith – yn ei lawysgrifen fân a chrynedig (etifeddais i yr un cryndod teuluol) – a byddai'n ymarfer ei thraddodi ar nos Sadwrn yn ei stydi. Ond mwy am hynny eto. Byddai'n cymryd penodau lawer i sôn am y Rhos a'r hyn a olygai i mi fel plentyn a bachgen ifanc yn tyfu yn y pentref. Ie, fel *pentref* y dosberthid ef er bod sawl un wedi dadlau dros y blynyddoedd ei hawl i statws trefol; roedd yn bentref go fawr ac yn fwy na sawl tref nid nepell oddi wrtho; roedd dros 12,000 yn byw yn y Rhos yn fy nghyfnod i yno.

Cyfnod yr ail ryfel byd oedd y rhan fwyaf o'r cyfnod hwnnw a daw llu o atgofion plentyn i'r meddwl am bethau a digwyddiadau cysylltiedig â'r rhyfel – y blacowt, yr hôm-giard, merched y *Land Army*, yr Iancs, yr ifaciwîs, mygydau nwy, seirenau, wardeiniaid y cyrchoedd awyr. Cofiaf fod fy nhad yn sgrifennu at y bechgyn yn y lluoedd arfog a chofiaf ei dristwch o glywed bod un ohonynt wedi ei ladd yn y drin. Roedd nifer fawr o fechgyn y Capel Mawr wedi eu galw i'r rhyfel a byddai Mair, fy chwaer, a minnau yn plygu papur a elwid yn '*Cofion Cymru*' ar fwrdd y gegin a'u rhoi mewn amlenni er mwyn eu hanfon atynt. Hwn oedd cyfraniad Mair a minnau i'r *War Effort*! Cofiaf hefyd am ddychweliad y bechgyn o'r rhyfel ac am gyfraniad nodedig amryw ohonynt i fywyd yr ardal ar ôl eu profiadau, a'r rhyfel wedi creu, yn rhai ohonynt o leiaf, yr awydd am roi pwyslais ar y dyrchafol a'r cymunedol. Rwy'n cofio hefyd y bomio a fu ar fynydd y Rhos am wythnosau gan fod yr Almaenwyr yn credu iddynt daro ar ffatri nwyon oherwydd maint y fflamau, tra mewn gwirionedd y grug a'r eithin oedd yn llosgi! Y noson y syrthiodd y bom cyntaf, cofiaf gael fy neffro gan fy nhad yn gweiddi: 'Codwch, maen nhw'n bomio'r Rhos'. Ac yn y twll dan grisiau (neu'r sbensh) y buom yn 'mochel bob nos am rai wythnosau. Un canlyniad i losgi mynydd y Rhos oedd i'r llus dyfu'n gryf yno am flynyddoedd wedyn gan iddynt elwa o'r *potash* yn y siarcol a adawyd wedi'r tân. Buom fel plant yn llusa yno bob haf a gwneud ceiniog neu ddwy o'u gwerthu am hanner coron y pwys. Mae gennyf atgofion hefyd o fynd i'r mynydd i lusa yn ystod dyddiau coleg efo Carys, fy ngwraig bellach, a chwpl arall – Glyn a Rhiain. Fe helion nhw lond basged o lus a Carys a minnau, am ryw reswm, brin ddigon i guddio gwaelod pot jam! Roedd yn bnawn o brofiadau dilys iawn, os yn ddi-lus!

Roedd y rhan fwyaf o'r bomio ar fynydd y Rhos yn ddiniwed, yn llythrennol felly, ond fe syrthiodd un bom yn Osborne Street ger y Capel Mawr a lladdwyd trigolion un tŷ. Aeth cyfaill i mi, Harry Hughes, bachgen llawn direidi ac antur, i fyny i weld y difrod y bore canlynol ac fe gafwyd ffrwydriad arall ac yntau'n edrych dros ymyl y twll a adawodd y bom cyntaf. Daeth digwyddiad o'r fath â'r rhyfel yn agos iawn atom ni'r plant. Roedd gorfod 'mochel yn y sbensh bob nos yn dipyn o hwyl ond roedd colli cyfaill yn ergyd greulon.

Yn ystod y cyfnod hwn, treuliodd Mair, fy chwaer, a minnau rai wythnosau yng nghartref ewythr a modryb inni, Yncl John ac Anti Kate (chwaer fy mam) yn Llys Eifion, Cilcain, Sir y Fflint, a mwynhau bywyd fferm, a'r ysgol fach wledig, ymhell o sŵn y bomiau. Erbyn meddwl, roedd croeso Llys Eifion yn groeso arbennig iawn inni fel teulu dros y blynyddoedd. Fferm oedd Llys Eifion ond roedd Yncl John yn adeiladwr, saer ac ymgymerwr angladdau yn ogystal â ffarmwr, ac Anti Kate yn cadw ymwelwyr a rhedeg siop ar ben bod yn wraig ffarm ryfeddol o weithgar. Rwy'n dal i synnu at eu parodrwydd i'n croesawu gymaint a hwythau mor brysur. Yn byw yn yr un tŷ yr oedd y plant, Eirlys ac Arthur Gwyn, a oedd yn agos at Mair a minnau o ran oed ac anian, a chaem hwyl fawr yn chwarae efo'n gilydd ac yn mynd i bob trybini posib. (Priododd Eirlys Ednyfed Williams, un a fu'n gyfaill i mi yn y coleg ac yn gydganwr yn y triawd.) Hefyd yn Llys Eifion yr oedd Nain (mam fy mam) yn byw yn ystod yr haf; deuai atom ni fel teulu dros y gaeaf. Roedd Llys Eifion yn lle gwych am wyliau, ac i ddianc rhag bomiau Hitler!

Yr oedd pentref Cilcain ei hun yn lle hynod o ddiddorol a llawn profiadau newydd i fachgen deg oed o ardal ddiwydiannol. Ar wahân i gofio am ffarm Llys Eifion, gyda'i gwahanol ddigwyddiadau beunyddiol o gasglu'r gwartheg, o odro, bwydo'r ieir a'r moch ac o droi'r fuddai fawr a'r *separator* yn achlysurol, daw llu o atgofion eraill i'r cof. Roedd Yncl John, fel y dywedais, yn saer wrth ei grefft ac roedd ei wylio'n llunio arch gan blygu'r ochrau mor gelfydd a rhoi sglein gorffenedig ar y coed llyfn yn bleser pur, ac yn addysg werthfawr yn ddiamheuol. Yn y pentref hefyd, roedd gefail y gof a threuliais oriau bwygilydd yn gwylio'r pedoli ac yn clustfeinio ar yr ymddiddan llawn ffraethebion rhwng y dynion. Mae arogl y lle o hyd yn fy ffroenau – gwynt carn yn llosgi wrth i'r bedol wynias gyffwrdd ag ef. Yno y gwelais am y tro cyntaf yr heyrn yn cael eu rhoi yn y tân cyn eu morthwylio'n gelfydd i ffurfio pedol i weddu i'r gwahanol geffylau a ddeuai yno – pedolau mawr y ceffylau gwedd a rhai gryn ysgafnach ar gyfer y ceffylau pleser. A sŵn y fegin yn pwmpio aer o dan y tân a'r bedol boeth yn cael ei chaledu drwy ei throchi mewn dŵr oer a hwnnw'n hisian stêm wrth iddynt gyfarfod.

I Hitler y mae'n rhaid i mi ddiolch am yr ymweliadau estynedig â Chilcain ac am addysg wledig, gyfoethog.

Ac eithrio'r flwyddyn a dreuliais yn Ysgol Babanod y Rhos ar ôl symud o Fae Colwyn, mewn ysgolion i fechgyn y derbyniais i fy holl addysg gynradd ac uwchradd – Ysgol Iau y Bechgyn ac Ysgol Ramadeg y Bechgyn yn Rhiwabon. Nid fi yw'r un i ddweud ai da ynteu drwg oedd hyn ond wrth edrych yn ôl a chymharu ag ysgolion cymysg y bûm yn gweithio ynddynt neu'n ymweld â hwy dros y blynyddoedd, rwy'n argyhoeddedig fod nifer o fanteision i addysg ar wahân, yn arbennig yn yr uwchradd – a golygaf wrth hyn nid yn unig ysgolion ar wahân ond hefyd y grwpio sy'n bosib mewn ysgol uwchradd fawr. Mae rhai anfanteision pendant i ddosbarthiadau cymysg mewn ambell bwnc – mewn iaith, er enghraifft, lle mae merched 12 a 13 oed flynyddoedd ar y blaen i'r bechgyn ar gyfartaledd, ac mewn gwyddoniaeth lle mae bechgyn yn fwy parod na genethod i drin offer a chynnal arbrofion. Ond methais argyhoeddi rhai o benaethiaid adran Ysgol Rhydfelen y gallasai fod yn fanteisiol i ffurfio grwpiau ar wahân mewn rhai pynciau penodol. Credaf, fodd bynnag, fod mwy a mwy o dystiolaeth o fanteision posib i drefn o'r fath.

Un peth sydd ffaith: roedd y canu yn y gwasanaeth boreol yn Ysgol Ramadeg y Bechgyn, Rhiwabon, yn well na'r hyn a glywid yn y mwyafrif o'r gwasanaethau cymysgryw y bûm ynddynt dros y blynyddoedd lle credai'r bechgyn mai gweithred fenywaidd oedd canu!

Ychydig iawn a gofiaf am Ysgol y Babanod ac eithrio dau beth – na, nid aroglau y tro yma: fe sgrifennem ar lechen ac roedd yno *Maypole* i ddawnsio o'i amgylch. Mae fy atgofion o'r ysgol gynradd, rhwng 1938 a 1943 – bron yn llwyr yn ystod dyddiau'r rhyfel – yn rhai pur felys. Un peth sy'n sicr: rhoddwyd pwyslais cadarn ar yr hanfodion mewn iaith a mathemateg. Gwae ni os nad oeddem yn gwybod ein tablau (tablau 14 ac 16 yn ogystal â 2 i 12) ac yn ymateb yn gyflym i waith pen, ac fe bwysleisid dwy ddisgyblaeth arall, sef darllen y sol-ffa a'r *ta-ta-te* rhythmig ac ar lawysgrifennu'n gywir (gyda'r dolennau) ac yn daclus. Roedd *penmanship* yn uchel ym mlaenoriaethau W. J. Edwards, y prifathro (blaenor gweithgar, mawr ei barch yn y Capel Mawr), ac felly ym mlaenoriaethau ei staff. Dysgais yn ddiweddarach, yn arbennig pan oeddwn yn arolygydd ysgolion, gymaint yw cyfrifoldeb pennaeth i osod safonau. Ond wrth edrych yn ôl, er pwysiced y pwyslais ar y 3R, roedd elfennau ar goll yn yr addysg – yr elfennau creadigol – a phrin oedd y lle i bynciau fel hanes a daearyddiaeth a chelf a elwir erbyn hyn y rhai 'sylfaenol' yn y Cwricwlwm Cenedlaethol, ond roedd hyn yn wendid mewn nifer o ysgolion y cyfnod, rwy'n tybio. Ond i fachgen ysgol, roedd cael y prifathro i fowlio pêl gorcyn galed atom wrth chwarae criced ar yr iard gyfyng yn elfen bwysig yn y cwricwlwm cudd. Yr un dyn a daflai fwcedaid o ddŵr ar draws hyd yr iard pan oedd hi'n rhewi er mwyn i ni'r plant, a'r athrawon, gael sglefren lithrig. Dyna oedd gwefr, un fwy hyd yn oed na'r wefr o dynnu'r rhaff i ganu'r gloch!

Yn ddiweddar, gwelais lun o ddisgyblion fy mlwyddyn i yn yr ysgol gynradd yn *Nene* a synnais weld cymaint o arwyddion tlodi yng ngwisg fy nghyfoedion. Ar y gorau, digon main oedd hi ar drigolion y Rhos ond roedd effaith y rhyfel yn golygu prinder bwyd a dillad. Credaf, fodd bynnag, i'r dogni a fu arnom am flynyddoedd brofi'n fodd i'm cenhedlaeth i werthfawrogi'r hyn a gaem a'r angen i fod yn ddarbodus. Hyd heddiw, mae gweld pobl yn gwastraffu, a gwastraffu bwyd yn arbennig, yn fy ngwylltio.

Ac yn wahanol i blant heddiw, os nad oedd gennym y gêr ar gyfer gemau a chwaraeon fe wnaem ein hoffer ein hunain – yn olwyn haearn a bachyn, yn fat criced *homemade*, yn ffon ar gyfer chwarae gêm o 'Dogi' efo hen dun *Brasso* (gêm ddiddorol gyda *moryn* – sef trefn o ddyfarnu lle bo amheuaeth eich bod allan wedi ei gwau i mewn i'r rheolau; gêm na chlywais i neb y tu allan i'r Rhos yn sôn amdani). A hefyd y gêm 'Sigo', lle rhennid y bechgyn yn ddau dîm. Byddai bachgen o un tîm yn sefyll â'i gefn wrth y wal, y nesaf yn ei wynebu ac yn plygu nes bod ei ben dan goesau'r cyntaf, fel sgrym rygbi; yna, byddai gweddill y tîm yn cysylltu yn yr un modd nes ffurfio rhes o fechgyn gyda'u cefnau wedi plygu ac wedi'u cysylltu bennau dan din. Wedyn, byddai'r tîm arall yn neidio yn eu tro ar gefnau'r tîm cyntaf i geisio sigo'r rhes. Cedwid y trymaf o'r neidwyr tan olaf ac yn aml byddai'r effaith yn creu pentwr o gyrff ar bennau'i gilydd ar y llawr. Prin y caniateid chwarae mor beryglus heddiw, yn arbennig ar fuarth caled ysgol. Roedd marblis yn boblogaidd, neu'n hytrach y gêm gyda marblis mwy, sef y rhai gwydr gyda streipen o liw y tu mewn iddyn nhw – *to lasus* y galwem ni nhw. Yn y gêm hon, byddem yn ennill neu golli'r to lasus o daro neu gael ein taro gan y gwrthwynebydd ac roedd gan y gêm ei geirfa ei hun, megis *ffwtsian*, *niclo*, *bagstans*, ac ati.

Nodwedd arall ar ein chwarae oedd y gangiau a fodolai i warchod eu tiriogaeth – gang *Gardden Road*, gang y *Ponkey Banks*, gang y *Brandy* – a byddai'r rhain yn brysur iawn yn gwarchod eu coelcerthi adeg Guto Ffowc efo bwa a saeth digon peryglus yn ôl safonau heddiw. Caem lawer iawn o ryddid i chwarae beth a lle y mynnem ac roedd digon o lefydd rhagorol i chwarae *tin-man* a gemau cuddio eraill, i gasglu concars ac i ddwyn 'falau! Ac roedd ein gardd ni, a oedd yn fawr iawn o'i chymharu â gerddi'r Rhos (ond dipyn llai na'r ardd yn fy nghartref presennol, Bodlondeb, ar lan y Fenai ym Mangor), yn gyrchfan poblogaidd i ffrindiau Mair a minnau – a Ceinwen ac Ann, fy chwiorydd iau, yn ddiweddarach. Daw llu o enwau fy ffrindiau i'r cof, bechgyn fel John Best, Ramsay, Peris, Eifion, a Herbert – un y bu i mi ymladd ag ef ar y ponciau yn fuan ar ôl inni gyrraedd y Rhos ond a fu'n gyfaill da i mi wedyn am flynyddoedd ac erbyn hyn mae'n gynghorydd gweithgar yn ei fro. Collais gysylltiad â'r rhan fwyaf o'r gweddill. Yn eistedd mewn cornel yn yr ardd yn Arwel y daliodd Mair fi yn smygu sigâr adeg geni Ann (fy ffordd i, yn 10 oed, o ddathlu!). Cofiaf yn fyw fel y byddai mwy a mwy o blant yn tyrru atom i chwarae yn yr ardd nes byddai'r sŵn yn fyddarol. Yna, byddai fy nhad yn dweud 'Gormod' a rhaid oedd gwagio'r ardd. Byddai'r nifer yn lleihau am gyfnod – ac yn tyfu'n raddol wedyn!

Roedd y rhyddid a gaem fel plant i grwydro, yn ymddangosiadol ddilyffethair, yn bosib oherwydd y gwarchod cymunedol oedd arnom. Mewn cymuned glòs debyg i'r Rhos roedd pawb yn 'nabod pawb ac roedd safonau derbyniol o ymddygiad yn cael eu harddel. Roedd y plismon lleol yn weladwy ar y stryd a llu o 'blismyn' answyddogol yn barod i osod y drefn pan aem dros y tresi. Rwy'n drist o weld plant heddiw yn gorfod cael eu gwarchod mor gaethiwus gan eu rhieni oherwydd nad oes sicrwydd o ddiogelwch, hyd yn oed yn ein pentrefi.

Ar un ystyr, roedd yn od i Mair, fy chwaer hynaf, a minnau fynd i ysgolion un-rhyw (bechgyn a merched ar wahân) y *Rhos* gan ein bod yn byw yn nes at Ysgol y Ponciau ac yn mynd heibio Ysgol y Wern ar ein ffordd i ysgolion y Rhos a oedd tua hanner milltir o'n tŷ ni. Yr esboniad yw mai ysgol eglwys oedd y Wern a doedd dim modd i Anghydffurfiwr fel fy nhad anfon ei blant i fan'no. Y ffaith bod prifathro fy ysgol i yn flaenor yn y Capel Mawr oedd y rheswm dros y Rhos yn hytrach na'r Ponciau yn ddiamau. I Ysgol y Ponciau yr aeth fy nwy chwaer iau; yr oedd Ceridwen Gruffydd, chwaer W. J. Gruffydd ac awdur nifer o lyfrau rhagorol i blant, yn brifathrawes ysgol y babanod erbyn iddynt hwy ddechrau'r ysgol, a blaenor o'r Capel Mawr yn brifathro ar ysgol iau y Ponciau. Roedd yn rhaid i weinidog fod yn ddiplomydd yn ogystal â diwinydd! Ac roedd yn rhaid i'w wraig hefyd ddewis ei siopau yn ofalus gan wasgaru'r gwsmeriaeth yn deg!

Y digwyddiad mawr yn y calendr addysgol oedd diwrnod yr arholiad 11+, neu'r sgolarship fel yr adwaenid ef gan bawb. Dyma ddiwrnod y gwahanu trwy arholiad yn yr Ysgol Ramadeg yn Rhiwabon – diwrnod eitha brawychus, a dweud y gwir, pan oeddem yn mynd ar y bws i'r Ysgol Ramadeg a chael ein 'regimentio' gan athrawon sarrug mewn gynau duon. Hyd y cofiaf, roedd y profion, mewn iaith a mathemateg, yn eithaf llym ond oherwydd inni gael ein trwytho yn yr elfennau yn Ysgol y Rhos, doedd hi ddim yn anodd iawn llwyddo. Rhaid cyfaddef na welwn i synnwyr yn y drefn o ddethol rhai i'r Ysgol Ramadeg yn Rhiwabon a'r gweddill i'r *Central School* – Ysgol y Grango (a'r 'o' sy'n gywir ar ddiwedd yr enw od yma sy'n tarddu, medden nhw, o *crank coal*) yn y Rhos. Aeth un o'm ffrindiau pennaf yn yr ysgol gynradd yno, un a ddeuai i'n tŷ ni bob nos i 'wneud' ei waith cartref efo fi, a chollais gysylltiad ag ef i bob pwrpas ar ôl y gwahanu hwn. Ond dyna oedd trefn y cyfnod a bu'n flynyddoedd lawer cyn y dilëwyd y nithio cynamserol hwn.

Ym Medi 1943 y dechreuais i yn Rhiwabon – *Ruabon Grammar School for Boys* (ysgol a sefydlwyd yn 1558, fe honnir, ond mae 1618 yn fwy tebygol) – ac roedd dechrau yno yn brofiad mawr. Gallaf ogleuo, unwaith eto, fy mag ysgol lledr newydd sbon yn fy ffroenau wrth feddwl am y diwrnod cyntaf hwnnw a gallaf gofio maint ein braw a'n harswyd o'r bechgyn mawr oedd ar y bws ysgol. Caem ein cludo i'r ysgol yn y bore – taith o ryw ddwy filltir a hanner, ond rhaid oedd cerdded adref. Bu'r daith hon yn rhan bwysig o'n haddysg, yn enwedig pan ddechreuem gymryd diddordeb ym mynychwyr yr ysgol gyfagos – *Ruabon County School for Girls*. Wrth gerdded adref yn un criw o fechgyn y Rhos, byddem yn gadael ar ein hôl awyrgylch cwbl Saesneg yr addysg a gaem yn yr ysgol ac yn tiwnio i weithgareddau gyda'r nos Cymraeg y Rhos cyn ffeindio amser i wneud tipyn o waith cartref ar gyfer trannoeth.

Ysgol fechan iawn, mewn gwirionedd, oedd Ysgol Ramadeg y Bechgyn, Rhiwabon, gyda thua 250 o fechgyn, rhai ohonynt o ardaloedd Seisnigedig Rhiwabon, Cefn Mawr ac Acrefair a ninnau, Cymry Cymraeg bron gant y cant, o'r Rhos. Caem ein haddysgu'n gyfan gwbl drwy'r Saesneg a doedd neb yn gweld dim yn od yn hynny! Er bod nifer o'r athrawon yn gallu siarad Cymraeg, fydden nhw byth yn ei defnyddio yn y dosbarth ond byddai ambell un yn siarad â ni yn y Gymraeg un wrth un. Cymro brwdfrydig a hynod ddiwylliedig o'r Rhos oedd y prifathro, J. T. Jones, a byddai ef yn troi i'r Gymraeg, neu'n defnyddio ymadroddion Cymraeg, yn weddol aml ond Saesneg oedd iaith y rhan fwyaf o'r gwasanaethau boreol. Ychydig o le oedd i gerddoriaeth yn yr ysgol – dim côr, dim gwersi offerynnol, ond caem ganu gyda'r dosbarth yn y neuadd yn achlysurol. Ein *repertoire* oedd *Who is Sylvia?*, *Hearts of Oak*, *The Lass with the Delicate Air*, a chaneuon tebyg. Ac eithrio pan ffurfiwyd côr ar gyfer Eisteddfod Genedlaethol y Rhos yn 1945, ni chofiaf ganu dim yn Gymraeg yn yr ysgol, heblaw am emynau yn y gwasanaethau boreol pryd y byddai John Tudor Davies (cyfeilydd ac arweinydd Côr Meibion y Rhos yn ddiweddarach) a minnau yn arbrofi gyda'r gynghanedd. Yn yr awyrgylch Saesneg hwn, a oedd mor wahanol i awyrgylch y cartref a'r Rhos, does ryfedd fy mod wedi breuddwydio yn llanc am gael bod yn brifathro ar ysgol uwchradd Gymraeg – uchelgais bwysicach na bod yn godwr canu, yn sieff neu'n orsaf-feistr!

Mwynheais fy nghyfnod yn yr ysgol ac roedd y pwyslais ar gystadlu ar y cae pêl-droed ac mewn athletau, a hefyd yn yr Eisteddfod flynyddol, yn rhywbeth a fwynhawn yn fawr a rhown gynnig ar bopeth bron gydag afiaith. Roedd cystadlu brwd rhwng y tai – Cynwrig, Madog, Rhuddallt a Wynnstay – ac roedd ein hymwneud â bechgyn di-Gymraeg y tu allan i'r Rhos yn ddigon cyfeillgar ac yn rhoi cyfle inni arfer ein Saesneg llafar y tu allan i sefyllfa gwers. Pan ddigwyddai ymrafael rhwng disgyblion, roedd trefn gydnabyddedig o setlo'r cweryl. Roedd Ysgol Ramadeg Rhiwabon o fewn llathenni i Glawdd Offa ac yno y gwelid yn achlysurol fechgyn Cymraeg y Rhos yn ymladd yn erbyn y di-Gymraeg o Gefnmawr, Rhiwabon neu Rosymedre; y rhain oedd yr agosaf peth i Saeson yng ngolwg bechgyn y Rhos!

Yn ôl safonau heddiw, cwricwlwm cul iawn a gaem. O ddosbarth dau i fyny (*Form II* yn ôl arfer y dydd) pedair blynedd oedd cyfnod paratoi am arholiadau'r *Central Welsh Board [CWB]* a cheisio am y matric. Meddyliwch, mewn difrif, dim pynciau creadigol o gwbl ac eithrio celf – pwnc a addysgid gan unrhyw athro a oedd heb amserlen lawn. Dim bywydeg – rhaid fyddai i ddarpar feddygon ac eraill a oedd yn dymuno dilyn cwrs chweched dosbarth yn y pwnc ar gyfer y brifysgol, fynd i ysgol y merched y drws nesaf. Yn eu tro, deuai'r merched a oedd am astudio cemeg a ffiseg atom ni – trefn nad oeddem ni'n ei hanghymeradwyo o gwbl! Mewn gwirionedd, doedd cael dwy ysgol mor fach yn nesaf at ei gilydd ddim yn gwneud unrhyw synnwyr o safbwynt y cwricwlwm ac effeithiolrwydd staffio, er bod yna fanteision o gael dosbarthiadau un-rhyw, fel y soniais eisoes. Rhaid oedd dewis rhwng y Gymraeg a Ffrangeg ar ddiwedd y flwyddyn gyntaf, a rhwng cemeg a hanes, a daearyddiaeth a ffiseg, flwyddyn yn ddiweddarach. Ond roedd Lladin ar gael, ac rwy'n fythol ddiolchgar am hynny, a daeareg i'r rhai nad oeddent am ddilyn y pwnc hwnnw. Fy mlwyddyn i oedd y gyntaf i ddilyn cwrs iaith gyntaf mewn Cymraeg a llenyddiaeth; *'easy Welsh'* oedd yn cael ei addysgu i Gymry'r Rhos cyn hynny! Pwysleisia hyn gymaint oedd gafael yr hen drefn ramadeg Seisnig ar feddwl y cyfnod; go brin y meddyliodd y prifathro o Gymro eitha diwylliedig a goleuedig am ei newid.

Ar y llaw arall, mae'n rhaid cofio ei bod yn adeg rhyfel yn ystod tair blynedd gyntaf fy addysg uwchradd ac roedd prinder athrawon cymwys mewn sawl maes. Diolchaf am gael nifer o athrawon ymroddgar fel Dickie Pearse, yr athro mathemateg, a W. J. Bowyer, yr athro ffiseg, a oedd yn mynnu safonau uchel, ac am brifathro a'n hatgoffai'n gyson o'r hyn oedd yn ein disgwyl pe na baem yn ymdrechu. *'Hey* (wedi ei ddal yn hir) *lad, go ond get your papur lamp'* – cyfeiriad at y papur yr oedd ei angen i gael lamp yn y pwll glo lle gweithiai llawer o dadau fy nghyfoedion.

Er gwaethaf ei diffygion, dilynodd cyfran uchel o gyn-ddisgyblion Ysgol Ramadeg y Bechgyn, Rhiwabon, yrfaoedd llwyddiannus iawn mewn sawl maes gan ddringo i swyddi allweddol yng Nghymru ac mewn mannau eraill. Plannwyd ym meddyliau'r mwyafrif llethol y penderfyniad i wella eu stad er mwyn osgoi'r pwll glo. Yr oedd pyllau glo'r cyfnod yn llawn o wŷr galluog na chawsant y cyfle i ddilyn gyrfa ond a oedd yn ddylanwad nerthol a chyfoethog ar y gymuned a bywyd cymdeithasol a chrefyddol yr ardal.

Ond nid ysgol a chartref oedd yr unig ddylanwad ar berson ifanc yn y Rhos yn y pedwar degau ac mae'n rhaid cyfeirio at ddau sefydliad a fu'n allweddol yn fy natblygiad a'm daliadau i – y capel a'r Aelwyd. Ac roedd perthynas agos rhwng y ddau.

Un o chwech ar hugain o addoldai ardal y Rhos oedd y Capel Mawr, neu Jerusalem, a rhoi iddo'i enw swyddogol, ond y Capel Mawr oedd i bawb gan ei fod yn wirioneddol fawr a lle ynddo i 1100 eistedd yn weddol gyfforddus – neu mor gyfforddus ag y bo modd ar seti coed, caled. Roedd tair eglwys arall gan y Presbyteriaid yn y Rhos, ac roedd Capel Bychan (nid ei faint a roddodd yr enw hwn iddo gan ei fod yn gapel helaeth iawn ond lle bu Ap Fychan yn weinidog, a J. Edryd Jones yn fy nghyfnod i) – capel yr Annibynwyr, a Penuel y Bedyddwyr (eglwys Wyre Lewis, ac yn ddiweddarach, o 1947, Lewis Valentine) yn eglwysi pwysig o fewn eu henwadau. Gyda thros wyth gant o aelodau yn y Capel Mawr yn 1937 pan ddaethom fel teulu i'r Rhos, yr oedd yn dipyn o brofiad i fachgen chwech oed fynychu'r oedfaon lle'r oedd cynulleidfaoedd mor niferus ar ôl bod mewn capel tipyn llai ym Mae Colwyn. Cofiaf yn dda y capel yn tywyllu pan godai'r gynulleidfa fawr ar y galeri i ganu yn oedfa'r nos gan gau allan belydrau machlud haul a ddeuai drwy'r ffenestri. Ai dyma darddiad yr ymadrodd 't'wllu capel'? Y cof arall sydd gennyf yw'r sêt fawr drymaidd a rhai o'r blaenoriaid yn gwisgo *frock coat* – yr hen Ddoctor Dafis yn arbennig.

A'r canu! Canu pedwar llais grymus, araf ac urddasol ac mae emynau fel 'O Fab y Dyn', George Rees, ar y dôn 'Arweiniad', Richard Mills, yn canu yn fy mhen byth er hynny. Fe genid anthem yn aml ar nos Sul ac yno y dysgais i'r alto, ac yn ddiweddarach y bas, i anthemau fel *Dyn a aned o wraig*, *Yr Arglwydd yw fy mugail*, *Duw sy'n berffaith ei ffordd*, *Pan lesmeirio fy nghalon*. Roedd dau uchafbwynt ym mlwyddyn ganu'r Capel Mawr. Cynhaliai eglwys y Capel Mawr ei chymanfa ei hun ar Sul y Pasg – tair oedfa, y plant yn y bore a'r oedolion yn y pnawn a'r nos. Cofiaf fel y byddai arweinyddion gwadd wrth eu bodd yn clywed plant y Capel Mawr yn siantio – canu salm. Deuai arweinyddion o fri yno i arwain, Hopkin Evans, Mathews Williams, Peleg Williams, Oliver

Edwards, Llifon Hughes Jones, a John Hughes, wrth gwrs, ac roedd yn rhaid bod yn eich sêt cyn hanner awr wedi pump os oeddech i gael lle ar gyfer y gymanfa chwech. 'Wn i ddim be' fyddai dynion tân heddiw yn ei ddweud am lenwi'r rhodfeydd efo seti o'r festri. Byddai'r capel dan ei sang a'r canu'n wefreiddiol. Pan dorrodd fy llais a minnau'n cael canu yng nghanol y bas, roeddwn yn fy seithfed nef a chofiaf deimlo fy ngwallt yn codi gan effaith a grym y sain gan y baswyr, ugeiniau ohonynt, o'm hamgylch. Ofnaf i bob cymanfa mewn mannau eraill fod yn dipyn o anticleimacs ar ôl cael y fath brofiad. Y digwyddiad cerddorol mawr arall oedd perfformio'r Meseia ar nos Sul cyn y Nadolig pan fyddai'r capel yn orlawn a'r ffenestri'n diferu o leithder cyddwysiad oherwydd y gwres y tu mewn a'r oerfel y tu allan. Caem unawdwyr safonol iawn i ategu'r côr oedd ar y galeri, a doedd hi ddim yn Wylie (Gwylie ydi'r gair yn y Rhos, nid y Nadolig) heb y perfformiad blynyddol hwn.

Yr oedd canu'r Capel Mawr wedi ei seilio ar ddysgu'r modiwlator a'r sol-ffa i'r plant yn yr Ysgol Sul a'r Gobeithlu. Eithriad oedd dod ar draws unrhyw un nad oedd ganddo grap ar y sol-ffa (neu'r hen nodiant) ac i gapeli'r Rhos yr oedd y diolch pennaf am hynny, a chorau'r Rhos yn manteisio llawer ar y cefndir cerddorol-grefyddol yma. Bellach, ysywaeth, a'r capeli wedi colli eu hapêl i lawer, fe ddisgyn y gwaith o addysgu darllen cerddoriaeth ar yr ysgolion ac, er y gwneir gwaith clodwiw yn rhai ohonynt, ofnir bod cenhedlaeth o athrawon yn ein hysgolion bellach na chawsant eu trwytho'n ifanc yn yr elfennau fel y cawsom ni, genhedlaeth o'u blaenau. Yn y blynyddoedd diwethaf hyn, mae'r Eisteddfod Genedlaethol wedi bod yn tynnu sylw at brinder darllenwyr a chynnig help i ysgolion dalgylch yr Eisteddfod yn y gwaith o addysgu sut i ddarllen cerddoriaeth. Ofnaf y bydd yn rhaid dibynnu ar yr ysgolion i gadw'r traddodiad corawl yn fyw, ond i gyflawni hynny mae'n rhaid wrth bolisi llawer mwy goleuedig gan y llywodraeth ar le a natur cerddoriaeth yn y cwricwlwm. Dyma broblem y bydd yn gofyn i Bwyllgor Addysg y Cynulliad Cenedlaethol fynd i'r afael â hi rhag blaen os ydym i ddiogelu ein hetifeddiaeth gerddorol.

Ar y Sul, byddai strydoedd y Rhos yn ddu gan bobl yn mynd i gapeli gwahanol enwadau gan gynnwys capeli enwadau anarferol megis y Bedyddwyr Albanaidd (lle'r oedd y ddau frawd, Thomas William a James Idwal Jones yn ddiaconiaid – y ddau yn aelodau seneddol) a'r *Primitive Methodists* Saesneg. Yn ychwanegol, fe arferid cynnal cyfarfodydd bron bob noson waith yn yr addoldai.

Hyd y cofiaf, fe gynhelid cyfarfod gweddi, seiat, dosbarthiadau Beiblaidd, Gobeithlu, cyfarfod pobl ieuanc a'r Ford Gron (y gymdeithas ddiwylliannol) yn rheolaidd yn y Capel Mawr. Roedd y dosbarthiadau Beiblaidd yn cael eu trefnu ar gyfer plant, pobl ifanc a rhai mewn oed. Yno, fe baratoid ar gyfer yr Arholiad Sirol blynyddol. Ar y noson honno, deuem ynghyd, ddegau ohonom, i ysgoldy helaeth y Capel Mawr i sefyll yr arholiad – o lefel y Rhodd Mam i lefel yr Esboniad safonol. Roedd yno awyrgylch hollol ffurfiol, gyda'r byrddau hir a'r pen ac inc, papur a phapur blotio wedi eu gosod allan ar ein cyfer; pawb wrthi o ddifrif calon ac wedi ein gosod yn ddigon pell oddi wrth ein gilydd i sicrhau tegwch. Yr hyn nad oeddwn i a'm cyfoedion yn ei ddeall oedd pam y câi Hiram Jones, J. T. Bellis a Nellie Roberts a'r oedolion eraill a oedd yn sefyll yr arholiad hŷn ddefnyddio Beiblau! Dyw plant heddiw yn gwybod dim am y profiadau hyn – ac maent ar eu colled, mi dybiaf.

Roedd gan fy nhad wyth gant a rhagor o aelodau i ymweld â hwy, a hynny heb gar. Cerddodd gannoedd o filltiroedd wrth ymweld yn y cartrefi ac yn yr ysbytai. Nid rhyfedd felly y gwelwyd yr angen am benodi gweinidog cynorthwyol i helpu fy nhad yng ngwaith yr eglwys ac mewn maes arall – cynnal yr Aelwyd.

Yn 1941 y gwelodd fy nhad bod angen sefydlu Aelwyd yn adeiladau helaeth y Capel Mawr ar gyfer pobl ifanc yr ardal. Cafwyd, os cofiaf yn iawn, beth gwrthwynebiad gan ambell flaenor nad oedd am weld defnyddio adeiladau'r eglwys i chwaraeon a nosweithiau llawen ond doedd dim modd lladd brwdfrydedd fy nhad a buan y gwelodd yr holl flaenoriaid y budd a ddeuai i'r bobl ifanc ac i'r capel o ddarparu'n well ar gyfer diddordebau ieuenctid 14 oed a hŷn. Profodd yr Aelwyd yn gyrchfan boblogaidd i bobol ifanc y Rhos, ac fe agorwyd Aelwyd yn y Ponciau gerllaw gan y Parchedig T. Gwyn Jones yn weddol fuan wedi agor Aelwyd y Rhos yn y Capel Mawr. Mawr fu'r cymdeithasu, a'r cystadlu, rhwng y ddwy Aelwyd dros y blynyddoedd.

Penodwyd tri yn eu tro i gynorthwyo fy nhad yn yr eglwys ac i fod yn warden rhan amser yn yr Aelwyd. Y Parchedig Stafford Thomas, tad Beryl Stafford Williams, Bangor, oedd y cyntaf ond byr fu ei arhosiad ef. Y Parchedigion Ednyfed W. Thomas ac O. J. Pritchard oedd y ddau a'i dilynodd a buont yn gefn mawr i'r gwaith yn yr eglwys ac yn yr Aelwyd cyn iddynt adael, Ednyfed Thomas i fynd i'r maes cenhadol ar Fryniau Khasia ac O. J. Pritchard (neu Odo fel y'i gelwid gan bawb) i gymryd gofal eglwys ym Meddgelert. Tystiodd y ddau ar fwy nag un achlysur iddynt gael cyflwyniad cyfoethog i waith y weinidogaeth ac i waith ieuenctid yn y cyfnod hwnnw yn y Capel Mawr a'r Aelwyd, a chofir yn y Rhos am eu gwasanaeth hwythau a'u gwragedd ifanc, Gwladys a Margaret.

Cymaint fu llwyddiant yr Aelwyd o ran nifer mynychwyr a natur y gweithgareddau, a oedd yn cynnwys chwaraeon, corau, drama, sgyrsiau, ac epilog a myfyrdod crefyddol, nes bu'n rhaid dod o hyd i le mwy i ymgynnull yn hytrach nag yn ystafelloedd a festri'r Capel Mawr, ac yn 1948 symudodd yr Aelwyd i adeilad a adwaenid fel y *Public Hall*. Gwariwyd cryn arian ar ei addasu a phenodwyd Meirion Powell, cynhyrchydd dramâu penigamp, yn warden amser llawn. Mewn un ystyr, roedd yn chwith gennym fynd o'r Capel Mawr gan i'r berthynas fod yn un fanteisiol i bawb; daeth llawer o bobl ifanc yr Aelwyd yn fynychwyr cyson yn yr oedfa nos Sul a hyfryd oedd eu gweld ar y galeri. Ond er mwyn ehangu'r gweithgareddau, symud oedd raid, ond efallai na fu'r un asbri yno ag oedd yn ystafelloedd y capel. Drwy gyngherddau, nosweithiau llawen, operâu, eisteddfodau, gwersylloedd haf, mewn llefydd fel Dyffryn ger Harlech, Aberdaron, ac yn Iwerddon, cynigiodd yr Aelwyd addysg gymdeithasol a diwylliannol gyfoethog i'r bobl ifanc – ugeiniau ohonynt – a llawer ohonynt yn rhyfeddol o falch o gael y fath brofiad wrth ddychwelyd o'r rhyfel o 1945 ymlaen. Drwy eisteddfodau'r Urdd a'r gwersylloedd, ehangwyd gorwelion ieuenctid y Rhos, a allai fod braidd yn blwyfol ar adegau, ac roedd y cyfnewid ag Aelwydydd, megis Aelwyd Cwmafan, yn drefniant rhagorol, fel y gall Alwyn Samuel (Bangor bellach) dystio.

Roeddwn i'n rhy ifanc i ymuno â'r Aelwyd pan agorodd yn 1941 ond wedi i mi ddod yn bedair ar ddeg oed, anodd oedd fy nghadw oddi yno ac yn aml byddai gwaith cartref yn cael ei orffen wedi i'r Aelwyd gau am ddeg. Roedd asbri anhygoel ym mywyd cymdeithasol y Rhos i bobl ifanc yn y blynyddoedd cyn i mi fynd i'r coleg ac yn ystod y cyfnod pan oeddwn yn fyfyriwr. Gweithgareddau'r Aelwyd oedd y cnewyllyn ac weithiau roedd dipyn o dyndra rhwng yr ysgol a'r Aelwyd a oedd yn denu cymaint arnom. I gadw pethau'n wastad, byddai rhai ohonom ar ddydd Sadwrn yn chwarae pêl-droed i'r Ysgol Ramadeg yn y bore ac i'r Aelwyd yn y pnawn. Byddem yn dioddef yn enbyd o gramp yn y pictiwrs gyda'r nos!

Ond ar ben gweithgareddau'r Aelwyd a'r ysgol, roedd yn y Rhos gyfleusterau snwcer ardderchog yn y Stiwt a'r *Central* (ac yn y *Public Hall* mewn cyfnod cynharach). Roedd wyth o fyrddau yn y Stiwt – rhai i'r arbenigwyr yn unig ac eraill i ddysgwyr fel ni. Doedd wiw i chi yngan gair pan chwaraeai'r rhai hŷn – byddai Den Jonah, Bellis a William Davey, y gofalwyr, yn sicrhau hynny – ond roedd eu gwylio'n saernïo rhediadau mawr, cyn dyddiau poblogeiddio'r gêm ar y teledu, yn brofiad ac yn addysg. Ond ni fyddai ein prifathro yn Rhiwabon yn cytuno! 'Papur lamp' oedd y bygythiad tragwyddol!

Uwchben becws Stryt y Farchnad, yr oedd y *Central*. Doedd hwn ddim mor barchus â'r Stiwt ac fe'm gwaherddid yn gynnil gan fy rhieni rhag mynd yno. Rwy'n credu mai oherwydd y chwarae am arian (bach) a ddigwyddai yn y *Central* y cododd y gwaharddiad. Ond mynd yno'n llechwraidd y byddwn i'n achlysurol. Mae'r hyn sy'n waharddedig yn fwy atyniadol, onid yw? Un noson, a minnau ar gychwyn adre o'r *Central*, gwelais fod fy nghôt law, a oedd bron yn newydd, ar goll a gorfu i mi fynd adref hebddi a chydnabod yn grynedig ble y collais hi. Rhoddodd fy nhad ei het am ei ben a brasgamu, a minnau ar ei ôl, i fyny Allt y Gwter ac i fyny'r steirie i'r *Central*. Pan gerddodd gweinidog y Capel Mawr i mewn ar ganol gêm, a lle'r oedd mân arian ar ymyl y bwrdd, fe rewodd pawb, ac yn arbennig Alff, y gofalwr. *Syfrdan y safodd yntau!* Ar ôl iddynt feirioli, rwy'n credu i'r gôt (neu'r *gŵat* yn ôl y dafodiaith) ddod i'r amlwg yn weddol fuan a minnau'n gwingo am fwy nag un rheswm. Onid oedden ni'n pechu yn od o ddiniwed?

Wedi i mi adael y Rhos ar ddiwedd fy nghyfnod yn y coleg, ychydig iawn o snwcer a chwaraeais ond erbyn hyn byddaf yn chwarae bob nos Iau gyda chyfeillion hoff cytûn, gan gynnwys fy mab, Gareth, ac un a gafodd addysg y bwrdd gwyrdd yn y Stiwt, Morien Phillips. Ond fyddwn ni byth yn cyrraedd yn agos i safon cewri'r Stiwt.

Does yna fawr o draddodiad llenyddol wedi bod yn y Rhos a hyd y cofiaf doedd yno'r un gymdeithas lenyddol i drafod a chreu barddoniaeth a rhyddiaith. Yr oedd I. D. Hooson, y bardd, a'r un Hooson â theulu nain, yn aelod yn y Capel Mawr a chafodd ei ethol yn flaenor ond gwrthododd y swydd, am reswm a oedd yn un gweddol gyffredin yn y cyfnod – doedd o ddim yn llwyr ymwrthodwr. Roedd y traddodiad cerddorol yn rhyfeddol o gryf ac rwy'n fythol ddiolchgar am gael byw mewn ardal a roes i mi gymaint o hoffter at gerddoriaeth, ac yn arbennig cerddoriaeth gorawl. Allech chi ddim osgoi canu yn y Rhos ac fe fendithiwyd trigolion yr ardal â lleisiau arbennig. Yn ychwanegol at y lleisiau naturiol, rhoddid pwyslais ar gynhyrchu tôn dda – yn enwedig yn y corau meibion lle byddai canu 'agored' yn bechod mawr. 'Cyfrwch hi, bois' (sef tywyllu ansawdd y sain) oedd cri gyson Ben Evans (Benny), un o'r arweinyddion yn yr Aelwyd ac arweinydd Côr Meibion y Rhos yn fy nghyfnod i. Soniais eisoes am fas y Capel Mawr ond roedd y sopranos yn ddisglair hefyd. Doedd dim côr merched yn y Rhos yn fy nghyfnod i – ond mae un yno heddiw – ond roedd y Côr Meibion yn ei fri ac mae'r ansawdd arbennig sydd i sain y côr hwn wedi para hyd heddiw i raddau helaeth. Ers blynyddoedd bellach, mae dau gôr meibion yn y pentref – yr Orffiws yw'r llall – ac y mae hanes ffurfio'r ail gôr yn gysylltiedig â rhannu'r Côr Meibion gwreiddiol yn ddau i gystadlu yn Eisteddfod Llangollen yn ôl yn y pum degau pan gyfyngid ar y niferoedd. Pan oeddwn i yn fy nglasoed, roedd yno hefyd gôr cymysg (dan arweiniad John Owen Jones ac Edward Jones yn eu tro) a fyddai'n perfformio'r gweithiau corawl mawr, a bu'r Côr Pensiynwyr yn cystadlu'n ffyddlon a llwyddiannus iawn yn yr Eisteddfod Genedlaethol, fel y corau meibion. Tynnaf fy het i gyfraniad aruthrol rhai o'm cyfoedion, pobl fel John Tudor Davies, Colin Jones, John Glyn Williams, Emyr James, a rhai iau fel Tudor Jones a John Daniel, tuag at hyrwyddo a chynnal canu corawl yn y Rhos.

Ar ben hyn, roedd gan yr Aelwyd ei chorau, corau cymysg, merched a meibion, a bu ei chwmni opera yn arbennig o weithgar a chynhyrchiol am flynyddoedd lawer yn y pum degau a'r chwe degau. Pan oeddwn yn y chweched dosbarth, rhywbeth tebyg i hyn oedd fy nydd Sul – dydd o orffwys: y capel am 10; ymarfer Côr Meibion yr Aelwyd yn dilyn yr oedfa; yr Ysgol Sul am 2; ymarfer Côr Cymysg yr Aelwyd am 3.15; ymarfer Côr Meibion y Rhos am 4.30; y capel am 6; ymarfer Côr Cymysg y Rhos am 7.30. Ni chofiaf i mi gael syrffed erioed ond roedd yn anodd ffeindio amser i orffen fy ngwaith cartref yn aml.

Er fy hoffter mawr o gerddoriaeth, chymerais i ddim at y gwersi piano, ac yn arbennig at yr ymarfer a oedd yn angenrheidiol i ddangos unrhyw gynnydd. Yr oedd gen i athro hynod garedig, organydd y Capel Mawr, J. C. Powell, ond roedd yn gas gen i fynd i wersi (ac ymarfer) gan eu bod yn torri ar draws pethau pwysicach – sef chwarae efo'r bois. Ar fwy nag un achlysur, mae'n rhaid i mi gyfaddef gyda chywilydd, curais ddrws y tŷ lle cynhelid y gwersi yn hynod dawel a mynd adref i ddweud nad oedd neb i mewn! Os wyf wedi bod yn edifar am unrhyw beth erioed, bûm edifar ganwaith am fethu manteisio ar y cyfle a gefais i chwarae'r piano'n iawn.

Ystyriwn fod bod yn fab mans y Capel Mawr yn fraint, yn gyfrifoldeb, ac yn dipyn o niwsans ar adegau. Fe gasäwn gael fy atgoffa o'r disgwyliadau a oedd ar fab y gweinidog; '*Mab i Mr Wmffras, Capel Mawr, wyt ti, yntê. Dylet ti wybod yn well!*' Ond chwarae teg, cefais gryn ryddid i fyw bywyd eitha normal ac roeddwn yn ceisio sicrhau bod pobl yn fy ngweld mor ddrwg â'r bechgyn eraill. Byddai fy ffrindiau'n fy nefnyddio i fargeinio efo fy nhad. Er enghraifft, rwy'n cofio cytuno i fynd i'r seiat dim ond inni gael gadael ar ôl dweud ein hadnodau. Byddai'r sglodion (neu *chîps*, gyda'r '*i*' estynedig yn y Rhos) yn y siop gerllaw'r capel yn flasus iawn ar ôl y ddihangfa! Chwedl yw'r stori i mi ddwyn tudalen olaf pregeth fy nhad er mwyn i'r bois gael mynd o'r oedfa'n gynharach!

Bûm yn ffodus i gael rhieni cefnogol ond heb fod yn ymwthiol; roeddent yn gosod safonau cadarn inni fel plant ond roedd ganddynt gryn ddealltwriaeth o anghenion a diddordebau plant a phobl ifanc. Ychydig o foethusrwydd y gellid ei fforddio ar gyflog gweinidog (nid wy'n credu bod maint y capel yn cael ei adlewyrchu yn y gydnabyddiaeth), ac yn aml nid oedd modd inni gael rhai o 'fanteision' ein ffrindiau; yn *achlysurol* y caem ni fel plant fynd i'r pictiwrs, yn y Stiwt neu'r *Pavilion*, tra âi ein ffrindiau yn wythnosol neu'n amlach. Pum ceiniog neu lai oedd y pris mynediad, os cofiaf yn iawn. Caem ein hannog i ddarllen gan ein rhieni a doedd byth brinder llyfrau yn Arwel os oedd pethau eraill ar goll. Fûm i erioed yn ddarllenwr mawr ond cyflwynwyd ni i ddarllen drwy wrando ar fy mam, ac yn amlach na hynny ar fy nain, yn darllen inni o *Llyfr Mawr y Plant* a llyfrau tebyg. Byddai nain (mam fy mam, un a fagodd ddeg o blant ar ôl colli ei gŵr yn ddyn canol oed) yn dod atom o Gilcain i aros dros y gaeaf a bu'n gefn mawr i mam yn ei phrysurdeb o fagu teulu a bod yn wraig gweinidog. Rhagorai nain fel darllenwraig storïau ond byddai weithiau'n dechrau crygu a Mair, fy chwaer, a minnau yn nôl dŵr iddi ar unwaith i wlychu ei gwddw er mwyn cael diwedd y stori.

Ychydig a welem ar fy nhad oherwydd ei brysurdeb (ac, erbyn meddwl, ychydig a welodd fy mhlant i ohonof i yn nyddiau cynnar Rhydfelen yn arbennig) ond byddem fel teulu yn cydfwyta ac weithiau'n cydwrando ar y weiarles, ar raglenni Saesneg fel *Saturday Night Theatre* ac ar Valentine Dyall, *the man in black*, yn darllen storïau arswyd. Yn Gymraeg, byddem yn gwrando'n gyson ar y 'Noson Lawen' o Neuadd y Penrhyn, Bangor, a 'Galw Gari Tryfan' ar 'Awr y Plant'. Cofiaf mai dim ond un neu ddau o lyfrau Cymraeg y flwyddyn a fyddai'n cael eu cyhoeddi yn y pedwar degau ac edrychid ymlaen yn awchus atynt. Cefais fy nghyfareddu gan *Dirgelwch Gallt y Ffrwd* (E. Morgan Humphreys).

Os nad oedd fy nhad yn ei stydi'n darllen (ac roedd yn ddarllenwr mawr) a sgrifennu pregethau, roedd yn ymweld, yn cynnal seiadau, Gobeithlu, dosbarthiadau Beiblaidd, dosbarth nos ar ddiwinyddiaeth, Ffraternal, yn mynychu cyfarfodydd yr henaduriaeth a'r Sasiwn, neu yn yr Aelwyd yng nghanol y bobl ifanc. Er bod ei bresenoldeb yno yn cyfyngu tipyn ar fy rhyddid ynglŷn â materion fel smygu a hel merched, at ei gilydd fe wyddai pryd i droi llygad ddall. Ac yntau heb gar (gan na allai fforddio un tan yn hwyr iawn yn ei weinidogaeth yn y Rhos), mae'n anodd gwybod sut y cyflawnodd ei holl waith yn y Rhos ac yn ehangach. Fe gredai'n angerddol yn y weinidogaeth ac roedd yn ymwybodol iawn o'i genhadaeth a'i gyfrifoldeb i gyhoeddi a dehongli'r efengyl ar gyfer cymdeithas ei ddydd. Gallai fod yn llym ar bechodau ffasiynol yr oes, ond yn drugarog tuag at y 'pechaduriaid' – yn enwedig os oeddent yn ifanc. Cafodd ei gynnal drwy ei fyfyrdod a'i weddi, ei ddarllen eang a'i sêl dros ei Arglwydd – ac ymateb pobl ifanc y Rhos. Dyn eitha *reserved* oedd fy nhad yn ei hanfod ond fe laciai'n arw yng nghwmni pobl ifanc ac roedd yn ei elfen yn eu cwmni. Fel y dywedodd hen gyfaill i mi, John Tudor Davies, mewn sgwrs yn ddiweddar: 'Mae ugeinie o bobl y Rhos yn ddiolchgar heddiw i dy dad am osod cyfeiriad i'w bywyde pan oedden nhw'n bobl ifanc.' Teyrnged go lew gan un sy'n parhau i fyw a gwasanaethu yn yr hen ardal a'i gapel.

Mab i fwynwr plwm o Rydymwyn, Sir y Fflint, oedd fy nhad a mwynwyr oedd ei daid a'i hen daid yn ardal yr Wyddgrug. Ymdynghedodd ei dad, Edward, y byddai ei fab yn mynd i'r weinidogaeth ac, i raddau, bu'n byw ei uchelgais ei hun drwy ei fab. Ar ôl gadael Ysgol Sir yr Alyn, Yr Wyddgrug, bu fy nhad yn fyfyriwr yng Ngholeg y Brifysgol Bangor (fel y'i gelwid bryd hynny), Coleg yr Iesu, Rhydychen, Y Coleg Diwinyddol yn Aberystwyth a Choleg y Bala – naw mlynedd i gyd er mwyn ei gymhwyso'i hun ar gyfer y weinidogaeth. Mae'n rhyfeddol meddwl mai dyna a wnâi llawer o ddarpar weinidogion eraill yn y cyfnod hwnnw. Caem wrando yn y Capel Mawr ar rai felly yn pregethu pan oedd fy nhad y mynd i eglwysi eraill ledled Cymru, a byddai llawer o gewri'r cyfnod yn aros efo ni pan oedd hi'n arfer i bregethwyr fynd i'w cyhoeddiadau ddydd Sadwrn a dychwelyd fore Llun. Ar ôl un mlynedd ar hugain yn y Rhos, bu fy nhad yn gweinidogaethu am gyfnodau byr mewn eglwysi llai yn Llanelwy a Glan y Fferi, Sir Gaerfyrddin, cyn symud yn ôl i'w hen ardal i ymddeol yn Rhosesmor lle'r oedd Bethel, eglwys y teulu. Yn y fynwent yno y claddwyd ef yn 1980 ac ar ei fedd, ac ar y plac yn y Capel Mawr, ceir y geiriau: 'Credais, am hynny llefarais'.

Ganwyd fy mam yng Nghapel Curig ond fe'i magwyd ym Mhen Llŷn – ar fferm Plasymhenllech, Tudweiliog, yn un o ddeg o blant, a'r fenga ond un. Mae'r gangen deuluol yn nodi ei chysylltiadau ag Eifion Wyn ac, ymhellach yn ôl, ag Edmwnd Prys, fel y cofnodir yn *Achau ac Ewyllysiau Teuluoedd De Sir Gaernarfon*, T. Ceiri Griffith (cyfyrder i mi). Ar ôl marw ei gŵr, symudodd fy nain a thair o'r merched, gan gynnwys fy mam, i fyw at un o'r meibion hynaf, Yncl John, yn fferm Bistre, Bwcle, ac oddi yno yr aeth fy mam i Ysgol yr Alyn, Yr Wyddgrug. Pan briododd Yncl John, aeth fy nain a'r tair merch i fyw i Gilcain. Ar ôl gorffen yn Ysgol yr Alyn, aeth fy mam i ddilyn cwrs amaethyddol yn y coleg yn Llysfasi a Bangor cyn newid ei meddwl, cymhwyso'n SRN a mynd i nyrsio i Gastell Rhuthun ac yna i'r Royal Infirmary, Caer. Priododd hi a fy nhad yng Nghaer yn 1928 ac yna mynd i fyw i Wallasey lle'r oedd eglwys gyntaf fy nhad. Am weddill ei hoes, bu'n wraig gweinidog weithgar a chynhaliol, yn neilltuol o gyfeillgar â phawb ac yn gefn mawr i fy nhad ac i'r pedwar ohonom ni ei phlant. Bu'n nain i un ar bymtheg ac yn hen nain i'r un nifer, ac yn fawr ei gofal a'i chonsýrn. Ym mynwent Rhosesmor y claddwyd hi yn 1991 efo fy nhad.

Byddai fy mam yn croesawu pregethwyr gwadd i fwrw'r Sul yn ein cartref yn Arwel – yn ôl yr arfer hyd y pedwar degau ac ychydig ar ôl hynny. Er na werthfawrogem ni'r plant hynny ar y pryd, cawsom y fraint o gyfarfod pregethwyr 'mawr' yr enwad i gyd yn eu tro. Ac ymwelwyr o dramor hefyd. Atgoffwyd fi o hynny'n ddiweddar gan fy chwaer ieuengaf, Ann. Rywbryd tua dechrau'r pum degau, a minnau erbyn hynny yn y coleg, pwy a ddaeth i aros yn Arwel ond y diwinydd Martin Niemoller o'r Almaen – gŵr hynod iawn, un a fu'n gapten ar long danfor y Kaiser yn y Rhyfel Mawr ac a enillodd y Groes Haearn am suddo nifer fawr o longau'r gelyn. Wedi'r rhyfel, daeth yn athronydd academaidd a chroesawu'r Natsïaid cyn iddo sylweddoli eu herchyllterau hwy. Pregethodd yn erbyn Hitler a chael ei garcharu yn 1937 a thrwy gydol yr ail ryfel byd. Wedi iddo gael ei ryddhau, bu Niemoller yn diwinydda a phregethu'r Gair mewn sawl gwlad, gan gynnwys Cymru. A'r gŵr arbennig hwn yr oedd fy nhad wedi ei wahodd i siarad yn y Capel Mawr am ei brofiadau a'i Ffydd. Ac yntau ar fin mynd i'w wely noson y cyfarfod, gofynnodd fy mam iddo pryd yr hoffai gael brecwast. Trodd y gŵr i edrych ar fy nwy chwaer, Ceinwen ac Ann, a dweud: *'I'd like to have breakfast with the children.'* Mae'r achlysur yn fyw iawn yn eu profiad.

Po fwyaf y meddyliaf am y Rhos, cynyddu a wna fy niolchgarwch am gael y cyfle i dyfu i fyny yno yn y cyfnod arbennig hwnnw. Ceisiais gyfleu'r bwrlwm i mi fel bachgen ifanc ond mae mwy, llawer mwy, heb ei ddweud. Mewn darlith yn Llyfrgell y Rhos rai blynyddoedd yn ôl, cofiaf i mi fynegi fy ngwerthfawrogiad o gymdeithas ac 'addysg' y Rhos ond fe fûm yn ddigon beiddgar i ddweud iddynt fethu mewn o leiaf un cyfeiriad: ches i ddim gwersi ganddynt ar sut i golli! Ar ddiwedd y ddarlith, daeth hen gyfaill ataf a dweud fy mod yn berffaith iawn, 'Collwrs sâl yden ni, Gwilym, ond, 'ti'n gweld, den ni ddim yn colli'n amal!'

A minnau'n cyfeirio at ddarlith, rhaid sôn am un nodwedd arbennig sy'n perthyn i drigolion y Rhos: maent yn wrandawyr heb eu hail. Mewn darlith neu bregeth, gall siaradwr *deimlo'r* gwrandawiad – gwrando gweithredol gan blygu 'mlaen a chyfleu'r awydd didwyll eu bod am glywed – cyd-weld ai peidio. Mae'r fath wrandawiad yn tynnu'r gorau o siaradwr ond y peryg yw i hwnnw fanteisio arno a mynd yn faith.

Cymdeithas agored, ddi-dderbyn wyneb, a gwerinol ei naws oedd cymdeithas y Rhos. Ni oddefwyd hunanbwysigrwydd ac ni dderbynnid unrhyw ffalster na ffuantrwydd. Croesawyd siarad plaen ond nid oedd beirniadaeth yn cael ei derbyn yn llawen bob amser. Ar y llaw arall, fe berchid barn ac arweiniad y rhai a ddaeth i fyw a gweithio i'r Rhos – yn arbennig gweinidogion ac athrawon. A phobl ddŵad a roes yr arweiniad allweddol ar sawl achlysur – pobl fel Ednyfed, Odo a Mary Davies (Mari Blainey yn ddiweddarach) o Gorwen. Byddai beirniadaeth gan y rhain yn cael ei derbyn hyd yn oed os oedd y brodorion yn gwingo tani. Teimlais fod elfen o swildod cynhenid yn perthyn i lawer o bobl y Rhos; yn aml, ceisid cuddio'r swildod gan agwedd orhyderus ac ymosodol. Roedd yno falchder bro mawr a thuedd, os nad mwy na hynny, i or-ymffrostio ac i gymryd golwg unllygeidiog ar orchestion, yn unigol a thorfol. A golwg unllygeidiog sydd gennyf i oherwydd bod y lle'n golygu cymaint i mi ac mae gennyf gymaint o gyfeillion annwyl yn byw yno neu â'u gwreiddiau yn y Rhos, y pentref y mae Wrecsam yn faestref iddo!

A sôn am faestrefi, mae'n rhaid crybwyll, gyda thristwch, am y dirywiad cymdeithasol a chrefyddol a fu yn y Rhos o'r pum degau ymlaen. Roedd yn rhan o'r dirywiad cyffredinol a ddigwyddodd yng Nghymru ar ôl y Rhyfel; gyda gwelliant mewn amgylchiadau economaidd a chyflogaeth, rhoddwyd y pwyslais ar agweddau materol ac ni lwyddodd y capeli, at ei gilydd, i argyhoeddi eu haelodau fod eu neges yn berthnasol. Ers hynny, bu'n argyfwng cred, fel y soniodd fy nhad amdano yn ei Ddarlith Davies. Yn benodol yn y Rhos, ar ben methiant y gyfundrefn addysg i roi bri ar y Gymraeg, bu'r diffyg cynllunio ar ran llywodraeth leol, gan ganiatáu'r chwalfa fawr o boblogaeth y Rhos i'r maestrefi Seisnigedig o amgylch y pentref, yn ffactor yn y Seisnigo a cholli cyswllt â chapel. Yr oedd y sefyllfa'n gofyn am gynllunio bwriadus er mwyn cadw iaith a bywyd cymunedol crefyddol y Rhos drwy godi tai newydd i gyfeiriad y mynydd yn y Rhos yn hytrach nag yn y maestrefi. Ni ddigwyddodd hyn a bu cryn chwalu a diwreiddio. Wrth ymweld â'r Rhos y dyddiau hyn, er bod elfen sylweddol o dristwch yn dod dros ddyn, mae yno lecynnau golau hefyd. Arweinyddion crefyddol a diwylliannol y Rhos yw pobl ifanc y pedwar a'r pum degau a gafodd eu trwytho yn y pethe yn yr Aelwyd a'r capel. Mae gobaith arall yn gysylltiedig â'r Stiwt.

Rwyf eisoes wedi sôn fwy nag unwaith am y Stiwt, neu'r Plas Mwynwyr a rhoi iddo'i enw swyddogol. Bu'r Stiwt yn adeilad canolog ym mywyd cymdeithasol y Rhos drwy gydol y cyfnod y bûm i'n byw yno, ac wedyn. Yn yr adeilad hwn, a gododd y mwynwyr yn 1926 drwy eu cyfraniadau wythnosol o'u cyflogau prin, roedd neuadd a llwyfan rhagorol a ddefnyddid yn helaeth fel sinema, neuadd gyngerdd a theatr. Roedd hefyd ystafelloedd hwylus ynghlwm – llyfrgell, ystafelloedd i ddarllen ac i chwarae draffts a gwyddbwyll, a neuadd snwcer boblogaidd iawn i ni'r bechgyn ifanc, a rhai hŷn. Pan gaewyd y pyllau glo, sychodd ffynhonnell cynhaliaeth yr adeilad ac aeth i gyflwr truenus. Rhyw ddeng mlynedd yn ôl, penderfynodd criw o bentrefwyr y dylid adfer yr adeilad a buont yn ddyfal yn casglu arian i'r diben hwnnw drwy amryfal weithgareddau cymunedol. Yn gymharol ddiweddar, rhoddwyd dwy filiwn o bunnau o arian y loteri ar gyfer y gwaith er mawr lawenydd i bawb, a'r gweithwyr brwd yn arbennig, ac ailagorwyd Theatr y Stiwt ar 25 Medi 1999 – 73 mlynedd i'r diwrnod o ddyddiad yr agoriad swyddogol cyntaf. Erys un cwestiwn, fodd bynnag. A oes bellach yn y Rhos ddigon o weithgareddau i gynnal yr adeilad ar ôl ei adfer? Gobeithio, yn wir, bod y penderfyniad, y rhuddin, a'r medrau angenrheidiol i sicrhau llwyddiant, yn parhau fel y buont mewn llawer o feysydd eraill yn y gorffennol.

PENNOD 3

Dyddiau Coleg

A minnau bellach yn ymwneud cryn dipyn ag addysg prifysgol, yma ym Mangor a hefyd ym Mhrifysgol Cymru yn ganolog, mae gennyf syniad gweddol o'r prosesau mewnol ar gyfer denu myfyrwyr i'r colegau a'r math o gyngor a chyfarwyddyd a gaiff darpar fyfyrwyr wrth ddewis coleg a chwrs. Nid felly yr oedd hi yn 1949 pan euthum i i'r Brifysgol yma ym Mangor. Ni chofiaf i mi dderbyn unrhyw gyfarwyddyd gan yr ysgol ond yr oedd fy newis yn syml ac yn hawdd – rhy hawdd, efallai. Ynglŷn â'r coleg, onid oedd fy chwaer hynaf, Mair, wedi mynd i Fangor yn 1946 a dod adref i'r Rhos yn ystod y gwyliau o'r coleg yn llawn straeon am fywyd coleg llawn asbri a hwyl? Wedi'r cwbl, roedd hi yno ar ddiwedd cyfnod Triawd y Coleg a'r Noson Lawen a ffug-etholiadau gwallgof. O gofio mai i Fangor yr aeth fy rhieni, roedd yn dilyn mai Bangor oedd y lle i fynd iddo. Os cofiaf yn iawn, nodais y drefn a ganlyn ar fy ffurflen: Bangor, Aberystwyth, Caerdydd, Abertawe ac, yn bumed a chweched, Rhydychen a Chaergrawnt! Wrth orfod dewis rhwng cemeg a hanes, a ffiseg a daearyddiaeth yn nhrydydd dosbarth ysgol Rhiwabon a minnau wedi dewis y pynciau gwyddonol, yr oeddwn wedi penderfynu fy nghwrs *Higher* i raddau helaeth, sef cemeg, ffiseg a mathemateg bur, er fy mod wedi gwneud lawn cystal yn y *CWB* mewn pynciau fel Cymraeg, Saesneg, Ysgrythur a Lladin. Gwyddoniaeth amdani, felly, yn y coleg (ac yr oedd ynof elfen o fod eisiau torri fy nghwys fy hun, cwys wahanol i un fy chwaer a fy nhad). Doedd dim gormod o lefydd i fechgyn yn syth o'r ysgol bryd hynny gan fod myfyrwyr hŷn – rhai a fu yn y lluoedd arfog – yn cael blaenoriaeth. Derbyniwyd fi i wneud anrhydedd cemeg a olygai y byddwn hefyd yn astudio mathemateg bur yn y flwyddyn gyntaf a ffiseg yn y gyntaf a'r ail.

Erbyn meddwl, roeddwn yn mynd i goleg heb unrhyw baratoad ar ddulliau astudio a gweithio'n annibynnol ac yn ddiweddarach yn ystod fy nghyfnod fel Arolygydd Ysgolion ei Mawrhydi [AEM/*HMI*] deuthum ar draws amrywiaeth mawr yn y math a faint o baratoad a roddai'r ysgolion i ddarpar fyfyrwyr addysg uwch. Câi gormod ohonynt eu bwydo â llwy yn y chweched dosbarth heb sylw yn y byd i'w hyfforddiant mewn dulliau astudio ac ymchwilio ar eu pennau eu hunain.

Ni allaf ddweud i mi gael blas arbennig ar fy nghwrs academaidd yn y coleg ac mae'n sicr mai fy mai i fy hun yn bennaf oedd hynny ond, erbyn meddwl, doedd y darlithio yn y cwrs anrhydedd cemeg ddim yn ysbrydoledig, a dweud y lleiaf. Yn wir, ar fy mhedwaredd flwyddyn yn y cwrs diploma mewn addysg (neu'r *TT* fel y gelwid ef gan bawb) y profais i gyntaf y cyffro a geir yng nghwmni darlithydd a chanddo rywbeth i'w ddweud ac yn gallu ei ddweud yn dda – yn ddramatig ac emosiynol ar adegau. Yr Athro Addysg, D. W. T. Jenkins, oedd hwnnw. Yr oedd gwrando arno ef yn darlithio ar hanes addysg mewn Saesneg coeth, ar ôl darlithio pur ddiflas am dair blynedd gan y mwyafrif o'r darlithwyr mewn gwyddoniaeth, yn brofiad cofiadwy er ei fod yn adlewyrchu safonau ei oes wrth drafod rhai pethau'n anfeirniadol, megis Deddf Addysg 1870 – a ddigwyddodd, er gwell ac er gwaeth, yn hanes ein gwlad a'n hiaith yn y bedwaredd ganrif ar bymtheg. Ychydig a feddyliwn y byddwn yn cael y fraint o gael Trevor Jenkins a'i briod, Muriel, yn gymdogion am gyfnod byr yn Bodlondeb, Bangor, pan ddaethom i fyw yno ddeng mlynedd ar hugain yn ddiweddarach.

Er bod yr Athro Stan Peat (yn FRS am ei waith ar ensimau starts) a Bill Whelan yn ddarlithwyr cemeg diddorol a threfnus, ychydig o'r gweddill oedd yn creu unrhyw gyffro; yn wir, roedd Rogie Angus nid yn unig yn ddarlithydd symol ond roedd ganddo ffordd anffodus o herian, fel ymddangos yn y labordy efo rholyn o'n papur arholiad yn ei law a'ch gwahodd i wneud yr amhosibl – ei ddarllen trwy edrych i dywyllwch y rholyn. Cawn y gwaith ymarferol yn y labordy, bob pnawn ac eithrio pnawn Mercher, yn bur ddiflas a'r tri diwrnod yn olynol o arholiad ymarferol ar ddiwedd y cwrs yn brawf o stamina yn hytrach na chemeg. Er i mi adael yr adran gemeg gyda gradd anrhydedd weddol barchus yn y pwnc, ni allaf ddweud i mi ddod yn agos at ddeall meddwl y cemegydd tan yn ddiweddarach pan oeddwn yn athro cemeg yn Llangefni neu wrth wrando ar eraill yn addysgu'r pwnc pan oeddwn yn arolygydd ysgolion. Does dim tebyg i orfod esbonio maes i eraill i ganfod a ydych yn ei ddeall mewn gwirionedd. Deuthum i gredu bod cemeg yn bwnc digon anodd i ddisgyblion iau yr ysgol uwchradd – mae'n debyg oherwydd bod yn rhaid dychmygu'r elfennau anweledig i'w egluro – ond yn rhyfeddol o ddiddorol i'r disgybl hŷn dan gyfarwyddyd athrawon medrus sy'n gallu cyflwyno cysyniadau mewn modd diddorol, gan gyffroi'r dychymyg. Ni fûm i'n ddigon ffodus i fod o dan athrawon o'r fath.

Ond, a dweud y gwir, roedd gormod o bethau diddorol a hwyliog yn digwydd yng Ngholeg Bangor i mi boeni'n ormodol am gemeg ac, erbyn meddwl, rwy'n rhyfeddu i mi allu ffeindio amser o gwbl i'r pwnc!

Yr oedd mynd i'r coleg i Fangor yn anturiaeth fawr ac roeddwn bob amser yn ystod fy mhedair blynedd yn y coleg yn edrych ymlaen at gyrraedd Bangor yn yr hydref, tymor a oedd bob amser yn braf, hyd y cofiaf – yn enwedig yn Siliwen. A minnau bellach yn byw ym Mangor ers tro ac yn ymwneud llawer â'r Brifysgol, ac yn is-lywydd y sefydliad, mae'n anodd credu mai tua 600 o fyfyrwyr oedd yno yn fy nghyfnod i – digon bach i gynnwys pawb mewn un llun panoramig, gydag ambell un yn ddigon medrus (neu ddigywilydd) i ymddangos yn y llun ddwywaith drwy redeg o un pen i'r llall wrth i'r camera droi ar ei echel. Rhaid bod y ganran o fyfyrwyr o Gymru dros 80% yn fy nyddiau i, a chyfran uchel o'r rheini'n Gymry Cymraeg. Mae yno yn agos i 7000 bellach a'r ganran o Gymru tua 43% ond yn codi'n raddol eto ers pum mlynedd bellach. Ac roedd y bywyd cymdeithasol Cymraeg yn fyrlymus ac yn ein denu i'w fwynhau i'r eithaf. Roedd cymdeithas y Cymric ar nos Wener yn rhywbeth i edrych ymlaen ato fel, yn wir, yr oedd *Debates* ar yr un noson am yn ail gyda myfyrwyr dawnus fel Gwynn Williams, Caradog Roberts, a Raymond German (Cymry Cymraeg ill tri, a'r ddau gyntaf yn Athrawon prifysgol yn ddiweddarach) yn trin yr iaith fain yn feistrolgar ac yn areithio'n hynod o rymus. Yn y Cymric, caem ddarlithoedd gan gewri fel Bob Owen, Croesor, a Llwyd o'r Bryn ac roedd y nosweithiau llawen yn aml ac yn hwyl fawr. Coffa da am Elwyn Evans (a ddaeth, yn ddiweddarach, yn brifathro cyntaf Ysgol Maes Garmon ac wedi hynny'n brifathro Ysgol David Hughes, Porthaethwy, ac a fu farw ar un o ynysoedd Groeg yn bur ifanc) yn adrodd ei ddetholiad o William Jones i gyfeiliant o synau priodol gan y gynulleidfa. Wrth inni fel *freshers* (ond mae *glas-fyfyrwyr* yn derm llawer gwell) baratoi ar gyfer ein noson lawen ni y sylwais gyntaf ar y ferch benfelen swil o'r Bala, ac roeddem wedi archwilio gogoniannau Siliwen ymhell cyn diwedd y tymor cyntaf. Yn achlysurol, bydd Carys a minnau yn troedio'r un llwybrau hanner can mlynedd yn ddiweddarach – ond liw dydd erbyn hyn! Ystyriaf fy hun yn lwcus iawn i gael treulio f'oes, a magu teulu, gyda'r ferch orau yn y Bala. Onid oedd rhif ffôn ei chartref yn Swyddfa'r Post yn nodi hynny – Bala 1! Ac erbyn meddwl, o'r munud cyntaf i mi ei gweld, ystyriais, yng ngeiriau'r Rhos, bod tipyn o 'stamp' arni!

Dywed Carys mai ym Mudiad Cristnogol y Myfyrwyr neu'r *Student Christian Movement [SCM]* ar nos Sul yn gynnar yn y tymor cyntaf y gwelodd fi gyntaf a minnau'n cymryd rhan yn y gwasanaeth agoriadol. Pan gyhoeddwyd mai Gwilym Humphreys oedd i gymryd rhan, cododd Carys ei chlustiau gan ei bod yn 'nabod Gwilym Humphreys (o Harlech) ers tro ond fe dybiai nad oedd wedi dychwelyd i'r coleg. Pan welodd y bachgen swil o'r Rhos yn codi, cafodd ei siomi'n fawr! Ond fe gymerodd drugaredd arna i cyn diwedd y tymor! Roedd yr *SCM* yn fudiad eitha bywiog yn fy nyddiau i yn y coleg ac roedd yr *IVF* (*Inter Varsity*

Fellowship gyda'i safbwynt efengylaidd) yn amlwg ac yn apelio at nifer. Fe fynychwn i yr *SCM* yn bennaf a chefais y fraint o fod yn llywydd y mudiad cyn i mi adael y coleg. Ni allaf feddwl am yr *SCM* heb gofio am frwdfrydedd a ffyddlondeb John Rice Rowlands (prifathro Coleg y Bedyddwyr yn ddiweddarach). Awn hefyd i'r *IVF* yn achlysurol – yn bennaf am fod Carys, drwy ei chysylltiadau â'r Mudiad Efengylaidd yn y Bala, yn hoff o sêl a brwdfrydedd yr olaf. Roedd gennyf innau gysylltiad teuluol drwy fy chwaer, Mair, â'r Mudiad Efengylaidd, cysylltiad sy'n para o hyd, ac er na allaf uniaethu â'u diwinyddiaeth, gallaf ymdeimlo â'u didwylledd a'u hargyhoeddiad.

Ar wahân i'r ddau fudiad crefyddol ymhlith y myfyrwyr (a rhaid cydnabod mai lleiafrif o fyfyrwyr oedd yn mynychu'r naill a'r llall, hyd yn oed bryd hynny), yr oedd eglwysi Bangor yn croesawu myfyrwyr ac yn darparu ar gyfer myfyrwyr ar y Sul. I Gapel Twrgwyn, eglwys y Presbyteriaid ym Mangor Uchaf, yr awn i ac yr oedd y galeri'n llawn o fyfyrwyr y Brifysgol, y Normal a'r Santes Fair ar nos Sul – lle da i werthfawrogi'r talent yn ogystal ag i addoli! Deuai hoelion wyth yr enwad yno i bregethu ac roedd y Parchedig Gwilym Williams, y gweinidog, yno ar y Sul cyntaf o bob mis – un caredig tuag atom ni'r myfyrwyr anystywallt ond prin ar yr un donfedd. Hefyd, roedd dau ddosbarth Ysgol Sul i fyfyrwyr – un i'r merched gydag Ambrose Bebb, yr hanesydd afieithus o'r Coleg Normal, yn athro ysbrydoledig arno a Dafydd Wyn Parry, darlithydd mewn botaneg amaethyddol yn y Brifysgol, yn athro hynod o ddiddorol a phraff ar y dynion gan wneud i griw ohonom feddwl o ddifrif am y berthynas rhwng gwyddoniaeth â'n ffydd Gristnogol.

Ond nid dyma'r unig sefydliad crefyddol i gael dylanwad arna i.

Pan euthum i Fangor ym Medi 1949, cefais lety yn 60 Ffordd Caergybi, ynghyd â phedwar myfyriwr arall – dau fel fi yn ein blwyddyn gyntaf, sef Brian Williams, a oedd yn Ysgol Rhiwabon efo mi, a Bede Allcock (a oedd wedi bod yn yr *RAF*), a dau arall a oedd wedi graddio, sef Gruffydd Roberts ac Algwyn J. Hopkins (a fu farw'n gymharol ddiweddar). Gweddw oedd y *landlady* yn byw gyda'i thad ac wedi meistroli dwy elfen bwysig o fedrau'r alwedigaeth, sef gosod myfyrwyr yn eu lle a chadw costau'n isel. Doedd y lle ddim yn balas na'r bwyd yn arbennig o faethlon na blasus ond roedd yn ddigon cyfleus i'r coleg ac yn gymharol rhad, £2-2-6 yr wythnos, os cofiaf yn iawn. Ond yr oedd llety arall yn denu, nid nepell o 60 Ffordd Caergybi, sef Coleg Bala-Bangor.

Yr oeddwn wedi clywed digon am yr 'academi' Annibynnol hon gan fy chwaer ac wedi cyfarfod a chymdeithasu ag amryw byd o'i phreswylwyr yn ystod fy mlwyddyn gyntaf yn y coleg. Yn ôl traddodiad Bala-Bangor, na wn i ei darddiad, cyfeirid ar lafar, ac o fewn y cwmni dethol, at breswylwyr Bala-Bang, ac eithrio'r myfyrwyr newydd, fel 'doctoriaid', a chefais fy nghydnabod felly ar f'union. Roedd Elwyn Davies (a briododd Mair, fy chwaer) wedi bod yn un o'r 'doctoriaid' ac yr oedd llawer ohonynt yn amlwg iawn ym mywyd cymdeithasol y coleg. Er mai myfyrwyr diwinyddol yr Annibynwyr oedd y mwyafrif, yr oedd yno hefyd ambell Fedyddiwr (bach'an fel Idris Evans a fu'n weinidog ac yn Drefnydd y De i'r Eisteddfod Genedlaethol cyn ei farwolaeth annhymig ychydig ddyddiau wedi iddo ymddeol yn 1988), a rhai 'o'r byd', gan gynnwys gwyddonwyr. Ac at y frawdoliaeth unigryw hon yr euthum i ym Medi 1950. Roedd hon yn hostel Gymraeg cyn bod sôn am Neuaddau John Morris-Jones a Phantycelyn – yn gymdeithas gwbl Gymraeg, er y derbynnid ambell ddysgwr yno o dro i dro. Yr oedd y 'doctoriaid' nid yn unig yn amlwg ym mywyd Cymraeg y Brifysgol ond hefyd yn arwain amryw o'r cymdeithasau Saesneg. Deuai llywyddion y prif gymdeithasau ac, yn wir, llywydd a swyddogion eraill Cyngor y Myfyrwyr [*SRC*], yn aml o Bala-Bang ac roedd nifer ohonom 'ddoctoriaid' yn aelodau o'r cyngor yn ein tro. Pwerdy oedd Bala-Bangor, nid encil, a man delfrydol i ddysgu byw a dadlau gyda rhai o safbwynt a daliadau gwahanol. Fe herid pob safbwynt, fe dyllid pob swigen, ond roedd yno waelod o ymlyniad at werthoedd ac argyhoeddiadau ynglŷn â'r Ffydd a Chymreictod. Ond ni chymerid bywyd ormod o ddifrif ac yr oedd yno dynnu coes a ffraethinebu parhaus; nid oedd yn fan delfrydol i'r myfyriwr a oedd am ganolbwyntio ar ei astudiaethau coleg ar draul y bywyd cymdeithasol, er i nifer lwyddo'n rhyfeddol yn academaidd ar ôl bod yno ac yn ddiweddarach yn eu gwahanol yrfaoedd hefyd.

Roedd gan brifathro Bala-Bangor o leiaf ddau rinwedd amlwg: roedd yn Wilym ac yn dod o'r Rhos! Gan nad oeddwn yn fyfyriwr diwinyddol, ni ddeuthum i gyswllt â'r Prifathro Gwilym Bowyer (y 'doctor' mawr) ond yn rhinwedd ei swydd fel warden arnom – ac fe gadwai ei bellter. Ond yr oedd yn ddigon agos atom inni ddod i wybod ei fod yn ddyn o argyhoeddiadau dwfn, yn ddiwinydd ac athronydd disglair, a'r tu cefn i'w ffordd swta a'i gynildeb ymadrodd dychanol, yr oedd hiwmor iach a dynoliaeth gadarn. Yr oedd ei 'ie' yn 'ie' a'i 'nage' yn 'nage' a byddai'r 'doctoriaid' oll yn gwingo pan ragflaenid brawddeg y Prifathro â'r ymadrodd 'Wel, dyna ni, mae'n ddigon syml . . .' Ar ôl y rhesymu coeth, ceid y ddedfryd a'r cerydd.

Yr oedd Dr R. Tudur Jones (a ddaeth yn brifathro'n ddiweddarach) newydd ddod ar staff Coleg Bala-Bangor pan es i letya yno fel myfyriwr ac roedd ef a Gwenllïan, ei wraig, gan eu bod yn byw yn y fflat, yn weddol agos atom ym mhob ystyr. Rwy'n sicr iddynt glywed y seremonïau '*initiation*' maith a gynhelid yn yr ystafell gyffredin, fyglyd, flêr a digysur, nesaf at y fflat. Da y cofiaf am y driniaeth a gafodd 'Treforys' (y Parchedig Meirion Evans yn ddiweddarach), er enghraifft, gan y 'doctoriaid' hŷn – rhai fel F. M. Jones, Wyn Evans, Dic Edgar, ac eraill, cyn iddo adrodd 'cyffes' (diniwed o amharchus) y coleg fel arwydd o'i dderbyn i'r 'ddoctoriaeth'. Ychydig oriau wedi ei benodi'n Archdderwydd yn Eisteddfod Bro Ogwr yn 1998, trodd 'Treforys' ataf fel Llywydd y Llys gyda'r sylw craff, '*Bala-Bang rules! OK?*' Ac ymhen y mis yr oedd un arall o'r 'doctoriaid' yn gadeirydd y Cyngor (R. Alun Evans). *Rules*, yn wir! Rwy'n sicr i'r Doctor Tudur gael modd i ail-fyw ei gyfnod ei hun yn y coleg wrth glywed ein pranciau a'n seremonïau. Profodd yn gyfaill cywir i'r myfyrwyr, diwinyddol ac eraill, a diolchgarwch oedd nodyn ar wefusau ac yng nghalonnau ei gyn-fyfyrwyr yng ngwasanaeth angladdol enfawr y Cyn-Brifathro, y diwinydd, yr hanesydd, y Cymro, y cenedlaetholwr a'r Cristion gloyw yng Nghapel Pendref, Bangor, yng Ngorffennaf 1998. Yr unig gysylltiad uniongyrchol a gefais i ag ef ar ôl gadael coleg oedd ei gefnogi mewn cyfarfodydd cyhoeddus pan oedd yn ymgeisydd dros y Blaid yn Sir Fôn yn y pum degau. Rhyfeddais droeon at ei huodledd a'i sêl wrth iddo ddadlau dros ryddid i Gymru yn y neuaddau pentref a'r ysgolion ar ei daith drwy'r sir. Gresyn na chafodd fyw i weld y Cynulliad ar waith; ynteu a fyddai wedi ei siomi beth?

Pan holid pwy oedd yn gyfrifol am wneud rhywbeth, un o ddywediadau mynych 'doctoriaid' Bala-Bang oedd 'Y March Mawr'. 'Wn i ddim beth oedd tarddiad yr ymadrodd. Cofier, hefyd, i bwrpas yr hanesyn gwir sy'n dilyn, ei bod yn ddyddiau'r 'Mau-mau' yn Kenya (o erchyll goffadwriaeth).

Yr oedd un o'm cydfyfyrwyr gwyddoniaeth a rhannwr ystafell â mi yn y coleg, Meurig Bowen Hughes (olynydd i mi'n ddiweddarach yn athro cemeg yn Llangefni a chynghorydd parchus a gweithgar yno ers blynyddoedd) yn frwd ei ddiddordeb mewn pêl-droed. Bu'n sôn, ychydig gormod efallai, am y tocyn a gawsai i fynd i Wembley i weld y gêm rhwng Cymru a Lloegr ar bnawn Mercher yn 1952 neu '53. Gadawodd Bangor yn blygeiniol er mwyn cyrraedd y gêm mewn da bryd. Ar ôl iddo adael, lluniodd Wyn Evans a minnau delegram, mewn llawysgrifen, fel a ganlyn, a'i gyflwyno i'r Swyddfa Bost ym Mangor Uchaf i'w anfon:

> *To the announcer Wembley Stadium:*
>
> *Will **Mau** Bowen Hughes return to Bangor College immediately.*
> ***Major Stallion*** [sef 'cyfieithiad' o 'March Mawr']

A ninnau'r 'doctoriaid' wedi ymgynnull i wrando ar y gêm ar y weiarles yn yr ystafell gyffredin, fe ddaeth hi'n hanner amser ac yn ddi-sgôr, os cofiaf yn iawn. Ar y radio, fe glywem yr uchelseinydd yn cyflwyno'r neges yn glir ond roedd y *MAU* wedi mynd yn *Major* – 'Will *Major* Bowen Hughes return . . .' – gan gyfateb, mae'n debyg, i *Major* Stallion ar y diwedd. Â'r ail hanner wedi dechrau a Chymru wedi sgorio gôl, os nad dwy, daeth galwad ffôn gan Meurig yn holi be' oedd y neges a'r ateb oedd 'Y sgôr ydi 2-0!' Nid dyna oedd diwedd y stori. Y Sul canlynol, roedd y stori fanwl yn yr Empire News dan y pennawd *WEMBLEY HOAX* gan ddisgrifio'r *'lonely student leaving the crowd to seek a telephone'* ac yn ein cyhuddo (yn gwbl deg) o gamddefnyddio system gyfathrebu Wembley. Ymhen rhai dyddiau, roedd Wyn a minnau gerbron y Prifathro, Syr Emrys Evans – y tro cyntaf inni ei weld ers inni fod yn y coleg. Er mai rhybudd caredig a gawsom, rhaid cydnabod ein bod yn haeddu mwy am gast mor anghyfrifol. Cawsom faddeuant llawn gan Meurig hefyd. Ni fuasai ambell un wedi bod mor fawrfrydig tuag at gyfeillion anystyriol. Roedd y rhan fwyaf o branciau coleg yn fwy diniwed.

Roedd gan Bala-Bangor dîm pêl-droed a bûm mewn trafferth mawr unwaith gan i mi, fel capten, ar ôl colli'n drwm mewn un gêm flaenorol, 'roi'r drop' – a defnyddio idiom Gymraeg rywiog – i hanner y tîm gan gynnwys nifer o aelodau hir-wasanaeth. Dioddefais wg a beirniadaeth am ddyddiau, yn enwedig ar ôl i'r tîm newydd golli'n waeth! Cefais faddeuant wedi i'r hen goesau gael eu dewis eto i chwarae. Roedd fy chwarae pêl-droed go iawn yn digwydd gyda thîm y Brifysgol – yr ail dîm, gan amlaf, ond cawn fy ngalw i'r cyntaf yn achlysurol iawn, ond erioed yn y Wooly Cup – y frwydr flynyddol rhwng y Brifysgol a'r Normal. Roedd y chwarae ar y cae yn y gornestau hynny yn ddigon glân, os yn galed iawn, ond roedd brwydr go iawn rhwng y gwylwyr wedi'r gêm a chofiaf i ddyn a oedd yn ceisio mynd trwy Fangor Uchaf yn ei Austin 7 gael ei gario yn ei gar yn llythrennol gan yr ymladdwyr a'i roi ar y pafin lle na fyddai'n ymyrryd â'r rhyfel! Byddai'r brwydrau hyn, nad oeddent ddim mwy na gwthio ac ychydig o ddyrnu, mewn gwirionedd, yn cael eu hailymladd yn Ffair Borth ym mis Hydref – achlysur pwysig yng nghalendr y colegau am fwy nag un rheswm.

Caem hwyl arbennig wrth deithio'r gogledd gyda'r parti noson lawen a oedd yn cynnwys triawd, sef Ednyfed Williams, Elfyn Pritchard a minnau, yn canu ein caneuon ein hunain ar bynciau cyfoes – gwleidyddol a chymdeithasol, a hynny i gyfeiliant Valerie Jones – Valerie Ellis yn ddiweddarach, neu Tydfil Roberts. Byddai Tegfryn (Tecs) Williams a Goronwy Wynne yn unawdwyr a Nansi Watkin Jones, Berian Williams, Gwynedd Jones, Elfyn Hughes a Trefor Davies-Isaac yn chwarae eu rhan hwythau yn y diddanwch hwyliog. Roedd yr eisteddfod ryng-golegol yn ei bri yn ystod blynyddoedd 1949-53 a chawsom grwydro i Aberystwyth, Abertawe a Chaerdydd yn eu tro a darganfod bod tipyn o fywyd yn y colegau hynny hefyd a chyfle i ehangu ein cylch o gyfeillion drwy'r pwyllgorau i drefnu'r eisteddfod. Roeddwn yn falch o'r cyfle i gystadlu ar y prif adroddiad a'r perorasiwn yn arbennig. Os gallech berfformio o flaen cynulleidfa o fyfyrwyr swnllyd, gallech berfformio yn rhywle. Roedd hi'n ysgol galed ond yn ysgol fuddiol iawn i feithrin hyder cyhoeddus. Cofiaf yn dda, a minnau'n gweithredu fel archdderwydd yn y ffug-orsedd yn yr Eisteddfod Ryng-golegol ym Mangor i griw o stiwdants Caerdydd (ac nid wyf yn amau nad oedd yr enwog, a'r lliwgar, Glyn Jones,

Pendyrys, yn eu plith) ddod i eistedd ar y llwyfan i chwarae cardiau – gan dorri ar 'urddas' ein seremoni!

Yr oedd Cymdeithas y Ddrama Gymraeg fywiog yn y coleg drwy gydol fy nghyfnod ym Mangor, a bu Carys yn ysgrifenyddes iddi am gyfnod. Roedd y gymdeithas hon yn hynod o ffodus o gael John Gwilym Jones, a oedd yn gynhyrchydd radio gyda'r BBC ym Mangor bryd hynny, yn gynhyrchydd. Yn ystod fy mlwyddyn gyntaf yn unig y bûm i'n ceisio actio gan gael rhan y diawl yng nghyfieithiad Tom Parry, Athro carismatig y Gymraeg yn y coleg yr adeg honno, o ddrama Yeats *Yr Iarlles Cathleen*. Roedd cael bod dan gyfarwyddyd John Gwilym Jones yn brofiad arbennig, ond bod ei duedd i newid pethau yn y rihyrsal olaf yn peri peth dryswch i'r actorion ar adegau. Mae gennyf gof byw iawn o'r cynhyrchiad gwych o *Llywelyn Fawr* (Tom Parry) gyda John L. Williams yn chwarae'r brif ran. Ar wahân i'm hedmygedd ohono fel actor a phêl-droediwr medrus, deuthum i werthfawrogi cyfraniad John Lasarus fel cynghorydd sirol yng Ngwynedd yn ddiweddarach – yn arbennig pan oedd yn Gadeirydd y Pwyllgor Addysg. Cofiaf hefyd y cynhyrchiad cyntaf o ddrama John Gwilym Jones ei hun, *Y Gŵr Llonydd*.

Yr oedd Glyn O. Phillips dair blynedd ar y blaen i mi yn y coleg ac yn dechrau ei PhD pan ddechreuais i ym Mangor. Â'r ddau ohonom o'r Rhos ac yn debyg ein diddordebau, datblygodd y cyfeillgarwch rhyngom dros y blynyddoedd ac mae'r cyfeillgarwch wedi parhau hyd heddiw. Gan i mi wneud cymwynas ag ef a'i gyflwyno i Rhiain (Williams, a ddaeth yn ddiweddarach yn Phillips) ar gaeau chwarae'r Ffriddoedd yn hydref 1949 a Rhiain yn ffrind i Carys, does ryfedd inni ein pedwar weld cryn dipyn ar ein gilydd dros gyfnod o bedair blynedd ym Mangor (ac wedyn mewn gwahanol gyfnodau). Byddai angen llyfr cyfan i sôn am ein holl helyntion, ac fe sonnir am rai ohonynt yn ddiweddarach, ond cofiaf un digwyddiad pleserus iawn. A ninnau efo'n gilydd yn Llandudno ac yn eistedd mewn cysgodfan ar y rhodfa ar nos Sul, dyma ddechrau canu, 'Tydi sydd deilwng oll o'm cân' ar y dôn 'Godre'r Coed' a hynny mewn pedwar llais. Yn ddiarwybod i ni, roedd criw o bobol, ymwelwyr haf mae'n debyg, wedi casglu i wrando ac yn sydyn dyma ddechrau taflu arian i mewn i'r gysgodfan! Dyma'r agosaf a ddaethom i fod yn gantorion proffesiynol! Fe ganodd Glyn a minnau gryn dipyn efo'n gilydd yng Nghôr Meibion y Rhos ac yng nghorau'r Aelwyd, a Glyn oedd arweinydd corau Bangor, meibion a chymysg, yn un o'r eisteddfodau rhyng-golegol. Yn ddiweddarach, ambell waith, ef oedd yn arwain côr Harwell pan oeddem ill dau yn gweithio yno ar ôl gadael y coleg.

Yn wahanol i gyfnodau diweddarach ym Mangor ac Aberystwyth, doedd diwedd y pedwar degau a dechrau'r pum degau ddim yn gyfnod o brotestio cyhoeddus – ond byddem ni, fyfyrwyr Bala-Bang, yn protestio'n gyson i Jane Ann, y metron, oherwydd undonedd y bwyd! Efallai mai un rheswm am hynny oedd fod cymaint o'r myfyrwyr wedi dychwelyd o'r lluoedd arfog ac yn falch o heddwch ac o gael bod yn ôl wrth eu hastudiaethau er mwyn paratoi am waith a gyrfa. Hefyd, er nad oedd fawr o Gymraeg yng ngweinyddiaeth na chyrsiau'r coleg, doedd ein Cymreictod ddim dan unrhyw fygythiad – o ran ein gweithgareddau cymdeithasol o leiaf; roedd digon ohonom yn Gymry Cymraeg i roi ein stamp ein hunain ar y coleg. Gresyn, efallai, na fyddem wedi manteisio ar y sefyllfa ac ymgyrchu am gyrsiau drwy'r Gymraeg, ond y gwir amdani yw ein bod wedi ein cyflyru, fel pawb arall yn y cyfnod hwnnw, i dderbyn mai'r Saesneg oedd iaith addysg.

Ond roedd yna ddeffroad tawel i'w deimlo yn y coleg a'r tu allan. Oedd, yr oedd rhieni mewn rhai ardaloedd, yn y de ac yn y gogledd ddwyrain, yn pryderu yn 1949 oherwydd Seisnigrwydd yr ysgolion yn gyffredinol ac yn 1999 fe fuom yn dathlu pen-blwydd nifer o ysgolion cynradd Cymraeg yn 50 oed. Yn y coleg, roedd yna ddeffroad cenedlaethol a chan mai Plaid Cymru yn unig oedd yn arwain ar faterion Cymreig bryd hynny, roedd yna ymgyrchoedd a phrotestiadau yn cael eu trefnu gan y gangen golegol dan arweiniad pobl fel Islwyn Lake. Protestiwyd yn erbyn gwersyll milwrol Trawsfynydd drwy eistedd ar y ffordd; rhoddwyd croeso twym i Emmanuel Shinwell yn Aberystwyth gan ei fod, ar y pryd, yn Weinidog dros Ryfel ac Arfau. Pan roddwyd cyfrifoldeb dros Gymru i'r Sgotyn, David Maxwell Fyfe, buom fel triawd yn canu'n goeglyd am yr 'anrheg' gan San Steffan. Trefnwyd ar un achlysur orymdaith y tu ôl i gorff marw Cymraeg Bangor – rhan o orymdaith flynyddol y Rag. Pan gawsom ein gorfodi i wisgo gynau yn adeiladau'r coleg, cofiaf am beth protestio a bu'r orfodaeth yn destun hwylus i gân unwaith eto. Ond achlysurol, a phur ddiniwed, a dweud y gwir, oedd ein protestiadau; roeddem yn rhy brysur yn mwynhau ein Cymreictod!

I ni'r myfyrwyr, o bob plaid rwy'n credu, roedd Gwynfor Evans yn gawr a phan ddeuai, yn ŵr ifanc yn niwedd ei dri degau, i neuadd y Powys i annerch, byddai honno dan ei sang, y gwrandawiad yn drydanol a'r gymeradwyaeth yn fyddarol. Fo oedd yr arwr mawr i'r rhan fwyaf ohonom ni Gymry Cymraeg. Fe heuwyd sawl hedyn dros senedd i Gymru yn y dyddiau hynny. Heb ddylanwad enfawr Gwynfor, ni fyddai Cynulliad. Ac yn ôl y derbyniad cynnes a brwdfrydig a dderbyniodd yn Eisteddfod Genedlaethol 2000 yn Llanelli, mae'r parch tuag ato ac edmygedd y genedl ohono yn fwy nag erioed.

Yr oedd nos Sadwrn yn noson fawr gan mai dyna pryd y cynhelid yr *hop* (dawns) yn Neuadd Pritchard Jones y Brifysgol. I'r ddawns, yn ychwanegol at stiwdants y Brifysgol, deuai myfyrwyr y Normal, merched y Santes Fair – a rhai pobl ifainc leol. Yn y dyddiau hynny, roedd bri ar y *waltz*, y *quick-step*, y *slow fox-trot* yn ogystal â'r *tango*, y *velita* a'r *Gay Gordons* ac fe gymerem ein dawnsio o ddifrif gan fynychu dosbarthiadau wythnosol yn hytrach na chael ein labelu'n *wallflowers*! Roedd angen gwersi arna i a'm siort a oedd wedi dod yn syth o'r ysgol ond yr oedd y cyn-filwyr yn hen lawia ac yn debygol o ddwyn y merched dela os nad oeddem yn ofalus. Yn y ddawns '*Paul Jones*', lle newidid partneriaid bob hyn a hyn, yr oedd gennym siawns go lew. Yr oedd lle dawnsio arall ym Mangor, hefyd, ac âi rhai o'r dynion i 'Jimmy's' ar Allt Glanrafon i ymarfer yn ystod yr wythnos, a merched lleol oedd yno yn bennaf.

Ni wn a wyf yn hollol iawn ynglŷn â'r amserau ond credaf fod yn rhaid i ferched y Santes Fair fod i mewn yn eu hosteli erbyn 9.45, merched y Normal erbyn 10.15 a merched y Brifysgol erbyn 10.45. Dywedir mai'r gamp eithaf oedd mynd â merch o'r Santes Fair adref gyntaf, dod yn ôl a chasglu un o'r Normal cyn dychwelyd i hebrwng un o ferched y Brifysgol. Gan gofio mai ar ben rhiw serth yr oedd Coleg y Santes Fair, go brin fod llawer wedi cyflawni'r gamp. Fe oddefai merched y Brifysgol yn grintachlyd i'r bois fynd allan efo merch o'r ddau goleg arall ond byddai i un ohonom fynd efo merch o'r ddinas yn ennyn gwg a sen a chât'r 'pechadur' ei anwybyddu ganddynt nes iddo ddod at ei goed – fel y profais i ar un achlysur.

Er i mi gyfarfod a chanlyn Carys o'r tymor cyntaf un, bu rhai cyfnodau byr o ddieithrio dros y pedair blynedd ond gwir iawn oedd yr hen air am gynnau tân ar hen aelwyd. Roedd Carys yn aros mewn hostel, Caederwen, yn ystod y blynyddoedd cyntaf a chaem ni'r dynion ymweld â'r merched yn eu hystafelloedd ar y Sul. Os cofiaf yn iawn, Glyn a fi oedd y rhai cyntaf i fwynhau'r fraint fentrus hon. Yn y flwyddyn olaf, roedd Carys a nifer o'i ffrindiau mewn llety yn Lower Garth Road. Cofiaf un digwyddiad digon doniol. Arferid hongian goriad y drws ffrynt ar linyn a oedd yn disgyn y tu cefn i'r blwch postio, a'r cyfan oedd raid ei wneud oedd rhoi llaw i mewn, gafael yn y llinyn a thynnu'r allwedd drwy'r twll. Rhyw noson, a Carys a minnau'n ffarwelio'n hir yn y *porch*, clywem Gwenonwy a Dan yn agosáu a Gwenonwy, cydletywraig Carys, yn taro ei llaw drwy'r twll i estyn y goriad. Gafaelais yn ei llaw!

Nid anghofiaf fyth y noson honno pan benderfynodd nifer o 'ddoctoriaid' Bala-Bangor 'fenthyg' rhai o luniau cewri'r Bedyddwyr o'r Coleg drws nesaf i'w gosod yn hostel y merched. Yr oedd hi'n noson wyntog iawn a champ go fawr oedd llithro'n llechwraidd i lawr Stryd y Coleg heb i'r gwynt gipio'r lluniau enfawr a'u cludwyr i'r Fenai, heb sôn am osgoi sylw'r heddlu. 'Wn i ddim a fu i'r merched werthfawrogi'r ymdrech er eu mwyn!

A sôn am Goleg y Bedyddwyr, roedd y prifathro, y Parchedig J. Williams Hughes (neu Bil Pops i ni'r myfyrwyr), yn byw y drws nesaf i Goleg Bala-Bangor ac yn ei ardd roedd yna sêt wen. Fe fyddai rhai o'r 'doctoriaid' pryfoclyd yn symud y sêt yn bur gyson dan lenni'r nos, ei rhoi mewn gardd gyfagos a dod â sêt arall yn ei lle. Y cwbl a wnâi'r prifathro hynaws oedd paentio'r sêt newydd yn wyn! Mae'n rhaid bod holl seti gardd Bangor Uchaf yn wyn ymhen blwyddyn neu lai!

A hwyl ddiniwed fel hyn a gaem fel myfyrwyr. Ychydig iawn o gyrchu i dai tafarnau a fyddai o blith y Cymry Cymraeg ac roedd nifer ohonom yn rhy dlawd i feddwl am wario ein harian ar ddiod hyd yn oed pe bai arnom yr awydd. Caem gryn hwyl yng nghaffis y Crem, y Buttercup a Bobi Bobs a byddem yn fynychwyr gweddol gyson yn y sinemâu – y *Plaza*, y *City*, a'r *County Theatre* – a Phictiwrs bach y Borth pan oeddem yn barod i fentro tros y bont.

Fel y cawsom ein hatgoffa yn '*Stand By*', R. Alun Evans, roedd cryn fri ar ddarlledu o Fangor yn ystod y cyfnod yr oeddwn yn y coleg. Gwerthfawrogais y cyfle i gymryd rhan pan oeddwn yn fyfyriwr mewn dramâu radio ac i ddarlledu i ysgolion dan gyfarwyddyd Elwyn Thomas (y bûm yn gweithio gryn dipyn gydag ef ar raglenni gwyddonol ar y teledu yn ddiweddarach yn nyddiau Caerdydd). Cofiaf un ddrama radio yn arbennig oherwydd y rhan a gefais oedd bod yn gariad i'r cymeriad a bortreadid gan Siân Phillips. Pe bawn yn actor, byddai hynny ar fy rhestr cymwysterau yn bendant! Hefyd, roedd actorion profiadol fel Charles Williams, Ieuan Rhys Williams, Dic Hughes a Sheila Huw Jones yn garedig iawn tuag at ddarlledwr llai profiadol fel fi. Roedd y tâl yn arbennig o dderbyniol i stiwdant tlawd.

Rhaid cydnabod bod Bangor yn lle hynod ddiddorol i fyfyriwr yn y pum degau cynnar a fydden ni byth bron yn mynd adref ond ar ddiwedd tymor. I gario'r post neu i weithio yn *North Wales Power* (*MANWEB* heddiw) yr awn i yn ystod y gwyliau ac i rannu profiadau coleg gyda ffrindiau ysgol a oedd wedi mynd i golegau eraill. Os mai paratoad ar gyfer byw yw prif ddiben addysg, yna mae'n rhaid i mi ddyfarnu mai trwy fyw a gweithio ym Mala-Bangor ynghyd â phrofiadau cyfoethog yr Aelwyd a'r capel yn y Rhos y cefais i ddeuparth ohono – mwy mewn addysg anffurfiol nag mewn cyrsiau academaidd. A dweud y gwir, heddiw, ar ddiwedd gyrfa, y teimlaf fwyaf o awydd hyfforddiant academaidd; rwy'n aeddfed iddo bellach. Ceisiais gymhwyso fy nghred mewn pwysigrwydd addysg anffurfiol yn y gwahanol swyddi y bûm ynddyn nhw yn ystod fy ngyrfa.

PENNOD 4

Croesi'r Ffin

Wrth adael Coleg Bangor ym Mehefin 1953, ar ôl treulio'r flwyddyn olaf yn cael hyfforddiant i fod yn athro, yr oeddwn yn gorfod dewis rhwng mynd i'r lluoedd arfog neu fynd i weithio mewn man a oedd, fe dybiwn, yn fy rhyddhau o alwad felly, a dewisais i fynd i Harwell, ar gymeradwyaeth fy nghyfaill, Glyn, a oedd yno'n barod yn gymrawd ymchwil. Sefydliad ymchwil ynni atomig yn Berkshire oedd Harwell ac er mai athro oedd arnaf eisiau bod yn y pen draw, derbyniais swydd 'swyddog gwyddonol' yn llawen gan gredu y byddai'n baratoad da ar gyfer y dyfodol. Ac fe brofodd yn ddigon buddiol ond ymhen chwe mis galwyd fi i gael archwiliad meddygol, a hynny'n annisgwyl ac anesboniadwy gan y tybiwn fod fy swydd yn fy eithrio o wasanaeth milwrol. Yn yr archwiliad hwnnw, pan welsant ar fy ffurflen i mi ddioddef o asthma pan oeddwn yn blentyn, cefais wybod fy mod yn rhydd o wasanaeth milwrol ac ym mis Chwefror 1954 roedd gennyf ddewis o naill ai aros yn Harwell neu fynd i addysgu. Dewisais yr ail a dilyn Carys i Lundain, fel y caf sôn ymhellach ymlaen.

Yr oedd yr wyth mis a dreuliais yn Harwell yn gyfnod diddorol, ac yn ddigon agos i bicio ar benwythnosau i Lundain lle gweithiai Carys mewn swydd weinyddol yn y Brifysgol; roedd wedi dilyn cwrs ysgrifenyddol dwys ar ôl graddio ym Mangor mewn athroniaeth. Roeddwn yn gweithio mewn labordy 'poeth' lle'r oedd lefel yr ymbelydredd yn uchel. Rhaid oedd newid dillad i fynd i'r labordy, gwisgo bathodyn i fesur cyfanswm yr ymbelydriad a dderbyniwyd mewn wythnos, a chymryd gofal arbennig wrth drin elfennau a chyfansoddion uchel eu hymbelydredd. Defnyddiem fenig wrth ein gwaith a gweithiem yn aml y tu ôl i wal blwm mewn siambr gaeëdig gydag offer a reolid o'r tu allan. Ar adegau, pan oedd angen samplo'n rheolaidd, byddwn yn gweithio drwy'r nos, heb neb arall ond fi yn yr adeilad. Gallai hynny fod yn brofiad diflas ac unig. At ei gilydd, caem ein defnyddio fel technegwyr yn hytrach na gwyddonwyr ymchwil a thueddai'r gwaith i fod yn beiriannol ac undonog, ond yn brofiad da o ran datblygu rhai technegau, ac yn arbennig o ran meistroli dulliau priodol o drin elfennau ymbelydrol iawn a defnyddio'r offer arbennig i fesur newid yn yr ymbelydredd. Erbyn meddwl, rwy'n falch i mi gael y profiad mewn sefydliad o'r fath cyn dechrau ar yrfa mewn sefydliadau addysgol. Ond ni hiraethais am y gwaith ar ôl i mi ddechrau addysgu gwyddoniaeth.

Roeddwn yn byw mewn hostel yn Harwell, *Icknield Way House*, ac yn agos iawn at *Ridgeway House* lle'r oedd Glyn yn byw. Caem lawer o gwmni ein gilydd gyda'r nos er nad oeddem yn gweithio yn yr un adran; gweithiai Glyn yn adran Cemeg Ymbelydredd a minnau yn adran Radiogemeg. Yr oedd digon i'w wneud ar y safle yn Harwell a oedd ddwy filltir o Didcot a thua phymtheng milltir o Newbury ac o Rydychen. Ymunais i â'r tîm pêl-droed a oedd yn chwarae yn y gynghrair leol ac yn cystadlu am y cwpan. Roedd y cyfleusterau'n wych; gofalent am ddillad glân ar gyfer pob gêm, a darparent gyfleusterau hyfforddi, cludiant rhad a bwyd ar ddiwedd y chwarae. Cofiaf yn arbennig fod cyflwr ein cae ni a'r caeau eraill y chwaraeem arnynt yn rhagorol ac yn wastad iawn, fel y mae'r tirwedd yn y rhan honno o Loegr. Mwynheais chwarae yma fwy nag yn unman oherwydd yr amgylchiadau ffafriol.

Roedd yn Harwell dîm snwcer a llwyddodd Glyn a minnau (diolch i hyfforddiant y Stiwt yn y Rhos) i ennill ein llefydd yn y tîm a chael hwyl reit dda ar chwarae. Ar ben hyn, roedd yno gôr cymysg a chofiaf ganu'r Meseia a'r cantata '*Sing We the Birth*' yn ystod Nadolig 1953. Yma, fel mewn mannau eraill cyn hynny, yn y bywyd cymdeithasol, yn hytrach na'r gwaith, y cefais i'r budd a'r pleser mwyaf.

Mae un digwyddiad arall yn ymwneud â Glyn yn y cyfnod yma yn dod i'r cof. Yr oeddem ill dau yn y Rhos adeg gwyliau o Harwell ac wedi clywed bod Aneurin Bevan yn siarad ym mhafiliwn Corwen. Dyma benderfynu mynd draw i wrando arno. Erbyn inni gyrraedd, roedd y pafiliwn yn llawn ond awgrymodd un ohonom (Glyn, mae'n debyg) y dylem fynd i'r cefn at fynedfa'r wasg! Pan ofynnodd y stiward inni ba bapur a gynrychiolem, dyma Glyn yn dweud yn bendant: '*Y Cymro*', a'r '*Goleuad*' oedd y papur cyntaf a ddaeth i feddwl mab i weinidog yr Hen Gorff! Cyfeiriwyd ni i seddau'r wasg yn y blaen ac ni allem ond ymlawenhau yn ein lwc. Pan ddechreuodd Aneurin Bevan siarad, gyda'r awgrym hudolus o atal dweud, roedd y gynulleidfa wedi ei chyfareddu a'r wasg o'n cwmpas yn cofnodi ei eiriau'n awchus. Pawb ond Glyn a fi. Pan welais Glyn yn dechrau sgrifennu ar gefn amlen, fe dynnais innau ddyddiadur bach o'm poced i wneud yn sicr nad oedd darllenwyr y *Goleuad* yn cael eu hamddifadu!

✦ ✦ ✦

Er mwynhau byw yn Harwell, roedd Llundain yn tynnu a chefais i ddim trafferth i gael swydd dros dro yn Sloane Grammar School, Chelsea, i addysgu ffiseg i'r Safon Uwch. Er mai fy ail bwnc yn y Brifysgol oedd ffiseg, fe fwynheais y profiad o ychydig fisoedd yno yn fawr iawn. Roedd yn ysgol wâr a'r prifathro, dyn o'r enw Guy Boas, yn arbenigwr ar gynyrchiadau Shakespeare mewn ysgolion.

Roedd byw yn Llundain yn brofiad digon diddorol ac yn hwylus iawn i weld Carys yn amlach nag ar benwythnosau. Bûm yn hynod o ffodus i gael llety mewn fflat yn Kilburn gyda dau gyfyrder i mi – Ceiri ac Iolo Griffith o'r Ffôr, Pwllheli, y naill yn ddarlithydd mewn ffiseg yn University College a'r llall yn fyfyriwr meddygol yn yr un coleg. Ymhen rhai blynyddoedd, cafodd Ceiri gadair a chymhwysodd Iolo i fod yn arbenigwr clust, trwyn a gwddw. Am y cyfnod y bûm yn Llundain, roedd cael eu cwmni, ill dau, yn amheuthun, yn enwedig gan nad oeddem yn 'nabod ein gilydd yn dda cyn hynny. Ar wahân i'w caredigrwydd yn rhoi lle imi aros a'm tywys i mewn i gymdeithas Gymraeg Llundain, gwnaeth y ddau, mewn gwahanol ffyrdd, gymwynas arbennig â mi yn ddiweddarach. Datblygodd Ceiri ddiddordeb dwfn mewn hel achau ac mae ei lyfr *Achau ac Ewyllysiau De Sir Gaernarfon* yn berl, a'r gymwynas fawr â mi oedd i mi weld bod y gangen deuluol ar ochr fy mam yn mynd yn ôl i Eifion Wyn ac i Edmwnd Prys. Pedigri go anrhydeddus! Pan gefais anhwylder ar fy nghlust rai blynyddoedd yn ôl, roedd cael Iolo i gyflawni'r driniaeth yn gysur mawr a chael adfer fy nghlyw yn fendith arbennig.

Manteisiais ar y cyfnod byr a dreuliais yn Llundain drwy ymweld â'r llefydd diddorol i gyd – yn enwedig digwyddiadau byd chwaraeon fel y ras gychod rhwng Rhydychen a Chaergrawnt a gemau pêl-droed. Cofiaf yn dda i Carys a minnau fynd i weld Roger Bannister a Chris Chataway yn rhedeg y ras filltir yn y White City. Cawsom noson wefreiddiol hefyd yn uchelderau'r Albert Hall yn cael ein cyfareddu gan y tenor telynegol, yr enwog Gigli. Gan fod Kilburn yn agos i Lords, yr oeddwn wedi edrych ymlaen at gael gweld tipyn o griced yno ond dychwelais i Gymru cyn bod y tymor wedi dechrau'n iawn. Yn Llundain, o bob man, y cefais i fy ngwers yrru gyntaf, yng nghar fy nghyfyrder, a gorfod aildanio'r injan ym mhob golau coch o Kilburn i Tottenham Court Road!

Cyn i mi gyrraedd Llundain, roedd Carys wedi dechrau mynychu Capel Westminster lle'r oedd yr enwog Dr Martin Lloyd-Jones yn weinidog, a bûm mewn oedfa yn y capel eang hwn â'i gynulleidfa luosog ar nifer o achlysuron. Ni allwn lai na rhyfeddu at ddawn, ysgolheictod a sêl y Doctor a chefais gryn fendith o wrando arno. Capel Charing Cross oedd y cyrchfan arall ar y Sul ac roedd y gweinidog, y Parchedig Gwyn Evans, yn bregethwr grymus a gafaelgar.

Yr oedd Llundain bryd hynny yn llawn o Gymry oedd wedi gadael

Cymru i fynd i goleg ac i weithio, a llawer ohonynt wedi penderfynu aros yno, gan dlodi llawer o ardaloedd yng Nghymru yn y broses. Mae'n sicr i Gymru golli nifer a allai fod wedi bod yn arweinwyr yng Nghymru pe byddai amgylchiadau wedi caniatáu iddynt aros yn eu cynefin. Deuthum i 'nabod nifer o Gymry Llundain y cyfnod – pobl fel Kynric Lewis a Gwilym Griffith, meibion y mans fel y fi – dau a gyrhaeddodd yn uchel ym myd y gyfraith a meddygaeth ac a symudodd, er mawr fudd i Gymru, gyda'u teuluoedd i gyffiniau Caerdydd yn y chwe degau, ychydig wedi i ni fel teulu bach ymsefydlu yn y brifddinas. Buom, fel teuluoedd, yn gyfeillion da am yn agos i ddeugain mlynedd. Roedd June Roberts yn arian byw yng nghymdeithas Cymry Llundain ac wedi iddi briodi Ceiri, fy nghyfyrder, daethom i'w hadnabod yn bur dda cyn ei marwolaeth annhymig yn 1989. Hi oedd ysgrifennydd brwdfrydig y Cymmrodorion am flynyddoedd a bu'n weithwraig ddihafal dros Ysgol Gymraeg Llundain fel yr oedd Kynric Lewis.

Ond er mor ddiddorol oedd bywyd a gwaith yn Llundain, roedd gweld hysbyseb bod angen Pennaeth Cemeg yn Ysgol Uwchradd Llangefni, Môn – i ddechrau ar ôl gwyliau'r haf neu'n gynharach, yn ormod o demtasiwn ac anfonais gais i mewn rhag blaen. Cefais wahoddiad, gyda'r troad bron, i fynd am gyfweliad. Gallaf gofio'r diwrnod yn dda – diwrnod bendigedig o wanwyn cynnar a'r golygfeydd panoramig o fynyddoedd Eryri o lyfrgell yr ysgol, lle cynhelid y cyfweliad, yn cymryd anadl dyn. Os oeddwn ryw gymaint yn ansicr cynt ynglŷn â symud i Fôn, fe benderfynais ar ôl cyrraedd yr ysgol fy mod am fynd amdani gyda'r brwdfrydedd mwyaf. Bûm yn ddigon ffodus i fod yn llwyddiannus a deall eu bod yn dymuno i mi ddechrau cyn gynted ag y gallwn gan fod yr athro Cemeg yn ymddeol cyn y Sulgwyn. Cytundeb dros dro oedd gennyf yn Sloane, a chan nad oedd angen fawr o rybudd ymddiswyddo, cytunais i ddechrau ar ôl y Pasg os oedd Carys yn fodlon. Rwy'n credu i Carys ddeall cymaint oedd fy awydd i fynd i addysgu cemeg, ac yn arbennig i gael swydd pennaeth adran yn fy swydd amser-llawn gyntaf; deuai hyn â lwfans cyfrifoldeb ychwanegol o saith deg a phump o bunnau – swm go fawr i athro ifanc y dyddiau hynny. Derbyniais y swydd a gadael Llundain, a gadael fy nghariad hefyd, dros dro, am Fôn dirion dir.

PENNOD 5

Prentisiaeth Llangefni

Agorwyd Ysgol Uwchradd Llangefni ym Medi 1953, ar safle eang ar ben yr allt yn y dref sirol, fel ysgol gyfun i ardal go eang, o Niwbwrch yn y gorllewin i Lannerch-y-medd yn y dwyrain ac o Gwalchmai yn y gogledd i'r Gaerwen yn y de. Roedd agor yr ysgol yn rhan o gynllun Pwyllgor Addysg Môn i ad-drefnu addysg uwchradd drwy'r sir ar linellau cyfun – pan fyddai pawb mewn ardal yn mynychu'r un ysgol wedi codi'n un ar ddeg. Eisoes roedd y system yn weithredol yng Nghaergybi er Medi 1949 ac yn Amlwch er 1950. Hefyd yn 1953, agorwyd ysgol gyfun i rannau deheuol y sir, Ysgol Uwchradd David Hughes, yn Beaumaris. Lleolwyd yr ysgol honno yn adeilad hen Ysgol Ramadeg y dref ond fe'i symudwyd i adeilad newydd ym Mhorthaethwy yn 1962.

Ystyrid Pwyllgor Addysg Môn yn un blaengar am arloesi gydag addysg gyfun ym Mhrydain. Yn dilyn Deddf Addysg Butler 1944, rhoddwyd cyfrifoldeb ar bob awdurdod addysg i ddarparu addysg uwchradd orfodol, rad i bob plentyn rhwng 11 a 15 oed. Cyn hynny, roedd pedair ysgol uwchradd ym Môn – Caergybi, Llangefni, Amlwch (mewn adeiladau dros dro er 1940) a Beaumaris – ysgolion gramadeg i gyd, a'r olaf yn hen ysgol ramadeg a sefydlwyd gan David Hughes yn 1603 ac a oedd tua'r un oed â fy hen ysgol i yn Rhiwabon. Darparai'r rhain addysg academaidd i tua 40% o'r boblogaeth ar sail dewis drwy'r arholiad 11+. I'r disgyblion na ddetholwyd i fynd i ysgolion gramadeg ym Môn, fe geisid darparu ar eu cyfer yn yr ysgolion cynradd bob oed, tra mewn siroedd eraill (Sir Gaernarfon, er enghraifft), darperid ysgolion *central* yn benodol ar gyfer y rhai na lwyddasai yn yr 11+. (Ond yr oedd un ysgol *central* yng Nghaergybi – Ysgol Cybi.) Pan wahoddwyd awdurdodau addysg Cymru a Lloegr i gyflwyno cynlluniau datblygu, gwelodd y Pwyllgor Addysg, dan arweiniad y Cyfarwyddwr, E. O. Humphreys (dim perthynas ond gwrthwynebydd cryf i'r 11+, fel finnau) y cyfle i neidio dros y cam o sefydlu ysgolion *central* (neu 'uwchradd modern' fel y'i gelwid yn ddiweddarach) a chynigiwyd cynllun cyfun. Dim ond cynllun Ynys Môn (ac Ynys Manaw nad oedd dan reolaeth Brydeinig) a dderbyniwyd gan y Weinyddiaeth dan lywodraeth Lafur 1945-1951 – yn ôl pob tebyg oherwydd ei phoblogaeth wasgarog, wledig. Dyma Ynys Môn, felly, o fod ar ôl pawb o ran darpariaeth uwchradd gyflawn, yn cael cyfle i fod yn arloesol a gwireddu gofynion Deddf 1944 drwy system *gyfun* – rhywbeth na nodwyd yn benodol fel posibilrwydd yn y Ddeddf, mewn gwirionedd. Yng ngweddill Cymru, ni welwyd fawr o symudiad i'r cyfeiriad yma nes cyhoeddi Cylchlythyr 10/65 yn 1965 dan lywodraeth Lafur arall ac wedi i lawer o dystiolaeth ymchwil ddod i'r brig yn nodi'r gwastraff talent a'r cyfle anghyfartal a geid dan y drefn o ddidoli yn un ar ddeg oed.

Felly, yn yr ysgol gyfun ifanc saith mis oed, ar safle yn agos i'r hen Ysgol Ramadeg yn Llangefni, y dechreuais i fy ngwaith yn athro cemeg yn Ebrill 1954 – ysgol ac ynddi dros 900 o ddisgyblion o bob gallu mewn adeilad newydd sbon a chyda chaeau chwarae eang a hwylus, ond gwlyb.

Chafodd neb ddechrau mwy manteisiol. Fel y nodais eisoes, roedd *Hughes Cem* (Walter Hughes), fy rhagflaenydd, yn parhau yn yr ysgol tan y Sulgwyn pryd y byddai'n bump a thrigain oed ac yn ymddeol. Hefyd, roedd dau fyfyriwr a chanddynt radd mewn cemeg ar ymarfer dysgu o'r Brifysgol. Felly, rhwng y Pasg a'r Sulgwyn, roedd pedwar ohonom yn rhannu'r un amserlen a rhyw dair gwers y dydd a addysgwn ar y mwyaf. Yn ystod gweddill yr amser, cefais gyfle i edrych yn fanwl ar gynlluniau gwaith ac ar y stoc offer, y deunyddiau a'r cemegau. Yr oeddwn yn awyddus iawn i roi pwyslais ar waith ymarferol unigol o'r cychwyn cyntaf. Dyma oedd cyflwyno delfrydol i waith athro – 'anwytho' yw'r term proffesiynol erbyn hyn – a chyfle gwych i newyddian gael ei draed tano. Credais, dros y blynyddoedd, na roddir digon o gefnogaeth yn y rhan fwyaf o ysgolion i athrawon sy'n newydd i'r proffesiwn ac yn syth o'r coleg.

Er bod Ysgol Llangefni yn ysgol gyfun yn yr ystyr ei bod yn derbyn pawb o'r dalgylch yn ddiwahân, roedd yno ffrydio yn ôl gallu (ar ba dystiolaeth, ni wn) a chryn wahaniaeth, o'r flwyddyn gyntaf ymlaen, yn y ddarpariaeth gwricwlaidd ar gyfer y gwahanol ffrydiau. Byddai'r arlwy wahaniaethol yn ei gwneud hi'n anodd i ddisgybl symud yn rhwydd rhwng y ffrydiau a, b, c . . . ar sail ei berfformiad, ac ychydig o symudiadau a ddigwyddai. Hyd y cofiaf, doedd dim setio yn ôl gallu, sef ffurfio dosbarthiadau gwahanol o fewn blwyddyn yn y gwahanol bynciau, trefniadaeth sy'n ei chynnig ei hun mewn ysgol gyfun fawr. Ni wnaed llawer o ymdrech i gymysgu disgyblion o wahanol alluoedd, hyd yn oed mewn gwersi chwaraeon. Ond rhaid cofio mai dyddiau cynnar oedd hi ar addysg gyfun a bod dod â disgyblion at ei gilydd i un ysgol yn egwyddor na fyddai pawb ym Môn yn cyd-fynd â hi.

Un nodwedd anarferol o'r ysgol oedd ei bod yn gweithredu amserlen chwe diwrnod. O ddechrau'r tymor gyda'r dydd Llun yn ddiwrnod un, roedd dydd Gwener yn ddiwrnod pump a'r dydd Llun canlynol yn ddiwrnod chwech. Yna'r dydd Mawrth yn ddiwrnod un, ac yn y blaen. Roedd arwydd yn y cyntedd yn atgoffa pawb wrth iddynt ddod i mewn pa 'ddiwrnod' oedd hi o safbwynt yr amserlen. Dyfais yw hon i helpu'r ysgol i ffitio mwy o bynciau i'r amserlen dros chwe diwrnod nag a ellir dros bump, ac i ganiatáu mwy o wersi dwbl i bynciau ymarferol. Hefyd, pan dynnir disgyblion o wersi i gael hyfforddiant ar offeryn cerddorol, dyweder, ar ddydd Llun ar adegau penodol, 'diwrnod un' fyddai ar yr wythnos gyntaf a 'diwrnod chwech' yr ail wythnos ac felly go brin y collid gwersi yn yr un pwnc yn olynol. Roedd rhywun yn dygymod â'r drefn yn fuan ac, yn ddiweddarach, pan oeddwn yn brifathro fy hun, bûm yn ystyried o ddifrif gweithredu trefn amserlennol debyg, ond amserlen ddeng niwrnod yn lle un chwe diwrnod! Methu ddaru mi i gael fy holl staff i weld y manteision ac yr oeddwn yn anfodlon ei gweithredu gyda lleiafrif sylweddol yn ei gwrthwynebu.

Roedd personoliaethau lliwgar a go arbennig ymhlith y staff. Doedd neb yn fwy felly na'r prifathro, E. D. Davies – hen lanc o argyhoeddiad, gŵr talsyth, byrwallt, heini ac athletaidd yr olwg; Cardi, un a fu'n addysgu hanes yn Ysgol Ramadeg y Bechgyn, Caerfyrddin, ac ar staff Coleg y Drindod yn yr un dref. Meddai ar syniadau pur flaengar a dull idiosyncratig o'u gweithredu. Go brin y byddai addysgwyr cyfoes yn cymeradwyo ei arddull unbenaethol; ni chredai mewn cyfarfodydd staff nac mewn ymgynghori, yn dorfol beth bynnag. Gwahoddai rai unigolion i'w ystafell i fwrw atynt ei syniadau diweddaraf er mwyn cael eu hadwaith. Roedd ei bresenoldeb o gwmpas yr ysgol yn weladwy iawn ac roedd yn 'nabod y disgyblion i gyd wrth eu henwau – ac enwau rhieni nifer dda ohonynt – yn enwedig y 'cymeriadau'.

Cofiaf sefyll gydag ef yn y cyntedd ryw ddiwrnod wrth i'r disgyblion lifo allan ar ddiwedd dydd i'w bysiau. Wrth i ddosbarth 4e fynd heibio, meddai E. D.: 'Mae'n bwysig ein bod yn rhoi addysg dda i'r rhain'. 'Pam y rheina'n arbennig?' meddwn i. 'O, 'chi'n gweld, y rheina ydi cynghorwyr sir y dyfodol!' Y nhw oedd yn aros; âi'r gweddill o'r sir. Ac yr oedd yn llygad ei le, yn sicr, ac roedd hynny'n wir nid yn unig ym Môn ond mewn sawl ardal wledig arall yng Nghymru. Gorfod gadael er mwyn 'dod ymlaen yn y byd'.

Roedd Ianto (llysenw a ddaeth ar ei ôl o'r Drindod), neu 'Boss' fel arfer, yn ffanatig dros rygbi, ac yn y blynyddoedd cynnar, a'r ysgol wedi dechrau chwarae'r gêm, fe gariai bêl rygbi yn ei ddwylo wrth rodianna'r coridorau culion neu wrth sefyllian yn ymholgar yn y cyntedd eang. Heb rybudd, taflai'r bêl i grwt oedd yn mynd heibio a hwnnw yn ei syfrdandod yn ei gollwng bron yn ddi-ffael. Credaf i E. D. fod yn chwaraewr da ei hun yn ei ddydd a'i fod yn wybodus iawn am y gêm. Flynyddoedd ar ôl i mi adael yr ysgol, yn ôl a ddeallaf, cafodd dröedigaeth ryfeddol a newid ei ddiddordeb a'i deyrngarwch o'r bêl hirgron i'r bêl-droed. Gwelid ef, yn ddiau ar anogaeth Bill Jones-Henry, yr athro gwaith metel a oedd yn gefnogwr pêl-droed brwd, yn teithio ar y bws i gefnogi Everton yn Goodison Park a chael modd i fyw o wylio 'ei dîm' yn chwarae.

Yr oedd E. D. Davies yn enigma; *hwntw* go iawn yn treulio dros 40 mlynedd ymhlith y Monwyson ac yntau o ran ei anian mor wahanol iddynt; gŵr y bêl hirgron yn troi'n addolwr y bêl gron; dyn preifat ond yn gredwr brwd mewn bywyd cymunedol iach ac yn y pwysigrwydd o wasanaethu'r gymuned leol.

Fel prifathro, meddai E. D. Davies athroniaeth addysgol glir: dyletswydd ysgol fawr ganolog oedd hybu bywyd economaidd a chymdeithasol yr ardaloedd hynny y deuai'r disgyblion ohonynt. Arloesodd drwy sefydlu swydd athro cymunedol i bontio gweithgareddau ysgol a bro – yn arbennig ym myd y ddrama.

Ni allai unrhyw un a weithiodd dan E. D. beidio ag edmygu ei sêl a'i frwdfrydedd dros yr ysgol. Faint o brifathrawon fyddai'n cyrraedd yr ysgol am chwech y bore i glirio'u gwaith gweinyddol er mwyn cael canolbwyntio ar gadw golwg ar bethau yn ystod oriau'r ysgol. Bu i'r rhai hynny ohonom a fu'n brifathrawon ein hunain ar ôl gadael Llangefni (neu *yn* Llangefni yn achos Darrell Rees) ddysgu llawer oddi wrtho. Gadawodd ei stamp arnom ond nid dyn i'w efelychu oedd; yr oedd yn fwy o ddylanwad nag o fodel. Pe baech am ddysgu sut i weinyddu, yna John Young, ei ddirprwy, oedd y model. Gofalai ef fod peirianwaith yr ysgol yn troi'n esmwyth, tra byddai'r prifathro yn fwy o fugail, neu gi defaid!

Cofiaf dri phennaeth y Gymraeg yn yr ysgol yn fy nghyfnod i – John Pierce (awdur llyfrau i blant), Bobi Jones (yr ysgolhaig, Athro ac awdur cyfrolau lu) a Dewi Lloyd (prifathro Caergybi, Singapore ac Aberteifi) – a'r ddau olaf a'u gwragedd, Beti a Margaret, yn gyfeillion da i Carys a minnau dros y blynyddoedd. Rhaid bod i staff Llangefni ansawdd go lew gan i gymaint â chwech o'r aelodau fynd yn brifathrawon ysgolion uwchradd ar ôl bod yno. Nodais Darrell Rees a Dewi Lloyd eisoes a gellid ychwanegu Llew Jones, Henry Richards, Dan Jones ac 'un arall' at y rhestr. Hefyd, bu Emyr S. Jones, Leslie Hodgkins a Glyndwr Thomas yn brifathrawon cynradd, a dichon fod mwy.

O'r holl staff, prin bod un yn fwy o gymeriad na George Fisher, pennaeth yr adran fathemateg a swyddog gyrfaoedd o fath, os cofiaf yn iawn. Gŵr o Fargoed, Morgannwg, wedi dysgu Cymraeg pan oedd yn y llynges oedd George – digon da, yn wir, nes bu iddo bron gipio'r Goron yn Eisteddfod Genedlaethol Aberdâr yn 1956 gyda'i ddrama fydryddol 'Merch yw Medusa'. Roedd yn fathemategydd da ac yn athro llwyddiannus iawn ond nid dyna oedd ei gariad cyntaf. Drama neu, yn hytrach, theatr, oedd hwnnw. Pan ymunais i â'r staff, prin fy mod wedi cael fy ngwynt ataf nes cael fy recriwtio ar y gyda'r nosau i helpu i newid sgubor ym Mhencraig (rhan o Langefni) yn Theatr Fach. Dyma oedd nod fawr ei fywyd ac mae stori codi a rhedeg y Theatr Fach yn un ryfeddol; mae'r sefydliad yn gofgolofn i un a gafodd wireddu ei freuddwyd, drwy waith dygn, penderfyniad a pherswâd cyn ei farw yn llawer rhy gynnar yn 1970. Gallai George Fisher ddiawlio gyda'r gorau ond ei arf effeithiolaf oedd ei wên hudolus a'i werthfawrogiad didwyll.

Wedi dod i Langefni o Lundain yn 1954, cefais lety am gyfnod cymharol fyr yn Glandwr Terrace efo Mrs Jones, gwraig weddw dra charedig. Deuai Carys i fyny o Lundain yn achlysurol i fwrw'r Sul yn y llety a byddai Mrs Jones yn gofalu ein bod yn cadw i'n hystafelloedd! Wedi rhai misoedd yno, penderfynodd Mrs Jones nad oedd am barhau i gadw lojars ac fe symudais ychydig lathenni o Glandwr Terrace i'r *Paragon* ar gornel Stryd yr Eglwys. Yno, dan ofal a gwasanaeth Mrs Eccles a'i gŵr, Cliff, roedd pedwar ohonom yn lletya: tri athro o'r ysgol uwchradd, Harry Hughes (Saesneg), Jim Roberts (Addysg Gorfforol) a minnau, a hefyd Gwilym Roberts a weithiai ym Manc Barclays yn y dref. Yr oedd yn braf cael cwmni tri mor fywiog a hwyliog. Byddem yn yfed sieri'n ddirgel ac yn cuddio'r botel pan ddeuai Mrs Eccles i mewn. Pam, 'dwn i ddim. Roedd Gwilym yn berchen hen Austin 7 a chofiaf gael gwers yrru ganddo yn ei gar ar yr A5 ger Pentre Berw. A minnau'n gyrru'n weddol gyflym ar ffordd syth, daeth y llyw yn rhydd yn fy nwylo! Y cwbl a wnes i oedd ei roi'n ôl, tynhau'r nyten ganol ac ymlaen â ni! On'd oedd bywyd yn syml!

Fe briododd Carys a minnau ar y pymthegfed o Awst 1955, yng nghanol haf crasboeth, a hynny yng nghapel yr Annibynwyr yn y Bala, gyda'm tad yn gwasanaethu. Cefais f'atgoffa droeon gan Carys mai nodwedd y gwasanaeth priodas oedd i Glyn, fy ngwas priodas, a minnau ddyblu'r emyn priodasol ar y dôn *Regent Square* ac i'r organyddes nerfus bron â chael haint. Deellais wedyn nad yw'r fath hyfdra yn gweddu i briodfab ar ddydd ei briodas! Ond be' wnewch chi pan fo dau o'r Rhos efo'i gilydd? Daethom adref o'n mis mêl yn Guernsey yn hapus, yn frown ac yn dlawd – gyda 2/7½ yn fy mhoced, a bod yn fanwl. Does ryfedd fy mod yn fy seithfed nef pan gefais £5 am draddodi darlith ar Ynni Atomig i Gymdeithas y Bancwyr yn fuan ar ôl dychwelyd; roedd hynny'n ddigon i agor cyfrif cadw!

Yr oeddem wedi sicrhau cartref dros dro i ni ein hunain yn Nantglyn, ger yr ysgol – cartref David Taylor, hen ŵr wedi ymddeol o fod yn brifathro cynradd yn Llanfair-yng-Nghornwy. Caem aros yno tan y mynnem, dim ond inni edrych ar ôl Mr Taylor – a'i gath, *Smokey*. Roedd yn gwmni diddan dros ben ac yn ffraeth iawn wrth adrodd ei helyntion – yn yr ysgol yn bennaf. Fel sy'n gyffredin i bobl hŷn, fel y gwn i'n burion erbyn hyn, tueddai i ailadrodd ei hoff storïau ac roedd yn anodd ymateb yn naturiol i'w hanesion annwyl ar ôl eu clywed am y degfed tro. Cofiaf ei bod yn rhyfeddol bwysig iddo gael ei chwe *cream cracker* a sudd oren am naw bob nos.

Ein dymuniad, yn naturiol, oedd cael cartref i ni ein hunain. Yn Llangefni, bryd hynny, yr oedd llawer o athrawon a'u teuluoedd yn byw yn y stad o dai cyngor go newydd ym Mhennant (neu Corn Hir, yr enw arall ar yr ardal). Pan ddaeth Dilys, merch Arthur Evans, clerc cyngor y dref, â'r newydd i mi yn yr ysgol un amser cinio fod 49 Pennant ar gael inni, roedd Carys a minnau ar ben ein digon. Er ein bod yn hapus iawn yn Nantglyn, roedd gwefr arbennig o gael gosod gwreiddiau yn ein cartref cyntaf.

A hithau'n 1956 a Carys yn dod o ardal lle'r oedd Lerpwl yn bygwth boddi rhan ohono, doedd hi ddim yn anodd dod o hyd i enw ar ein cartref cyntaf – ie, Tryweryn. Roedd Tryweryn yn dŷ braf, gweddol newydd, a'r ardd yn newydd iawn, yn anialdir. Rwy'n sicr bod materion eraill wedi cael sylw cyn inni symud i mewn i'r tŷ – prynu dodrefn ac ati, a chawsom lawer iawn o help yn hyn o beth gan fam Carys a oedd yn dipyn o ben busnes ar ôl bod yn rhedeg siop a chaffi yn y Bala am flynyddoedd, ond a oedd bellach wedi ymddeol. Ond trin yr ardd yr oedd fy nhasg fawr i a dyna a gofiaf gliriaf. Roedd gennym ardd go fawr gartref yn y Rhos a dysgais ychydig o'r hanfodion wrth wylio fy nhad wrthi ac o'r ymarfer a gefais wrth drin fy rhandir fy hun. Ond yn Nhryweryn roedd yn rhaid dechrau o'r dechrau. Bûm yn palu a phalu am ddyddiau – palu i ddyfnder dwy raw a chael gwared o'r cerrig mwyaf. Yna, cribinio i gael gwared o'r mân gerrig ac i geisio llyfnhau'r wyneb. Gan mai lawnt oedd i fod yn y rhan helaethaf o'r ardd, rhaid felly oedd rholio a chefais fenthyg rhowliwr gan gymydog. Ar ôl rhowlio ganwaith, roeddwn yn fodlon ei bod fel bwrdd biliards ac fe fyddwn yn gorwedd ar fy hyd i gael gweld bod hynny'n wir. Daeth yn amser i wrteithio a hau had – y gorau oedd ar gael – a disgwyl. Bob bore, agorwn y llenni i weld a oedd tyfiant a phan welais y wawl las gyntaf roeddwn yn gynhyrfus lawen a minnau wedi '*codi daear las ar wyneb anial dir.*' Bûm yn gwarchod a gofalu am fy lawnt gyntaf nes inni adael y tŷ bedair blynedd yn ddiweddarach ac roedd gadael fy lawnt bron mor anodd â gadael yr ysgol. Byth ers hynny, bûm yn eiddigeddus o weithwyr sy'n gweld ôl eu gwaith ar derfyn dydd.

Ar ôl i mi osod y lawnt a thyfu tymor o datws a llysiau, ystyriwn fy hun yn gryn arbenigwr ond roedd Carys yn amheus a oeddwn yn *ddigon* o arbenigwr i roi cyngor i gymdogion ar sut i blannu nionod (wniwns) a minnau erioed wedi gwneud hynny! Yn yr un modd, oherwydd bod yn *rhaid* ei wneud, deuthum yn gyfarwydd â phaentio a phapuro – gwaith, fel garddio, a gefais yn ffordd dda o ymlacio'n feddyliol. Sawl tro, dros y blynyddoedd, y llwyddais i lunio erthygl neu araith yn fy mhen wrth weithio'n gorfforol fel hyn.

Ar ôl i Carys gael ei gwynt ati wedi gosod y tŷ mewn trefn, daeth cyfle iddi fynd yn ôl i weithio. Roedd ganddi brofiad helaeth fel ysgrifenyddes yn Llundain gan orffen yn gynorthwy-ydd personol i Gyfarwyddwr yr

YWCA yn Tottenham Court Road. Pan ofynnwyd iddi fynd i Swyddfa'r Eisteddfod Genedlaethol yn Llangefni i helpu Hywel Thomas, a gawsai ei secondio o fod yn brifathro i ymgymryd â swydd Ysgrifennydd Cyffredinol yr Eisteddfod, nid oedd angen llawer o berswadio arni i gymryd y cyfle ac yno y bu tan ar ôl Eisteddfod Genedlaethol Môn, 1957. Bryd hynny, yn Swyddfa'r Eisteddfod, dim ond Hywel Thomas a Carys, ac un arall tua'r diwedd, oedd yn gyflogedig amser llawn; gwirfoddolwyr oedd y gweddill i gyd, a doedd mo'r ffasiwn beth â swyddfa ganolog. Erbyn hyn, mae 21 o staff parhaol rhwng swyddfa'r gogledd, swyddfa'r de, y swyddfa ganolog yng Nghaerdydd a'r uned dechnegol yn Llanybydder; dyma arwydd o dwf yr Eisteddfod Genedlaethol mewn graddfa a threfniadaeth dros gyfnod o ddwy flynedd a deugain. Fe gostiodd Eisteddfod 1957 £45,000 i'w rhedeg a 'Steddfod 1999, £2.1 miliwn. Roedd Cronfa leol 1957 yn £23,000 ac yn £215,000 yn 1999. Diddorol yw sylwi bod y gronfa leol yn ddigon i dalu 51% o'r costau yn 1957 ond dim ond 10.2% o'r costau erbyn hyn – arwydd o ddibyniaeth gynyddol yr Eisteddfod Genedlaethol ar gynhaliaeth o gyfeiriadau eraill – llywodraeth leol, diwydiant, y Cynulliad ac ar fwy o incwm o'r maes.

Cyn diwedd ei chyfnod yn y swyddfa, roedd yn amlwg bod mwy nag un y tu ôl i'r ddesg, ac fe anwyd Nia Mererid ar Ragfyr 11, 1957. Er mai yn Ysbyty Dewi Sant ym Mangor y cafodd ei geni, fe'i hystyria'i hun yn Fonwysyn ac mae'n hapus o gael byw ers blynyddoedd bellach yn y Gaerwen, Ynys Môn. Cofiaf mor falch yr oeddwn o gael bod yn dad a daw un digwyddiad i'r cof a oedd yn tanlinellu hynny. Roedd y Parchedig W. J. Griffith wedi ymddeol o fod yn weinidog gyda'r Annibynwyr ac wedi dod i fyw i Langefni. Ryw noson ar ôl geni Nia, dyma gnoc ar y drws a phwy oedd yno ond W. J. Griffith. Gofynnodd a oedd fy nhad i mewn (gan dybio'i fod yn nhŷ E. O. Humphreys, y Cyfarwyddwr Addysg, a oedd hefyd yn byw ym Mhennant). Dywedodd W. J. Griffith wrthyf flynyddoedd yn ddiweddarach, ac yntau erbyn hynny'n f'adnabod, mai fy ateb oedd: 'Y *fi* ydy'r unig dad yn y tŷ yma!' Mae'n rhaid fy mod wedi gwirioni!

Fel y dywedais, roedd criw ohonom fel athrawon yn byw ym Mhennant ac o fewn taith gerdded ddeng munud i'r ysgol. Doedd dim angen car ond, gyda geni Nia, daeth yn amlwg y byddai o fantais i deithio i'r dre, i Fangor, ac i weld ein teuluoedd yn y Bala ac yn y Rhos, a Llanelwy o 1958 ymlaen. Ond rhaid sôn am un digwyddiad cyn i mi sôn am ddod yn berchen ar gar.

Yr oedd Carys a minnau, a Nia'n fabi ychydig wythnosau oed, yn y Bala yn aros yng nghartref mam Carys ac wedi trefnu i fynd efo'r trên i weld fy rhieni i yn y Rhos, i ddangos y babi newydd. Yn naturiol, roedd Carys wedi gwisgo Nia yn ei dillad gwyn gorau ar gyfer ei rhieni yng nghyfraith. Pan gyraeddasom orsaf reilffordd y Bala, cawsom fod y trên wedi gadael am y *Junction* ond, o weld ein siom, dyma un o'r portars yn galw'r *Junction* ar y ffôn ac er ein syndod dyma'r injian, ie'r injan, yn bagio'n ôl yr holl ffordd i'n nôl! I mewn i'r injian â ni – Carys a minnau a Nia mewn *carrycot* – a chyrraedd y *Junction* mewn pryd i ddal y trên i Wrecsam. Ond nid Nia *wen* a welodd fy rhieni ond un wen a smotiau duon!

Prynais Vauxhall Wyvern ail law, rhif GCA 548, yn 1958, a bu Carys a minnau'n ddigon ffodus i lwyddo yn ein prawf gyrru y tro cyntaf. Yr hyn a gofiaf yn arbennig am y car, ar wahân i'w liw glas tywyll, ei sêt hir yn y blaen a'r tair gêr ar y llyw, yw fy mod yn arbennig o ofalus ohono. Doedd yr un garej ar gael ym Mhennant wedi i mi brynu'r car ond cynigiwyd un i mi ym Mhencraig. Fe ŵyr y rhai sy'n adnabod Llangefni bod Pennant a Phencraig y ddau ben eithaf i'r dre ac roedd taith o filltir neu fwy i fynd o'r naill ben i'r llall. Ond derbyniais y cynnig o garej ym Mhencraig a byddwn yn seiclo o Pennant i Bencraig i nôl y car, gadael y beic yno ac yna seiclo'n ôl wedi i mi ei gadw ar ddiwedd dydd, gan ofalu ei sychu os oedd yn wlyb. Â'r garej ger y tŷ ers blynyddoedd a'r ceir dipyn yn iau, 'fydda i byth yn eu rhoi i mewn! Ond dyna fo, dim ond unwaith yr ydych chi'n cael eich car a'ch babi cyntaf!

Yr oedd y saith mlynedd cwta a dreuliais yn Ysgol Llangefni yn brentisiaeth dda i mi fel athro ac addysgwr. Yr oeddwn wrth fy modd yn addysgu fy mhwnc – yn arbennig disgyblion y flwyddyn gyntaf a oedd bob amser yn llawn brwdfrydedd a chwilfrydedd wedi iddynt drosglwyddo o'r cynradd i'r ysgol fawr, a hefyd y drydedd flwyddyn, a dosbarth chwech. Y drydedd flwyddyn am mai bryd hynny y cyflwynid cemeg fel pwnc ar wahân, trafod cysyniadau am yr atom a'r molecwl, a dechrau cyflwyno fformiwlâu a hafaliaid. A minnau ond newydd raddio, roedd cynnwys y cwrs Safon Uwch (er mai'r *Higher* a sefais i yn 1949) yn weddol ffres yn fy meddwl ond rwy'n cofio i mi baratoi nodiadau llawn ar y cwrs yn ystod fy mlwyddyn gyntaf – nodiadau nad ystyriais yn ddigon da i'w hailddefnyddio! Ond profiad braf oedd cael cyfle i ddeall y pwnc yn well drwy ei gyflwyno a'i esbonio i eraill.

Ond ar wahân i addysgu gwyddoniaeth gyffredinol a chemeg, fe gynorthwywn gyda mathemateg a chymryd fy nhro, fel y gwnâi nifer o athrawon eraill bryd hynny, i ddyfarnu mewn gemau pêl-droed ar fore Sadwrn, a helpu gyda pharatoi grwpiau canu ac adrodd ar gyfer yr eisteddfod a chynyrchiadau o ddramâu. Cofiaf imi gael y cyfrifoldeb o hyfforddi'r côr adrodd yn *Murder in the Cathedral*, T. S. Elliot, pan lwyfannwyd y ddrama hon yn Saesneg, yn yr un wythnos â pherfformio'r cyfieithiad Cymraeg gan Thomas Parry, a hynny dan gyfarwyddyd Tecwyn Jones a oedd yn addysgu hanes ac ysgrythur yn yr ysgol.

Yr oedd y labordai newydd yn cynnig cyfle da i roi pwyslais ymarferol i'r pwnc o'r flwyddyn gyntaf ond roedd trefnu hynny fy hun – doedd dim sôn am gynorthwywyr labordai yn y dyddiau hynny – yn waith caled ac yn golygu aros ar ôl ysgol yn aml i baratoi offer a deunyddiau ar gyfer y diwrnod canlynol. Gan fy mod yn gredwr mewn gosod cryn waith cartref, roedd y gwaith marcio'n drwm, a hynny ar ben paratoi'r gwersi eu hunain. Wedi cyrraedd i'r tŷ ar ôl gwaith, byddwn yn disgyn i'r gadair a chysgu – yn enwedig yn y flwyddyn gyntaf. Bu gwaith athro yn drwm ac yn flinedig erioed, cyn dyddiau'r Cwricwlwm Cenedlaethol a'r profion!

Wrth edrych yn ôl, byddaf yn arswydo wrth feddwl am ein safonau diogelwch ni yn y labordy bryd hynny o'u cymharu â heddiw pan wisgir sbectolau diogelwch ac y gwaherddir defnyddio rhai cemegau na fyddem ni bryd hynny'n meddwl dim am eu defnyddio. Wrth lwc, nid wyf yn cofio am unrhyw ddamwain ddifrifol ond fe allasai pethau fod wedi bod yn ddrwg pan fentrodd rhai o ddisgyblion y chweched dosbarth wneud 'arbrofion' cemegol braidd yn feiddgar yn ystod fy absenoldeb, a minnau, y diwrnod hwnnw yn 1956, yn claddu fy nhaid, tad fy nhad, yn Rhosesmor.

Y drws nesaf imi yr oedd Darrell Rees, y pennaeth ffiseg, yn addysgu, a buom yn cydweithio am chwe blynedd; fe gyrhaeddodd ef yr ysgol ryw flwyddyn neu lai ar fy ôl i. Sefydlais glwb gwyddoniaeth (*Alpha*) a bu Darrell yn gofalu amdano gyda mi. Trefnem raglen o sgyrsiau gan ddisgyblion y chweched ac eraill, ynghyd ag ymweliadau â llefydd fel y gwaith alwminiwm yn Nolgarrog ac Alwminiwm Môn, ger Caergybi. Cofiaf un penwythnos diddorol a dreuliasom yn Llundain yn ymweld â'r Amgueddfa Wyddoniaeth, yr Amgueddfa Brydeinig, Madame Tussauds, y *Whitehall Theatre* i weld Brian Rix yn *Dry Rot*, a threulio rhai oriau ar Afon Tafwys.

Yr oeddwn yn Wengen, Y Swistir, yn gymharol ddiweddar gyda Gareth, fy mab, Ann, fy chwaer 'fengaf, Emyr, ei gŵr, a Huw, eu mab. Daeth hyn ag atgofion am y gwyliau braf a dreuliwyd gan griw o ddisgyblion Llangefni a phump ohonom ni'r athrawon yn y pentref di-fodur hwn ger yr Jungfrau ym mis Awst 1959. Pan welaf Ifan Wyn Williams o Rosmeirch, Llangefni, bydd yn fy atgoffa'n wastadol am bleserau a helbulon y daith ysgol honno. Cofiaf yn arbennig i mi brynu ffrog las gyda blodau'r Alpau arni yn Interlaken yn rhodd i Nia a oedd yn flwydd a hanner. Pan ddeuthum adref, daeth yn amlwg bod y ffrog yn rhy fach! Y rhyfeddod yw imi glywed bod cydaelod â mi ym Moreia, William Jones, Lledwigan, yn mynd i Interlaken yr wythnos ganlynol. Newidiodd y ffrog heb unrhyw drafferth gan fod ei westy y drws nesaf i'r siop ffrogiau!

Sylweddolais, bryd hynny, mor werthfawr oedd gweithgareddau allgyrsiol i'r disgyblion, o ran cyfoethogi'r cyrsiau academaidd ac i ehangu gwybodaeth gyffredinol. Yn ddiweddarach, gwelais holl staff un ysgol benodol yn rhannu'r un argyhoeddiad a'r un brwdfrydedd.

Staff gweddol ifanc oedd yn Llangefni bryd hynny ond roedd nifer o'r rhai a oedd ar staff yr hen Ysgol Ramadeg dipyn yn hŷn. A dweud y gwir, roedd y cyfuniad o brofiad a brwdfrydedd ieuenctid yn ddelfrydol. Ond byddai rhannu'r ystafell athrawon ar gyfer y merched a'r dynion ar wahân yn annerbyniol heddiw, rwy'n sicr! Cofiaf am un stori barchus ac un digwyddiad mewn perthynas â'r ystafell athrawon.

Roedd G. I. Jones, yr athro Ffrangeg, wedi bod yn swyddog yn yr ail ryfel byd a byddai'n sôn yn weddol aml am ei anturiaethau rhyfel. Mae'n amlwg ei fod hefyd yn ailadrodd ei helyntion gorchestol gartref wrth y teulu. Ryw noson, wrth i'w mab hulio am y gwely ac yntau wedi cael gwers ar yr ail ryfel byd yn yr ysgol, trodd at ei fam ddi-Gymraeg a gofyn: '*Was Hitler in daddy's war, mummy?*'

Gan ein bod yn staff ifanc, roedd yn gymharol hawdd ffurfio tîm criced a byddem yn chwarae yn erbyn timau staff ysgolion Amlwch a Chaergybi. Cymerem y gemau hyn o ddifrif a byddem yn newid i'n dillad gwyn i chwarae. Cofiaf i mi anghofio f'esgidiau gwyn ar gyfer un gêm a chefais f'atgoffa droeon gan Ifan Wyn Williams i mi fod mor feiddgar â batio mewn 'sgidiau brown. *Not cricket!*

Wrth edrych yn ôl, roedd un peth yn od, neu'n ymddangos yn od i mi cyn i mi adael yn 1960. Roedd tua 90% o'r disgyblion yn Gymry Cymraeg a mwyafrif llethol y staff yn rhugl eu Cymraeg. Y Gymraeg oedd i'w chlywed amlaf ar y coridorau ac ar y buarth a'r meysydd chwarae ac eto, ac eithrio Ysgrythur, nid addysgid dim drwy'r Gymraeg. Roedd y gwasanaethau yn Gymraeg a Saesneg am yn ail â gweithgareddau allgyrsiol yn defnyddio llawer ar y Gymraeg. Roedd Ysgol Glan Clwyd wedi agor yn y Rhyl yn 1956 ac roedd rhieni'r ardaloedd Seisnigedig yn y de a'r dwyrain yn anesmwytho a chynhyrfu'r dyfroedd o blaid defnyddio'r Gymraeg yn gyfrwng yn yr ysgol uwchradd. Ond ni chofiaf iddo fod yn bwnc trafod yn Llangefni, fwy nag mewn ysgolion eraill o'r un natur, rwy'n weddol sicr, a bu'n rhaid aros nes ffurfio Cyngor Sir Gwynedd yn 1974 cyn bod symudiad i Gymreigio addysg uwchradd yng ngogledd orllewin Cymru. Cefais fy ngwahodd, ynghyd â Henry Richards, yr athro Lladin, a oedd yn gadael yr un pryd i fynd yn ddirprwy brifathro yn Sir Benfro (prifathro Amlwch ymhen blwyddyn neu ddwy wedi hynny), i fod yn ŵr gwadd yn y Cyfarfod Gwobrwyo yn haf 1960. Yn y cyfarfod hwnnw, ychydig cyn i mi adael am y de, cefais gyfle i ofyn rhai cwestiynau ar goedd ynglŷn â defnyddio'r Gymraeg yn gyfrwng. Ychydig a wyddwn y byddwn ymhen dwy flynedd, ac am weddill fy oes, yn ymwneud â'r maes yma mewn rhyw ffordd neu'i gilydd.

Wrth feirniadu Ysgol Llangefni, roeddwn hefyd yn fy meirniadu fy hun. Cefais dipyn o sioc wrth edrych yn ddiweddar dros fy llyfr nodiadau personol yn ystod fy nghyfnod yn athro yn Llangefni a gweld bod y cyfan yn Saesneg. Yn sicr, roedd gafael y Saesneg fel iaith addysg uwchradd yn ddwfn iawn ac yn cael ei dderbyn yn ddifeddwl a digwestiwn.

Roedd Llangefni yn wahanol i'r Rhos mewn nifer o agweddau. Yn un peth, roedd hi'n cymryd dros bum mlynedd i chi gael eich derbyn yn iawn! Teimlais fy mod wedi fy nerbyn ar ôl rhyw chwe blynedd, pan ruthrodd Edward Williams, Siop Grey, ataf ar faes y Brifwyl a dweud: '*On'd ydan ni'n gwneud yn dda ar y llwyfan?*' Yr oedd y *ni* yn arwydd o rywbeth, siawns? Roedd traddodiad ac arferion yn ddwfn yn Llangefni a byddech yn ddewr i awgrymu unrhyw newid. Ond cefais gyfle da i fwynhau bywyd cymdeithasol llawn yn ystod fy nghyfnod yn yr ardal. Yn y maes diwylliannol, ar wahân i'r Theatr Fach a galwadau mynych George Fisher, cefais wahoddiad i ymuno â chwmni drama'r sir dan gyfarwyddyd neb llai na Cynan a buom yn perfformio *Hywel Harris* (Cynan) a *Yr Inspector* (Gogol) yng nghanol y pum degau. Ar wahân i rai gweddol ddibrofiad fel fi, roedd yn y cast actorion dawnus a hynod brofiadol – pobl fel Charles Williams, John Huws (Stamp), Ifan Gruffydd (y 'Gŵr o Baradwys'), Leslie Hodgkins, Avril Hughes, Len Roberts a Hugh Pierce Jones, ac enwi ond rhai. Roedd Menna Jones o Gaergybi, a briododd Cynan yn ddiweddarach, yn y cast hefyd. Yng nghanol yr actorion hyn, caech hyfforddiant gwych mewn cymdeithas liwgar a byrlymus. Yn ben ar hyn i gyd, roedd Cynan yno. Cyn hynny, dim ond Cynan y Cofiadur, Cynan yr Archdderwydd seremonïol a phwysig, yr oeddwn i'n ei 'nabod. Fel cynhyrchydd, cefais ef yn enaid sensitif a thyner gyda chonsýrn am bobl ac am eu teimladau. Gallai ef ei hun gael ei frifo'n hawdd megis pan fethodd cwmni o Fôn ei blesio wrth berfformio'i ddrama *Absalom Fy Mab* yn Eisteddfod Genedlaethol Môn, 1957.

Roedd Côr Llangefni, dan arweiniad Hedley James, trefnydd cerdd y sir, yn atynfa fawr i mi a chefais flas ar yr ymarferion a'r cyngherddau blynyddol. Mae'r rhaglenni sydd gennyf gartref yn fy atgoffa o'r darnau canadwy a ddysgem. Pan ddaeth yr Eisteddfod Genedlaethol i Fôn yn 1957, hwn oedd cnewyllyn y Côr Mawr a berfformiodd 'Y Greadigaeth', Haydn, ac 'Emyn o Fawl', Mendelssohn, dan arweiniad Hedley James a chyda Cherddorfa Ffilharmonig Lerpwl. Fel y digwyddodd pethau, dyma'n union y ddau ddarn a ganwyd gan y Côr yn Eisteddfod Môn 1999. Cofiaf yn dda fy mod yn gandryll wrth nifer o aelodau'r gerddorfa yn ystod y perfformiad yn 1957 gan eu bod yn cymryd yr arweinydd amatur braidd yn ysgafn. Gwelais hyn yn digwydd mewn mannau eraill ac mewn un Eisteddfod Genedlaethol cefais ddigon o blwc i fynd i'r cefn yn ystod yr egwyl i ddwrdio'r chwaraewyr ysgafala a di-hid. Fe'u sobrwyd!

Roedd yn Llangefni yn y pum degau nifer o arbenigwyr cerdd dant. Roedd Catherine Evans (Catherine Watkin yn ddiweddarach) ar staff yr ysgol uwchradd ac fe'i dilynwyd gan Haf Morris. Hefyd yn byw yn y dref roedd un o deulu enwog Castell Hen, Y Parc, Y Bala – Elinor Puw gynt ond Pierce erbyn y cyfnod hwnnw. Casglodd 'Linor griw o ddynion at ei gilydd i gystadlu dan yr enw Parti Meibion Cefni yn 'Steddfod Môn, os

Priodas fy rhieni, James a Rachel Humphreys, Awst 1928.

Y teulu bach cyn gadael Bae Colwyn am y Rhos, haf 1937.

Yr awdur a'i chwiorydd yng ngardd eu cartrtef, 'Arwel', Y Rhos, 1947.
Y merched (o'r chwith): Ann Hooson, Mair Eluned, Ceinwen Catrin.

Capel Mawr, Rhosllannerchrugog.

Plas Mwynwyr (y Stiwt), Y Rhos.

Dosbarth 1 yn Ysgol Gynradd y Bechgyn, Y Rhos, 1938-39.
Rhes gefn (o'r chwith): Mr W. J. Edwards (Prifathro), Emyr Jones, Brian Postlewhite, Gwilym E. Humphreys, Kenneth Morris, Ronald Roberts, Noel Parry Jones, Mr Isaac Thomas (athro).
Rhes ganol: Norman Eccles, Arthur Morris, Maelor Jones, Owen Buckley, N. Roscoe, Meirion Phillips, Leonard Jarvis, Reg Hanmer, Herbert Wainwright.
Rhes flaen (yn eistedd): Noel (Marged?), Harold Evans, Evan Glyn Jones, John Arwel Hughes, Dick Roberts, Dan Owen Williams, Glyn Hesketh, Bobby Gilpin.

Ysgol Ramadeg y Bechgyn, Rhiwabon (adeilad 1896).

Rhai aelodau a swyddogion Aelwyd y Rhos, Medi 1946.

Rhes gefn (o'r chwith): Harold V. Davies, Gwilym Charles, Meirion Parry, Meurig Phillips, J. T. Darlington, Glyn O. Phillips, John Tudor Thomas, Edmund Wynn, Arthur Williams, John Rhydwen Jones, Dilwyn Jones.

Rhes 3: Herbert T. Williams, John Tudor Davies, Berwyn Hannaby, Noel Jones, Brian Dodd, John Glyn Williams, John Arfon Bellis, John Phillip Jones, Towyn Jones, Arthur Smith, Bob Edwards, C. Dilwyn Griffiths.

Rhes 2: Daniel Williams, Veronica Giller, Betty Tunnah, Ada Thomas, Mari Jones, Gwenda Giller, Beryl Mitchell, Betty Smith, Brenda Thomas, Barbara Trevor Jones, Ymwelydd, Mair Williams, Myfi Davies, Mair E. Humphreys.

Yn eistedd: Gwilym E. Humphreys, Margaret Jones, Arthur Phillips, W. J. Edwards, J. T. Bellis, Maelor Griffiths, Y Parchedig O. J. Pritchard, Y Parchedig James Humphreys, I. D. Hooson, Albert Stanley Jones, E. W. Williams, Tom Powell, Mary Davies.

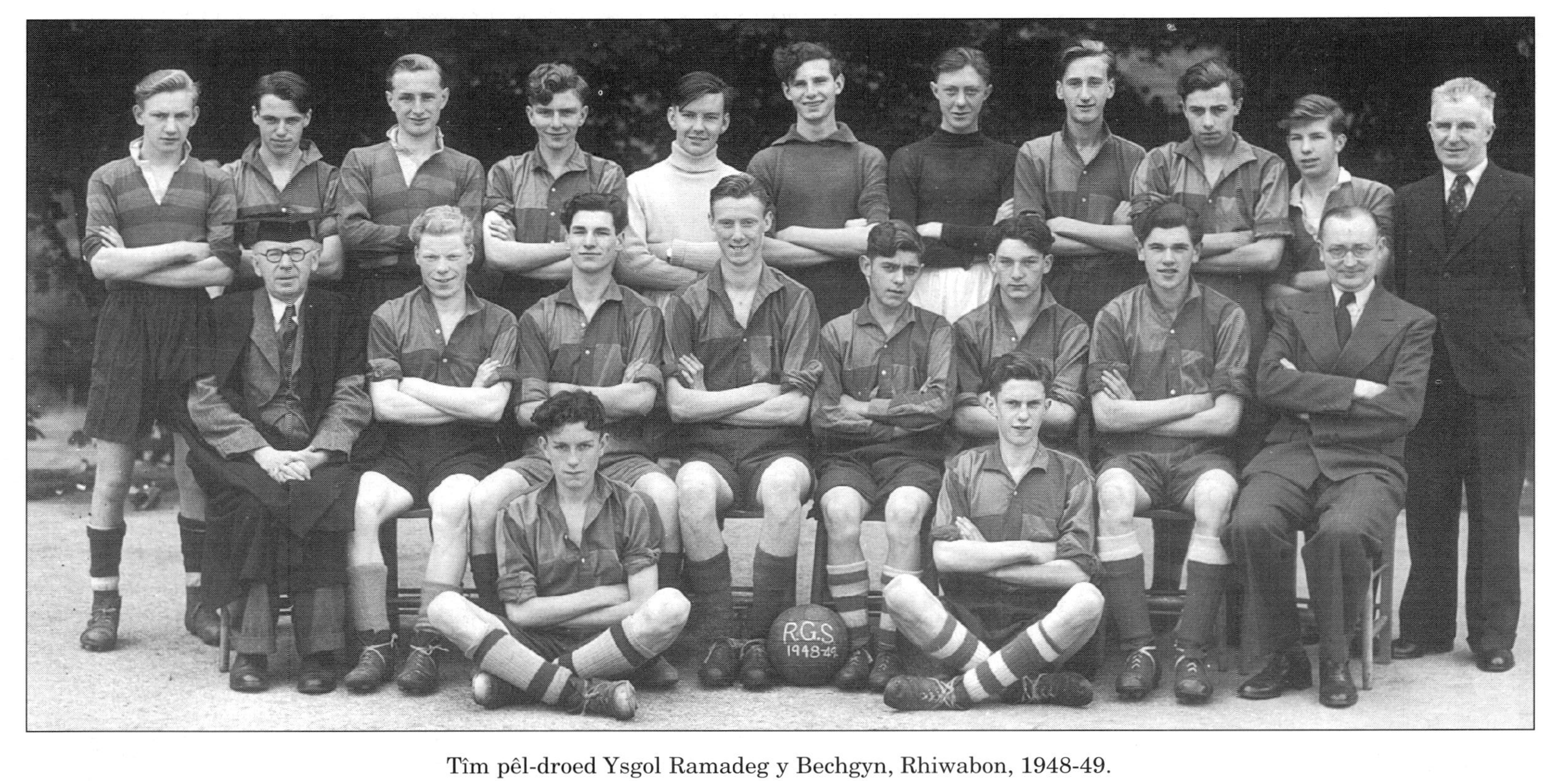

Tîm pêl-droed Ysgol Ramadeg y Bechgyn, Rhiwabon, 1948-49.
Rhes gefn (o'r chwith): Robert John Jones, Peter Williams, Gwilym E. Humphreys, Gwynfryn Rhys Hughes, John Bowen, Brian Steele, Leslie Green, Terry Rawlings, Glyn Parry Jones, Howard Hannaby, Mr R. E. Davies.
Yn eistedd: Mr J. T. Jones (Prifathro), Neville Cunnagh Williams, John Tudor Davies, Jim Barraclough, Brian Griffiths, David Evans, Noel Williams, Mr Brymor Jarvis.
Ar flaen y llun: Brian Charlton, Brian Price.

Fy rhieni ar ddiwrnod eu priodas aur, Awst 1978 (osgo nodweddiadol o'r ddau).

Preswylwyr Bala-Bangor, 1950.
Yn eu cwrcwd (o'r chwith): Tegwyn Thomas, Eifion Lewis, Jonathan Thomas, Vivian Jones, Meirion Evans.
Yn eistedd: Graham Thomas, F. M. Jones, Y Prifathro Gwilym Bowyer, Dr R. Tudur Jones, Emrys Hughes, Islwyn Lake.
Yn sefyll: Dafydd M. Jones, Idris Evans, John Griffiths, Evan Jones, Owen Edwards, Richard Edgar Jones, Lewis Jones, Gwilym E. Humphreys, Fred Hughes, John Owen, Ivor Evans, William Crimmin, J. Elwyn Jones, Melville H. Davies, Caradog Roberts, Kenneth S. Morgan, Meurig Bowen Hughes.

cofiaf yn iawn, a buom yn ymarfer droeon yn ei chartref ym Mhencraig. Weithiau, byddai ei thad, W. H. Puw, yno ac yn ddoeth iawn ei gyngor ar agweddau technegol y grefft – yn arbennig ar y groes acen. Rwy'n credu y byddai Nansi Richards, y delynores deires, yno weithiau hefyd. Pan symudodd 'Linor a'i gŵr, Ellis, i fyw i'r de, fe gymerodd Haf Morris Feibion Cefni dan ei gofal a chafwyd cyfnod prysur a thra llwyddiannus dan ei harweiniad.

Rhyw ddeg ohonom oedd yn aelodau o Barti Meibion Cefni a byddem yn ymarfer yn wythnosol yng nghartrefi'r naill a'r llall yn ei dro. Roedd Haf yn osodreg wych, yn hyfforddreg heb ei hail ac yn feistr corn arnom ni griw o ddynion braidd yn anystywallt. Wrth inni ymarfer yn y gwahanol gartrefi, câi trigolion eraill y tŷ gryn ddiddanwch o wrando ar y ferch o Drawsfynydd yn trin yr hogiau, a rhai fel Eic Thomas a Reg Powell yn tynnu ei choes yn ddidrugaredd. Mae pentwr o osodiadau Haf i Feibion Cefni gennyf mewn ffeil o hyd ac yn fy atgoffa o'r amser da a gaem wrth grwydro o 'Steddfod i 'Steddfod gan gynnwys yr Ŵyl Gerdd Dant lle cawsom dipyn o lwyddiant. Ond coron ein llwyddiant oedd ennill yn yr Eisteddfod Genedlaethol yng Nghaernarfon yn 1959 – yr un flwyddyn ag yr enillodd Stuart Burrows y Rhuban Glas. Rhan bwysig o'r hwyl oedd cystadlu a chymdeithasu efo Parti Meibion Menlli, Parti Pont-rhyd-y-fen a Bois y Blacbord a'u tebyg. Byddem fel parti yn cynnal nosweithiau llawen yn achlysurol ac roeddwn yn aelod o driawd, efo Reg Powell a Tecwyn Gruffydd – mab Ifan Gruffydd, y 'Gŵr o Baradwys', a fu farw'n gymharol ifanc – a ganai ar yr achlysuron hyn. Roedd inni fel triawd gael mynd i stiwdios Granada ym Manceinion i ymddangos ar eu rhaglen deledu Gymraeg yn dipyn o brofiad yn y dyddiau hynny, ac yn arbennig i ganu cân a gyfansoddais i – fy unig gyfansoddiad cerddorol erioed!

Fy niddordeb arall oedd chwarae pêl-droed ac yn fuan ar ôl cyrraedd Llangefni ymunais â'r clwb lleol. *Centre-half* oedd fy safle ar y cae. Er nad oedd y cyfleusterau gystal ag yn Harwell o bell ffordd, roedd yno glwb brwdfrydig a chasgliad o chwaraewyr dawnus megis Idris Prydderch, Gordon Pritchard (*Fancy*) a Twm Williams. Cofiaf ddau ddigwyddiad yn arbennig. Roedd cystadlu brwd rhwng y timau lleol bryd hynny ond yr oedd rhai gemau'n ffyrnicach nag eraill. Caech 'groeso' clywadwy iawn mewn llefydd fel Aberffraw, Gwalchmai a Niwbwrch. Cofiaf i E. D. Davies, y prifathro, glywed i un aelod o'i staff gael amser caled gan rai o hogiau Aberffraw ac iddynt ddefnyddio iaith go liwgar yn ôl safonau'r cyfnod hwnnw wrth gyfarch *centre-half* Llangefni, nad oedd yn angel ar y cae pêl-droed. (Rhaid i mi gydnabod fy mod yn chwaraewr go galed, a'r *sliding tackle* oedd fy mhrif arf amddiffynnol – a oedd yn effeithiol iawn pan oeddech yn cysylltu â'r bêl a'r gwrthwynebydd yr un pryd!) Ond hogia Aberffraw a gafodd y stŵr ar ôl y gwasanaeth y bore

Llun hwnnw wedi'r gêm. Buom fel tîm yn ddigon ffodus i ennill ein lle yn rownd derfynol y *North Wales Junior Cup* yn 1955 a chael chwarae yn Ffordd Farrar, Bangor, yn y ffeinal. Nid wyf yn cofio pwy oedd ein gwrthwynebwyr, y Fflint neu Dreffynnon efallai, ond fe gofiaf nad ni a aeth â'r cwpan adref efo ni, gwaetha'r modd.

Y tymor cyntaf wedi i mi roi'r gorau i'r gêm, a rhai wythnosau ar ôl dechrau'r tymor pêl-droed, rwy'n cofio i ddirprwyaeth ddod i'r tŷ ym Mhennant (roeddwn yn briod erbyn hynny) i ofyn i mi ailafael ynddi, ac ar foment wan cytunais. Cofiaf y gêm yn dda, ar fryniau a phantiau Pentraeth! Yr hyn a gofiaf yn arbennig yw fod fy awch wedi mynd, fy amseru wrth gicio a phenio yn anobeithiol ac mai'r peth gorau am y gêm oedd y chwiban olaf. Honno fu fy ngêm olaf a dysgais bryd hynny nad doeth yw ceisio troi'r cloc yn ôl.

Ymaelodais ag eglwys Moreia yn Llangefni – capel coffa John Elias, adeilad arbennig o hardd ac urddasol gydag organ yn gweddu. Y gweinidog ar y pryd oedd y Parchedig Prys Owen a oedd yn tynnu 'mlaen o ran oed ac fe ymddeolodd ymhen ychydig flynyddoedd wedi i mi ymaelodi â'r eglwys. Roedd Prys Owen yn dipyn o gymeriad ac yn bregethwr sylweddol iawn. Byddai'n cerdded tref Llangefni gyda chês lledr brown sylweddol ei faint ond nid llyfrau diwinyddol fyddai yn y ces, meddent hwy, ond pwys o siwgr neu dorth! Roedd yn siopwr cyson i'w wraig, a oedd hyd yn oed yn fwy o gymeriad – chwaer i W. J. Griffith, awdur ffraeth y gyfrol *Storïau'r Henllys Fawr*.

Roedd Moreia yn eglwys gref o ran aelodaeth gydag Ysgol Sul lewyrchus, cyfarfodydd wythnosol rheolaidd, a Chymdeithas Lenyddol ddigon bywiog. Y duedd oedd cadw at hen draddodiadau a oedd wedi chwythu'u plwc ac edrychid ar newyddian aflonydd, fel fi, â mesur o amheuaeth. Disgrifiwyd fi gan Carys unwaith fel un o'r '*angry young men*', er nad wyf yn cofio i mi fod yn arbennig o ddig wrth neb. Roedd yn dipyn o sioc pan gefais fy ethol yn flaenor yn 1959 ac er mai cwta ddwy flynedd y bûm yn y swydd ym Moreia, fe fwynheais gydweithio gyda'r Parchedig Isaac Parry Griffith a oedd erbyn hynny'n weinidog ar yr eglwys ac yn bregethwr grymus iawn. Bûm yn arolygydd Ysgol Sul am gyfnod, a Carys yn athrawes ar ddosbarth o blant. Ceisiem fynd i'r seiat yn weddol gyson ar noson waith ond nid oeddwn yn siŵr bod y 'saint' yn rhy hapus fod Carys a minnau'n ymddangos weithiau yn ystafell y blaenoriaid syber mewn dillad tennis gwyn, cwta er mwyn bod yn barod am gêm ar ôl y seiat! Yn y seiat ym Moreia y cafodd Nia ei bedyddio gan Elwyn Davies, fy mrawd yng nghyfraith, yn y cyfnod di-fugail, a phan nad oedd fy nhad yn dda iawn ei iechyd.

Tua diwedd fy nghyfnod yn Llangefni, dechreuais bregethu mewn ambell oedfa pan oedd galw ond ni pharheais â'r arfer wedi symud i

Gaerdydd, a dim ond wedi i mi ymddeol yr ailafaelais yn y gwaith – ond fe ddywed rhai fy mod wedi bod yn pregethu ar rywbeth ar hyd fy oes.

Yn ystod fy nghyfnod ym Môn, cefais fy nhynnu i mewn, yn ddigon bodlon, i weithgareddau Plaid Cymru a chefais yr wythnosau o ganfasio ac areithio cyn Etholiad Cyffredinol yn dra diddorol, os siomedig o ran y canlyniad terfynol. Bûm yn cefnogi John Rowlands a Dr Tudur Jones fel ymgeiswyr y Blaid yn eu tro. Yn y dyddiau hynny, roedd cyfarfodydd cyhoeddus yn dal yn weddol boblogaidd ac yn dipyn o her i fachgen ifanc a byddem yn annerch mewn tair neu bedair canolfan mewn un noson. Yr adeg honno, roedd polisïau'r Blaid yn bur annatblygedig ond roedd diffyg diddordeb y pleidiau Seisnig mewn materion Cymreig yn ddigon o destun ynddo'i hun mewn cyfarfodydd cyhoeddus. Gyda Cledwyn Hughes mor boblogaidd fel person, roedd hi'n dalcen caled i'r Blaid a bu'n rhaid aros iddo ymddeol o'r senedd cyn gweld ennill tir mewn gwirionedd ac ar ôl i'r Tori, Keith Best, fod yn dal y sedd am gyfnod.

Diddordeb a ddatblygodd tua diwedd y pum degau oedd sgrifennu a darlledu ar wyddoniaeth yn Gymraeg ac yn y materion hynny cefais fy hun yn gweithio eto efo Glyn O. Phillips a oedd, er 1954, yn ddarlithydd mewn cemeg yng Ngholeg y Brifysgol, Caerdydd. Ddaeth dim llawer o'r sgrifennu ond bwriad Cyd-bwyllgor Addysg Cymru oedd darparu gwerslyfr ar wyddoniaeth ar gyfer dosbarthiadau isaf yr ysgol uwchradd a hynny gan dri ohonom dan olygyddiaeth Glyn. Mae'r penodau a sgrifennais i gen i o hyd ond ofnaf na ddaeth cyfraniadau gan y ddau arall i law a bu farw'r syniad. Ym maes darlledu, roedd Dyfnallt Morgan yn gynhyrchydd radio bywiog ym Mangor. Cofiaf mai ef a enillodd Goron Môn yn 1957 gyda'i ddrama fydryddol, 'Rhwng Dau'. Gwahoddodd Glyn i gyflwyno cyfres radio newydd, a phur arloesol bryd hynny, ar wyddoniaeth a thechnoleg drwy'r Gymraeg dan yr enw, *Cwmpas y Gwyddonydd*. O bryd i'w gilydd, cawn i wahoddiad i baratoi sgwrs fer ar wahanol destunau. Cofiaf mai'r defnydd heddychlon o ynni atomig oedd testun mawr y dydd. Drwy'r gyfres hon, daeth nifer dda o wyddonwyr i dorri eu dannedd darlledu drwy'r Gymraeg ac mae'n debyg mai o'r dechrau hwn y datblygodd diddordeb Glyn mewn cyflwyno gwyddoniaeth yn Gymraeg. Ef oedd sefydlydd a golygydd cyntaf cylchgrawn Gwasg Prifysgol Cymru, *Y Gwyddonydd*, a bu wrth y gwaith am ddeng mlynedd ar hugain – cyfraniad nodedig iawn, ac yn un o'i gyflawniadau gwyddonol niferus a arweiniodd at ddyfarnu iddo, yn haeddiannol iawn, radd LL.D gan Brifysgol Cymru yn 1999.

Cyn cloi'r bennod ar Langefni, gallaf ddweud i mi gael profiadau pur gyfoethog yno a fu'n baratoad da am yr hyn oedd i ddod. Gwnaethom gyfeillion da yn yr ardal a hyfryd oedd gweld Hywel a Carys Evans, ein cymdogion gefn wrth gefn ym Mhennant, yn ddiweddar ar ôl sawl blwyddyn o'u colli o'r Eisteddfod Genedlaethol. Hywel a ysgogodd ein diddordeb mewn recordiau clasurol. Mae ail gonsierto Rachmaninov i'r piano yn ffefryn byth ers hynny ac, yn wir, fe gofiaf am Hywel a Carys bob tro y clywaf y darn hudolus a chynhyrfus yma. I mi, does dim tebyg i gerddoriaeth i ogleisio'r cof a deffro'r teimladau.

PENNOD 6

At yr *Hwntws*

O fod yn athro cemeg yn Llangefni, roeddwn wedi datblygu diddordeb gwirioneddol yng nghrefft yr athro ac yn awyddus i fynd i faes lle gallwn rannu fy mhrofiad ac i weld eraill wrth y gwaith. Wrth gynnig am swydd darlithydd mewn gwyddorau ffisegol (cemeg a ffiseg) yng Ngholeg Caerllion-ar-Wysg, ger Casnewydd, roeddwn yn ei weld yn gyfle i arloesi cwrs newydd, i ymweld ag ysgolion, rhai cynradd yn arbennig, a hefyd i fyw yng Nghaerdydd a oedd yn dipyn o atynfa byth ers dyddiau'r ymweliadau drwy'r gweithgareddau rhyng-golegol. Nid oeddwn fel gogleddwr yn tybio bod gennyf lawer o siawns i gael fy mhenodi yn y de ac roedd cael cynnig y swydd yn dipyn o sioc. Ond byddai ei derbyn yn cynnig profiadau gwahanol ac, fel y digwyddodd pethau, yn ddechrau cyfnod hapus o dair blynedd ar hugain mewn tair swydd yn y de ac o fwynhau byw yn y brifddinas mewn dyddiau cyffrous.

Pan glywsant ein bod yn bwriadu symud i Gaerdydd, roedd Glyn a Rhiain wedi dod o hyd i dŷ inni bron cyn i mi arwyddo cytundeb y swydd. Roedd tŷ gyferbyn â hwy yn Fidlas Avenue, Llanisien, ar y farchnad ac aethom i lawr i Gaerdydd ar frys i weld y lle a chael ein plesio'n fawr. Yn ôl a glywsom, roedd gwraig y tŷ yn arfer polishio'r wal frics allanol hyd yn oed ac, fel y gallech ddychmygu, roedd y tu mewn i'r tŷ fel ysbyty o lân. Heb hyd yn oed edrych ar dŷ arall, fe'i prynsom gan symud i fyw yno ddechrau Medi 1960 – blwyddyn yr Eisteddfod Genedlaethol yn y brif-ddinas.

Wrth reswm, roedd symud i Gaerdydd yn dipyn o newid inni ill dau ar ôl byw mewn llefydd ychydig llai ac yn llawer mwy Cymraeg a Chymreig. Roedd Nia'n ddwyflwydd a hanner oed ac roedd Carys a minnau'n poeni braidd sut y buasai hi'n dygymod â phlant di-Gymraeg y stryd, ond doedd dim angen poeni. A Nia wedi ymuno â chriw o blant i chwarae ryw fore o fewn dyddiau ar ôl cyrraedd, fe'i clywsom yn gofyn iddyn nhw: '*Have you been to Llangwyllog?*', a ninnau erioed wedi cyflwyno'r Saesneg iddi heblaw am y llyfrau a oedd ar gael a'r radio a glywsai yn y tŷ. Roedd Llangwyllog ar ei meddwl oherwydd roedd gen i ewythr a modryb, Yncl Willie ac Anti Jinnie, yn ffarmio yno ac roeddem wedi bod yn eu helpu yn y cynhaeaf yr haf hwnnw. Cefais wers gynnar ar amodau caffael iaith!

Digwyddiad pwysig arall oedd prynu set teledu am y tro cyntaf gan ei gosod yn y parlwr ffrynt a mynd yno'n achlysurol yn unig i'w gwylio. Os cofiaf yn iawn, dim ond yn hwyr y nos yr oedd rhaglenni Cymraeg yn cael eu darlledu bryd hynny ac eithrio rhaglenni newyddion ac ambell raglen i blant megis *Telewele* – rhaglen y deuthum i wybod dipyn amdani'n ddiweddarach. Dogn annigonol a gaem yn y Gymraeg drwy'r BBC, Teledu Cymru, TWW a HTV nes cawsom S4C yn 1981, er bod rhai o'r rhaglenni a'r cyfresi cynnar yn ddifyr iawn.

Cawsom Gaerdydd yn ddinas braf o'r cychwyn cyntaf, yn ddigon mawr i allu cynnig llu o gyfleusterau, yr ychwanegwyd yn fawr atynt dros y blynyddoedd, ac yn ddigon bach i alluogi ei chwmpasu a'i gwerthfawrogi'n weddol rwydd. Roedd y llu o barciau braf, megis Cefn Onn a Pharc y Rhath, ac agosrwydd Llanisien at y wlad, yn fanteisiol iawn, yn arbennig wrth fagu teulu. Daethom hefyd i sylweddoli'n fuan bod yno gymdeithas Gymraeg fywiog a diddosbarth, a gwelsom, dros y blynyddoedd, y Gymraeg yn cael mwy a mwy o le ym mywyd y brifddinas. Cofiaf i'r Athro Jac L. Williams, un y deuthum i'w adnabod yn dda a'i edmygu dros nifer o flynyddoedd cyn ei farwolaeth gynamserol, ddweud mai angen mawr y Gymraeg oedd gofalu ei bod yn cael ei lle yn y brifddinas. Byddai ardaloedd eraill, meddai Jac L., yn dymuno efelychu Caerdydd. Digwyddodd hyn i raddau helaeth ac mae twf aruthrol addysg Gymraeg yn y ddinas a'r cyffiniau yn arwydd o'r cynnydd yn statws y Gymraeg a'r defnydd ohoni dros gyfnod o hanner can mlynedd. Byddai hyd yn oed Jac L. wedi rhyfeddu.

Daeth yn amlwg ar unwaith bod nifer dda o eglwysi Cymraeg yng Nghaerdydd – tair eglwys gan y Presbyteriaid – Heol y Crwys, Pembroke Terrace a Salem, Canton – gyda gweinidog i bob un ohonynt. Capel Heol y Crwys oedd yr agosaf a chan mai yno yr âi Glyn a Rhiain a nifer gynyddol o deuluoedd ifanc, yr eglwys honno a ddewisom ninnau fel man addoli. Roedd hi'n eglwys eithaf mawr (400 o aelodau) ac roedd yno Ysgol Sul gref – yn arbennig i blant a phobl ifanc. Deuai nifer dda o fyfyrwyr i ddosbarth Lyn Howell (pennaeth y Bwrdd Croeso a blaenor ffyddlon a gweithgar) ac roedd gan J. E. Jones (Y Blaid) ddosbarth cryf o ferched ar flaen y galeri a Gwynedd Pierce (yr hanesydd o'r Brifysgol) ddosbarth yr un mor lluosog o ddynion, yn cynrychioli trawsdoriad diddorol o alwedigaethau a chefndir. Yr oedd y ddarpariaeth i blant yn y festri dan ofal Gwilym Roberts, ac Eiry Humphreys yn ddiweddarach, yn rhagorol ac yn denu tyrfa dda o blant o'r babanod hyd ddeuddeg oed. Ac yn yr Ysgol Sul fawr, caed dosbarthiadau i bobl ifanc hyd at oed coleg. Roedd cael bod yn athro yn ddiweddarach ar yr hynaf o'r rhain yn brofiad diddorol iawn i mi ac yn gryn her gan fod yno ddisgyblion byrlymus a galluog ac mae llawer ohonynt erbyn heddiw mewn swyddi dylanwadol ac yn gynheiliaid eu cymdeithas.

Gweinidog yr eglwys oedd y Parchedig D. Lodwig Jones – gŵr o Fwlch-llan, Ceredigion, fel yr atgoffodd ni'n bur gyson yn ei bregethau. Bu ei weinidogaeth ef a'i briod yn un gyfoethog a'i bregethu'n dangos dyfnder ei fyfyrio a'i sêl dros ei gred. Cynhaliai gwrdd gweddi neu seiat yn wythnosol a deuai nifer dda yno ganol wythnos. Roedd cryn fri ar gôr yr Eglwys dan arweiniad Tom Ellis James a pherfformiwyd nifer dda o'r gweithiau corawl arferol fel 'Y Meseia', 'Y Greadigaeth' a 'Requiem' Mozart, dros y blynyddoedd, gyda help aelodau ychwanegol o'r tu allan ac unawdwyr amatur a phroffesiynol. Yn ddiweddarach, bu nifer ohonom o Gapel Heol y Crwys yn aelodau o gôr y Tabernacl dan arweiniad Arwel Hughes, gan berfformio gweithiau digon heriol, ond pleserus iawn, megis 'Yr Offeren yn B Leiaf' (Bach).

Hefyd yng Nghaerdydd yr oedd Ysgol Bryntaf – a sefydlwyd yn wreiddiol yn Ninian Park Road yn 1949. Erbyn i ni gyrraedd Caerdydd, roedd yr ysgol gynradd Gymraeg hon mewn adeilad yn Llandaf ac yn darparu ar gyfer yr holl ddinas. Bryd hynny, os cofiaf yn iawn, roedd yn ofynnol i un rhiant fedru'r Gymraeg ac ni fu twf mawr yn y galw am addysg Gymraeg nes derbyniwyd plant o gartrefi di-Gymraeg. Yn yr Ysgol Feithrin wirfoddol y gosodwyd y seiliau; fe gynhelid hon ddwy waith yr wythnos yn festri Capel Heol y Crwys dan ofal Nesta Rees – y byddai rhai plant bach yn ei galw'n Iesu Grist! Bu'n rhaid aros am nifer dda o flynyddoedd cyn ennill mwy o gefnogaeth gan yr Awdurdod Addysg (er bod y Cyfarwyddwr Addysg, Robert Presswood, a'i ddirprwy, T. B. Phillips, yn gefnogol iawn). Cludid y plant i Fryntaf yn y faniau a ddefnyddid i gario ciniawau ysgol a phan ddechreuodd Nia ym Mryntaf ym Medi 1962 mewn fan o'r fath y teithiai hi a'i chyfoedion am flynyddoedd gan anadlu eu cinio ganol dydd yn y bore cyntaf ac yn y prynhawn ar eu ffordd adref. Yn sicr, ni fyddai'r Rheolau Iechyd a Diogelwch presennol yn caniatáu'r fath beth, ond roedd addysg Gymraeg y ddinas yn byw ar yr ychydig friwsion a ganiatâi'r Cyngor bryd hynny a chafwyd y teimlad lawer gwaith mai rhywbeth i dawelu'r penboethiaid oedd darparu ysgol Gymraeg o gwbl.

Ond yn yr ysgol hon fe deyrnasai Enid Jones Davies (un â'i gwreiddiau yn y Cilie) a bu ei gofal hi o'r plant ynghŷd â'i sêl dros y pethe yn fodd i roi sail o gariad tuag at iaith a diwylliant, a gosododd hefyd i'r plant batrwm o ymddygiad a gwasanaeth. Roedd yr ysgol hon, ynghyd â'r capeli Cymraeg a chymdeithasau fel y Cymmrodorion, yn ffurfio cymuned Gymraeg gynnes a chyfoethog i gannoedd o Gymry Cymraeg y brifddinas. Roedd Cymdeithas Rhieni Ysgol Bryntaf yn un warchodol iawn o fuddiannau'r ysgol; caed cyfarfodydd aml efo'r Awdurdod Addysg i geisio gwelliannau ac i sicrhau amodau twf. Roedd y Gymdeithas Rhieni hefyd yn cynnig darpariaeth gymdeithasol fywiog i rieni'r ysgol a hir y cofir y dawnsfeydd a'r ciniawau Gŵyl Ddewi. Mewn gair, fe gâi Cymry Cymraeg y brifddinas arlwy gyfoethog o fewn eu cymdeithasau, ond yn nechrau'r chwe degau nid oedd Cymreigrwydd y ddinas yn amlwg o gwbl ac nid oedd llawer o ysbryd cenhadol ymysg llawer o Gymry Cymraeg – yn sicr nid o fewn y byd addysg. Ond yr oedd gwell pethau i ddod. Gwelwyd criw bach penderfynol yn ennill y dydd drwy weledigaeth a dyfalbarhad, pobl na wyddwn i am eu bodolaeth tan yn ddiweddarach.

Wedi addysg drwyadl Gymraeg Bryntaf, fe âi'r disgyblion i ysgolion uwchradd y ddinas – Cardiff High, Cathays, Canton, Howardian, Lady Margaret a Whitchurch High – os llwyddwyd i basio'r arholiad 11+ neu i'r ysgolion uwchradd modern os methwyd. Byddai ambell ferch yn mynd am addysg breifat i Ysgol Howells, Llandaf. Ar wahân i wersi Cymraeg, ni chynigiai'r ysgolion hyn ddim parhad o ran cyfrwng ac yn sicr ddim o ran ethos er bod rhyw lun o gytundeb ymhlith rhieni dros fynd i Cathays i geisio cael criw o Gymry Cymraeg o fewn un ysgol yn hytrach na gwasgaru. Ond prin bod y cytundeb hwn yn weithredol gan lawer o rieni.

Dyna Gaerdydd ar ddechrau'r chwe degau – dinas heb dyfu'n brif ddinas ac yn sicr yn gwisgo ei Chymreigrwydd yn ysgafn iawn.

Un fantais amlwg i Gaerdydd oedd y cyfleusterau chwaraeon a gaed yno ac i un fel fi gyda diddordeb yn y ddwy bêl, y gron a'r hirgron, roedd cryn atyniad i Barc Ninian ac i Barc yr Arfau – y cyntaf yn apelio mwy ar y dechrau ond gyda'r blynyddoedd fe ddaeth yr ail leoliad yn faes y gad mwy diddorol ac iddo well awyrgylch. Byddai pedwar ohonom yn mynd i Ninian Park yn weddol gyson – Glyn, Gwynedd Pierce (yr hanesydd) ac Eurys Rowlands (o Adran Gymraeg y Brifysgol, mab Meuryn) a minnau. Yr oedd tîm pêl-droed Caerdydd yn yr Adran Gyntaf y dyddiau hynny ac yn denu torf dda i'w gwylio. O gofio pwy oedd fy nghymdeithion, gellir dychmygu y byddai'r dadlau rhyngom yn fywiog, a dweud y lleiaf – dau Gofi a dau Rosiach – a'r ddau o G'nafron yn chwaraewyr pur brofiadol! Cofiaf un dydd Sadwrn yn y chwe degau pan aethom i weld Cymru yn chwarae rygbi yn y pnawn, yn erbyn Lloegr, os cofiaf yn iawn. Picio adref i de ac yna mynd i Barc Ninian gyda'r nos i weld y gêm rhwng Caerdydd a Spurs. Cofiaf y diwrnod am fod y canlyniad yn iawn ar y ddau achlysur a hefyd am fy mod yn teimlo'n euog braidd i mi esgeuluso'r teulu er mwyn dilyn fy niddordeb fy hun. Ond ddigwyddodd hyn ddim yn aml – os o gwbl wedyn.

✦ ✦ ✦

Ond fy rheswm dros ddod i'r de oedd i weithio yn y coleg yng Nghaerllion-ar-Wysg, ger Casnewydd yn Sir Fynwy – sir hollol ddieithr i mi cyn hynny ond un y deuthum i'w hoffi'n fawr. Fe deithiwn yno'n ddyddiol o Lanisien drwy wlad braf ger Cefn Onn, Machen, Basaleg a'i Lys Ifor Hael. Coleg i tua dau gant o ddynion a oedd am fynd yn athrawon oedd Coleg Addysg Caerllion bryd hynny, yn cael ei redeg gan Awdurdod Addysg Sir Fynwy ac roedd adeilad y coleg, o dywodfaen brown golau, wedi ei leoli mewn tiroedd braf ar gyrion y pentref. Roedd yno awyrgylch hamddenol a chartrefol ac er nad oedd fawr o Gymraeg ar wefusau'r myfyrwyr na'r staff, roedd iddo awyrgylch Cymreig pendant, ac roedd y criw bach o Gymry Cymraeg a oedd yno yn frwd a chlywadwy.

Gwilym Ambrose oedd y prifathro, Cymro di-Gymraeg o Aberdâr – dyn diwylliedig iawn, cerddor gwych a gŵr bonheddig o'r iawn ryw. Edrychai ar y coleg fel teulu; roedd yn arbennig o garedig ac ystyriol wrth y myfyrwyr a dywedid amdano ganddynt: os nad oedd gennych reswm am eich camwedd y ffeindiai'r prifathro un ichi! Byddai holl benderfyniadau'r coleg yn cael eu gwneud mewn cyfarfodydd staff a gynhelid yn aml. Yn y cyfarfodydd hynny y penderfynid ynglŷn â safon graddau'r myfyrwyr ar ôl cyfnod ymarfer dysgu. Yn y cyfarfodydd hynny hefyd y penderfynid ar ddyrchafiad aelodau'r staff. Yn y fath awyrgylch, roedd perthynas dda iawn rhwng y staff a'r myfyrwyr a deuent yn aml at y darlithwyr i geisio cyngor ac arweiniad ar faterion gwaith a phroblemau personol.

Fe'm penodwyd i'n benodol i ddechrau cwrs newydd yn y gwyddorau ffisegol – cemeg a ffiseg – ac yn ystod yr haf cyn dechrau ar y gwaith bûm yn ddygn yn paratoi darlithoedd ar gyfer y cwrs newydd. Buan y sylweddolais nad *darlithio* oedd y cyfrwng addysgu priodol i griw cymysg o ran eu gallu a'u gwybodaeth wyddonol, ond yn hytrach addysgu heriol gan gyfeirio cwestiynau at unigolion ac ymateb yn union i broblem dealltwriaeth a godai yn ystod y ddarlith. Yr oeddem ar ddechrau'r ehangu mawr yn y colegau hyfforddi ac roedd cymwysterau mynediad yn weddol isel. Tair blynedd oedd hyd y cwrs ac fe addysgwn i lefel prif gwrs a phrif gwrs uwch, nad oeddent fymryn uwch eu safon na'r lefel A. Gan mai cwrs newydd oedd hwn, roedd archebu offer a deunyddiau'n rhan o'm gwaith ond gan mai ond i'r flwyddyn gyntaf yn unig y darlithiwn, roedd gennyf yr amser i wneud hynny. Dyma'r ail swydd yn olynol i mi gael amgylchiadau ffafriol wrth ddechrau ar y gwaith. Roeddwn yn cymryd rhai grwpiau mewn mathemateg sylfaenol ac yn trefnu gwersi arddangos, weithiau gyda dosbarth o blant o'r ysgolion lleol. Roedd safon gwyddoniaeth yn yr ysgolion cynradd yn isel iawn bryd hynny, os oedd ar yr amserlen o gwbl – yn enwedig y gwyddorau ffisegol. I raddau, adlewyrchai ddiffygion yr ysgolion uwchradd a'r colegau hyfforddi dros y blynyddoedd i roi cefndir gwyddonol digonol i ddarpar athrawon. Un o'm hamcanion i oedd codi hyder to newydd o athrawon cynradd ac uwchradd yn eu gallu i gyflwyno gwyddoniaeth fel proses o archwilio ac arbrofi, a chyflwyno'r maes fel pwnc diddorol a pherthnasol i'w bywydau bob dydd. Cefais gyfle yn ystod fy mlwyddyn gyntaf yng Nghaerllion i baratoi nifer o erthyglau i helpu athrawon wrth eu gwaith ac fe'u cyhoeddwyd yn *The Teacher in Wales*.

Y rhan o'r gwaith a gefais i'n arbennig o ddiddorol oedd arolygu ac asesu athrawon ar eu hymarfer dysgu, yn ysgolion cynradd Sir Fynwy, yn bennaf, a hefyd mewn ambell ysgol uwchradd fodern. Doedd gennyf ddim profiad o weithio mewn ysgol gynradd ond teimlais yn fuan mai'r un egwyddorion sylfaenol oedd y tu cefn i addysgu llwyddiannus yn y cynradd fel yn yr uwchradd – paratoi gofalus, darparu profiadau diddorol ac ysgogol, holi unigol a chofnodi trefnus. Ceisiais bwysleisio mai ymchwil ar y cyd rhwng athro a disgybl yw addysg ac mai ar ddysgu sut i ddysgu y dylid gosod y pwyslais yn hytrach nag ar or-bwysleisio gwybodaeth.

Pennaeth yr adran wyddoniaeth yn y coleg oedd un o'r enw Dr Metcalfe, 'Doc' i bawb. Roedd yn ŵr o Sais, clên, diwylliedig, os braidd yn ecsentrig o ran ei wisg a'i ddaliadau. Bywydeg a garddwriaeth oedd ei faes ond doedd dim cyfle i astudio gwyddoniaeth ffisegol nes i mi gael fy mhenodi. Rhoddodd bob cefnogaeth imi, hyd yn oed os nad oedd ein hathroniaeth addysgol yn debyg. Ond roedd yn frwd o blaid fy mhwyslais ar yr ymarferol, ac fe'm hanogodd i brynu telesgop cryf i'w osod yn nhŵr y coleg. Cyn i mi allu f'addysgu fy hun yn nirgelion y sêr a gosod y telesgop yn ei le, roeddwn yn paratoi i adael am swydd dra gwahanol, ac un llai hamddenol yn sicr.

Rhaid cyfeirio at un digwyddiad gwyddonol, gweddol 'enwog' erbyn hyn, a fu'n brofiad i mi yn Nhachwedd 1961 – yn ystod fy ail flwyddyn ar staff Caerllion. Fel y soniais eisoes, roedd Glyn O. Phillips wedi bod yn cyflwyno rhaglenni gwyddoniaeth Cymraeg ar y radio yn y pum degau, a minnau'n gwneud cyfraniad achlysurol pan oeddwn yn Llangefni. Yn 1961, dyma droi i fyd y teledu, a oedd yn newydd iawn o safbwynt y Gymraeg a mwy fyth o safbwynt gwyddoniaeth yn Gymraeg. Cawsai Glyn wahoddiad i gyflwyno rhaglen fore Sadwrn i blant – *Telewele* – a minnau ar un achlysur i gyfrannu eitem ar dân gwyllt. Fy mwriad oedd dangos i'r plant sut oedd gwneud tân gwyllt diogel drwy ddefnyddio dicromat amoniwm oren – ei osod yn un pentwr a'i danio er mwyn ei weld yn adweithio i ffurfio 'llosgfynydd' gan gynhyrchu cryn wres a gadael 'lludw' o liw gwahanol.

Yr adeg honno, yr arfer oedd paratoi'r rhaglen yn stiwdio Stacey Road (hen gapel a addaswyd i'r pwrpas), Caerdydd, a'i 'hanfon i lawr y lein' i'w recordio yn Llundain. Roeddem wedi paratoi'r eitem ymlaen llaw ond, ychydig cyn y recordio, tybiodd Glyn y byddai'n syniad da i gael arddangosfa o dân gwyllt go iawn ar y byrddau y naill ochr i mi a'r dicromat amoniwm, ac aeth rhywun allan i brynu cryn stoc o *bangers*, *jackie jumpers* a rocedi bach ynghyd â phecyn o *sparklers*.

Dyma ddechrau ar y recordio a phan ddaeth hi'n amser i f'eitem i dyma egluro sut i wneud pethau gyda'r pwyslais ar fod yn ofalus iawn. Fe weithiodd yr arddangosiad yn gampus a thra oedd Glyn yn diolch i mi dyma fo'n tanio *sparkler* a'i chwifio yn yr awyr. Drwy gornel fy llygaid fe welwn fod y gwreichion yn tanio'r tân gwyllt go iawn a chlywn sŵn hisian y papur glas. Ymhen eiliadau roedd y lle fel maes y gad gyda'r ffrwydriadau a'r gwibiadau a'r mwg. Fe neidiais o'm safle o flaen y camera a chefais fy hun, a'r dyn camera, yn ei heglu hi am y drws. Erbyn hyn, roedd y dyn tân yn taflu dŵr oer ar weddillion y tân gwyllt ac roedd mwg tew yn llenwi'r stiwdio. Ond symudodd Glyn ddim o gwbl ac fe'i clywn ef yn dweud bod y rhaglen 'yn mynd yn ei blaen!' Ac fe aeth, ond ar ei diwedd roedd Teleri Bevan, y cynhyrchydd (a oedd yn gydfyfyriwr â ni yn y coleg), mewn tipyn o benbleth ynglŷn â beth i'w wneud er mwyn cuddio'r ddamwain. Nid oedd y fath danchwa'n briodol i lygaid plant! Penderfynodd fynd i Lundain i geisio golygu'r tâp (nad oedd yn waith hawdd yn y dyddiau cynnar hynny ym myd teledu). Pan ddarlledwyd y rhaglen ar y bore Sadwrn canlynol, er mawr ryddhad i Glyn a minnau, bu'r golygu yn llwyddiant a doedd dim anarferol i'w weld – dim ond bod mwy o fwg nag arfer! I'r gwyliwr, doedd dim llawer o'i le. Ond nid dyna oedd diwedd y stori o gryn dipyn.

Y nos Lun ganlynol, roedd rhaglen *Tonight* ar y teledu gyda Cliff Mitchelmore. Roedd un eitem yn cyfeirio at Stan Stennet, y digrifwr Cymreig. *'Talking of comedians,'* meddai'r cyflwynydd, *'look at these Welsh comedians!'* gan ddangos yr union damaid a dorrwyd allan o'r rhaglen i blant. Fel y gallech ddychmygu, 'doedden ni ddim yn hapus ac anfonasom air i gwyno – gan ychwanegu bod ein ffioedd fel *comedians* yn llawer iawn uwch! Os cofiaf yn iawn, derbyniais ffi ychydig yn fwy ac rwy'n credu i Glyn fynd â'r mater ymhellach, yn enwedig pan ddangoswyd y ddamwain ar *Points of View* (*Robert Robinson*). Cwynai rhywun am *'lack of sparkle in the regional programmes'*. *'What about this?'* meddai'r cyflwynydd a dangos y sêr o'r Rhos unwaith eto. Os bu hi unwaith, darlledwyd hi ddwsinau o weithiau a chofiaf yn arbennig un achlysur tra anffodus i mi, fel y cyfeiriaf ato'n ddiweddarach. Yn gymharol ddiweddar, daeth pwt o lythyr o Ganada gan gyfaill o addysgwr a oedd wedi ei gweld ar y cyfandir hwnnw.

Gan fod perygl i'r digwyddiad yma fynd yn rhan o lên gwerin Cymru, mae'n bwysig i mi nodi mai hwn yw'r adroddiad swyddogol awdurdodedig! Ond mae Carys am i mi ychwanegu mai ei bwrdd hi oedd yr un a losgwyd ychydig ar y rhaglen. Roedd hi'n dlawd iawn ar y BBC y dyddiau hynny gan fod yn rhaid i'r perfformwyr ddod â'u dodrefn efo nhw!

Yr oedd 1962 i fod yn flwyddyn fawr yn fy hanes ac ar ddydd olaf y mis cyntaf cynyddodd ein teulu o dri i bedwar. Ar y diwrnod hwnnw, roedd Carys yn tybio bod arwyddion nad oedd yr enedigaeth yn bell ac awgrymodd y dylwn fynd â Nia, a oedd yn bedair oed, allan am y pnawn gan mai gartref yr oedd y babi newydd i'w eni. Buom yn yr Amgueddfa Genedlaethol drwy'r pnawn a Nia yn llawn diddordeb yn y rhyfeddodau yno ond roedd fy meddwl i yn rhywle arall. Cyrraedd adref tua phump a gweld na ddigwyddasai dim. Ond yn ystod yr awr nesaf, daeth yr arwyddion disgwyliedig a galwyd am y fydwraig ar unwaith. Rhoddais Nia yn ei gwely ac arhosodd mam Carys gyda hi. Cyn i mi sylweddoli a chyn i'r fydwraig gyrraedd, roedd y babi wedi ei eni. Yr oedd Gareth Wyn wedi cyrraedd ar dipyn o frys a minnau'n llawen iawn o gael mab – yn wir, wedi gwirioni.

PENNOD 7

Profiadau Mawr Rhydfelen

Fy mwriad oedd aros yng Ngholeg Caerllion am rai blynyddoedd gan fy mod yn hapus iawn yno ac yn cael amser i wneud peth gwaith ymchwil yn labordai'r Athrofa yng Nghaerdydd pan nad oedd darlithoedd gennyf yng Nghaerllion. Ond yng ngwanwyn 1962, ymddangosodd hysbyseb am brifathro i'r ysgol uwchradd Gymraeg newydd yn Rhydyfelin, ger Pontypridd – ysgol i ddisgyblion dwyrain Morgannwg a Chaerdydd o dan Awdurdod Addysg Morgannwg. Wyddwn i ddim oll am y bwriad i sefydlu ysgol cyn hynny, ond ai hwn oedd y cyfle y bûm yn breuddwydio amdano? Wrth anfon y cais i mewn, ni thybiais y byddai siawns yn y byd gan ogleddwr fel fi yn erbyn yr *hwntws*, ac ym Morgannwg o bobman. Wrth fynd ar fore Sadwrn yn un o chwech i'r cyfweliad o flaen y pwyllgor addysg llawn, 'doeddwn i ddim yn obeithiol ond roeddwn o ddifrif. Gofynnwyd inni ateb tri chwestiwn, yn Gymraeg i ddechrau ac yna i gyfieithu ein hatebion i'r Saesneg. Roedd yn bur amlwg mai ychydig iawn o'r cynghorwyr oedd yn deall Cymraeg. Erbyn rhoi'r 'cyfieithiad' yn Saesneg, roeddwn wedi cael amser i feddwl a chynnig ateb taclusach.

Er mawr syndod, ond gyda chryn lawenydd a pheth cryndod, cefais fy mhenodi gan ddechrau cyfnod o dair blynedd ar ddeg a oedd yn her, yn sicr, ond a oedd hefyd yn gyfnod cyffrous, diddorol ac a roddodd i mi foddhad mawr. Doeddwn i ddim wedi cael amser i wreiddio yng Nghaer-llion ac o'r herwydd doedd hi ddim mor anodd gadael ond, yn sicr, fe gyfoethogwyd fy mhrofiad a'm gweledigaeth addysgol yn fawr o gael gweithio mewn coleg addysg am ddwy flynedd.

Fel yr awgrymais, wyddwn i ddim oll am y symudiad i gael ysgol uwchradd Gymraeg i'r ardal. Fe wyddwn fod Ysgol Glan Clwyd wedi agor yn y Rhyl er 1956 ac Ysgol Maes Garmon yn yr Wyddgrug yn 1961. Ond dim ond ar ôl fy mhenodi y deuthum yn ymwybodol o'r ymgyrchu cyson a thrwyadl a fu gan griw bychan o rieni wrth geisio argyhoeddi Awdurdod Addysg Morgannwg, a'r Henadur (fel yr oedd bryd hynny) Llewelyn Heycock, Cadeirydd Pwyllgor Addysg Morgannwg, yn arbennig, o'r galw am addysg uwchradd Gymraeg. A dywedai'r ymgyrchwyr y byddai'r galw'n cynyddu'n gyflym pe agorid yr ysgol. Cefais wybod am y curo cyson ar ddrws yr Awdurdod ers blynyddoedd (a chael gwrthodiad, neu esgusion, bob tro) gan bobl fel Raymond Edwards (Y Barri), Gwyneth Morgan (Ystradgynlais), George Davies (Treorci), Maxwell Evans (Penarth), ac un na chefais erioed y fraint o'i gyfarfod, sef Gwyn Daniel, prifathro ysgol gynradd Gwaelod y Garth, ond deuthum i wybod yn ddiweddarach am ei sêl a'i argyhoeddiad drwy ei ferched, Nia, Ethni a Lona, a chan sawl un arall.

Yn ôl a ddeallaf, newidiodd yr Awdurdod ei agwedd yn sydyn yng ngwanwyn 1962, a chytuno i agor ysgol uwchradd Gymraeg ym mhentref Rhydyfelin, ger Pontypridd, mewn hen adeiladau o ddyddiau'r Rhyfel Mawr ac a ddefnyddid fel canolfan hyfforddi. Ni chlywais neb yn egluro pam y newidiodd yr Awdurdod ei feddwl ar ôl gwrthod cyhyd ond cefais yr argraff o sawl cyfeiriad nad oeddent yn disgwyl i'r ysgol dyfu lawer mwy nag ar gyfer rhyw ddau gant a hanner o ddisgyblion ac roeddent yn bendant y byddai'n rhy fach i gynnal chweched dosbarth. Roedd y sefyllfa'n wahanol i'r un yn Sir y Fflint lle rhoddodd yr Awdurdod, ac yn benodol y Cyfarwyddwr Addysg blaengar, Dr Haydn Williams (un o'r Rhos), arweiniad clir i rieni. *Ymateb* i rieni a wnaeth Morgannwg fawr, er mwyn tawelu'r brwdfrydigion ar y dechrau, ond ar ôl gweld eu llwyddiant a sylweddoli, yn gam neu'n gymwys, nad oedd yr ysgolion hyn gymaint o fygythiad gwleidyddol ag y tybient, bu eu cefnogaeth yn hael a brwd – a neb yn fwy felly na Llew Heycock ei hun. '*My school*' fu'r ysgol yn Rhydyfelin iddo am weddill ei oes. Cefais gefnogaeth barod yr Awdurdod o'r cychwyn cyntaf er i'r Cyfarwyddwr Addysg, Dr Emlyn Stephens, fy rhybuddio bod peth gwrthwynebiad lleol i ddefnyddio'r hen adeilad fel ysgol uwchradd Gymraeg ac nad oedd sicrwydd o dwf yn y nifer o ddisgyblion a dderbynnid bob blwyddyn. Deuthum yn ymwybodol o'r gwrthwynebiad yn yr ardal ac roedd wynebu hyn ac ennill ewyllys da'r ardalwyr yn un o'r amcanion ('targedau' yn iaith addysgol heddiw) cynnar; hynny, ac argyhoeddi'r rhieni hynny a oedd yn hapus gydag addysg *gynradd* Gymraeg ond yn amau priodoldeb parhau addysg o'r fath yn yr *uwchradd*.

Wedi i mi gael amser i ddod dros y sioc o gael fy mhenodi i swydd prifathro'r ysgol hon yr oedd y rhieni brwd yn disgwyl cymaint ganddi, a sylwedyddion y wasg Saesneg yn cyfeirio ati fel arbrawf, yr oedd yn amlwg bod sialens sylweddol yn ein hwynebu, ond sialens a oedd yn werth ei chymryd ac 'arbrawf' nad oedd wiw iddo fethu. Yn nhermau heddiw, roeddwn yn bur amhrofiadol o safbwynt medrau rheoli ac er fy mod wedi breuddwydio am fod yn bennaeth ysgol uwchradd Gymraeg yr oedd fy nghael fy hun yn y swydd yn ddeg ar hugain oed yn sobri dyn, ac yn gwneud i mi feddwl am y math o brifathro y carwn ac y dylwn fod ar ysgol uwchradd Gymraeg. Rhaid i mi gyfaddef na fu i mi bryderu fawr ddim am yr agweddau hyn, efallai oherwydd bod cymaint o waith i'w wneud cyn agor yr ysgol. Yr oeddwn yn awyddus i sefydlu'r ddelwedd briodol i'r ysgol o'r dechrau ac, yn gam neu'n gymwys, rhaid oedd penderfynu ar wisg ysgol rhag blaen. Cofiaf fynd i siop enwog Evan Roberts yng Nghaerdydd i drafod a dewis gwisg ac roeddwn wedi gwahodd Rhiannedd Bowen (Trigg yn ddiweddarach), un a benodwyd yn athrawes gelf i'r ysgol, i fynd yno gyda mi. Yr oeddem wedi lled gytuno mai gwyrdd a du a gwyn oedd y lliwiau i fod a gofynnais am weld dillad ysgol yn y lliwiau hyn. Meddai'r siopwr: '*Those are the colours of Hil Hur school.*' Roedd yn rhaid i mi gyfaddef nad oeddwn wedi clywed am y fath ysgol ond wedi gweld y dillad, gwelais mai Heol Hir oedd yr enw! Penderfynwyd ar y dillad i'r ysgol gan gynnwys hetiau gwyrdd emrallt i'r merched. Er bod yr hetiau hyn yn edrych yn hynod o smart, cymharol fyr fu eu hoes ar restr y wisg swyddogol gan inni fel staff deimlo bod yr ymdrech i'w gorfodi ar ferched anfoddog yn tynnu oddi wrth faterion pwysicach. Camgymeriad, wrth edrych yn ôl, oedd ceisio efelychu ysgolion Caerdydd a'u harferion dilladol – cystadlu â hwy ar safonau'r addysg oedd bwysicaf.

Cyn i'r ysgol agor, roedd y wisg ar werth ynghyd â bathodyn a luniwyd gan Tom Gerrard, cynllunydd a oedd yn gyd-aelod â mi yng Nghapel Heol y Crwys. Roeddwn yn awyddus iawn i gael bathodyn trawiadol a gwahanol i'r hen draddodiad gramadeg o arfbeisiau cymhleth. Eglurais i Tom fy mod yn dymuno symbol o ysgol a oedd yn amlwg gysylltiedig â'r de-ddwyrain diwydiannol ond a fyddai hefyd yn symbol i arwyddo gwawr newydd a bywyd newydd. Credaf iddo lwyddo gyda chynllun syml o'r bonc ddu ar gefndir o arian a gwyrdd emrallt. Bûm yn pori llawer drwy lyfrau a gynhwysai hen ddiarhebion Cymraeg a chael gafael ar un a dybiwn i oedd yn addas fel arwyddair i ysgol newydd a chanddi genhadaeth bendant – 'Deuparth Ffordd ei Gwybod'.

Wrth feddwl yn ystod haf 1962 am y dasg oedd yn fy wynebu o ran sicrhau twf yr ysgol, gwelais fod y ffigurau'n arwyddo mai gwan oedd y gefnogaeth o rai ardaloedd – yn benodol o Gaerdydd lle'r oedd atynfa'r *high schools* yn fawr. Ar y dechrau, roedd rhieni'r rhai a fethodd yr arholiad 11+ yn eitha bodlon i'w plant ddod atom i ysgol uwchradd a chanddi ffrydiau gramadeg a 'modern' – yr unig un o'i bath yn yr ardal am flynyddoedd – ond, yn y flwyddyn gyntaf, eithriad oedd i rieni fentro eu plant galluocaf atom. Daeth yn amlwg i mi fod angen rhoi sylw rhag blaen i hyn ac i nifer o faterion allweddol eraill.

Yn gyntaf, roedd yn rhaid gofalu ei bod yn ysgol hapus lle'r oedd y disgyblion yn gartrefol ac yn dymuno ei mynychu; byddai trefnu rhaglen o weithgarwch allgyrsiol yn help i sicrhau hynny. Yn ail, roedd rhaid sicrhau safonau academaidd uchel yn yr holl bynciau ac yn arbennig yn y Saesneg fel pwnc (a oedd, yn ôl pob tebyg, yn fater o bryder i rai rhieni).

Yn drydydd, gan y byddai'r ysgol yn tynnu ei disgyblion o gylch eang – eang iawn fel y profwyd – roedd yn rhaid rhoi sylw i gyswllt â rhieni a sicrhau trefniadau cludiant effeithiol. Yn ben ar hyn oll, roedd hi'n allweddol i benodi staff a oedd yn wirioneddol gredu yn *ein hamcanion* ac yn gallu cyfrannu drwy eu harbenigedd a'u brwdfrydedd tuag at eu sylweddoli. Deuthum i gredu hefyd mai staff ifanc egnïol, heb fynd i rigolau'r gyfundrefn addysg draddodiadol, a fyddai'n gweddu orau mewn ysgol newydd. Ac yn olaf, roedd yn bwysig bod y byd a'r betws yn cael clywed am ein gwaith a, gobeithio, am ein llwyddiant.

Bûm yn ymgodymu'n hir yn fy meddwl cyn i'r ysgol agor ynglŷn â'i pholisi iaith. Y patrwm yn y ddwy ysgol uwchradd yn Sir y Fflint oedd addysgu'r pynciau dyniaethol – hanes, daearyddiaeth ac ysgrythur, ynghyd â phynciau fel celf ac addysg gorfforol – drwy'r Gymraeg, a'r gweddill drwy'r Saesneg. Dyna'r union arweiniad a roddodd Awdurdod Morgannwg i mi ond caniatawyd i mi amrywio hyn yn ôl fy ngweledigaeth ac yn ôl ymarferoldeb a budd gorau'r disgyblion. Penderfynais yr addysgid pob pwnc ac eithrio mathemateg a gwyddoniaeth drwy'r Gymraeg. Dyma, yn fy marn i, oedd yn debygol o fod yn dderbyniol i rieni, yn y dechrau o leiaf, er bod pynciau megis Ffrangeg a Lladin, a'r pynciau ymarferol fel gwyddor tŷ, gwaith coed, gwaith metel ac arlunio technegol, yn gosod tipyn o sialens gan nad addysgid y rhain erioed o'r blaen drwy'r Gymraeg mewn unrhyw ysgol. Dylwn ychwanegu mai Saesneg oedd cyfrwng gwaith ysgrifenedig y pynciau a addysgid yn *swyddogol* drwy'r iaith honno; defnyddid y ddwy iaith ar lafar gan gyflwyno termau yn y ddwy iaith. Gan mai fi a addysgai wyddoniaeth i'r holl ysgol ar y dechrau, rwy'n berffaith sicr bod hyn yn gyson wir am wyddoniaeth bryd hynny.

Un y bûm yn trafod fy syniadau ag ef cyn agor yr ysgol oedd Lewis Angell, Trefnydd Iaith Morgannwg – gŵr hynaws ac un a fu'n gefn mawr i'r ysgol trwy gydol y blynyddoedd nes ei ymddeoliad yn 1972.

Credais o'r dechrau bod ennill ymddiriedaeth a chefnogaeth rhieni cyntaf yr ysgol a'r darpar rieni, yn rhyfeddol o bwysig a thrwy gydol fy nghyfnod fel prifathro bu'n fraint cael cydweithio gyda rhieni'r gwahanol ardaloedd. Fy nghyswllt cyntaf â rhieni, neu ddarpar rieni, oedd derbyn gwahoddiad i gwrdd â rhieni Ysgol Gynradd Pont-y-gwaith yn y Rhondda Fach a sawru gwres eu croeso a maint eu gobeithion ar gyfer yr ysgol newydd. Mae'r blwch cerddorol ar ffurf cegin Gymreig a dderbyniais yn anrheg ganddynt yn fy meddiant o hyd ac yn f'atgoffa o groeso'r Rhondda a'r gefnogaeth frwdfrydig a ddaeth oddi yno drwy gydol yr amser.

Cofiaf i mi gyfarfod rhieni'r holl ddisgyblion cyn agor yr ysgol ym Medi 1962, ac yn y cyfarfod hwnnw amlinellais fy athroniaeth, y polisi cwricwlaidd a'r polisi iaith, y drefniadaeth ynglŷn â theithio a gwisg a rheolau cyffredinol yr ysgol. Ond y cwestiwn cyntaf a gefais ar ddiwedd

Parti meibion myfyrwyr Bangor
yn ymarfer dan arweiniad Glyn O. Phillips, 1952.

Yn Eisteddfod Genedlaethol Aberystwyth, 1952.
(O'r chwith): Gwilym, Carys, Rhiain Williams, Glyn O. Phillips.

Criw noson lawen
Coleg y Brifysgol Bangor,
1953.

Yn eistedd (o'r chwith):
Nansi Watkin Jones,
Elfyn Pritchard,
Ednyfed Williams,
Gwilym E. Humphreys,
Valerie Jones.

Yn sefyll:
Elfyn Hughes,
Trefor Davies-Isaac,
Tydfil Roberts,
Berian Williams,
Gwynedd Jones,
Goronwy Wynne.

Blwyddyn *TT* (cwrs hyfforddi athrawon) Coleg y Brifysgol Bangor, 1952-53.

Carys (Williams) yn graddio, 1953.

Gadael am ein mis mêl, Awst 15, 1955.

Chweched dosbarth Ysgol Uwchradd Llangefni, 1957.
Dewi M. Lloyd a'r awdur yn athrawon dosbarth.

Athro cemeg Ysgol Uwchradd Llangefni o flaen Dosbarth 4a, 1955.

Tîm criced staff Ysgol Uwchradd Llangefni, 1958.
Yn eistedd (o'r chwith): Dick Parry Thomas, Ifan Wyn Williams, O. E. Jones, T. G. (Jim) Roberts, Gwilym E. Humphreys, Henry Richards.
Yn sefyll: John Young (ei hanner!), Arwyn Jones, Leslie Hodgkins, Dewi M. Lloyd, Glyndwr Thomas, W. Jones-Henry.

Rhai o aelodau Cwmni Drama Môn (cynhyrchydd: Cynan) yn perfformio *Yr Inspector* (Gogol), 1955.
Yn sefyll (o'r chwith): Hywel Williams. Gwilym E. Humphreys, Leslie Hodgkins, Emrys Jones.
Yn eistedd: John Huws (Stamp), Charles Williams.

Parti Cerdd Dant Meibion Cefni (Buddugol yn Eisteddfod Genedlaethol Caernarfon, 1959).

(O'r chwith): Harry Evans, Isaac Thomas, Huw Price, Gwilym E. Humphreys, Haf Morris, Tom Davies, Trefor Hughes, Tecwyn Griffith, Reg Powell, Gwilym Jones.

Gweinidog a blaenoriaid Eglwys Heol y Crwys, 1975.

Yn eistedd (o'r chwith): Howard George, Lyn Howell, Y Parchedig D. Lodwig Jones (Gweinidog), Stanley Jones, Gwilym Rees.
Yn sefyll: B. G. Rees, Moelwyn Preece, D. Gwyn Jones, Gwilym E. Humphreys, Garbett Evans, Delwyn Tibbott, Tom E. James, D. W. Jones.

fy sgwrs oedd beth oedd siâp y bêl i fod! Chwarae teg i'r tad o'r Rhondda a oedd â'r hawl i amau uniongrededd y prifathro ifanc o'r gogledd. Hirgron oedd yr ateb a roddais yn ddibetrus, a dyna a fu unig gêm y bechgyn cyn i ni gael cais taer ymhen rhai blynyddoedd gan yr *hwntws* i ychwanegu'r bêl gron. Roedd diffyg rhagor o gwestiynau'n arwyddocaol ac yn ernes o'r hyn oedd i ddod; ni heriwyd yr un iot ar y genhadaeth a amlinellais i'r ysgol. Dyma'r ffydd a'r ymddiriedaeth a fynegwyd gan rieni drwy gydol fy nghyfnod yn yr ysgol gan ganiatáu inni fod yn fentrus ac arloesol ond gan gario'r rhieni gyda ni.

Gan fy mod yn brysur yng Nghaerllion tan ddiwedd Mehefin, ni fûm yn rhan o benodi'r staff cyntaf ac eithrio'r rhai a benodwyd yng Ngorffennaf ac Awst, ond drwy gydol y tair blynedd ar ddeg, nid ystyriais ddim yn bwysicach na chael llais yn y penodi ac, yn wir, rhoddodd y llywodraethwyr gryn ryddid i mi yn hyn o beth. Ar y diwrnod y cyfeiriais ato ar ddechrau'r gyfrol hon, diwrnod agor yr ysgol, roedd naw athro, gan fy nghynnwys i, yn aelodau o'r staff ar gyfer yr 80 o ddisgyblion ar gofrestr yr ysgol. O'r naw, dim ond pedwar ohonom oedd yn llawn amser a'r gweddill yn cynnig rhwng un a thri diwrnod ar gyfer addysgu eu pwnc. Ymhlith y rhai rhan amser yr oedd Lily Richards (athrawes gerddoriaeth) a ddaeth yn ddiweddarach yn athrawes hŷn ac yna'n ddirprwy bennaeth – un a fu'n fawr iawn ei dylanwad a'i sêl am gyfnod maith. Rwy'n sicr i ni, yr athrawon cyntaf, i gyd deimlo gwefr arbennig o gael bod yn rhan o'r anturiaeth ac mae'n sicr i hynny fod yn arbennig o wir am Nia Daniel, yr athrawes Gymraeg, o gofio am gyfraniad ei thad, Gwyn Daniel, i'r ymgyrch i sefydlu'r ysgol ond gŵr na fu byw i weld gwireddu un o'i freuddwydion mawr.

Gan fod stori blynyddoedd cyntaf yr ysgol wedi ei chofnodi'n fanwl mewn cyfrol arall y cefais y fraint o'i golygu (*Rhydfelen – y deng mlynedd cyntaf*, Gomer, 1973) ac i gael sylw hefyd yng nghyfrol dathlu Rhieni Dros Addysg Gymraeg (*Hanner Can Mlynedd o Addysg Drwy Gyfrwng y Gymraeg*, Y Lolfa, 2001), nid oes angen gor-fanylu yn y fan hon. Yr hyn a wneir yw dewis a dethol rhai egwyddorion a rhai digwyddiadau arwyddocaol dros gyfnod fy mhrifathrawiaeth i, o 1962 tan 1975.

Er mai ym mhentref Rhydyfelin y lleolwyd yr ysgol, buan y derbyniwyd gennym, ar gyngor Bwrdd Gwybodau Celtaidd y Brifysgol, mai Rhydfelen oedd yr enw gwreiddiol ar y lle a dyma'r enw a fabwysiadwyd gennym i'r ysgol. Erbyn hyn, mae arwyddion ar yr A470 yn ardal Pontypridd yn cydnabod mai dyna yw'r enw Cymraeg ar y pentref lle saif yr ysgol.

Ysgol Uwchradd Rhydfelen
Prifathro / Headmaster : G. E. Humpphreys
Tel: Pontypridd 2185

Dyna oedd ar hysbysfwrdd yr ysgol am flynyddoedd cyn i ryw ohebydd papur newydd sylwi bod dwy '*p*' yn fy enw a minnau, a phawb arall, yn mynd heibio iddo bob dydd heb sylwi bod dim o'i le! Gwnaeth stori bapur newydd dda! Doedden ninnau, chwaith, ddim yn swil o dynnu sylw atom ein hunain yn y wasg dros y blynyddoedd. Os oedd yr ysgol i dyfu, roedd yn rhaid inni ei 'marchnata' – er fy mod yn sicr nad dyma'r gair a ddefnyddid gennym ni bryd hynny; 'cenhadu' fyddai hwnnw, rwy'n credu.

Er mai rhieni brwd de-ddwyrain Morgannwg oedd y grym symudol y tu ôl i'r ysgol, rhieni a oedd yn ffyddiog y byddai eu plant yn derbyn gwell addysg mewn ysgol o'r fath, teg yw nodi eto fod yna rai amheuwyr ymhlith rhieni'r ysgolion cynradd Cymraeg ar y dechrau – rhieni a oedd yn ofni 'peryglu' addysg eu plant wrth eu hanfon i ysgol nad oedd wedi ei phrofi ei hun, yn enwedig rhieni plant galluog. Gwnaeth hyn inni fel athrawon fod yn fwy penderfynol nag erioed i brofi ein safonau, a bu twf yr ysgol yn arwydd clir inni lwyddo i sefydlu ein hygrededd yn fuan iawn ac ennill ymddiriedaeth mwyafrif llethol rhieni ysgolion cynradd Cymraeg y dalgylch. Diolch, wrth gwrs, am y rhieni ffyddiog o'r dechrau, ond efallai mai iawn oedd inni orfod profi ein safonau i eraill yn gynnar yn ein hanes – ymhell cyn bod sôn am gynghreiriau canlyniadau a'u tebyg. Ond heb ganlyniadau da a sicrwydd safonau, a hynny drwy'r Gymraeg, fyddai dim twf wedi bod yn bosib i addysg Gymraeg yn y dalgylch arbennig hwn ym Morgannwg. Pan ddewisodd rhieni rhai o ddisgyblion disgleiriaf Ysgol Bryntaf, Caerdydd, anfon eu plant i Rydfelen, o'r ail flwyddyn ymlaen, gwnaeth hynny les mawr i'r mewnlif o'r ddinas, gan ddenu rhieni rhai a oedd wedi ennill ysgoloriaeth i Ysgol Howells – ar ôl iddynt gynnig am honno yn ôl arferiad Ysgol Bryntaf.

Rhaid i mi nodi mai'r rhieni a edmygwn yn arbennig oedd y rhieni di-Gymraeg a chanddynt blant gydag anghenion arbennig; yr oedd y rhain nid yn unig yn ymddiried ynom i gyfarfod â phroblemau dysgu'r plant ond i hyrwyddo eu gafael ar ddwy iaith hefyd. Dros y blynyddoedd, teimlais fod y ddwy iaith yn cyfoethogi addysg y disgyblion hyn ac roedd y rhieni, bron heb eithriad, yn gwerthfawrogi ein darpariaeth addysgol a chymdeithasol ar gyfer eu plant.

O'r 80 disgybl a oedd yn yr ysgol ar y diwrnod cyntaf (82 ymhen ychydig wythnosau), yr oedd 50 ohonynt yn y flwyddyn gyntaf yn rhannu'n weddol gyfartal rhwng ffrwd ramadeg a ffrwd fodern yr ysgol. Yn yr ail flwyddyn, roedd un ffrwd fodern o 18 ac un ffrwd fodern o 14 yn y drydedd. Pe deuai 50 i mewn bob blwyddyn, yna 250 fyddai nifer disgyblion yr ysgol ymhen pum mlynedd – fel yr oedd yr Awdurdod yn darogan. Ond daeth 92 i mewn o'r newydd yn 1963, a chynyddodd y nifer a dderbynnid bob blwyddyn nes cyrraedd ffigur mynediad blynyddol o 230 yn 1973 ond a ostyngodd i 165 yn 1974 ar ôl agor Ysgol Llanhari y flwyddyn honno. Cyrhaeddodd yr ysgol nod yr Awdurdod o 250 ymhen *dwy* flynedd ac er bod ysgolion Ystalyfera (1969) a Llanhari (1974) wedi agor, yr oedd 1020 yn yr ysgol pan adewais yn 1975. Roedd hyn yn dwf syfrdanol ac ymhell y tu hwnt i'm gobeithion gorau. Roedd yr awydd am addysg uwchradd Gymraeg yn bod; ein gwaith ni oedd rhoi sicrwydd safonau a chreu ysgol hapus y gallai rhieni ymddiried ynddi ac yn ei hathrawon. Erbyn heddiw, yn yr un dalgylch, y mae dros chwe mil o ddisgyblion mewn wyth o ysgolion uwchradd Cymraeg, ac mae galw am fwy.

Wrth i'r ysgol dyfu a llwyddo i ddenu disgyblion ar draws yr ystod gallu, bu newid mawr yng nghefndir ieithyddol y disgyblion. Er enghraifft, pan agorwyd yr ysgol, roedd 58% o'r disgyblion o gartrefi lle'r oedd y tad a'r fam yn *medru* siarad Cymraeg ond roedd y ganran hon i ddisgyn i 23% erbyn 1972, i 5% yn 1982, ac mae'r ffigur yn is eto (tua 1% neu lai) erbyn hyn. Ymatebodd yr ysgol i'r newid hwn drwy gynyddu'r defnydd o'r Gymraeg yn gyfrwng ac wrth barhau i gynnal arlwy cyfoethog o weithgareddau allgyrsiol Cymraeg.

Roedd ein dalgylch yn rhyfeddol o eang ar y dechrau ac yn 1963, flwyddyn ar ôl i'r ysgol agor, roedd yn cynnwys ardaloedd dwsin o ysgolion cynradd Cymraeg – o'r Barri yn y de i Rhymni yn y gogledd ac o Flaendulais yn y gorllewin i Gaerffili yn y dwyrain. Yr oedd problemau wrth gynnal ysgol ac iddi ddalgylch mor fawr ond roedd y ffaith bod rhieni'n barod i'w plant deithio mor bell yn arwydd o'u ffydd; prin iawn fu'r cwynion erioed a byddent yn cydweithredu i'r eithaf gyda threfniadau ymarferion a chlybiau ar ôl oriau ysgol. Gall rhieni fod yn rhyfeddol o gefnogol os yw eu plant yn hapus ac yn datblygu'n addysgol, ac yn ddiwylliannol a chymdeithasol. Gallai'r dalgylch fod wedi bod yn ehangach fyth oni bai am y cyfyngiad o du'r Weinyddiaeth Addysg o awr a chwarter o amser teithio bob ffordd. Ar ôl i'r Awdurdod Addysg wrthod rhoi mynediad i'w plant ar y cychwyn, llwyddodd rhieni Blaendulais i ddod dros yr 'anhawster' yma drwy roi eu plant i 'aros' gyda pherthnasau oedd dipyn nes na'u cartrefi! Pan holai ymwelwyr i'r ysgol faint oedd y daith bob ffordd, byddai disgyblion o Flaendulais yn ateb ag un llais: 'awr a deng munud!' Holais i ddim erioed ynglŷn â hynt a helynt eu perthnasau! Ein problem ni fel athrawon oedd hebrwng adref ambell ddisgybl oedd wedi colli'r bws ar ddiwedd dydd; bryd hynny y sylweddolem y pellter anhygoel a deithiai rhai o'r disgyblion, a hynny'n feunyddiol. Lledodd y dalgylch ychydig ar ôl 1963 ac yna graddol grebachu gydag agor ysgolion uwchradd Cymraeg eraill gan ddechrau efo Ystalyfera yn 1969 a Llanhari yn 1974, a'r ysgolion eraill hyd heddiw. Ysgol i ardal Pontypridd yw Rhydfelen bellach – ardal lle y digwyddodd y wyrth fwyaf o ran addysg Gymraeg. Fe ddywedir bod dros draean o blant yr ardal hon a'r Rhondda yn derbyn addysg Gymraeg erbyn hyn o gymharu â thua 2% yn 1962.

Diddorol oedd clywed ar y radio'n ddiweddar un cyn-ddisgybl eitha enwog erbyn hyn, y Prifardd Emyr Lewis, yn sôn am nodwedd a hoffai ef yn arbennig am Rydfelen ei gyfnod ef, sef y gymysgedd o gefndiroedd a'r amrywiaeth yn natur y disgyblion o'r gwahanol ardaloedd. Cytunaf, ac roeddwn yn ymwybodol iawn o'r amrywiaeth cyfoethog hwn dros y blynyddoedd. Elwodd y disgyblion cyntaf yn fawr ar hyn.

Fe agorwyd yr ysgol yn swyddogol ar y trydydd o Dachwedd 1962 gan Syr Edward Boyle, y Gweinidog Addysg ar y pryd. Roedd yr ysgol wedi cael ei gwynt ati ar ôl y cyhoeddusrwydd mawr a dderbyniodd yn y wasg a'r cyfryngau, ac roedd gennym rai llyfrau erbyn hynny! Wedi'r agoriad, gwahoddwyd fi i ymddangos ar y rhaglen *Wales Tonight* (neu un o enw tebyg) a gyflwynid gan Brian Howey. Cefais fy holi ar ddechrau'r rhaglen am yr ysgol newydd, fy ngobeithion iddi ac am yr agoriad. Yr eitem olaf ar y rhaglen oedd y digwyddiad tân gwyllt unwaith eto! 'Wn i ddim beth a feddyliai'r disgyblion o'u prifathro, yn enwedig gan mai ef oedd yn addysgu gwyddoniaeth iddynt!

Cafwyd ymweliad pellach gan Weinidog Addysg y dydd, Mr Edward Short, yn 1968 yng nghwmni Dr Elwyn Davies, Ysgrifennydd Addysg yn y Swyddfa Gymreig. Daeth llythyr hynod garedig oddi wrth y Gweinidog wedi ei ymweliad: '*I found it a fascinating experience to visit your school on Friday ond congratulate you on the excellent work you are doing*'.

Yr oedd gennym ein beirniaid hefyd ac yn gymharol gynnar yn ein hanes ymosodwyd arnom gan Iori Thomas, aelod seneddol gorllewin y Rhondda, am ein dull o drosglwyddo rhwng y ffrydiau gramadeg a modern ac, yn rhyfeddol, am ein bod yn addysgu rhai pynciau drwy'r Saesneg. Ar y llaw arall, gwnaeth Ifor Davies, A.S. Gŵyr, gyfeiriad caredig atom ar lawr Tŷ'r Cyffredin yn Rhagfyr 1966: '*a successful experiment that has attracted attention outside Wales*'.

Wrth reswm, ymddiddorai'r cyfryngau ynom ac ni fuom ninnau'n brin o'u defnyddio i gyhoeddi ein llwyddiannau – yn academaidd ac yn gymdeithasol. Yr oedd ein hagosrwydd at Gaerdydd yn fantais o safbwynt cael sylw'r radio a'r teledu a chawsom fwy na'n siâr o hwnnw; ymddangosai ein disgyblion yn aml ar raglenni ac roeddent yn lladmeryddion teilwng iawn i'r ysgol. Yr oedd ein lleoliad ynghyd â diddordeb addysgwyr ac eraill ynom yn help inni hefyd sicrhau siaradwyr i annerch y chweched dosbarth pan ddaeth hi'n amser o 1967 ymlaen i ddarparu ar gyfer y disgyblion hyn. Buom yr un mor ffodus yn y siaradwyr a gafwyd i'n Cyfarfodydd Gwobrwyo o 1965 ymlaen.

Ein siaradwr gwadd i'n cyfarfod gwobrwyo cyntaf yn 1965 oedd yr Athro Jac L. Williams. Bu'r ysgol yn hynod ffodus o gael cefnogaeth a chyngor yr addysgwr deallus a doeth hwn ar hyd y blynyddoedd nes ei farwolaeth annhymig yn 1977. I mi fel prifathro ifanc, roedd cael addysgwr o statws a bri Athro Addysg Coleg y Brifysgol, Aberystwyth, yn gyfaill ac yn gynghorwr yn amheuthun. O'r cychwyn cyntaf, ymddiddorodd Jac L. yn yr ysgol gan iddo gredu bod Rhydfelen wedi ei lleoli mewn man strategol bwysig yn y de-ddwyrain Seisnigedig ac yn ddigon agos at y brifddinas i gael sylw a chefnogaeth y llu o Gymry Cymraeg oedd yn byw yno – rhyw 12,000 i gyd, medden nhw, yn y chwe degau. Ac nid diddordeb o bell oedd diddordeb yr Athro ond un ymarferol a pholisïol. Yr oedd yn awyddus i'n gweld yn penodi athrawon brwdfrydig a deallus yn eu meysydd, a hefyd rhai oedd yn credu yn ein hamcanion o ran dwyieithrwydd. Anogai rai o'r myfyrwyr a ystyriai'n briodol i gynnig am swyddi yn Rhydfelen ac yr oedd cymeradwyaeth Jac L. yn caniatáu inni wneud penodiadau da dros y blynyddoedd. Ond ar wahân i hynny, roedd Jac L. bob amser ar gael i gael sgwrs a chan inni fod yn gyd-aelodau o nifer o bwyllgorau cenedlaethol, cawn gyfle cyson i drafod a chyfnewid barn ar faterion strategol i ddatblygiad addysg ddwyieithog. Ac yntau'n tynnu o brofiad rhyngwladol yn y maes, a'i ddwyieithrwydd byth yn wrth-Saesneg, cawn gyngor gan un a oedd yn bell ei weledIad ac yn dactegwr heb ei ail; bu'n fentor answyddogol rhagorol i mi a dysgais lawer ar sut i ymladd brwydrau addysgol ac ieithyddol. Yn cyfoesi ag ef yn Aberystwyth, roedd Alwyn D. Rees, y cymdeithasegwr disglair, llafar a heriwr y sefydliad ar faterion Cymreig a Chymraeg. Bu ei ddiddordeb a'i gefnogaeth ef i'r ysgol ac i frwydrau addysgol ehangach, yn arbennig ynglŷn â cheisio am gyrsiau cyfrwng Cymraeg yn y Brifysgol o 1965 ymlaen, yn werthfawr iawn i mi.

Un arall a ymddiddorai'n arw yn yr ysgol o'r diwrnod cyntaf oedd y Prif Arolygydd ar y pryd, Wynne Lloyd – gŵr gwadd cyfarfod gwobrwyo 1967 – a bu'n ymweld â ni ar sawl achlysur, unwaith yng nghwmni W. R. Elliot, Prif Arolygydd Lloegr. Cyn gadael, gofynnodd yr olaf am gael gweld gwers yn cael ei thraddodi, gan awgrymu mai gwers lle'r oedd cydadwaith bywiog rhwng disgybl ac athro fyddai'n ei blesio. Cafodd ei ddymuniad wrth wylio Nia Daniel yn addysgu'r Gymraeg i ddosbarth tri, ond prin y disgwyliai'r fath fwrlwm! Gan mai Wynne Lloyd oedd y Prif Arolygydd pan agorwyd yr ysgol, rwy'n credu iddo ef gael cryn ddylanwad ar y penderfyniad i'w sefydlu – mewn dyddiau pan oedd gan arolygwyr ysgolion ddylanwad cefndirol cryf, fel y dangosodd un o leiaf o'i olynwyr yn y swydd, Illtyd Lloyd, y cyfeirir ato ymhellach ymlaen.

Yn ychwanegol at y llu o gymdeithasau rhieni ac athrawon o ysgolion eraill, neu ysgolion a oedd ar fin agor, a ymwelai â'r ysgol yn y blynyddoedd cynnar, roeddem hefyd o ddiddordeb i addysgwyr a gohebwyr o gylch eang. Bu'r arbenigwr ar ddwyieithrwydd, Fishman, o Efrog Newydd, yn treulio cyfnod yn yr ysgol, ac addysgwyr ac ymchwilwyr o Ganada, America, Yr Alban, Awstralia, India, India'r Gorllewin a nifer o wledydd eraill. Un o'r profiadau hyfrytaf oedd croesawu mintai o'r Wladfa yn 1965, gan mlynedd wedi'r glaniad ym

Mhorth Madryn, man y cafodd Carys a minnau gyfle i ymweld ag ef yn 1995 wedi i mi ymddeol.

Yn naturiol, ymddiddorai'r wasg Gymraeg yn fawr yn yr ysgol ac roedd y sylw a roed inni gan *Y Cymro* – 'Y wyrth a elwir Rhydfelen' mewn atodiad arbennig yn 1970 – yn gronicl da o'r twf a fu hyd at hynny. Hefyd, ar ddiwedd fy nghyfnod fel prifathro, yn 1975, darparwyd atodiad arall yn *Y Cymro* dan y pennawd 'Rhydfelen – Eton Gymraeg?', gan gyfeirio at eiriau rhywun o Borth Talbot, ac nid fy ngeiriau i. Ond, yn rhyfedd iawn, cefais gyfle i dreulio wythnos yn Eton rai blynyddoedd yn ddiweddarach fel arolygydd, ac roedd rhai elfennau, o leiaf, yn debyg – megis yr ymrwymiad, gant y cant, gan y staff.

Dangoswyd cryn ddiddordeb yn yr ysgol gan y wasg Saesneg a bu gohebwyr fel Ena Kendall a Paul Ferris yr *Observer* a Trevor Fishlock *The Times* yn sgrifennu ein stori ac yn fodd i ledaenu llwyddiant addysg uwchradd ddwyieithog. Yr oeddwn yn falch hefyd fod Cymry enwog wedi galw i'n gweld dros y blynyddoedd – pobl fel Syr Ben Bowen Thomas, Syr Ifan ab Owen Edwards, Cassie Davies a Carwyn James. Yr oedd hyn oll yn tanlinellu i'r disgyblion ac i ni'r athrawon fod llygad y cyhoedd arnom ac na feiddiem ni fethu.

Wedi inni sefydlu chweched dosbarth yn 1965, daeth hi'n arfer i wahodd trawsdoriad o Gymry i annerch y disgyblion – gwyddonwyr fel Dr Elwyn Hughes, cyfreithwyr fel Gwilym Prys Davies, Hywel Moseley, Dewi Watkin Powell, llenorion fel John Gwilym Jones, Marion Eames, Huw Lloyd Edwards, arbenigwyr ar ein diwylliant gwerin – Vincent Phillips, Roy Saer; Gwynfor Evans a Dai Francis o'r byd gwleidyddol ac undebol, a darlledwyr fel R. Alun Evans ac Alun Williams. Roedd nifer o'r rhain yn rhieni, ac un go arbennig, Saunders Lewis, yn dad-cu i un o'n disgyblion, Siwan Jones.

Gan nad oedd yr ysgolhaig, llenor a chenedlaetholwr hwn yn arfer ymddangos yn gyhoeddus yn niwedd y chwe degau, roedd ei gael i gytuno i ddod i siarad â'r chweched yn dipyn o sgŵp. Cofiaf yn dda i'r gŵr musgrell, eiddil hwn gyrraedd tua phum munud cyn yr amser penodedig a minnau'n ei groesawu gan ofyn iddo beth oedd ei destun. 'Sut mae dechrau drama' oedd yr ateb. 'A fyddwch chi'n fodlon ateb cwestiynau?' gofynnais. 'Tri yn unig' oedd ei ateb swta a ffwrdd â ni i gyfarfod y chweched disgwylgar. Siaradodd yn fyr, mewn llais a fyddai wedi gweddu i broffwyd o'r Hen Destament, ar sut yr oedd tair o'i ddramâu yn agor – *Blodeuwedd*, *'Gymerwch Chi Sigaret?* a *Buchedd Garmon*, os cofiaf yn iawn. Gwahoddais gwestiynau ac, ar ôl y trydydd, meddai'n bendant, 'Dyna ni, mi af nawr'. Ac o fewn yr awr, yr oedd wedi dod, wedi siarad ac wedi mynd. Roeddwn i'n falch o'r cyfle unigryw i'w glywed a gobeithiaf fod myfyrwyr blynyddoedd cynnar y chweched dosbarth yn dal i gofio'r achlysur.

Yn ystod blwyddyn gyntaf bodolaeth Rhydfelen, ac am flynyddoedd wedyn, byddai cymdeithasau rhieni'r ysgolion cynradd yn ymweld â'r ysgol – rhai o fewn ein dalgylch gwreiddiol, rhai a ddymunai ddod i'r dalgylch a rhai ymhell y tu hwnt ond yn gobeithio cael ysgol uwchradd Gymraeg eu hunain cyn bo hir. Weithiau, fi fyddai'n eu cyfarfod hwy yn eu hardal ond dod i Rydfelen 'i weld' a wnâi'r mwyafrif. Rwy'n credu i mi annerch 35 o gyfarfodydd o'r fath yn ystod y flwyddyn gyntaf os cynhwysir cyfarfodydd i gymdeithasau eraill ac i grwpiau o athrawon. Byddai gwahaniaeth mawr yng ngwres y cyfarfodydd. Ym Morgannwg, roeddent yn gyfarfodydd brwdfrydig a rhieni'n awchu am gael gweld eu plant yn derbyn y parhad i'w haddysg gynradd yn yr ysgol uwchradd. Ond wrth fynd fwy i'r gorllewin, i Gaerfyrddin, i Borth Tywyn, ac yn enwedig i fannau fel Llandysul ac Aberaeron, roedd llawer mwy o amheuaeth ynglŷn ag addysg uwchradd Gymraeg. Weithiau, yn y gorllewin, byddai'r Athro Jac L. yn rhannu llwyfan â mi a chofiaf ei fod ef yn tristáu at yr ymateb llugoer a gaed bryd hynny yn yr ardaloedd 'Cymraeg', ond roedd yn ffyddiog y byddai newid agwedd yn fuan. Ac yn wir, ymhen rhai blynyddoedd, fe newidiodd yr awyrgylch gryn lawer – wedi i'r ysgolion uwchradd Cymraeg cynnar brofi eu gwerth a'u safonau yn ddigamsyniol.

Roedd gwres a brwdfrydedd rhieni cyntaf Rhydfelen yn anodd i'w ddisgrifio; roedd fel petai'r caead wedi codi oddi ar lond crochan o frwdfrydedd a oedd yn ffrwtian ers blynyddoedd. Pan awgrymais i W. R. Evans, Y Barri, a oedd yn un o'r to cyntaf o rieni ac ar staff Coleg Addysg y Barri, mai da fyddai ffurfio cymdeithas rhieni, cafwyd ymateb cryf ar unwaith – rhiant pob disgybl bron yn dod i'r cyfarfod cyntaf a alwyd. Cymaint oedd y brwdfrydedd nes iddynt benderfynu yn ystod y flwyddyn gyntaf ffurfio canghennau o'r Gymdeithas yn y gwahanol ardaloedd – Cwm Nedd, Aberdâr, Y Rhondda, Pontypridd, Caerdydd, Y Barri, ar y dechrau, a Maesteg, Caerffili ac ati yn ddiweddarach. Pan fyddai cynrychiolwyr yr ardaloedd hyn yn ymgasglu i bwyllgor canolog yn yr ysgol ar fore Sadwrn, roedd y gymdeithas yn fyrlymus a'r cyfarfod yn llawn syniadau am weithgareddau a datblygiadau ac ymgyrchoedd cyhoeddusrwydd a chodi arian. Tyfodd cyfeillgarwch oes rhwng y rhieni hyn o'r gwahanol ardaloedd ac ni theimlais i na chynt nac wedyn y fath unoliaeth pwrpas a sêl dros unrhyw achos cyffelyb. Roeddem wedi ffurfio cymdeithas ddemocrataidd, ddiddosbarth ar draws y strata cymdeithas-egol drwy'r pwrpas cyffredin. Byddwn yn teithio i'r cyfarfodydd bore Sadwrn gydag un o'r rhieni, y Parchedig D. T. Evans (gweinidog Minny Street, Caerdydd, ar y pryd) a byddem ill dau ar y ffordd adref yn rhyfeddu fod gan yr ysgol y fath bobl yn rhieni a chanddynt gymaint o ffydd ynom fel athrawon. Roedd rhaglen y Gymdeithas Rhieni yn cynnwys Ffair Aeaf, Garddwest Haf, Noson Lawen, Darlithoedd,

Twmpath Dawns a chinio (neu giniawau, a dweud y gwir, yn y gwahanol ardaloedd) i ddathlu Gŵyl Ddewi. Geraint Bowen, Caerdydd, oedd y cadeirydd cyntaf, George Davies, Treorci, oedd yn ysgrifennydd, a Mary Miles, Pontypridd, yn drysorydd – un a fu yn y swydd am flynyddoedd lawer ar ôl i'w merch, Marian, adael. Cynhaliwyd ffair haf droeon ar ei fferm, Penbwch Isaf, Pontypridd, a chofiaf yn arbennig i'r hoffus Ryan agor ffair 1971 yno. Ymhlith agorwyr eraill y ffeiriau haf yr oedd Syr Ifan ab Owen Edwards, Syr Cennydd Traherne (un a oedd wedi ymdrechu'n galed i ddysgu Cymraeg), Syr Alun Talfan Davies, John Bevan, Gwyneth Morgan a John Brace.

Yn 1969, sefydlodd y Gymdeithas Rhieni achlysur blynyddol – 'Darlith Rhydfelen' – a chofiaf yn dda am y cyfarfod pan awgrymodd John Hughes, un o rieni Caerdydd, y syniad o wahodd aelod o staff yr ysgol, rhiant ac un o'r tu allan yn eu tro i draddodi'r ddarlith – darlith a gyhoeddid fel arfer gan y Gymdeithas Rhieni.

Ataf i y troesant am y ddarlith gyntaf yn 1969, ac mae gennyf atgof byw o'r achlysur gan i mi orfod codi o'r gwely lle'r oeddwn dan y ffliw i draddodi darlith ar 'Saith Mlynedd Cyntaf Rhydfelen'. Cefais fy synnu o weld torf mor dda wedi dod ynghyd i'r neuadd i wrando arnaf. I ddathlu'r achlysur, darllenwyd englynion W. R. Evans, Y Barri, i Ysgol Rhydfelen.

Yn y Sir, hi yw'r seren – nawdd yw hon
Yn y ddu ffurfafen.
A dyfalwch Rhydfelen
Rydd wŷr da i Walia Wen.

Hon yw ymffrost ein Hwmffra – y buraf
O'r Barri i'r Rhondda.
Onid oes, o'i henw da
Lafn o haul i fwyn Walia?

Dyma haul yng ngwlad y mwg – o uwch radd,
Ar ôl ymladd amlwg:
Daw i'r iaith, 'rôl dyddiau drwg,
Fawr gynnydd o Forgannwg.

Traddodwyd Darlith Rhydfelen yn ddi-dor yn ystod fy nghyfnod i ac yn ystod tymor prifathrawiaeth fy olynydd, Ifan Wyn Williams, er iddi newid ei henw yn 1979 yn Ddarlith Goffa J. Haydn Thomas, cadeirydd y llywodraethwyr am flynyddoedd lawer y cyfeirir ato ymhellach ymlaen. Fe welir o'r rhestr isod fod yr ysgol wedi elwa ar gyfraniad llu o wŷr amlwg a dysgedig (ar wahân i'w phrifathro cyntaf!) ond rhaid rhyfeddu at y ffaith na wahoddwyd yr un ferch i draddodi'r ddarlith hon – neu eu bod i gyd wedi gwrthod y gwahoddiad!

Cyfranwyr 'Darlith Rhydfelen' 1969 – 1981

1969 Y Prifathro: 'Saith Mlynedd Cyntaf Rhydfelen'
1970 Gwilym Prys Davies: 'Salwch a Phenisilin'
1971 Dr Alun Oldfield Davies: 'Bwlch y Blynyddoedd'
1972 Hywel Jeffreys (Dirprwy Brifathro): 'Oliver Cromwell'
1973 Dr Ben Thomas: 'Goleuni i Oleuo ein Tywyllwch' (traddodwyd yn 1974)
1974 Yr Athro Dewi Prys Thomas: 'Ein Hetifeddiaeth'
1975 Dr Hywel Griffiths: 'Adenydd i Fetel'
1976 Y Prifathro (Ifan Wyn Williams): 'Cwrtycadno'
1977 Arthur Saunders: 'Adeiladu'r Organ'
1978 Yr Athro Hywel D Lewis
1979 Yr Athro Glanmor Williams (Darlith Goffa J. Haydn Thomas o hyn ymlaen)
1980 Y Prifathro Gareth Owen, Aberystwyth
1981 Owen Edwards: 'S4C'

Gellid sôn am lawer o'r darlithoedd hyn ond rhaid cyfeirio'n benodol at un, sef Darlith 1977 gan Arthur Saunders. Yr hyn a gafwyd ganddo oedd stori ddiddorol (a doniol) am symud organ o un o gapeli'r ardal a'i hailadeiladu yn neuadd yr ysgol at ddefnydd y disgyblion ac i'w chanu mewn gwasanaethau a chyngherddau. Treuliodd Arthur oriau ar ben oriau yn cyflawni'r gwaith ond roedd hyn yn nodweddiadol o un a oedd wedi dysgu'r Gymraeg gyda'r un ymroddiad a thrylwyredd.

Mae manteision amlwg i fod yn bresennol ar ddechrau pethau, ac wrth edrych yn ôl dros y blynyddoedd drwy gyfrwng dogfennau a chofnodion yr ysgol, fe ddaw'n weddol eglur nad oeddem wedi ein caethiwo gan arferion a thraddodiadau addysgol y dydd a'n bod, fel ysgol ifanc, yn arloesol ac yn wahanol.

Wrth gwrs, yr *oeddem* yn wahanol mewn cymaint o ffyrdd. Yn un peth, caem ein gweinyddu o brif swyddfa Awdurdod Addysg Morgannwg yng Nghaerdydd yn hytrach nag o'r swyddfa ranbarthol ym Mhontypridd ac yr oedd delio'n uniongyrchol â'r Cyfarwyddwr Addysg a'i uwch swyddogion yn fanteisiol iawn, fel y nodir eto. Ar wahân i'r defnydd a wnaem o'r Gymraeg yn gyfrwng, yr oeddem, hefyd, fel y soniwyd eisoes, yn ysgol a oedd yn derbyn disgyblion o bob gallu, ac er ein bod yn ffrydio'n academaidd yn ystod y blynyddoedd cynnar cyn mynd yn swyddogol 'gyfun' yn 1970, athroniaeth gyfun oedd yn ein gyrru ac fe roddid cryn bwyslais ar gynnal chwaraeon a gweithgareddau eraill mewn grwpiau cymysg allu.

Wrth edrych ar batrwm ein datblygiad, daw'n amlwg inni roi llawer mwy o bwyslais ar *gysylltiadau* ac ar *gyfathrebu* nag oedd yn arferol mewn ysgolion yn y chwe degau cynnar. Credaf y gallwn hawlio inni sefydlu patrwm o gysylltiadau buddiol iawn efo'r ysgolion cynradd oedd yn ein bwydo a chofiaf i mi dderbyn sawl gwahoddiad i siarad â phrifathrawon am ein trefniadaeth ac i ysgrifennu erthyglau ar ein profiadau yn y maes hwn. O flwyddyn gyntaf bodolaeth Rhydfelen, cynhaliem fel prifathrawon ysgolion Cymraeg y dalgylch, gyfarfodydd tymhorol yn Rhydfelen ac roedd y cyfarfodydd hyn, ar wahân i fod yn achlysuron cymdeithasol pleserus, yn fodd o gyfnewid gwybodaeth am ein gwahanol sefydliadau, o geisio sefydlu cytundeb ar drefniadau trosglwyddo o'r cynradd i'r uwchradd a sicrhau parhad a dilyniant cwricwlaidd rhwng y blynyddoedd hyn. Yn deillio o'r cyfarfodydd hyn, fe sefydlwyd panelau iaith a mathemateg i geisio mapio cynnwys y meysydd hyn yn gyfrifoldeb y naill sector a'r llall ac i sefydlu elfen o unffurfiaeth a chysondeb o ran dulliau a safonau. Datblygiad pellach oedd rhoi cyfle i athrawon Rhydfelen ymweld â'r ysgolion cynradd, ac fel arall. Sefydlwyd trefn o ymweliadau ar gyfer y disgyblion cynradd a oedd yn trosglwyddo i Rydfelen; caent dreulio diwrnod yn Rhydfelen, gan deithio ar y bws ysgol o'u hardal, ymuno â rhai o ddosbarthiadau'r flwyddyn gyntaf uwchradd, bwyta cinio ysgol a chael eu tywys o gwmpas yr ysgol i weld ein cyfleusterau – a'r ystafelloedd arbenigol fel y labordai, y gweithdai a'r gampfa yn benodol. Yn aml, deuai eu hathrawon cynradd gyda hwy ac fe gaent hwy olrhain datblygiad rhai o'u cyn-ddisgyblion, sgwrsio gydag athrawon pwnc ac eistedd mewn gwersi i ehangu eu profiad o waith uwchradd ac i rannu dulliau addysgu. Ar adegau, fe gysylltid yr ymweliadau hyn ag ymweliadau gan rieni'r plant cynradd gyda'r nos.

Cofiaf hefyd inni sefydlu'r arferiad blynyddol o gau'r ysgolion er mwyn cynnal cynhadledd am ddiwrnod i athrawon holl ysgolion ein dalgylch. Mewn cynhadledd o'r fath, fe wyntyllid rhai egwyddorion sylfaenol i addysg ddwyieithog ond yn bennaf achlysuron oeddynt i gryfhau'r dilyniant cwricwlaidd ac ieithyddol.

Profodd y cysylltiadau y cyfeiriwyd atynt uchod yn fuddiol tu hwnt a does dim amheuaeth na fu i'r disgyblion elwa llawer oherwydd bod athrawon cynradd ac uwchradd ar yr un donfedd ac yn anelu at arddel yr un safonau – a hynny mewn cyfnod pan dueddai'r ysgolion uwchradd, a'r rhai gramadeg yn arbennig, i fod yn sefydliadau cyfrin a neilltuedig ac yn ddilornus braidd o waith yr ysgolion cynradd. Hyd yn oed heddiw, wrth ddarllen tystiolaeth yr arolygiadau, fe fyddaf yn rhyfeddu pa mor fregus yw'r cysylltiadau cwricwlaidd cynradd-uwchradd yn aml, er bod dyfodiad y Cwricwlwm Cenedlaethol wedi hyrwyddo datblygiad a dilyniant cwricwlaidd rhwng y naill sector a'r llall.

Rwyf eisoes wedi sôn am y Gymdeithas Rhieni aml-ganghennog ac am fwrlwm ei gweithgareddau. Yr oedd y Gymdeithas hon yn ddolen gyswllt bwysig rhwng yr ysgol a'r cartref ac yn hyrwyddo ysbryd o bartneriaeth a chydgyfrifoldeb. Yr oedd y cyfarfod i rieni'r plant fyddai'n dod i mewn o'r newydd wedi ei sefydlu o'r dechrau ac yn fodd o drosglwyddo i rieni naws a chyfeiriad yr ysgol a rhoi gwybodaeth ychwanegol at yr hyn a gaent yn ysgrifenedig. Cyfarfodydd dwyieithog oedd y rhain a chan nad oedd sôn am offer cyfieithu ar y pryd, bu'n rhaid i mi ddatblygu dull o areithio a fyddai'n cynnwys y ddwy iaith ond gan geisio osgoi bod yn rhy ailadroddus. Ond teimlais, hefyd, fod angen trefn o adrodd i rieni ar gynnydd eu plant yn gyson, wyneb yn wyneb â ni'r athrawon, a sefydlwyd patrwm o gyfarfodydd gyda'r nos. Credaf fod hyn hefyd yn bur arloesol ar y pryd ond ymddangosai i ni, athrawon Rhydfelen, yn ddyletswydd rhesymol, yn arbennig gan fod gan y rhieni gymaint o ffydd ynom. Yr hyn oedd yn rhyfeddol, o gofio am ddalgylch eang yr ysgol, oedd y presenoldeb yn y nosweithiau hyn ac mae un cofnod gennyf o 90% o rieni plant y drydedd flwyddyn yn bresennol mewn noson rieni yn 1969. O bryd i'w gilydd, trefnid cyfarfodydd arbennig i rieni er mwyn egluro rhai datblygiadau cwricwlaidd newydd megis y cwrs Nuffield mewn ffiseg neu'r pwyslais newydd mewn mathemateg drwy gwrs y *School Mathematics Project [SMP]*. Profodd y cyfarfodydd hyn yn foddion i oleuo'r rhieni am ddulliau dysgu a oedd yn wahanol i'r hyn a gawsant hwy eu hunain yn yr ysgol ac i'w cynghori ar eu cyfraniad posib hwy yn natblygiad y disgybl yn y pwnc. Roedd y nosweithiau hyn i gyd yn waith caled i'r athrawon ar ôl diwrnod o addysgu yn yr ysgol ond roedd gwerthfawrogiad y rhieni o'n dulliau cyfathrebu yn hael ac yn cynnal yr ysbryd.

Ar ben hyn, cynhaliwyd mwy nag un diwrnod agored i'r cyhoedd a daeth nifer o gynghorwyr lleol i'r ysgol ar yr achlysur cyntaf yn 1963. Bu hyn yn fodd i ddileu rhai o'r 'amheuon' amdanom yn yr ardal.

Cysylltiad arall y bûm yn awyddus i'w hyrwyddo oedd hwnnw rhwng yr ysgolion uwchradd Cymraeg â'i gilydd. Yn 1962, pan agorodd Rhydfelen, fel y cyfeiriwyd eisoes, dim ond dwy ysgol uwchradd benodol Gymraeg arall oedd mewn bodolaeth – ysgolion Glan Clwyd (1956) a Maes Garmon (1961) a byddai Haydn Thomas, prifathro Glan Clwyd (a'i olynydd, Desmond Healy), Elwyn Evans, prifathro Maes Garmon, a minnau mewn cyswllt parhaus. Ym Mehefin 1963, aeth holl staff Rhydfelen i Ysgol Glan Clwyd yn y Rhyl i gyfarfod ag athrawon y ddwy ysgol yn Sir y Fflint ac yno y ffurfiwyd Cymdeithas Ysgolion Uwchradd Cymraeg i ganolbwyntio'n bennaf bryd hynny ar y broblem o gael gwerslyfrau Cymraeg, a chaf gyfeirio at hynny'n llawnach ymhellach ymlaen. O'r Gymdeithas hon y tyfodd y mabolgampau blynyddol rhwng yr ysgolion uwchradd Cymraeg – mabolgampau a gynhelid am flynyddoedd yn y gwahanol ysgolion yn eu tro, yn y de a'r gogledd.

Yr oeddwn wedi ymweld â Glan Clwyd yn y Rhyl cyn agor Rhydfelen ac un o'r pethau a ddysgais o'r ymweliad hwnnw oedd mai yn 'llysoedd' yn hytrach nag yn 'dai' y rhennid y disgyblion i weithgareddau cymdeithasol yno. Apeliodd y syniad ataf ar unwaith a sefydlwyd llysoedd

Dinefwr, Ifor Hael a Sycharth yn Rhydfelen yn y tymor cyntaf. Ond camgymeriad oedd rhannu'n llysoedd ar sail ardal a sicrhawyd cymysgedd o bob ardal yn y tri llys o 1963 ymlaen. Bu'r llysoedd hyn mewn bodolaeth, ac mewn cystadleuaeth frwdfrydig â'i gilydd, am flynyddoedd tan Medi 1973. Erbyn hynny, roedd yn agos i fil o ddisgyblion yn yr ysgol ac fe deimlai'r athrawon a minnau bod y llysoedd yn rhy fawr ac o'r herwydd yn ei gwneud hi'n anodd i dynnu pob disgybl i'w gweithgareddau. Felly, datgymalwyd yr hen lysoedd a sefydlwyd chwe llys newydd yn eu lle – Dafydd, Gruffydd, Hywel, Iolo, Owain a Llywelyn. Bu'r rhain yn foddion effeithiol o ddenu mwy o ddisgyblion unigol i fwrlwm y gweithgareddau cymdeithasol a diwylliannol ac i ymuno mewn cystadlaethau chwaraeon, ond diddorol oedd gweld arwydd o hiraeth y disgyblion am yr hen lysoedd yng ngholofnau *Oriel*, ein papur newydd tymhorol a sefydlwyd yn Rhagfyr 1964.

Cyswllt arall a gafodd sylw gennym oedd hwnnw ag addysg uwch. Fel y soniwyd eisoes, bu ein perthynas ag adran addysg Coleg y Brifysgol, Aberystwyth, yn un glòs dros y blynyddoedd. Yn 1965, rhagwelwn yr angen am sicrhau parhad a dilyniant i addysg Gymraeg yn y Brifysgol a chysylltais â'r Prifathro Thomas Parry i weld a ellid darparu ar gyfer ein myfyrwyr a fyddai, o 1969 ymlaen, yn sefyll eu harholiadau Safon Uwch drwy'r Gymraeg. Doedd yr adwaith cyntaf ddim yn galonogol iawn ond yn 1968 cefais gefnogaeth Llys Aberystwyth i'm cynnig fod yr egwyddor o ddarparu cyrsiau gradd drwy'r Gymraeg yn cael ei derbyn. Codwyd gweithgor i archwilio'r posibiliadau ac i ddwyn argymhellion. Fel aelod o'r gweithgor, fe deithiwn i Aberystwyth yn fisol i gyfarfod yr academyddion a rhai ohonynt yn amheus iawn o'r bwriad i addysgu drwy'r Gymraeg ac yn gor-bwysleisio'r anawsterau. I fod yn deg, roedd nifer ohonynt yn rhai real. Fodd bynnag, pan adroddodd y gweithgor i'r Llys yn 1969, cytunwyd i benodi, yn ystod y pedair blynedd ddilynol, ddarlithwyr i addysgu drwy'r Gymraeg mewn saith adran. Yn ddiweddarach, gwnaeth Bangor ddarpariaeth debyg a buom yn cyfeirio disgyblion Rhydfelen i'r ddau goleg prifysgol hyn yn benodol oherwydd bod dilyniant drwy'r Gymraeg ar gael mewn rhai meysydd yno. Trist yw gorfod nodi, dros ddeng mlynedd ar hugain yn ddiweddarach, nad yw'r ddarpariaeth cyfrwng Cymraeg yn ddim mwy nag 1.6% o holl ddarpariaeth addysg uwch Cymru. Pe bai'r Arglwydd Heycock yn fyw heddiw, byddai'n chwipio'r academyddion am eu diffyg brwdfrydedd fel y gwnaeth mewn cyfarfod yng Nghofrestrfa'r Brifysgol yng Nghaerdydd yn Ionawr 1966. Ond cawn drafod addysg uwch yn llawnach mewn pennod arall.

Yr oedd angen sicrhau'r un dilyniant cyfrwng Cymraeg yn y colegau hyfforddi ond nid oedd hwn yn dalcen mor galed. Yn nhymor yr hydref 1970, bu nifer ohonom o blith athrawon Rhydfelen yn bwrw'r Sul yn y Coleg Normal, Bangor, ac yn ddiweddarach am ddiwrnod yng Ngholeg y

Drindod, Caerfyrddin. Cafwyd ymateb cadarnhaol i'r galw am ddilyniant cyfrwng Cymraeg a dangoswyd cryn ddiddordeb yn ein Cyrsiau Cyffredinol a Thystysgrif Rhydfelen yn y chweched dosbarth – cyrsiau i'r llai academaidd y cawn gyfeirio atynt eto.

Â'r Coleg Technegol y drws nesaf inni yn Rhydyfelin, gwelsom gyfle i sefydlu cyswllt a chydweithrediad â'r sefydliad yma ac yn 1972 dechreuwyd cynnig rhai cyrsiau cyswllt mewn pynciau ymarferol i ddisgyblion y bedwaredd a'r bumed flwyddyn ac i fyfyrwyr y chweched dosbarth.

Yn 1969, â'r ysgol yn tyfu'n gyflym, gwelwyd bod angen sefydlu peirianwaith i fynegi llais y disgyblion a daeth Cyngor yr Ysgol i fodolaeth. Fforwm oedd hwn gyda chynrychiolaeth o bob dosbarth yn yr ysgol, yn cael ei gadeirio gan brif swyddog o'r chweched a chydag un athro'n cadw golwg hyd braich ar ei weithgareddau. Bu'n fodd o gael ymateb y disgyblion i agweddau ar ein trefniadaeth a'n darpariaeth ac i gael rhybudd buan o unrhyw anniddigrwydd cyffredinol. Cofnodid ei weithgareddau yn *Oriel*, ein papur newydd.

O'r flwyddyn gyntaf oll, casglwyd cynhyrchion llenyddol y disgyblion ynghyd yn y cylchgrawn ysgol dwyieithog *Na N'og*, tra cyhoeddid pytiau o newyddion a sylwadau gan drwch y disgyblion yn *Oriel*. Cyhoeddwyd *Na No'g* ac *Oriel* yn ddi-feth drwy gydol fy nghyfnod yn yr ysgol. Trysoraf yn arbennig y gyfrol rwymedig o *Na N'og* a dderbyniais gan Gymdeithas Rhieni Caerdydd wrth adael yr ysgol yn 1975. Tra'n ysgrifennu'r gyfrol hon, treuliais ddiwrnod cyfan yn ailddarllen y gwahanol rifynnau o *Na N'og* ac *Oriel*, a thrwy hynny cefais ail-fyw'r blynyddoedd difyr, prysur a dreuliais yn Rhydfelen. Bywiogrwydd, gonestrwydd a bwrlwm y cyfraniadau a'm trawodd ynghyd â'r darlun o ysgol lle'r oedd athrawon a disgyblion yn parchu ei gilydd, ac i raddau helaeth ar yr un donfedd er gwaethaf parodrwydd y disgyblion i herio a chwestiynu gwerth rhai arferion a rheolau pur 'sanctaidd' yn ein golwg ni fel staff.

Yr agwedd bwysig arall ar gyfathrebu mewn ysgol yw honno rhwng y pennaeth a'i staff. Yr oeddwn yn gyfarwydd â'r arddull unigolyddol a oedd wedi bodoli yn Llangefni heb le digonol, yn fy marn i, i drafodaeth ymhlith corff yr athrawon fel rhan o gyfathrebu effeithiol. Wrth gwrs, roedd cael dechrau fy ngyrfa'n brifathro mewn ysgol newydd, a honno'n un fach, yn gryn fantais. Drwy gydol fy nghyfnod yn Rhydfelen, gwerthfawrogais y cyfle o eistedd wrth y ford ginio gyda'r athrawon – i gymdeithasu a gwrando'n bennaf, ond efallai hefyd i mi allu manteisio ar y sefyllfa i hau ambell syniad! Byddwn yn cyfarfod y staff bob bore am ddeng munud i naw ac roedd sawl amcan i hynny. Byddai'n gyfle inni osod cywair i'r dydd a rhannu gwybodaeth am ddigwyddiadau'r diwrnod, am ymwelwyr, ymweliadau gan ddisgyblion, am chwaraeon a fu ac oedd i ddod, trefniadau a oedd yn wahanol i'r arfer a rhai yr oeddwn wedi rhoi sêl fy mendith arnynt ac a oedd o bosib yn golygu bod rhai disgyblion yn colli gwers i gyflawni rhyw weithgaredd neu'i gilydd. I mi, yr hyn oedd yn bwysig oedd fod pawb yn gwybod ac yn deall pam y caniateid trefniadau arbennig. O fewn y deng munud, cyfnewidid gwybodaeth am ddisgyblion unigol – salwch, profedigaeth, llwyddiant arbennig, ac unrhyw beth oedd yn hyrwyddo cyd-ddealltwriaeth a chydgyfeiriad. Credaf i mi un tro beidio gwerthfawrogi pwysigrwydd y deng munud yma i'r staff. Ymhen rhai blynyddoedd, pan oedd mwy nag un ystafell athrawon, penderfynais mai'r ddau ddirprwy – dirprwy ac athrawes hŷn oedd yn Rhydfelen ar y dechrau – fyddai'n cynnal y seiat foreol yn y gwahanol ystafelloedd athrawon. Ond ar ôl rhai wythnosau o weithredu'r drefn hon, daeth neges drwy Hywel Jeffreys, fy nirprwy, fod y staff yn dymuno gweld y prifathro'n bersonol. Parhaodd y drefn honno nes i mi adael. Cynhelid y cyfarfod staff byr hwn o leiaf dair gwaith yr wythnos hyd yn oed pan oedd yn agos i 70 o athrawon ar y staff, a gwneid trefniadau gyda'r penaethiaid ysgol (iau, canol a hŷn) ar y boreau eraill.

Nid rhywbeth yn lle cyfathrebu drwy rybuddion a chyfarwyddyd ysgrifenedig oedd hyn ond modd o'u hategu ac yn bwysicach na dim i osod cywair a sefydlu ein cyfrifoldebau fel corff o athrawon wrth geisio mynd â'r maen i'r wal. Wrth reswm, ni ellid trafod yn ystyrlon unrhyw fater sylweddol yn y cyfarfodydd boreol ac fe gynhelid cyfarfodydd staff llawn ar ôl ysgol unwaith y mis. Yn y cyfarfodydd ffurfiol hynny y byddai polisi a threfniadaeth gwricwlaidd a bugeiliol yn cael eu trafod – weithiau ar sail adroddiadau gan weithgorau *ad hoc* neu adroddiadau gan y penaethiaid adran neu'r grŵp rheoli – y dirprwyon, penaethiaid ysgol uchaf, canol ac iau a minnau. Cymharol ychydig o syniadau a chynlluniau fyddwn i'n eu cyflwyno o'm pen a'm pastwn fy hun, mewn gwirionedd, er y byddwn yn hau rhai syniadau mewn sgyrsiau anffurfiol gydag athrawon unigol. Yr oedd athrawon Rhydfelen yn fwrlwm o syniadau a'm gwaith pennaf i oedd argyhoeddi'r staff nad oedd ond pedair awr ar hugain yn y diwrnod! Weithiau, byddai angen atgoffa rhai athrawon a oedd mor frwdfrydig dros weithgaredd cymdeithasol neu allgyrsiol, bod angen diogelu cyflawniad ein cwricwlwm academaidd a chynnal safonau yn ogystal â hyrwyddo'r cymdeithasol a'r allgyrsiol. Ceisio cadw'r cydbwysedd hwn fu un o'm tasgau anoddaf.

Drwy'r cyfarfodydd athrawon hyn y daethpwyd i gonsensws ar nifer o faterion tra phwysig i'r ysgol a'i dyfodol. Byddai'r dasg o hyrwyddo Cymreictod yr ysgol yn destun trafodaeth gyson a ninnau'n gweld cynnydd yn y ganran o ddisgyblion a ddeuai o gartrefi di-Gymraeg ac yn ymwybodol o duedd rhai disgyblion, bechgyn o flwyddyn tri i bump yn arbennig, i herio'r 'sefydliad' drwy siarad Saesneg â'i gilydd. Cytunwyd ar sawl strategaeth ar wahanol gyfnodau. Unwaith, cynheliais y gwasanaeth boreol, ynghyd â'r cyhoeddiadau ar y diwedd, yn gyfan gwbl drwy'r Saesneg, a hynny yn fy Saesneg mwyaf Seisnig, a heb yngan gair o Gymraeg. Derbyniais, rwy'n falch o ddweud, lu o brotestiadau gan y disgyblion ond fe'u hatgoffais mai dyna a wnâi rhai ohonyn nhw! Ar adeg arall, yn hydref 1972, penderfynwyd galw cyfarfod blynyddol rhieni i drafod Cymreictod yr ysgol a chyfrifoldeb rhieni i hybu darllen llyfrau a chylchgronau Cymraeg. Ar y pryd, roedd 845 o ddisgyblion yn yr ysgol; daeth dros 600 o rieni ynghyd y noson honno – taith un ffordd o awr neu fwy i nifer dda ohonynt. Rwyf eto i ddarllen yn adroddiadau'r arolygwyr cyfoes fod mwy na 50 o rieni yn mynychu'r cyfarfodydd statudol a drefnir gan lywodraethwyr ysgolion i rieni y dyddiau hyn. Ond mae'n debyg mai'r syniad mwyaf anturus a esgorwyd yn un o'r cyfarfodydd athrawon, gan Angharad Evans (Ellis wedyn), os cofiaf yn iawn, oedd yr un i sefydlu Cwrs Haf i ddisgyblion newydd yn ystod mis Awst. Yr amcan oedd sefydlu'r arfer o siarad Cymraeg â'i gilydd *cyn* eu bod yn dechrau yn yr ysgol ym mis Medi. Gwireddwyd y cwrs hwn yr haf wedi i mi adael a bu'n llwyddiant mawr am flynyddoedd wedyn. Siaradai hyn gyfrolau am frwdfrydedd athrawon a disgyblion chweched dosbarth Rhydfelen a oedd yn cynnal y cwrs preswyl yn ystod eu gwyliau haf.

O fewn y cyd-destun hwn y cyflwynodd Gareth Reynolds y syniad o brynu hen Ysgol Cwrtycadno, yn ardal Gymraeg Cwm Cothi, yn ganolfan gweithgareddau awyr-agored. Roedd Gareth wedi bod yn weinidog yn yr ardal ac yn ei hadnabod yn dda. Wedi i mi adael y cyflawnwyd yr amcan hwn hefyd ac ar ôl goresgyn llawer o drafferthion a chynnal amryw o weithgareddau codi arian, ond roedd yn dda gen i fod yn bresennol yn agoriad swyddogol y ganolfan yn 1978 a deall i ddisgyblion Rhydfelen gael budd mawr o'u hymweliadau â Chwrtycadno dros y blynyddoedd. Bu'r Gymdeithas Rhieni yn gefn mawr i'r fenter hon, a rhieni unigol, fel Glan Roberts, y pensaer o Gaerdydd, yn cyfrannu'n hael o'u harbenigedd. Cefais y fraint annisgwyl o dderbyn gwahoddiad i arwain Cymanfa Ganu yno i ddathlu ehangu'r ganolfan ymhellach ac yn ystod y diwrnod hwnnw ym Mai 1993 deuthum i ddeall faint yr oedd yr ardalwyr yn gwerthfawrogi'r cysylltiad ag Ysgol Rhydfelen.

Yn 1972, cyn bod sôn am Ganolfan Cwrtycadno, roeddem wedi sefydlu trefniant i ddisgyblion y flwyddyn gyntaf i gyd gael treulio wythnos yng nghanolfan ieuenctid Eglwys Bresbyteraidd Cymru yn Nhresaith. Âi dros ddeg ar hugain o ddisgyblion a phedwar o athrawon yno am wythnos yn ystod mis Mehefin i wneud astudiaeth o'r ardal – ei nodweddion daearegol, ei diwylliant a'i hanesion ond yn bennaf i gryfhau Cymraeg llafar y disgyblion mewn awyrgylch dymunol ac ysgogol. Roeddem yn hynod ffodus o gael pobl fel Norah Isaac, Dic Jones a T. Llew Jones yn barod i ddod i sgwrsio efo'r disgyblion. Tom Vale, pennaeth cadarn a thadol yr ysgol isaf, a fyddai'n trefnu a chydlynu'r ymweliadau. Cofiaf yn dda iddo ddod ataf i ofyn a gâi bachgen a oedd yn astudio coginio yn y bedwaredd neu'r bumed flwyddyn (rhywbeth tra anarferol bryd hynny i fachgen) gael ei ryddhau o'r ysgol i fynd i Dresaith i helpu efo'r bwyd, i roi profiad iddo ef o goginio i griw ac i fod yn arweinydd i'r disgyblion iau. Rwy'n falch i mi gytuno gan mai enw'r disgybl hwnnw oedd Dudley Newberry! Byddai Tom Vale, dilynwr rygbi brwd fel finnau, yn amseru ei 'geisiadau' i foreau Llun pan oedd tîm rygbi Cymru wedi ennill – ac roedd nifer o foreau felly yn y chwe degau a'r saith degau.

Roedd yr angen i'n disgyblion o gartrefi di-Gymraeg gael profiad o ymweld ag ardal Gymraeg wedi ei gydnabod ym mlwyddyn gyntaf yr ysgol drwy inni gyfnewid gwyliau gyda disgyblion o Langefni, Môn, lle'r oedd fy nghysylltiadau'n parhau. Ar ddiwedd yr ail flwyddyn a thrwy garedigrwydd nodweddiadol Trefor ac Eileen Beasley, o Langennech bryd hynny, rhoddwyd swm o arian i alluogi inni anfon pump o ddisgyblion i dreulio tair wythnos mewn cartrefi Cymraeg yn siroedd Caerfyrddin a Phenfro yn ystod gwyliau'r haf. Dyma weithredu bwriadus, hael gan rai a chanddynt ddealltwriaeth o'r angen.

Mae'n werth nodi'r hyn a ddywed Nia Daniel yn *Rhydfelen – y deng mlynedd cyntaf* ynglŷn â'r cyrsiau a'r ymweliadau lu a drefnwyd gan yr ysgol o'r cychwyn cyntaf bron.

> Rhaid cyfaddef bod arfer yr Almaenwyr wedi bod o gryn ddylanwad . . . lle mae wythnos wedi'i threfnu i bob dosbarth fynd gydag athrawon i adnabod eu gwlad eu hunain. I ardaloedd cyfagos y mae'r dosbarthiadau is yn mynd. Teithiant ymhellach yn eu gwlad yn y dosbarthiadau hŷn ac wedyn yn y pumed a'r chweched dosbarth maen nhw'n mynd i wlad estron.

A dyna a wnaeth Rhydfelen, hefyd, a fu neb yn fwy brwd yn trefnu a hybu'r cyrsiau hyn na hi a Gareth Williams, yntau o'r adran Gymraeg. Rhoddai pennaeth yr adran ddaearyddiaeth, Gareth Evans (a fu'n ddiweddarach yn Gofrestrydd Academaidd i'r ysgol cyn mynd yn brifathro ar Ysgol Bro Myrddin) gryn bwyslais ar waith maes mewn gwahanol ardaloedd yng Nghymru – yn y de a'r gogledd.

Defnyddiwyd hosteli ieuenctid ledled y wlad ar gyfer cyrsiau penwythnos mewn ardaloedd yn y de a'r gogledd – cyrsiau lle byddai'r Gymraeg ar wefusau pawb drwy gydol yr amser a lle defnyddid mannau o ddiddordeb hanesyddol, daearyddol a llenyddol i gyfoethogi profiadau'r disgyblion. Nid annog cynnal gweithgareddau o'r fath oedd fy mhroblem fel prifathro ond ceisio amddiffyn athrawon brwd rhag eu gor-drethu eu hunain. Ond i'r athrawon, nid atodiad oedd y profiadau hyn ond hanfod addysg wâr. Does dim amheuaeth na allodd y disgyblion elwa llawer ar yr ymweliadau hyn yn eu gwlad eu hunain, yn ogystal â theithiau tramor – i sgïo neu chwarae rygbi, i brofi o ddiwylliannau eraill, hen a chyfoes, ac i hamddena. Cofiaf i Arwel Owen, ysgogwr a hyfforddwr brwd rygbi yn yr ysgol, gydnabod mai rhoi cyfle i gymdeithasu drwy'r Gymraeg oedd prif amcan ei deithiau rygbi mynych. Ond roedd ganddo bwyslais mwy na chynnil ar ennill hefyd!

Ceisiem drefnu, hefyd, bod yna arlwy gyfoethog o weithgareddau o fewn yr ysgol ei hun. Ein nod bob amser fyddai ceisio tynnu cymaint â phosib o ddisgyblion i gyfrannu iddynt – yn hytrach na chynnal gweithgareddau dewisol i nifer fechan. Yn naturiol, byddai Eisteddfod yr Ysgol yn ddigwyddiad mawr gyda chystadlu brwd rhwng y llysoedd. Byddai bron holl athrawon yr ysgol, ynghyd â disgyblion y chweched dosbarth, yn hyfforddi ar gyfer yr eisteddfod ac fe gwtogid ychydig ar wersi'r bore, dros gyfnod, i greu amser ar gyfer ymarfer. Trefnid arddangosfa o'r gwaith cartref a osodwyd ar gyfer yr eisteddfod a dangosai'r rhieni ddiddordeb mawr yn y rhain – yn enwedig y llyfrau lloffion hanes yn olrhain achau teuluol, un o bwysleisiau mawr a gwerthfawr y dirprwy a'r hanesydd, Hywel Jeffreys. Rhoddid pwysigrwydd ar gefnogi eisteddfodau'r Urdd, yn y gogledd a'r de yn ddiwahân, a bu record llwyddiant Rhydfelen yn yr eisteddfodau hyn yn un anrhydeddus iawn, ar y llwyfan ac yn y gwaith cartref. Nid yr athrawon a oedd yn hyfforddi ar gyfer yr Urdd yn unig a fyddai'n mynd i'r Eisteddfod Genedlaethol – byddai llawer iawn o'r gweddill na fyddent yn rhan o'r gwaith o hyfforddi ar gyfer yr Urdd hefyd yn mynychu. Cofiaf i mi nodi bod 90% o staff Rhydfelen ar faes Eisteddfod yr Urdd Llanrwst yn 1968, ac roedd hyn yn fy mhlesio lawn gymaint â'n llwyddiannau lu ar y llwyfan.

Cyfeiriais at y ffaith fod holl athrawon yr ysgol yn cyfrannu mewn rhyw ffordd neu'i gilydd i weithgareddau'r ysgol, ac er nad oeddwn i yn aelod o unrhyw lys, byddwn innau'n cynnig hyfforddi ambell barti, côr adrodd neu ganu, lle'r oedd angen help ar gyfer Eisteddfod yr Ysgol. Ar gyfer yr Urdd, roedd gennyf ddau ddiddordeb personol – sef hyfforddi tîm siarad cyhoeddus yr ysgol ac, ar un achlysur, y parti cerdd dant dan bymtheg. Ni chredaf fy mod yn wahanol i unrhyw un arall; yr oeddwn yn falch iawn o weld ein disgyblion yn llwyddo yn Eisteddfod Genedlaethol yr Urdd ond yr oeddwn hefyd yn falch o gael cyfrannu at fwrlwm cymdeithasol yr ysgol yn ogystal â'r gwaith o addysgu – fel y gwneuthum drwy gydol fy nghyfnod yn Rhydfelen (fel y cawn drafod eto). Pan fyddaf yn gwrando ar rai o gyn-ddisgyblion yr ysgol yn siarad yn gyhoeddus a hwythau mewn swyddi uchel, pobl fel y cyfreithwyr Elinor Patchell (Profit gynt), Ceri Preece (Cadeirydd Siambr Fasnach Caerdydd), a Martin Hopwood, ac academyddion fel Nia Powell a'r Athro Colin Williams, Rhodri Williams (Cadeirydd Bwrdd yr Iaith) a Carys Evans (Cadeirydd Awdurdod Iechyd Dyfed), a hefyd ddarlledwyr fel Vaughan Roderick, Russell Isaac, Gwenda Richards a Catrin (Lewis gynt) Beard, ymhyfrydaf yn eu dawn a theimlaf yn falch i'r ysgol gael rhan fach yn eu meithrin. Mae gweld rhai sydd â rhywbeth i'w ddweud, a'i ddweud yn gain, fel 'Lewisiaid Rhydfelen' – y beirdd Gwyneth Lewis ac Emyr Lewis a'r cerddor Geraint Lewis – yn destun llawenydd a balchder.

Yn achlysurol, perfformiem ddramâu tair act Saesneg, megis *She*

Stoops to Conquer a'r *Noble Spaniard*, a byddai Dilys Bradley ac Eryl Lewis, y penaethiaid adran yn eu tro, a'u cydathrawon yn yr adran Saesneg yn sicrhau perfformiadau yr un mor raenus yn y Saesneg â'u canlyniadau academaidd yn y pwnc. Ond y gwyliau drama a siarad cyhoeddus, a'r cystadlaethau pnawniau llawen a grwpiau pop rhwng y llysoedd a fyddai'n sicrhau cyfranogiad y nifer uchaf o ddisgyblion – rhai cannoedd yn gyson. Pan ddaeth y chweched dosbarth i fod, roedd afiaith byrlymus y myfyrwyr hyn, ynghyd â'u dawn naturiol i fod yn gyfoes a digrif drwy'r Gymraeg, yn rhywbeth i'w ryfeddu ato. Byddai ein gwasanaethau carolau, weithiau mewn eglwysi lleol, yn achlysuron graenus a gweddaidd bob amser.

Ynglŷn â chanu cyfoes, roeddwn yn eithaf balch o'r sylw a roddwyd yn y wasg i'r awgrym a wneuthum yng nghinio Gŵyl Ddewi Cymmrodorion Caerdydd ym Mawrth 1963 – blwyddyn gynta'r ysgol. '*Headmaster wants "pop" songs in Welsh*' oedd pennawd bras y *Western Mail*, Mawrth 4, 1963. Ni honnaf mai oherwydd hyn y bu cymaint o fri ar ganu pop Cymraeg yn Rhydfelen dros y blynyddoedd ond rwy'n falch inni gysylltu'r cyfoes â'r Gymraeg o'r cychwyn cyntaf a sylweddolaf gyda balchder gymaint o sêr cerddoriaeth gyfoes a gynhyrchodd Rhydfelen – Clive Harpwood, Delwyn Siôn, Fiona Bennett, Ieuan Rhys, Charlie Britton, ac enwi'r rhai amlycaf yn y maes hwn. Cofiaf yn dda y grŵp pop cyntaf, 'Y Cyffro', a ddaeth i amlygrwydd yn gynnar yn hanes yr ysgol.

Ond yr oedd angen sicrhau profiadau cytbwys. Cofiaf i mi ofyn i Lily Richards, rywbryd yn 1968, a allai hi a'i chydathrawon yn yr adran gerdd baratoi côr o ddisgyblion, athrawon a rhieni i berfformio oratorio. 'Wrth gwrs!' oedd yr ateb a oedd mor nodweddiadol gan un a oedd wedi ei chodi yn Nowlais yn y traddodiad corawl ac oratorio. Ac yn Rhagfyr 1968, ar ôl tymor o ymarfer dygn yn ystod amser ysgol a chyda'r nosau, perfformiwyd 'Y Greadigaeth' (Haydn) gan gôr o dros 200 yn y Tabernacl, Pontypridd. Hwn oedd y tro cyntaf i lawer o'r gynulleidfa glywed unrhyw oratorio'n cael ei chanu yn Gymraeg. Ddwy flynedd yn ddiweddarach, roedd y côr yn 280 a pherfformiwyd 'Y Meseia' ym Maesteg a Threorci. Yn 1973, yr oratorio oedd 'Elias' (Mendelssohn), y lleoliad oedd Caerdydd a Merthyr Tudful, a'r côr yn fwy nag erioed – dros 300 o ddisgyblion, athrawon a rhieni. Yr oeddem yn sicrhau unawdwyr proffesiynol, rhai fel Kenneth Bowen, Delme Bryn Jones a Janet Price, i'r perfformiadau hyn i gyd ac yn derbyn peth nawdd gan Gyngor y Celfyddydau i ganiatáu inni wneud hynny. Roedd yn brofiad gwych i'r disgyblion i ddysgu'r fath gyfanweithiau, i gael canu gydag unawdwyr safonol ac mewn côr a oedd mor sylweddol ei faint. I mi, a oedd wedi arfer efo'r fath brofiad yn y Rhos, roedd y cyfan yn rhoi gwefr aruthrol – yn arbennig o gael ymuno yn y canu fy hun o dan arweiniad ysbrydoledig Lily Richards ac organyddion fel Arwel Hughes a D. T. Davies, Dowlais. Fe gyflawnodd Lily

Richards a'i chydathrawon – Menna Bennett Owen (Joynson wedyn), Eleri Owen a Nan Jones (Elis wedyn), a chan gynnwys Huw Thomas a oedd yn gyfeilydd dawnus – waith cerddorol amhrisiadwy dros y blynyddoedd a bydd cannoedd o ddisgyblion yn fythol ddiolchgar iddynt am y profiadau a gawsant. Er mwyn cael tipyn o newid, aethpwyd i fyd y jazz yn 1972 gyda pherfformiad gwefreiddiol o 'Joseph and his Amazing Technicolour Dream-coat' gan gôr o 400 o ddisgyblion. Yn ddiweddarach, perfformiwyd 'Jonah Man Jazz'.

A finnau'n parhau i fod yn rhiant wedi i mi adael, cefais ymuno yn Rhagfyr 1976 â chôr yr ysgol a'r rhieni i berfformio'r gwaith mwyaf uchelgeisiol eto, sef 'Requiem' Verdi yn yr Eglwys Gadeiriol, Llandaf, ac yn Bargoed. Roeddwn yn hynod o falch o weld y traddodiad yn parhau a'r safon a'r brwdfrydedd mor uchel ag erioed.

Cyn gadael byd y canu, mae'n rhaid nodi'r pwyslais a roddwyd ar gerdd dant a bu'r ysgol yn ffodus o gael y pedair athrawes yn yr adran gerddoriaeth yn deall y grefft ac yn gallu cyfansoddi gosodiadau arbennig o gerddorol. Byddai'r disgyblion yn cael blas anghyffredin ar eu canu. Da yw gweld rhai cyn-ddisgyblion yn parhau'r traddodiad hyd heddiw – yn athrawon eu hunain bellach.

Ond nid ar berfformio yn unig yr oedd y pwyslais. Yr oedd y cynllun ymweld â'r henoed yn y fflatiau a oedd yn ffinio â'r ysgol yn gyfle i roi profiadau gwerthfawr i'n disgyblion ac inni ddangos ein consýrn am ein cymdogion. Daeth y cynllun i fodolaeth yn y blynyddoedd cynnar a sefydlwyd perthynas rhwng y disgyblion â'r rhai yr ymwelent â hwy, perthynas a barodd am flynyddoedd wedi i'r disgyblion adael. Nid wyf yn cofio'n union pam y daeth y cynllun i ben ond mae gennyf ryw gof mai oherwydd i rywrai 'fanteisio' ar garedigrwydd y disgyblion y digwyddodd hynny.

Un o anawsterau mawr Rhydfelen, gyda'i dalgylch eang a'i threfniadau bysus caethiwus, oedd cynnal gweithgareddau ar ôl oriau ysgol. O drefnu gweithgaredd ar ôl ysgol, golygai naill ai bod y disgyblion yn dod o hyd i'w ffordd adref ar fysus cyhoeddus neu gael rhieni i ddod i'w casglu – fel y gwnaeth llawer o rieni dros y blynyddoedd yn ddirwgnach. Yn achlysurol, byddai athrawon yn mynd â'r disgyblion adref yn eu ceir eu hunain. Ond, yn 1967, cytunodd yr Awdurdod Addysg â'm cais i ariannu cynllun llety a olygai eu bod yn talu pymtheg swllt y noson am lety i ddisgyblion mewn cartrefi yn y pentref cyfagos a'r disgybl yn cyfrannu hanner coron. Galluogodd y cynllun hwn, a barodd am nifer o flynyddoedd, inni gynnal mwy o weithgareddau ar ôl oriau ysgol ac yn benodol i sefydlu clwb ieuenctid ar ddwy noson yr wythnos dan arweiniad Tom Vale a Marian James. Cadw'r disgyblion mewn awyrgylch cyson o weithgareddau drwy'r Gymraeg oedd y nod.

O gofio am fy nghefndir i a chefndir nifer helaeth o'r staff, nid oedd yn syndod inni roi cymaint o bwyslais ar wasanaethau'r bore – gwasanaethau ar gyfer yr ysgol lawn yn yr hen gampfa ar y dechrau ac yna, pan aeth yr ysgol yn rhy fawr i ymgynnull mewn un man, sefydlwyd patrwm o gynulliadau ar gyfer yr ysgol isaf, yr ysgol ganol a'r ysgol uchaf ar ddau fore, tra cynhelid gwasanaethau llys a dosbarth ar un bore bob un. Yn y blynyddoedd cynnar, fi fyddai'n arwain y gwasanaethau ar gyfer yr ysgol gyfan yn y gampfa ac roeddwn wrth fy modd yn y gwasanaethau hyn. Caent eu trefnu'n drwyadl gan yr athrawon ysgrythur a cherdd ar y cyd, Gwyn Pritchard Jones a Lily Richards, a rhoddid lle ynddynt i ddisgyblion ac athrawon i gymryd rhan. Roedd atseinedd y gampfa yn rhagorol a'r canu ar adegau yn ysbrydoledig. Pan nad oedd cystal, byddai Lily Richards yn newid y cyweirnod ar ganol yr emyn a'r gynulleidfa'n ymateb i'r sbardun cerddorol hwn. Dros y blynyddoedd, tyfodd nifer y disgyblion a gâi wersi offerynnol a chaem gyfeiliant y gerddorfa yn y gwasanaethau.

Wedi i'r ysgol dyfu'n rhy fawr i'r un gwasanaeth ac inni gynnal y drefn a nodais uchod, byddwn i'n arwain dau wasanaeth bob wythnos – un yr un i'r ysgol iau ac uchaf – a byddai'r gweddill dan arweiniad y penaethiaid ysgol, neu lys, neu'r athrawon dosbarth.

Hyd yn oed yn y chwe degau, lleiafrif o'r disgyblion fyddai'n mynychu capel neu eglwys, a'r gwasanaeth boreol fyddai'r unig brofiad o addoliad i'r gweddill. Fe ystyriwn i, a'r staff yn gyffredinol, fe gredaf, fod gwerth arbennig i'r weithred o gydaddoli ar ddechrau'r dydd. Ni fyddai'r un naws ac ysbrydolrwydd ym mhob gwasanaeth, wrth gwrs, ond weithiau byddai'r gwasanaethau torfol a'r gwasanaethau dosbarth yn taro deuddeg o ran eu newydd-deb a'u bywiogrwydd. Yr oedd y gwasanaethau a gynhaliem ar achlysuron arbennig – diolchgarwch, Diwrnod Ewyllys Da a'r Nadolig – yn foddion gras gwirioneddol ac yn aml yn sbardun i gasglu tuag at achosion da, yn lleol a chenedlaethol. Cofiaf un Gwasanaeth Ewyllys Da fel yr un mwyaf bendithiol i mi ei fynychu erioed am ei fod mor berthnasol ac yn cyfathrebu â'r disgyblion. Fe roddwn bwys mawr ar ddechrau'r dydd yn briodol a gweddaidd ac fe bwysleisiwn fod angen i'r gwasanaethau fod yn raenus ac yn uniongyrchol eu neges. Ceisiwn osgoi defnyddio'r gwasanaeth i ddweud y drefn a cheisiwn roi anogaeth a her i'r disgyblion yn unol â'n cenhadaeth fel ysgol. Mae'n sicr i'r disgyblion flino fy nghlywed yn gofyn am deyrngarwch i'r ysgol a'i hamcanion, am iddynt arddel y safonau uchaf o ran gwaith ac ymddygiad ac anelu'n uchel o ran gyrfa a gwaith. Fe'u hatgoffwn yn gyson mai'r ffordd orau o hyrwyddo'r Gymraeg fyddai iddynt ddringo i'r swyddi mwyaf dylanwadol posib. Hyfryd yw gweld bod cymaint ohonynt wedi llwyddo yn hyn o beth ac yn prysur ddatblygu'n arweinyddion y Gymru newydd, yn enwedig wedi dyfodiad y Cynulliad. Gan inni gael ein cyhuddo gan rai ar y dechrau o fod yn rhy 'genedlaetholgar', diddorol yw nodi mai'r tri mwyaf gwleidyddol amlwg o gyn-ddisgyblion Rhydfelen yw Jon Owen Jones (Is-Ysgrifennydd Llafur yn y Swyddfa Gymreig am gyfnod byr), Felix Aubel, y Ceidwadwr, a Delyth Evans, a olynodd Alun Michael fel aelod Llafur o'r Cynulliad. Rwy'n hynod falch i nifer o'n cyn-ddisgyblion ddringo i swyddi gweinyddol uchel a dylanwadol yn y Swyddfa Gymreig ac yn y Cynulliad. Cofiaf i Syr Wyn Roberts, y Gweinidog Gwladol, fy nghyflwyno unwaith i ddau o'i weision sifil – a'r ddau yn gyn-ddisgyblion Rhydfelen, Huw Jones a John Howells! Ond wrth reswm, ni adawodd yr ysgol ei hôl ar bawb i'r un graddau a chaf gyfle eto i drafod rhai o'n camgymeriadau a'n methiannau a olygodd i rai, efallai, gael llai na'r budd gorau o'u haddysg yn yr ysgol.

Fel y nodais eisoes, roeddem fel ysgol mewn sefyllfa unigryw o gael ein gweinyddu o swyddfa ganolog Morgannwg (Morgannwg Ganol o 1974) yn hytrach nag o swyddfa ranbarthol Pontypridd. Yr oedd manteision amlwg i hyn a gallai'r Awdurdod gyfiawnhau'r drefn oherwydd bod ein disgyblion yn dod o sawl rhanbarth o fewn y sir – a'r tu allan iddi. Un fantais oedd cysylltiad uniongyrchol â'r Cyfarwyddwr Addysg – Dr Emlyn Stephens am gyfnod byr, Trevor Jenkins rhwng 1962 a 1970, a John Brace o hynny ymlaen ac ar ôl rhannu'r sir yn ddwy yn ad-drefnu 1974. Yn y dyddiau cynnar, byddwn yn mynd ar ofyn Trevor Jenkins yn aml a phan fyddai'n ymateb, ar fater o bolisi neu wariant sylweddol, drwy ddweud y byddai'n cael gair efo Llewelyn Heycock, gwyddwn y cawn ateb buan, a chadarnhaol fel arfer, gan fod yr olaf yn awyddus iawn i'n gweld yn llwyddo wedi iddo gytuno i'n sefydlu. Yn neuadd sir Morgannwg, hefyd, yr oedd yr adrannau adnoddau a staffio ac roedd ein cysylltiad uniongyrchol â'r adrannau hynny yn hwyluso pethau'n fawr.

Roedd corff llywodraethu'r ysgol yn cynnwys nifer o gynghorwyr pwerus y sir gan gynnwys yr Henadur Llewelyn Heycock a'r Henadur Dorothy Rees, Y Barri (a fu'n aelod seneddol am gyfnod byr) – pobl brysur i gyd a heb ormod o amser i boeni am fanion, ond byddent yn dod i benodiadau fel arfer. Ein cadeirydd cyntaf oedd y Cynghorydd W. Baker ond ni fu'r cynghorydd di-Gymraeg hwn yn ei swydd yn hir cyn i'r Henadur J. Haydn Thomas o Gilfach-goch gymryd ei le. Roedd Haydn Thomas yn gynghorydd Llafur o'r hen ysgol, yn ŵr profiadol a phur ddylanwadol, yn Gymro Cymraeg pybyr, yn gapelwr a cherddor medrus. Dyn byr gyda llygaid bywiog, llawn hiwmor, a gŵr bonheddig i'r carn. Cofiaf i mi anfon llythyr ato rywdro i ofyn am ei ganiatâd i drefniant go bwysig i'r ysgol. Fe ffoniodd tra oeddwn i allan o'r ysgol a dweud wrth Susie Evans, f'ysgrifenyddes, 'Dywedwch wrth Mr Humphreys am wneud fel y mae e'n 'i ddymuno, a rhoi gwybod i mi wedyn.' Gyda'r fath ymddiriedaeth rhyngom y buom yn cydweithio'n hapus ar hyd y blynyddoedd.

Penodi staff oedd prif gyfrifoldeb llywodraethwyr y dyddiau hynny ac yn Neuadd y Sir y cynhelid y cyfweliadau. Byddent yn ymddiried y rhestr fer i mi mewn ymgynghoriad â'r Cadeirydd, a fi hefyd a fyddai'n llunio'r cwestiynau; tri chwestiwn ffurfiol oedd y drefn bryd hynny. Ar ôl y cyfweliadau, fe ofynnid i mi am fy marn ac ni chofiaf un achlysur pan na dderbyniwyd y farn honno. Oherwydd maint fy nghyfrifoldeb, byddwn innau wedi gweld yr ymgeiswyr ymlaen llaw fel arfer ac wedi holi am eu cefndir yn bur fanwl. Yr oedd angen penodi staff a chanddynt yr arbenigedd priodol a hyfedredd yn y Gymraeg. Yn y dyddiau cynnar, doedd unlle bron lle gallasent fod wedi cael profiad o addysgu drwy'r Gymraeg ac yn aml iawn athrawon yn syth o'r coleg a benodid: staff ifanc i ysgol ifanc. Yn ychwanegol, fe edrychem am rai a oedd yn gallu cynnig rhywbeth dros ben, rhai a chanddynt ddiddordeb byw mewn hyrwyddo bywyd cymdeithasol ac amryfal weithgareddau'r ysgol.

Byddai'r Cadeirydd hynaws yn cynnal y cyfweliadau mewn dull cartrefol a chynnes ond weithiau fe âi ei hiwmor naturiol ag ef i ddyfroedd dyfnion megis y tro y rhoddwyd cyfweliad i athrawes addysg gorfforol. A hithau wedi ei phenodi ac wedi derbyn y swydd yn llawen gyda gwên lydan, gofynnodd yr Henadur i'r ferch ifanc landeg: 'Dywedwch i mi, gwd gal, ai eich dannedd eich hun sy' 'da chi?' Dro arall, daeth y cerddor ynddo i'r amlwg a gofynnodd i'r ymgeisydd llwyddiannus am swydd yn yr adran gerdd arwain amser 7/8!

Ym mis Mawrth 1973, yr oedd agoriad swyddogol adeilad Powys – yr olaf o'r estyniadau yn fy nghyfnod i. Haydn Thomas oedd yn agor yr adeilad fel Cadeirydd y Llywodraethwyr a'r arfer bryd hynny oedd darllen yr hyn a gynhwysid yn yr adeilad newydd. Ymhlith yr eitemau roedd '*automatic fired boiler*' ond yr hyn a ddywedodd yr Henadur oedd: '***atomic** fired boiler*'. Bu'n anodd i'r Cadeirydd orffen ei restr!

Ond uwchben pob atgof o'r Henadur Haydn Thomas, erys yr hyn a ddywedodd ar Dachwedd 17, 1966, yn fyw iawn yn y cof. Ail Gyfarfod Gwobrwyo'r ysgol oedd yr achlysur a neuadd y Coleg Technegol y drws nesaf inni oedd y lle. Y gŵr gwadd oedd D. Gwyn Jones, swyddog arholiadau o'r Cyd-bwyllgor Addysg – un a fu'n gyfaill da i'r ysgol dros y blynyddoedd. Yn ystod yr awr ginio, roeddem wedi derbyn y newydd trist am drychineb Aberfan ond go brin bod y disgyblion wedi clywed dim. Agorwyd y Cyfarfod gyda datganiad eneiniedig gan y côr pedwar llais (y tro cyntaf iddynt ganu ar ôl eu ffurfio) o'r anthem 'Arnom Gweina Dwyfol Un' (Bach). Mynnodd y Cadeirydd fod y côr yn ailganu ac wedi iddynt ganu cyfeiriodd yr Henadur at y drychineb gyda dwyster arbennig ac yn yr un gwynt ailadroddodd y geiriau a ganlyn o'r anthem:

> Ond ar ddyn mae'i gariad Ef,
> Diolch Iddo.

Ac yna, meddai, gydag angerdd dig, 'Esgeulustra dyn ac nid diofalwch Duw a achosodd y drychineb.'

Yr oedd ein Cyfarfodydd Gwobrwyo, o 1965 ymlaen, yn achlysuron pwysig yng nghalendr yr ysgol ac yn gyfle da inni gydlawenhau gyda disgyblion, rhieni a llywodraethwyr yn llwyddiant yr ysgol – yn ei holl agweddau. Buom yn hynod o ffodus i sicrhau siaradwyr gwadd ardderchog i'r cyfarfodydd hyn – pobl a oedd yn llwyr gytuno â'n cenhadaeth a'n dyheadau. Fel y soniwyd eisoes, yr Athro Jac L. Williams oedd ein gŵr gwadd yn ein cyfarfod cyntaf ac fe'i dilynwyd gan D. Gwyn Jones (Cyd-bwyllgor Addysg Cymru), Wynne Lloyd (Prif Arolygydd Ysgolion Cymru), Syr Goronwy Daniel (Pennaeth y Swyddfa Gymreig a darpar Brifathro Coleg y Brifysgol, Aberystwyth), Yr Athro Glyn O. Phillips (a oedd erbyn 1969 yn Athro Cemeg ym Mhrifysgol Salford), Trevor Jenkins (Cyfarwyddwr Addysg Morgannwg), Carwyn James (Coleg Llanymddyfri a hyfforddwr y Llewod), ac Owen Edwards (Rheolwr BBC Cymru). Yn 1971, er mwyn cael newid, torrwyd ar y drefn o gael siaradwr o'r tu allan a gwahoddwyd tri chyn-ddisgybl – Carys Wyn Evans, Elidyr Beasley a David Voyle – i rannu'u profiad a chynnig cyngor i'r disgyblion. Ac o 1973, trefnwyd y cyfarfodydd gyda'r nos mewn dull mwy anffurfiol a chartrefol a gwahoddwyd eto gyn-ddisgyblion neu gyn-aelodau'r staff, i ddweud gair ac i gyflwyno'r gwobrau. Yn 1973, methodd un o'r cyn-ddisgyblion a wahoddwyd ddod ar y munud olaf. I lenwi'r bwlch ar achlysur fel hyn, doedd dim i'w wneud ond troi at gyfaill, a dyna sut y daeth Owen Edwards atom y flwyddyn honno gan roi sgwrs hynod ddiddorol ar rybudd o ychydig oriau yn unig.

Yr oedd y Cyfarwyddwyr Addysg yn ystod fy nghyfnod i yn gefnogol iawn i'r ysgol er nad oedd holl aelodau etholedig y Cyngor Sir yn ymagweddu'n ffafriol tuag atom o bell ffordd; roeddent yn dueddol o gredu ein bod yn cael ffafriaeth ac yn gweld, er enghraifft, fod y gwariant ar gludiant i'r ysgol yn or-hael ac yn amddifadu eu hysgolion lleol hwy. Mae'n wir bod y gost o gludo o bellafoedd y sir yn eitha sylweddol ond yn ganran fach o holl wariant ar addysg mewn sir a oedd yn ymhyfrydu mewn rhoi cyfle teg i bawb. Deuthum i sylweddoli'n ddiweddarach nad tasg rwydd yw i Gyfarwyddwr Addysg ymateb yn briodol i gynghorwyr a bod yn ffyddlon i egwyddorion addysgol a gofynion teg yr un pryd. Byddai Trevor Jenkins yn ymweld yn bur gyson yn y dyddiau cynnar ac yn gofalu bod y trefnyddion pwnc yn ein cefnogi. Bu John Brace yn gyfaill da i addysg Gymraeg drwy gydol ei gyfnod fel swyddog ym Morgannwg a Morgannwg Ganol gan edrych ar gyfle i ddatblygu ac ehangu er gwaethaf rhai rhwystrau o du aelodau. Parhaodd ei gefnogaeth pan benodwyd ef yn Ysgrifennydd Cyd-bwyllgor Addysg Cymru. Cofiaf iddo ef a minnau fynd ar sawl taith genhadol i orllewin Morgannwg cyn agor Ysgol Ystalyfera yn 1969 a byddwn bob amser yn mwynhau ei gwmni a'i ffraethineb iach. Roedd gan y cyn-chwaraewr rygbi – un dawnus iawn yn ôl pob sôn er mai ei frawd, Onllwyn, a enillodd ei gap – sylwadau diddorol ar y gêm a'i gweinyddiaeth. Bellach, wedi iddo ymddeol, ef yw golygydd ei bapur bro lleol ac roedd yn fawr ei gefnogaeth i Eisteddfod Genedlaethol Bro Ogwr, 1998.

Doedd y cyfnod a dreuliais i yn Rhydfelen ddim yn un o newid mawr yn y cwricwlwm ym myd addysg. Ond o ran trefniadaeth ysgol, rhoddodd Cylchlythyr 10/65 y Weinyddiaeth orfodaeth ar Awdurdodau Addysg i symud i sefydlu ysgolion cyfun a thros y blynyddoedd nesaf gwelwyd yr ysgolion gramadeg yng Nghymru yn diflannu, a hefyd ysgolion bechgyn a merched ar wahân i raddau helaeth, er i rai ysgolion un-rhyw cyfun gael eu sefydlu. A minnau'n aelod o'r *Welsh Secondary Schools Association [WSSA]* – fforwm prifathrawon ysgolion uwchradd Cymru – yr oeddwn yn teimlo'n eitha gwahanol yng nghanol penaethiaid yr ysgolion gramadeg ac roeddwn yn lladmerydd unig dros yr ysgol gyfun. Ond daeth newid sydyn, a thros nos bron dyna oedd ar yr agenda a'm profiad i yn berthnasol. Lleihaodd nifer y prifathrawesau'n ddramatig gyda'r ad-drefnu. Fe gymerodd flynyddoedd cyn y gwelwyd prifathrawes ar ysgol gyfun gymysg.

Gan fod Rhydfelen wedi ei sefydlu ar seiliau o dderbyn pawb yn ddiwahân o'r cychwyn cyntaf os oedd ganddynt yr hyfedredd angenrheidiol yn y Gymraeg a'r Saesneg, ni fuom yn rhan o drawma'r ad-drefnu ac, yn wir, bu nifer o brifathrawon yr ysgolion cyfun ym Morgannwg yn ymgynghori gryn dipyn â ni. Dros nos, cododd statws Rhydfelen a'r ysgolion cyfun Cymraeg eraill yn y *WSSA*.

Soniais eisoes mai yn y flwyddyn gyntaf yn unig yr oedd gennym ffrwd ramadeg pan agorwyd yr ysgol yn 1962 ac felly ni fyddai'r disgyblion hyn yn sefyll arholiadau Safon Gyffredin (lefel O) tan haf 1967. Yr oedd gennym ffrwd 'fodern' yn yr ail a'r drydedd flwyddyn yn ogystal â'r gyntaf. Ar gyfer y disgyblion hyn roedd arholiadau'r sir yn bod – 'arholiadau Morgannwg' – i'w sefyll ar ddiwedd y bedwaredd flwyddyn, a digwyddodd hyn gyntaf yn haf 1964. Bryd hynny, gallasai'r disgyblion hyn adael yn bedair ar ddeg oed ond tua'r un amser codwyd yr oed gadael i un ar bymtheg a sefydlwyd arholiad newydd i ddisgyblion o allu cymedrol – arholiadau Tystysgrif Addysg Uwchradd [TAU/*CSE*]. Arhosodd ein carfan 'fodern' i sefyll yr arholiad newydd hwn yn haf 1965 gyda chanlyniadau da – mor dda, yn wir, nes i chwech ohonynt aros i ddilyn cwrs Safon Uwch yn 1967. Pan safodd ein carfan lefel O gyntaf eu harholiadau yn 1967 roedd y canlyniadau nid yn unig yn dda (a buont am flynyddoedd rhwng 10 a 15 y cant yn uwch na'r cyfartaledd llwyddiant cenedlaethol) ond roedd yma greu hanes – y tro cyntaf erioed i unrhyw un sefyll yr arholiad lefel O drwy'r Gymraeg mewn Ffrangeg, Lladin a nifer o'r pynciau ymarferol – gwaith coed, metel a gwyddor tŷ.

Yn gefndir i'r frawddeg olaf hon, y mae llawer i'w ddweud am waith arloesol a chwbl sylfaenol ym maes addysg uwchradd Gymraeg.

Ag addysg uwchradd Gymraeg bellach wedi ymledu dros Gymru gyfan a thua hanner cant o ysgolion uwchradd yn addysgu drwy'r Gymraeg i raddau gwahanol, mae'n anodd i lawer feddwl am y sefyllfa a wynebai'r ysgolion uwchradd cyntaf. Pan agorodd yr ysgol yn 1962, ar wahân i'r ffaith nad oedd ein cyflenwad o bapur a llyfrau wedi cyrraedd, mae'n bwysig cofio nad oedd *dim* gwerslyfrau Cymraeg i ddod; doeddent ddim wedi cael eu hysgrifennu, ac eithrio llyfryn neu ddau mewn daearyddiaeth, os cofiaf yn iawn, a baratowyd gan athrawon Glan Clwyd. Nid yn unig doedd ddim gwerslyfrau ond doedd dim cytundeb ar dermau Cymraeg yn y gwahanol bynciau – yn enwedig yn y pynciau ymarferol. A doedd dim geiriaduron, hyd yn oed, ar gyfer ieithoedd y cwricwlwm. Mewn perthynas â'r termau, cyn i'r Cyd-bwyllgor Addysg ac Adran Addysg Aberystwyth, dan arweiniad Jac L., ymateb i'r galw, byddai'n rhaid inni fel ysgol roi gwybod i'r Bwrdd Arholi pa dermau a ddefnyddiem ac i osgoi unrhyw gamddealltwriaeth mewn arholiad caem gopi Saesneg o'r papur arholiad er mwyn bod yn berffaith sicr bod y termau Cymraeg yn ddealladwy. Wedi cyhoeddi rhestrau termau yn y gwahanol bynciau a chyhoeddi'r *Geiriadur Termau*, fe wellhaodd pethau'n fawr ond ni ddylid anghofio am waith arloesol nifer o athrawon yn yr ysgolion cynnar a gynhyrchodd eiriaduron a llyfrynnau ar gyfer addysgu eu pynciau. Ein bodolaeth ni a greodd y galw; o'n tlodi cyfoethog ni y daeth y peth yn anghenraid. Er enghraifft, yn Rhydfelen lluniodd Gwyneth Jeffreys eiriadur Ffrangeg-Cymraeg, a Huw Thomas eiriadur Lladin-Cymraeg swmpus a gyhoeddwyd gan Wasg y Brifysgol. Cynhyrchodd Lily Richards nifer o werslyfrau gwerthfawr mewn cerddoriaeth yr oedd mawr eu hangen mewn pwnc yr oedd athrawon o Gymry Cymraeg dros y cenedlaethau wedi ei addysgu drwy'r Saesneg.

Soniais eisoes am y ffaith mai staff ifanc a benodwyd i Rydfelen yn ystod y blynyddoedd cynnar, a llawer ohonynt yn dod atom yn syth o'r coleg. Beth bynnag a gollwyd mewn profiad, gwnaed iawn amdano mewn brwdfrydedd, menter a pharodrwydd i arloesi. Er enghraifft, pan sefydlwyd arholiad y Dystysgrif Addysg Uwchradd lle caniateid i ysgolion lunio eu meysydd llafur eu hunain, fe neidiodd nifer o athrawon Rhydfelen at y cyfle gan roi lliw a phwyslais mwy Cymreig ar nifer o'r meysydd llafur. Ar gyfer lefel O, mewn ffiseg, mathemateg a'r clasuron, cyflwynwyd cyrsiau a oedd yn fwy ymchwiliol eu natur, ac yng nghyrsiau hanes yn y dosbarthiadau hynaf gwnaed defnydd uchelgeisiol iawn o dapiau sain gan ddarlithwyr o Rydychen – tapiau Saesneg, a byddai'r disgyblion a sawl rhiant yn cynorthwyo yn y gwaith llafurus o'u cyfieithu. Ni ellir honni i bob arbrawf fod yn llwyddiannus a'm gwaith i oedd pwyso a mesur y fantais i drwch y disgyblion cyn annog pwyllo neu yrru ymlaen gyda'r cyrsiau a'r dulliau addysgu llai traddodiadol. Rwy'n gobeithio mai'r llinyn mesur terfynol oedd lles gorau'r disgyblion, gan gynnwys llwyddiant arholiadol. Rhaid i mi gyfaddef i mi ei chael hi'n anodd ar adegau i ffrwyno brwdfrydedd ambell athro neu athrawes pan deimlwn fod peryg mentro gormod yn rhy sydyn a chan gofio bod arloesi drwy'r Gymraeg yn her ynddi ei hun.

Yr oedd cyflwyno gwersi llaw-fer a theipio drwy'r Gymraeg yn ddatblygiad pwysig yn 1967 a ni oedd yr ysgol gyntaf erioed i gynnig llaw-fer drwy'r Gymraeg. Gwnaeth Olwen Walters waith pwysig yn y maes yma a bu ei marwolaeth annhymig ar daith awyren yn 1973, ychydig wedi ei hymddeoliad, yn sioc i bawb ac yn golled fawr. Carys, fy ngwraig, a olynodd Olwen Walters mewn swydd dros-dro nes iddi gael ei phenodi i'r swydd yn barhaol – ar ôl fy ymadawiad i yn 1975.

Arbrawf diddorol arall oedd hwnnw o drefnu gwersi'r flwyddyn gyntaf yn y pynciau celf a chrefft ymarferol – technoleg heddiw – ar ffurf cylchdro. Câi'r disgyblion, wedi eu rhannu'n grwpiau cymharol fach, dreulio hanner tymor ar gyrsiau gwaith coed, gwaith metel, gwnïo, coginio, dylunio a chelf yn eu tro. Cynllunnid y gwaith dan thema megis 'Gwyliau' a rhoddid y pwyslais ar greu dychmygus – rai blynyddoedd cyn i drefn o'r fath ddod yn weddol boblogaidd. Y nodwedd a apeliai yn y cwrs oedd bod bechgyn *a* merched yn dilyn pob un o'r meysydd a byddai rhai merched yn creu gwaith caboledig mewn coed a metel, a'r bechgyn wrth eu bodd yn y gegin, ond nid mor frwdfrydig gydag edau a nodwydd. Gwendid y drefn, efallai, oedd diffyg amser i sefydlu medrau sylfaenol, a dilyniant a pharhad mewn maes penodol. Ond roedd hyn yn enghraifft o gydweithio brwdfrydig rhwng adrannau nad oeddent yn ymddiddori fawr yng ngwaith ei gilydd cyn hynny. Ac yn enghraifft hefyd o barodrwydd ein hathrawon i dorri'n rhydd o hen rigolau ac o fod yn effro i gyfleoedd newydd. Rhoddais iddynt bob anogaeth ar yr amod eu bod yn arfarnu'r gwaith yn ofalus.

Er mawr foddhad i mi, daeth mwy nag un o gyn-ddisgyblion Rhydfelen yn ôl i fod yn aelodau o'r staff addysgu. Gerwyn Caffery oedd y cyntaf – y disgybl direidus a fyddai'n dweud wrth ei brifathro pan gâi stŵr: 'On'd ydw i'n un twp?', a'i ddiarfogi'n llwyr! Bu'n aelod gwerthfawr o staff yr ysgol hyd heddiw – a dangosodd ddoethineb mawr wrth briodi merch o'r Rhos! Yr ail oedd crwt braidd yn ddihyder o'r Rhondda ond ar ôl bod dan ddylanwad Norah Isaac yn y Drindod (fel llawer un arall) daeth yn ôl i Rydfelen i wneud cyfraniad nodedig, a heriol a beiddgar weithiau, ym myd y ddrama. Fe gofia sawl to o ddisgyblion am sioeau John Owen a'i allu ef i'w hysbrydoli. Yn ddiweddarach, fel y cyfeiriais eisoes, daeth rhai fel Menna Thomas a Patrick Stephens i barhau traddodiad cerddorol eu hathrawon.

A ninnau'n ysgol newydd ac yn awyddus i ddangos i'r byd a'r betws ein bod yn rhagori ym mhob maes, cofiaf y llawenydd a deimlai'r ysgol o weld ein disgyblion yn cyrraedd y brig am y tro cyntaf – yn academaidd yn sicr, ond hefyd mewn meysydd eraill. A'r maes rygbi oedd un o'r rhai pwysicaf. Cofiaf yn dda y diwrnod ym mis Mawrth 1969 pan ddewiswyd Roger Davies i chwarae tros ysgolion Cymru yn erbyn y Saeson yn Twickenham a phan gafodd Davies arall, Karl, ei ddewis yn ddisgybl cyntaf o'r ysgol i chwarae yng Ngherddorfa Ieuenctid Cymru. Yn y ddau weithgaredd, daeth nifer dda o lwyddiannau tebyg wedyn ond roedd rhywbeth yn sbesial am y rhai cyntaf i gyflawni'r gamp. Helen Bennett, yn 1969, oedd y gyntaf o lawer i ennill Ysgoloriaeth Evan Morgan i Goleg y Brifysgol, Aberystwyth. Mererid Jones yn yr un flwyddyn a enillodd ysgoloriaeth gyntaf yr ysgol i fynd i Rydychen (Somerville) ac ennill ysgoloriaeth yr un flwyddyn i fynd yn un o bump i Awstralia am dair wythnos dan nawdd y *Royal Institution*. Yn 1968, yn Eisteddfod yr Urdd yn Llanrwst, yr enillodd yr ysgol y cwpan am waith llwyfan i ysgolion uwchradd am y tro cyntaf a bu sawl buddugoliaeth ar ôl hynny. Ers hynny, mae nifer o ysgolion uwchradd Cymraeg eraill wedi profi llwyddiannau tebyg ac wedi profi o'r un wefr ag a gawsom ni wrth weld ein disgyblion yn cyrraedd y brig ym mhob maes. Wnaeth y llwyddiannau hyn ddim drwg o gwbl i'r symudiad cyffredinol yng Nghymru yn niwedd y chwe degau a dechrau'r saith degau tuag at sefydlu mwy o ysgolion uwchradd Cymraeg a Chymreigio'r ysgolion a oedd eisoes mewn bodolaeth.

Wrth edrych yn ôl, rhyfeddaf at haelioni nifer o garedigion y Gymraeg ledled Cymru tuag atom pan agorwyd yr ysgol. Er enghraifft, pan wnaethpwyd apêl yn y wasg am delynau, yn rhodd neu ar fenthyg, cawsom wyth i gyd mewn amser byr gan gynnwys telyn Gothig oddi wrth Mrs Gruffydd John Williams, Gwaelod y Garth – gweddw'r Athro Cymraeg yng Nghaerdydd. Bu Gwenda Thomson o Lundain yn hael ei hanrhegion o lyfrau fel y bu Betty Rhys o Gaerdydd – un y deuthum i'w hadnabod yn dda yn ddiweddarach ar deithiau tramor anturus Hywel a Gwyneth Jeffreys yn yr wyth degau. Dim ond awgrymu oedd rhaid a byddai rhieni'r ysgol yn ateb y galw, a neb yn fwy hael na Mrs Merriman, y Rhondda Fach, a Mrs Davies, Porth, yn rhoi inni gwpanau a thlysau ar fwy nag un achlysur.

Fyddai neb sy'n adnabod Ysgol Rhydfelen yn credu ei bod yn nodedig am ei hadeiladau. Fe nodwyd mai mewn adeiladau pren o'r rhyfel byd cyntaf y sefydlwyd yr ysgol yn 1962. Er hynny, wedi iddynt gael ychydig o baent, roeddent yn edrych yn ddigon taclus ar ein cyfer bryd hynny ac, yn wir, fe deimlwn i gryn falchder ynddynt, ac yn arbennig yn y gampfa a ddefnyddid hefyd ar gyfer ein gwasanaethau a digwyddiadau cymdeithasol megis yr eisteddfod a nosweithiau llawen byrlymus y Gymdeithas Rhieni. A ninnau wedi ein lleoli y drws nesaf i'r Coleg

Technegol, caem ddefnyddio'u neuadd hwy ar gyfer rhai digwyddiadau mawr megis cyfarfodydd gwobrwyo a phasiantau cyn cael ein neuadd ein hunain. Ond yn y gampfa y ceid yr atseinedd gorau ar gyfer canu yn ddiamau. Pan glywais, ar noson Rhagfyr 16, 1975, wyth mis wedi i mi adael, a Carys a minnau'n dathlu'r Nadolig gyda staff Rhydfelen yng Ngholeg Cyncoed, fod y gampfa wedi ei llosgi i'r llawr, daeth ton o dristwch drosof. I mi, dyma oedd calon yr ysgol yn y blynyddoedd cynnar.

Cafwyd mân ychwanegiadau i'r adeiladau yn Ionawr 1966, ac ychwanegiad o floc sylweddol, gan gynnwys neuadd, naw mis yn ddiweddarach. Erbyn Medi 1968, roedd yr ysgol yn orlawn gyda 642 o ddisgyblion a bu'n rhaid defnyddio nifer o ystafelloedd y coleg ac ystafell yn Ysgol Gatholig Newman, filltir i ffwrdd. (Arafodd y twf wedi agor Ysgol Ystalyfera yn 1969 a chymerwyd rhan o'n dalgylch ynghyd â rhai disgyblion a oedd wedi treulio blwyddyn gyda ni.) Roedd hi'n Fawrth 1971, a chyda bron 700 o ddisgyblion yn yr ysgol, cyn inni gael meddiant llawn o floc newydd arall a oedd yn cynnwys ystafelloedd arbenigol gan gynnwys labordy iaith a phwll nofio. Rhoddwyd yr enwau Gwent, Dyfed a Phowys ar y gwahanol flociau a ffurfiodd ystafelloedd athrawon y gwahanol adeiladau eu nodweddion eu hunain. Yn ystafell athrawon Powys y byddwn i'n cwrdd â'r staff yn y bore. Er mwyn codi'r adeiladau newydd ar dir cyfyngedig yr ysgol, fe gollwyd llawer o'r caeau chwarae a bu'n rhaid i'r disgyblion deithio i gaeau'r Ddraenen Wen ar gyfer chwaraeon – dros filltir o ffordd o'r ysgol. Ym Medi 1974, er bod Ysgol Llanhari wedi agor y mis hwnnw gan dynnu disgyblion o ran arall o'n dalgylch, roedd 1020 disgybl yn Rhydfelen a phrinder adeiladau'n broblem unwaith eto. Yn ôl a ddeallaf, ni chafodd Rhydfelen unrhyw ychwanegiad sylweddol ar ôl adeilad Powys ac eithrio campfa newydd wedi'r tân, a chabanau ychwanegol i gyfarfod â'r galw tymor byr. Mae'n rhaid bod yr adeiladau gwreiddiol, os nad y rhai a godwyd yn 1967, mewn cyflwr pur wael erbyn hyn. Clywais si fod adeiladau newydd ar y gorwel ond ar safle y tu allan i Rydyfelin. Gobeithio, yn wir, y cedwir yr enw Rhydfelen ble bynnag y lleolir yr ysgol newydd.

Bu Rhydfelen yn enghraifft o ysgol yn dioddef oherwydd ei llwyddiant ac yn gorfod ymdopi ag amgylchiadau addysgu anodd yn ystod sawl cyfnod yn ei bodolaeth, yn arbennig felly yn y cyfnod wedi i mi adael. A derbyn bod adnoddau'r cynghorau sir yn brin ers blynyddoedd bellach, rhaid priodoli llawer o'r bai ar yr Awdurdod presennol a'r un blaenorol am iddynt fethu diwallu gofynion rhesymol a darparu amgylchedd priodol ar gyfer addysgu. Yr hyn sy'n wyrthiol yw fod y prifathrawon wedi fy nghyfnod i, a'r prifathro presennol yn arbennig, wedi medru cynnal ysbryd y staff a'r disgyblion dan amgylchiadau mor anodd.

Ymhlith y cyfleusterau a ddarparwyd i'r ysgol o fewn adeilad Powys, yr oedd Uned Chweched Dosbarth ac yr oedd 110 o ddisgyblion yn y chweched pan agorwyd yr Uned ar 24 Mawrth 1971 – nifer a gynyddodd i 155 erbyn fy mlwyddyn olaf, 1974/75, yn yr ysgol. Cynhwysai'r Uned lolfa eang wedi ei charpedu a chyda chyfleusterau gwneud coffi ac ati, ystafell weithio, ystafelloedd i wersi a llyfrgell. Yr oedd darpariaeth o'r fath yn bur newydd i'r cyfnod ac yn eitha moethus – mor foethus, yn wir, nes teimlai rhai o'r athrawon bod eu cyfleusterau hwy yn ddigon di-raen mewn cymhariaeth. Bu cryn drafod ymhlith yr athrawon ac o fewn y chweched sut y dylid rhedeg yr Uned a sicrhau ei bod yn profi'n effeithiol, yn caniatáu i'r myfyrwyr y rhyddid i'w rheoli eu hunain ac eto yn sicrhau bod yno awyrgylch gwaith yn ogystal â chyfle i gymdeithasu. Roedd yr Uned yn cynnig cyfle i aelodau'r chweched dosbarth fod ar wahân tra, yr un pryd, yn chwarae eu rhan ym mywyd yr ysgol. Yn ôl a gofiaf, sefydlwyd pwyllgor canolog i redeg yr Uned o dan oruchwyliaeth Hywel Jeffreys fel pennaeth yr ysgol uchaf; penderfynwyd mai myfyrwyr y flwyddyn gyntaf a fyddai'n gwneud dyletswyddau o gwmpas yr ysgol tra canolbwyntiai'r ail flwyddyn ar fod yn arweinwyr cymdeithasol o fewn y llysoedd. Yr oeddwn i'n gryf o blaid rhoi cyfle i'r chweched fod yn fwy annibynnol ac yn fwy rhydd o drefn arferol ysgol a oedd yn cynnwys disgyblion un ar ddeg oed, yn ogystal â rhai deunaw oed. Hyd y cofiaf, bu'r cyfnod dechreuol braidd yn anodd ar ôl agor yr Uned – y symud o drefn arolygol i sefyllfa fwy rhydd oedd yn gyfrifol am hynny'n bennaf ond rwy'n credu i'r llwybr canol ddatblygu drwy gyd-ddealltwriaeth rhwng y myfyrwyr â'i gilydd a chyda'r athrawon. Rwy'n tybio bod disgyblion y pumed dosbarth yn gweld eu sefyllfa hwy'n dra anfoddhaol mewn cymhariaeth â'r chweched a deuthum yn ymwybodol o'r broblem o geisio trin disgyblion yn briodol mewn ysgol ar gyfer oedran eang a rhoi cyfle iddynt aeddfedu ac ymgymryd â mwy o gyfrifoldebau. Does dim amheuaeth na fu i fyfyrwyr chwechéd dosbarth Rhydfelen wneud cyfraniad mawr i fywyd yr ysgol ond cofiaf gyfnodau hefyd pan fyddai disgyblion y bumed flwyddyn yn peri tipyn o broblem, oherwydd efallai nad oedd ganddynt hwy gyfrifoldebau na'r rhyddid oddi wrth fân reolau'r plant iau.

Daeth yn weddol amlwg wedi inni sefydlu chweched dosbarth nad oedd y cyrsiau Safon Uwch yn addas i bawb a ddymunai aros yn yr ysgol yn hytrach na mynd i addysg bellach. Ond ar ddechrau'r saith degau, doedd dim arall ar gael – doedd dim ond sôn am sefydlu Tystysgrif Addysg Estynedig bryd hynny ac roedd y broblem o ddarparu'n addas ar gyfer y disgyblion llai academaidd eu tuedd yn dal gyda ni. Rhaid oedd gwneud darpariaeth rhag blaen a sefydlwyd gennym fel ysgol y 'Cyrsiau Cyffredinol' fel y'u galwyd – cyrsiau rhwng Safon Uwch a'r Dystysgrif Addysg Uwchradd [TAU]. Yn y flwyddyn gyntaf (1970), cynigiwyd cyrsiau blwyddyn mewn saith pwnc a rhoddwyd i'r ymgeiswyr llwyddiannus dystysgrif hardd yn dynodi eu llwyddiant yn y gwahanol bynciau. Aeth nifer o ddisgyblion i golegau Addysg gyda'r 'Dystysgrif Gyffredinol' yn eu meddiant – rhai gydag un neu ddau o bynciau Safon Uwch a rhai gyda'r dystysgrif hon yn unig. Rhoddodd Gareth Evans, y Cofrestrydd Academaidd ar y pryd, gryn gyfran o'i amser i sicrhau bod disgyblion y chweched yn dilyn cyrsiau addas. Trwy ein cysylltiad â chyflogwyr a cholegau, derbyniwyd bod y 'Dystysgrif Gyffredinol' yn un ac iddi ddilysrwydd a hygrededd.

Wedi dyfodiad y chweched a'r Uned yn arbennig, yr oeddwn yn awyddus iawn i gadw cyswllt â'r disgyblion hyn. Ar wahân i ymweliadau achlysurol â'r Uned, a oedd bron uwchben fy ystafell i yn adeilad Powys, byddwn yn cynnig fy ngwasanaeth fel aelod o dîm o chwech a oedd yn cymryd cwrs cyffredinol gyda'r pwyslais ar ddefnyddio'r Gymraeg o fewn gwahanol gyd-destunau a meysydd. Cofiaf drafodaethau bywiog ar sawl achlysur pan ddeuai'r siaradwyr gwadd i sgwrsio â'r myfyrwyr. Cynigid iddynt arlwy bur gyfoethog yng nghwmni nifer o wŷr a merched disglair yn eu gwahanol feysydd. Byddai fy ymwneud i â'r gwaith hwn yn y chweched dosbarth o fudd mawr i mi gael sawru'r awyrgylch a dod i ddeall meddwl a dyheadau myfyrwyr hŷn yr ysgol – beth bynnag fu ei werth iddynt hwy.

Drwy gymryd gwersi gwyddoniaeth un dosbarth yn y flwyddyn gyntaf, ac weithiau yn yr ail, byddwn yn cadw mewn cyswllt gyda gwaelod yr ysgol ac yn dod i ymdeimlo â safonau disgyblion ar eu mynediad i Rydfelen. Yn achlysurol, byddwn yn cymryd gwersi cemeg, ffiseg neu fathemateg pan fyddai athrawon arferol y pwnc yn absennol a thrwy hynny cawn argraff o'r safonau yn y meysydd hyn. Pan agorodd yr ysgol gyntaf, fi oedd yr unig athro gwyddoniaeth yn yr ysgol a byddwn yn addysgu hyd at hanner amserlen yn y flwyddyn gyntaf. Ond wedi i'r ysgol dyfu a chael staff arbenigol ym mhob maes, rhyw chwech i wyth gwers a addysgwn a byddai f'ysgrifenyddes yn deall nad oedd i ganiatáu i neb fy ngalw o'r gwersi hyn: roeddwn yn ffyddiog bod digon o staff hŷn ar gael i ddelio â phroblemau annisgwyl dydd-i-ddydd. Fe gawn flas ar addysgu er fy mod yn gorfod ymgyfarwyddo â dulliau Nuffield o gyflwyno gwyddoniaeth. Ar wahân i hynny, fe deimlwn yn nes at y disgyblion ac yn agosach hefyd at yr athrawon. Pan awn â set o lyfrau dan fy mraich adref i'w marcio, roeddwn yn synhwyro bod yr athrawon yn sylwi bod y prifathro'n rhannu peth o'u baich, yn enwedig gan fod yr angen am farcio cyson yn dôn gron ganddo!

Yr oedd unoliaeth amcan a phwrpas athrawon Rhydfelen yn nodwedd amlwg a gwerthfawr, a phrin oedd yr adegau o wahaniaeth barn ar egwyddorion sylfaenol – rhwng athrawon a'i gilydd a rhyngof i a hwy. Fe herid penderfyniadau ac argymhellion y Grŵp Rheoli o bryd i'w gilydd ond byth ar fater o egwyddor. Ceisiais weithredu ar gonsensws yn hytrach na phleidlais a byddwn yn weddol sensitif i lais *lleiafrif* sylweddol ar adegau, yn enwedig os oedd y dadleuon yn rhai dilys a diffuant. Gweithredai fy nau ddirprwy a'r Cofrestrydd Academaidd, Gareth Evans, a'r staff hŷn fel pont i drosglwyddo syniadau ddwy ffordd ac fe'm cynghorid yn gyson ganddynt ar agweddau ac ymateb y staff.

Cofiaf un cyfnod anodd yn 1969 pan benderfynodd yr *NUT* yn Brydeinig fynd ar streic ar fater cyflog. Yn fy marn i, hwn oedd dechrau'r gwanio mewn parch tuag at athrawon gan ddisgyblion. Dim ond pedwar aelod oedd gan yr *NUT* yn yr ysgol ond yn hytrach na hollti staff, fe'u cefnogwyd gan fwyafrif y gweddill ac fe berchid hefyd safbwynt y rhai o UCAC a wrthodai weithredu'n ddiwydiannol o ran egwyddor oherwydd eu hymdeimlad o gyfrifoldeb tuag at eu disgyblion. Mewn sefyllfaoedd anodd fel hyn y gwelir rhuddin staff a'u teyrngarwch at ei gilydd a'r ysgol.

Pan wrthododd athrawon yn gyffredinol gyflawni dyletswyddau cinio, penderfynodd athrawon Rhydfelen bod arolygu yn y ffreutur amser cinio yn hyrwyddo Cymreigrwydd a'r arfer i siarad Cymraeg ymhlith y disgyblion. Penderfynwyd yn Rhydfelen beidio â chyflogi cynorthwywyr i'r ffreutur, yn arbennig rhai di-Gymraeg. Perswadiais yr Awdurdod Addysg i roi'r arian a arbedid inni – er mwyn cael mwy o oriau gan gyfieithydd i gynorthwyo gwaith yr athrawon o baratoi deunyddiau Cymraeg. Er bod ein hathrawon yn cytuno na ddylai athrawon orfod arolygu yn ystod yr awr ginio, yr oedd hyrwyddo'r Gymraeg yn bwysicach yn eu golwg ac fe werthfawrogais i hynny'n fawr; enghraifft o roi lles gorau'r disgyblion ar ben eu blaenoriaethau. Pan ddaeth hi'n amser i mi adael Rhydfelen, y math yna o weithredu a'i gwnaeth yn anodd.

Wrth edrych yn ôl ar y tair blynedd ar ddeg bron a dreuliais yn Rhydfelen, mae dau neu dri o ddigwyddiadau'n gwneud i mi chwerthin. 'Wn i ddim a ydynt yr un mor ddoniol i eraill.

Go brin fod y disgybl hwnnw a benderfynodd gael diwrnod yn rhydd o'r ysgol yn ystyried fod y digwyddiad yn ddoniol na bod lwc o'i blaid. Yr oeddwn ar fy ffordd i Aberystwyth i ryw bwyllgor neu'i gilydd ac yn dringo yn y car o Ferthyr Tudful i gyfeiriad Aberhonddu pan welais fachgen ifanc yn bodio ond yn dal i gerdded gan edrych yn ei flaen. Yr oedd yn gymharol ddiogel y dyddiau hynny i godi ffawdheglwyr o'r fath, a dyna a wneuthum y tro hwnnw. Adwaenais i'r cerddwr talog fel un o ddisgyblion yr ysgol ond ni sylweddolodd ef ar unwaith pwy oedd y Samaritan modurol. O weld ei wyneb pan wnaeth sylweddoli, hawdd fyddai credu y byddai wedi dymuno fy mod wedi mynd o'r tu arall heibio. Chafodd y mitsiwr ddim cymorth ar ei daith ond rhybudd i fynd yn ei ôl i'r ysgol cyn gynted ag y gallai a phan gyrhaeddais fwth ffôn fe ofalais fod rhai'n ei ddisgwyl yno! Ond mae gan brifathrawon yr hawl i chwerthin pan mai dwrdio a rhybuddio sy'n ddisgwyliedig.

Er mwyn gallu gwerthfawrogi'r hanesyn nesaf, mae'n bwysig cofio beth oedd yr hinsawdd wleidyddol yng Nghymru yn y chwe degau ar ôl boddi Tryweryn ac yn y cyfnod hyd at yr Arwisgiad; yr oedd sôn am fomio a pheth gweithredu yn enw Byddin Rhyddid Cymru.

Ar Ebrill 2, 1968, roedd Arthur Saunders, athro gwaith metel ar y pryd ac un a ddysgodd Gymraeg er mwyn cael addysgu yn yr iaith, wedi trefnu bod grŵp o ugain o fechgyn o'r ail flwyddyn yn mynd ar y trên i Swindon i weld y gwaith gwneud trenau yno. Ar y bore hwnnw, roedd cryn eira ar lawr ac ni chyrhaeddodd y bysus i gyd yn brydlon iawn. Er eu bod yn hwyr, penderfynwyd mynd ymlaen â'r ymweliad ac aeth y criw i orsaf Trefforest i ddal trên i Gaerdydd gan obeithio dal trên diweddarach oddi yno i Swindon. Ond wedi cyrraedd Caerdydd, syndod i'r bechgyn a'u hathro oedd gweld y trên y bwriadwyd ei dal am Swindon yn aros yn yr orsaf. Cawsant gerdded i mewn iddi a pharhau eu hymweliad yn ôl y trefniadau.

Y bore wedyn, a minnau heb gael cyfle i holi am hanes yr ymweliad, cyrhaeddodd dau swyddog o'r *CID* yn yr ysgol a gofyn am fy ngweld. A fu grŵp o'r ysgol ar drên Swindon ddoe? A wyddwn i fod rhywun wedi ffonio gorsaf Caerdydd i ddweud bod bom ar y trên? Wedi iddynt archwilio'r trên am hanner awr a chael dim o'i le, cyrhaeddodd grŵp o ddisgyblion o Drefforest a cherdded i mewn i drên Swindon. Ai ein disgyblion ni oedd y rhain? Wedi holi, medrais gadarnhau'r stori, a buont yn yr ysgol drwy'r bore yn holi Arthur Saunders a'r disgyblion. Codasant eu clustiau o ddeall mai athro gwaith metel oedd Arthur! Fu neb mwy annhebygol o wneud dim anghyfreithlon. Ond yr oedd clywed mai Ysgol Gymraeg oedd Rhydfelen yn ddigon i gadw eu diddordeb ynom am gyfnod. A oedd un o fechgyn yr ail flwyddyn yn euog o ffonio'r orsaf yng Nghaerdydd? 'Wn i ddim, ond bûm yn gwenu droeon wrth feddwl amdanynt yn cerdded yn hamddenol i'r trên a ddaliwyd yn ôl gan yr alwad ffôn ffug.

Ond pan welais yn gynnar ryw fore Llun yr arwydd pres ag enw 'Cledwyn Hughes LL.B., Cyfreithiwr' wedi ei roi mewn llythrennau breision ar ddrws yr ystafell gwaith metel, doedd dim rhaid bod yn dditectif i gysylltu'r addurn newydd â thaith y tîm rygbi i Iwerddon drwy Gaergybi a'i ddychweliad i'r ysgol yn hwyr nos Sul! Yn gam neu'n gymwys, yr hyn a wnes oedd ei dynnu i lawr cyn i neb arall ei weld. Pan glywais fod Lily Richards yn bwriadu mynd i Amwythig y dydd Gwener canlynol, nid oedd yn anodd ei pherswadio i gymryd parsel hirsgwar gyda hi i'w bostio o Loegr! Rhaid i mi gofio gofyn i'r Arglwydd Cledwyn a dderbyniodd y parsel! Y pethau y mae'n rhaid i brifathro eu gwneud er mwyn ei ysgol!

Ym mis Mawrth 1971, bu tîm o Arolygwyr Ei Mawrhydi yn yr ysgol yn cynnal arolygiad llawn o'n darpariaeth a'n gwaith. Er bod ymweliadau fel hyn bob amser yn codi peth pryder ymysg athrawon, a doedd staff Rhydfelen ddim gwahanol, yr oeddwn i'n croesawu'r ymweliad. Gwelwn ef yn gyfle i gael barn wrthrychol arnom fel ysgol ar ôl wyth mlynedd a hanner er ein sefydlu. Hyd y cofiaf, aeth yr wythnos heibio'n ddigon didramgwydd a chafwyd adroddiad llafar, byr, calonogol iawn ar ei diwedd. Yr oedd arolygu ysgol o'i bath yn brofiad newydd i'r arolygwyr – ni oedd y gyntaf o'r ysgolion uwchradd Cymraeg i gael ei harolygu – ac rwy'n credu i'r arolygwyr gael cymaint o fudd o'r ymweliad ag a gawsom ni. Mwy efallai, oherwydd pan ymddangosodd yr adroddiad, fisoedd lawer ar ôl yr ymweliad, adroddiad byr deuddeg tudalen, ynghyd ag atodiad tair tudalen, a gyhoeddwyd. Er bod rhai awgrymiadau gwerthfawr ynddo ynglŷn â threfniadaeth y cwricwlwm a gwaith bugeiliol, ychydig o gyfeiriad oedd ynddo at waith y gwahanol adrannau. Wrth gwrs, yr oeddem yn falch o gael cadarnhad ein bod yn ysgol lwyddiannus. '*Impressive success*' oedd y geiriau a ddefnyddiwyd yn fersiwn Saesneg yr adroddiad sydd o'm blaen – ac fel y dysgais i'n ddiweddarach, doedd yr Arolygiaeth ddim yn enwog am eu hansodd-eiriau canmoliaethus! Ond o gymharu'r adroddiad hwn ag adroddiadau diweddarach yr Arolygiaeth, ni phrofodd yn fuddiol iawn o safbwynt gosod safonau a thargedau i ymgyrraedd atynt, er i'r ymarferiad ein sbarduno i grynhoi ein deunyddiau ynghyd ar gyfer yr ymweliad. Credaf i'r arolygwyr ein gadael gyda gwell dealltwriaeth o rai o'n problemau ac, yn sicr, cafodd nifer ohonynt hwy brofiad newydd o gael arolygu eu pwnc drwy'r Gymraeg a chael gweld defnyddio termau Cymraeg yn rhwydd ac yn bwrpasol. Hwn oedd fy nghyswllt llawnaf ag Arolygwyr Ei Mawrhydi, er bod nifer wedi galw'n unigol yn yr ysgol o'r dyddiau cynnar; ychydig a feddyliwn y buaswn ymhen pedair blynedd yn cyflawni'r un gwaith.

Fel y gellwch dybio, roedd bod yn brifathro yn Rhydfelen yn llenwi diwrnod dyn, a'i nosweithiau hefyd, i'r ymylon. Ar ben galwadau uniongyrchol yr ysgol, roedd galw hefyd arnaf i ymddiddori mewn meysydd addysgol ehangach ac fe welwn fy ymwneud â'r rhain yn fuddiol i'm datblygiad proffesiynol, yn gyhoeddusrwydd i'r ysgol ac yn fodd i ofalu fy mod yn cyflwyno i ystyriaeth athrawon Rhydfelen y syniadaeth ddiweddaraf ym myd addysg. Roedd y *WSSA* yn gyfle i gyfarfod cydbrifathrawon ac i wrando ar arbenigwyr ar wahanol themâu cyfoes. Drwy fy nghysylltiad ag UCAC, undeb y cefais y fraint o fod yn Llywydd arno yn 1969-70, y deuthum yn ymwybodol o wleidyddiaeth undebol. Roedd y cynadleddau blynyddol yn ystod y cyfnod hwn, yn Llandrindod fel arfer, yn gymdeithasol felys ac yn gyfle i ymgodymu ag agweddau addysgol Cymreig a Chymraeg. Drwy UCAC y cyfarfûm un a ystyriais o hynny ymlaen yn un o'm cyfeillion pennaf, R. Aled Roberts, o'r Felinheli, a phrifathro Ysgol Gynradd Bontnewydd – a llawer o Gymry da eraill o fyd addysg. (Profodd Afallon, cartref croesawgar Aled a'i wraig, Nêst, yn hafan adnewyddol i mi yn ddiweddarach yn fy ngyrfa fel y cawn gyfeirio ato eto.) Drwy UCAC y cefais fynd un Pasg, gyda Carys, fy ngwraig, i gynhadledd *INTO*, undeb athrawon Iwerddon Rydd, yn Kilarney, a phrofi o groeso anhygoel y Gwyddelod. Ond cefais fy nadrithio ynglŷn â gweithrediad eu polisïau iaith yn eu hysgolion – ac yn eu cynhadledd.

Ar anogaeth yr Athro Jac L., cynrychiolais UCAC ar Bwyllgor Cymru'r Cyngor Ysgolion. Sefydlwyd y Cyngor Ysgolion yng nghanol y chwe degau fel fforwm o addysgwyr i drafod cwricwlwm ac arholiadau, yn y dyddiau hynny pan adawai'r gwleidyddion, y gweision sifil a chynghorwyr lleol y materion hyn yn nwylo'r proffesiwn. Roedd yr undebau yn y mwyafrif ar Gyngor a fynnodd mai ysgolion unigol oedd â'r hawl i benderfynu natur eu cwricwlwm. Ysgogi trafodaeth ymhlith y proffesiwn ar amrywiol feysydd oedd prif gyfraniad y Cyngor Ysgolion ac mae rhesiad cyfan o gyhoeddiadau'r Cyngor Ysgolion ar silff yn fy stydi – tystiolaeth o flaengaredd a gweithgarwch gan athrawon ac eraill wrth baratoi'r deunyddiau diddorol hyn. Gwneuthum gryn ddefnydd o gyhoeddiadau'r Cyngor Ysgolion mewn trafodaethau gyda'm cydathrawon yn Rhydfelen, ond mae'n rhaid i mi gyfaddef ei bod hi'n anodd cael cyfle i ddarllen y rhain i gyd gan eu bod yn ymddangos o'r Wasg yn llif parhaus. Yn fy meddwl i, mae'n resyn mawr na chydiodd y Cyngor Ysgolion, a'r proffesiwn, bryd hynny yn y syniad o Gwricwlwm Cenedlaethol yn hytrach na'i adael i'r gwleidyddion yn niwedd yr wyth degau. Roedd yn resyn mwy na fu i'r Awdurdodau Addysg fachu yn y syniadau a gyflwynwyd drwy gyhoeddiadau'r Cyngor Ysgolion gan annog ysgolion i roi mwy o ystyriaeth iddynt. Mae llawer o'r cyhoeddiadau mor berthnasol heddiw ag oeddynt bryd hynny, neu efallai'n fwy perthnasol gan fod arwyddion bellach o droi'r cloc yn ôl i rai syniadau addysgol a goleddid dros hanner can mlynedd yn ôl!

Drwy f'aelodaeth o'r Cyngor Ysgolion, deuthum i adnabod arweinyddion cenedlaethol y gwahanol Undebau gan sefydlu cyfeillgarwch oes gyda rhai, megis Handel Morgan o'r *NUT* a gefais yn Gadeirydd Pwyllgor Addysg cefnogol iawn yn ddiweddarach yn fy ngyrfa. Yn gyffredinol, roedd yr amser a dreuliais ar y Cyngor Ysgolion a nifer o'i weithgorau, megis yr un ar Astudiaethau Cyffredinol yn y Chweched Dosbarth y bûm yn gadeirydd arno, yn fodd i ehangu fy mhrofiad ac i fireinio f'athroniaeth addysgol. Gobeithio i mi allu trosglwyddo peth ohono i fy nghydathrawon yn Rhydfelen.

Daeth y Cyngor Ysgolion i ben yn 1984 pan dybiodd llywodraeth y dydd fod addysgwyr proffesiynol, gan gynnwys yr Arolygwyr, wedi cael gormod o ryddid mewn materion addysgol a'i bod yn bryd i'r gwleidyddion reoli addysg o'r canol gan fod tuedd mewn awdurdodau fel ILEA Llundain i wleidyddu'r cwricwlwm. Ond eithriadau oedd awdurdodau fel y rhain a phrin ddigon i gyfiawnhau'r gwanhau dybryd ar swyddogaeth yr awdurdodau addysg yn ddiweddarach.

Rwyf eisoes wedi cyfeirio at fy nghysylltiad ag addysg uwch a phellach. Ar ben hynny, trwy f'aelodaeth o gynghorau UWIST, Caerdydd (ar wahoddiad Margaret Thatcher, Ysgrifennydd Gwladol Addysg ar y pryd!) a'r Coleg Politechnig yn Nhrefforest, roeddwn yn gallu bod yn fwy ymwybodol o'r ddarpariaeth yn y camau nesaf i ddisgyblion Rhydfelen.

Gweithgarwch amser hamdden, gyda'r nos a thros y penwythnosau, oedd f'ymwneud â rhaglenni ysgolion ar y teledu. Gwahoddwyd fi i ysgrifennu a chyflwyno dwy gyfres wyddonol i'r BBC (Natur a Gwyddoniaeth) ac un ar yrfaoedd i *HTV*. Er mor ddiddorol, roedd cyflwyno rhaglen addysgol yn waith hynod o galed y dyddiau hynny, yn arbennig pan na chawn ddefnydd o'r *autocue* – y ddyfais sy'n gosod y geiriau dan y camera. Yn y cyfresi gwyddonol, golygai fy mod yn cadw'n fanwl at sgript 25 munud gan ddod â chapsiynau a ffilmiau i mewn yn eu lle cywir yn ogystal â chynnal arbrofion yn y stiwdio o flaen y camera. Ond roedd Elwyn Thomas, Wynne Lloyd, Merfyn Williams, Dilwyn Jones y *BBC*, a Dorothy Williams a Wendy Williams o *HTV*, yn gynhyrchwyr hawdd cydweithio â hwy. Roedd cael torri tir newydd yn y meysydd hyn yn brofiad diddorol ac yn newid braf o reoli ysgol. Ac yr oedd cael bod yn aelod ar bwyllgor Cymru yr *ITA* (*IBA* yn ddiweddarach) ar ddechrau'r saith degau yn brofiad newydd ac yn wahanol i faterion addysgol.

Rwyf wedi pwysleisio mai un o nodweddion Rhydfelen oedd y gwaith tîm oedd yno. Yn betrusgar, cyfeiriais at rai o'r staff wrth eu henwau, dim ond er mwyn daearu'r stori y ceisiais ei dweud ac nid am fod eu cyfraniad hwy o anghenraid yn fwy nag eraill nas enwyd. Ond mae'n rhaid cyfeirio'n benodol at dri ohonynt, ac un ohonynt bellach wedi ein gadael.

Ac eithrio'r pedwar tymor cyntaf yn hanes yr ysgol, bu Hywel Jeffreys ar staff Rhydfelen drwy gydol fy nhymor i'n brifathro yno. Dechreuodd yn Ionawr 1964, yn bennaeth yr adran hanes a dirprwy brifathro, ac yn ddirprwy hefyd i ddau a'm holynodd. Yr oedd, fel finnau, yn ifanc – ar waethaf ei foelni cynamserol – ac yn eitha dibrofiad yn y gwaith o redeg ysgol ond bu'n ddiwyro yn ei ymroddiad i hyrwyddo addysg Gymraeg. Gallai ymgolli'n llwyr yn y nod a osodai iddo ef ei hun a'r ysgol – boed fel pennaeth hanes gyda'r llyfrau lloffion neu dapiau Rhydychen, neu wrth weinyddu a chreu systemau newydd. Fel mab fferm o Frynaman, fe wyddai nad oedd cynhaeaf heb lafur caled. Byddem yn trafod yn aml, aml ac yn anghytuno'n achlysurol, ond bu ei deyrngarwch i'r ysgol ac i mi yn gyson gadarn. Prin fod neb yn fwy ei sêl dros addysg uwchradd Gymraeg.

Fe fu farw Lily Richards ar 19 Mawrth 1998 ar ôl brwydr ddewr yn erbyn yr hen elyn. Ni ellir peidio â sôn am gyfraniad y Gymraes ryfeddol hon o Ddowlais mewn unrhyw gyfrol lle cyfeirir at addysg Gymraeg. Hi oedd yn bennaf gyfrifol am adfywiad y Gymraeg yng Nghaerffili a bu hi a'i gŵr, Herbert, yn gynheiliaid yr ysgol feithrin a'r ysgol Gymraeg yno ar hyd y blynyddoedd. Gan mai pennod ar Rydfelen yw hon, rhaid nodi i'w chyfraniad hi, un a fu'n bennaeth cerddoriaeth ac yn ddirprwy bennaeth yr ysgol, fod yn gwbl allweddol i lwyddiant yr ysgol. Mewn gair, hi oedd calon Rhydfelen a bu ei llaw hi ar gymaint o'r gweithgareddau y soniwyd amdanynt yn y bennod hon: 'Yr hyn a allodd hon, hi a'i gwnaeth'.

Ac mae'n rhaid i mi enwi un arall: Susie Evans, f'ysgrifenyddes drwy gydol y blynyddoedd y bûm yn yr ysgol, yw honno. Doedd cael gafael ar ysgrifenyddes gyda medrau swyddfa ac yn gallu gweithredu drwy'r Gymraeg ddim yn hawdd yn 1962 ac roedd hi dros fis ar ôl agor yr ysgol pan benodwyd Susie Evans, Wenfô, i'r swydd. Roedd ei gwreiddiau yn Rhydymain ac roedd ei hacen yn datgelu ar unwaith nad *hwntw* mohoni. Bu'n gweithio yn y *BBC*, yng Nghaerdydd a Bangor, fel y noda R. Alun Evans yn ei gyfrol ddiddorol ar Sam Jones, *Stand By*. Wrth reswm, mae fy nyled iddi hi'n fawr iawn gan iddi fod wrth fy ochr drwy gydol fy nghyfnod yn Rhydfelen yn rhannu llawer o'r profiadau a ddaeth i'm rhan fel prifathro. Roedd gan Susie (a Vic ei gŵr) dri o blant – Alwyn, Bryn a Carys. Roedd y ddau fab yn rhy hen i allu bod yn ddisgyblion yn Rhydfelen fel y bu Carys, eu chwaer. Ond ers blynyddoedd bellach mae Bryn ar y staff yno a bu Alwyn yn Brif Ymgynghorydd Addysg Gwynedd rhwng 1985 a 1994 fel y nodir eto ac yn gyfaill personol cywir iawn i mi wedi i mi ymddeol. Heblaw am y cysylltiadau Rhydfelenaidd hyn, fe ganfu Alwyn, heliwr achau heb ei ail, fod Carys, fy ngwraig, yn perthyn iddo o bell drwy deuluoedd Llanuwchllyn, Penllyn. Tybed ai arwyddair y teulu Evans yw 'Ni allaf ddianc rhag hwn'? Ond mae un teulu arall sydd â chysylltiadau llawnach eto â'r ysgol – y teulu Humphreys.

Cafodd Gareth, fy mab, ei eni yn yr un flwyddyn ag yr agorwyd Rhydfelen – 1962 – ac felly cwta bum tymor a gafodd ef yn ysgol ei dad, ond cafodd Nia, a ddechreuodd yno yn 1969, bum mlynedd a hanner o'r 'oruchwyliaeth'. Bûm yn meddwl droeon a ddylid bod wedi eu rhoi yn y sefyllfa o fod yn ddisgyblion yn yr ysgol lle'r oedd eu tad yn brifathro ond gan mai Rhydfelen oedd yr unig Ysgol Uwchradd Gymraeg yn y de ar y pryd, doedd gennym ddim dewis, mewn gwirionedd. Byddai eu hanfon i ysgol Saesneg yn anathema. Ni roddodd y naill na'r llall unrhyw ofid i mi a cheisiais innau eu trin fel pob disgybl arall. Pan ddaeth Carys i'r adwy yn 1973 i helpu i addysgu masnach pan adawodd Olwen Walters ychydig cyn ei marwolaeth, yr oeddem yno fel teulu, ond yr oedd y teulu wedi byw ac anadlu Rhydfelen ers llawer blwyddyn. Fe olyga Rhydfelen o hyd gymaint i bob un ohonom, a neb yn fwy na Carys a fu ar y staff yn llawn amser yno wedi i mi adael yn 1975 hyd at ddiwedd 1983 pan symudasom i fyw i Fangor.

Yr oeddwn wedi cael achlust y byddai gan yr Arolygiaeth ddiddordeb ynof pe bawn yn penderfynu cynnig am swydd a ddeuai'n wag. Pan ddaeth cyfle o'r fath yn haf 1974, fe gymerodd gryn amser cyn imi benderfynu cynnig am swydd Arolygydd Ei Mawrhydi gydag arbenigedd mewn cemeg. O holi'n answyddogol, gwyddwn hefyd bod yr Arolygiaeth yn edrych nid yn unig am arbenigwyr pwnc ond am rai â phrofiad sylweddol o arwain mewn addysg uwchradd. Yr hyn a'm perswadiodd i gynnig oedd y dybiaeth y gallai fy mhrofiad o fod yn bennaeth ysgol uwchradd mewn sefyllfa ddwyieithog fod o fudd yn y cyfwng a fodolai yng Nghymru ar y pryd; hynny, ar ben fy arbenigedd mewn gwyddoniaeth a'm diddordeb mewn technegau addysgu yn gyffredinol. Ym mis Awst 1974, cefais gyfweliad hynod o dreiddgar ac ymchwiliol yn Swyddfa Addysg y Swyddfa Gymreig, Cathedral Road, Caerdydd, ac ymhen rhai wythnosau daeth llythyr i ddweud fy mod wedi cael fy mhenodi. Bryd hynny y dechreuodd y gwewyr, mewn gwirionedd, a bûm yn pendroni llawer cyn penderfynu derbyn. Ymresymais â mi fy hun, gan gael fy mherswadio yn y diwedd y byddai i mi newid swydd ar ôl dros ddeuddeng mlynedd yn Rhydfelen fod yn llesol i'r ysgol ac i mi. Câi'r ysgol bennaeth newydd gydag agweddau gwahanol a gweledigaeth ffres ar gyfer cyfnod newydd yn ei hanes. Cawn innau gyfle i gael golwg wahanol ar addysg yng Nghymru, ond gyda'r un argyhoeddiadau, gobeithio. Parodd ymateb fy nirprwy, Hywel Jeffreys, ar ôl i mi dderbyn y swydd, lawer o wewyr meddwl i mi: nid oedd yr athrawon yn credu y gallwn eu gadael fel hyn!

Bu'r cyfnod rhwng torri'r newydd a gadael fy swydd ár ddiwedd tymor y Pasg 1975 yn un anodd ond fe wellhaodd pethau pan benodwyd Ifan Wyn Williams, Prifathro Ysgol Dyffryn Nantlle, yn Ionawr 1975 i'm holynu. Deuthum i delerau â'r syniad nad fy ysgol i oedd hi a bod yn rhaid ei throsglwyddo i ofal bugail newydd, a hwnnw'n un tra chymwys. Bu'r cyfarfodydd ffarwelio â'r rhieni, mewn twmpath dawns a chinio a chyngerdd, yn rhai cofiadwy a'r teyrngedau, fel yr anrhegion, yn or-hael. Mae recordiad sain gennyf o noson ffarwelio afieithus Rhieni Caerdydd yn narlithfa Reardon Smith yr Amgueddfa Genedlaethol, ac mae'r atgof yn felys iawn, ac eithrio i mi gofio diolch i bawb yn gyhoeddus heblaw, er mawr cywilydd i mi, am Valmai Evans a fu'n bennaf gyfrifol am drefnu'r noson. Roedd cael bargyfreithiwr mewn cap pig y tu ôl i lyw Bentley i gasglu Carys a minnau o'r tŷ yn ddechrau tra addawol i'r noson – yn enwedig gan mai cyfaill inni, Kynric Lewis, oedd y gyrrwr rhadlon. Ond mae cofio bod Lloyd Evans, Cadeirydd y Gymdeithas yng Nghaerdydd, a gyflwynodd y gyfrol rwymedig o *Na N'og 1963-74* i mi ar ddiwedd y noson, wedi ein gadael rai blynyddoedd yn ôl, yn dal i'm tristáu. Roedd yn gyfaill cywir, yn berson arbennig iawn a'r mwyaf cymwynasgar o blant dynion y deuthum ar eu traws erioed.

Yn y rhifyn o *Oriel* a gyhoeddwyd adeg fy ymadawiad (Cyfrol 2, Rhif 4, Pasg 1975) casglwyd nifer dda o sylwadau, Cymraeg a Saesneg, gan ddisgyblion yn cyfeirio at y digwyddiad, ynghyd â lluniau ohonof – o un ohonof yn flwydd oed i lun cyfredol. Trysoraf gyfraniadau'r rhifyn hwn i gyd ond y mae un perl ynddo gan ddisgybl dosbarth un sy'n dod â gwên yn ddi-feth wrth i mi ei gofio. '*I wish Mr Humphreys didn't have to go, because I would have liked to have met him.*' Dyna f'atgoffa pa mor bell y gall prifathro fod oddi wrth ei ddisgyblion mewn ysgol o dros fil. *O enau plant bychain . . .*

Roedd y noson ffarwelio ac anrhegu gan y staff, dros ginio a noson lawen, yn un afieithus, a daeth holl dalentau llenyddol, dramatig a cherddorol yr athrawon i'r brig gan wneud dyn yn hynod ddiolchgar am gael adnabod a chydweithio gyda'r fath griw. Roedd yno gofio a thynnu coes. Meddai parti cerdd dant Nan Jones, y 'Dyfal Doncs':

Byth mwy i'r hen Rydfelen
Ni ddoi i gadw'r oed,
Ni'th welir yn brasgamu
Mwyach, mor chwim dy droed;
Llithraist i hawddfyd HMI,
Gan gefnu ar dy frodyr llai.

Ac Alun Ogwen, mewn cywair mwy difrifol:

Yn ben er dydd y geni, – fe wyliaist
Yn ofalus drosti;
Anhygoel fabinogi,
Ffrwyth llawn dy ddawn gafodd hi.

Ond y gwasanaeth arbennig gyda'r Ysgol Isaf ar fy niwrnod olaf, Mawrth 27, 1975, a fu anoddaf. Cofiaf i'r parti bechgyn ganu fel eosiaid – a Gareth, fy mab, yn eu plith. Ac yr oeddwn i gyhoeddi'r fendith ar y diwedd, ond allwn i ddim yngan yr un gair am eiliadau, eiliadau a oedd yn teimlo fel tragwyddoldeb. Wrth ymlwybro o Rydfelen y diwrnod hwnnw, gwyddwn nad oedd yr un profiad a allai ragori ar yr un a gawswn yn y sefydliad unigryw hwnnw.

Wedi gadael, roedd Ysgol Rhydfelen yn destun sgwrs ar yr aelwyd yn gyson gan fod y tri aelod arall o'r teulu yn parhau i fynd yno'n ddyddiol. Pan euthum yno i gyngerdd rai misoedd wedi i mi adael, cefais y teimlad od o fod yn ŵr diarth yn fy nhŷ fy hun, ac fe gymerodd rai blynyddoedd i mi arfer â'r syniad mai rhiant yn unig oeddwn yno erbyn hynny.

Er i mi fod mewn dwy swydd arall ym myd addysg wedi gadael Rhydfelen, roedd fy nheimladau wrth adael y sefydliad arbennig hwn yn ddwysach na'r un ymadawiad wedi hynny. Yn y gwahanol gyfarfodydd ffarwelio, mynegais fy niolchgarwch am brofiad unigryw, am gefnogaeth hael a chywir ac ymfalchïais yn llwyddiannau anhygoel y disgyblion o bob cefndir ieithyddol. Cofiaf hefyd i mi ddweud mai angen pennaf Cymru yn 1975 oedd athrawon ymroddgar a phregethwyr o argyhoeddiad. Ac nid wyf yn credu'n wahanol heddiw. Rwy'n falch fod o leiaf hanner dwsin o gyn-ddisgyblion fy nghyfnod wedi mynd i'r weinidogaeth, a theimlaf gryn falchder hefyd fod saith o athrawon a oedd yn gydweithwyr â mi wedi cael eu penodi'n brifathrawon ysgolion uwchradd – yn ogystal ag un cyn-ddisgybl, Catherine Davies, pennaeth Ysgol Rhydywaun. Mae dau o'r saith, Gareth Evans ac Eirlys Pritchard Jones, wedi ymddeol (yn gynnar) ar ôl gwaith arloesol a llwyddiannus yn ysgolion Bro Myrddin a'r Cymer, Y Rhondda. Â swyddogaeth pennaeth wedi newid cymaint erbyn hyn, prin fod fy arddull arbennig i wedi bod yn batrwm iddynt, ond dichon iddo'u hatgoffa o beth i beidio â'i wneud! Rhaid i mi gyfaddef i mi ddysgu llawer am waith prifathro ar ôl gadael y swydd i fod yn Arolygydd Ei Mawrhydi a Chyfarwyddwr Addysg – dysgu wrth wylio eraill wrthi, a byddaf yn gwrido wrth feddwl am fy hyfdra a'm hyder wrth ymgymryd â swydd mor gyfrifol yn ddeg ar hugain oed. Mae'n sicr i *mi* wneud cymaint o gamgymeriadau dros y blynyddoedd – mewn anwybodaeth.

Nid oes disgwyl i unrhyw ysgol lwyddo gyda phob un o'i disgyblion ac mewn ysgol debyg i Rydfelen lle'r oedd agweddau at iaith a diwylliant yn ffactorau mor bwysig, roedd mwy o le i fethiant. Gwn i rai disgyblion deimlo bod eu haddysg yn Rhydfelen wedi eu dieithrio o gwmni eu cymheiriaid di-Gymraeg yn eu hardaloedd, gan achosi peth chwerwedd. Gwn hefyd i rai o gefndir Saesneg deimlo y gallasent fod wedi llwyddo'n well o dderbyn eu haddysg yn gyfan gwbl drwy'r Saesneg yn hytrach na chael eu hanfon gan eu rhieni i ysgol Gymraeg. Ond cofiaf fwy nag un achlysur, pan welem fel athrawon nad oedd disgybl penodol yn ymagweddu'n briodol, neu ei fod yn wan ei Gymraeg, inni awgrymu ei symud i ysgol Saesneg ei chyfrwng. Bron yn ddieithriad, ymateb y rhieni oedd diolch am yr awgrym ond eu bod yn teimlo bod mwy i'w ennill nag i'w golli o fod yn Rhydfelen.

Cofiaf i mi deimlo tua diwedd y chwe degau gydag un to o ddisgyblion, bechgyn yn bennaf, fod ein pwyslais allgyrsiol yn or-eisteddfodol a chrefyddol ac yn rhy ymwthgar o safbwynt y Gymraeg; bu iddynt fynegi eu hanniddigrwydd drwy ymddygiad anghymdeithasol a oedd 'yn erbyn y sefydliad'. Ond fe ddigwydd hyn o bryd i'w gilydd ym mhob ysgol.

Wrth gerdded maes Eisteddfod Genedlaethol Bro Ogwr ym Mhencoed fis Awst 1998, daeth nifer dda o gyn-ddisgyblion Rhydfelen ataf; yr oedd yn haws iddynt hwy fy nghofio fi nag i mi eu cofio hwy, ac roeddwn yn hynod o falch o'u gweld. Sylwais ar ddau beth yn arbennig: mewn cartrefi di-Gymraeg y maged y mwyafrif llethol ohonynt hwy ond roeddent yn rhugl eu Cymraeg ac roedd eu plant eu hunain erbyn hyn mewn ysgolion Cymraeg. Ac yn ystod fy nheithiau o gwmpas Cymru, daw nifer ataf yn barhaus i arddel eu perthynas â Rhydfelen. Mae'r fath gyfarfyddiadau yn llonni ac ysbrydoli dyn i gredu, neu obeithio, inni lwyddo yn amlach na methu.

Cyfarfyddiad cofiadwy oedd hwnnw gydag un o ddisgyblion cyntaf Rhydfelen yn un o gyngherddau Eisteddfod Llangollen yng Ngorffennaf 1998. Roedd llond bws ohonom o Fangor – un o deithiau blynyddol Cymdeithas y Coleg Normal wedi ei threfnu gan Harry Lloyd – yn bresennol mewn perfformiad o 'Requiem' Verdi ac wedi llwyddo i gael seddau da i wrando ar gorws y BBC a oedd yn canu ar y cyd y noson honno â chôr o'r Unol Daleithiau. Cawsom berfformiad ysbrydoledig gyda'r côr unedig, Dennis O'Neill a'r artistiaid eraill ar eu gorau. Yr oeddwn wedi fy nghyffroi ac roeddwn ar fy nhraed yn cymeradwyo ymhen dim amser ar ddiwedd y perfformiad. Ymhen rhyw chwarter awr, yr oeddem yn cyrraedd ein bws i gychwyn am adref a phwy oedd yno'n ein disgwyl, yn wên o glust i glust, ond Ann Price o'r Rhondda Fawr a oedd yn nosbarth un pan agorodd yr ysgol ym Medi 1962, 36 mlynedd yn ôl i'r noson honno. Roedd wedi fy ngweld yn codi ar fy nhraed, wedi holi ble'r oedd y bysus wedi parcio ac wedi dod o hyd i fws tebygol – bws Gwynfor o Langefni, ein bws ni. Yn yr amser byr a oedd gennym i sgwrsio cyn gadael, dywedodd Ann ei bod yn eistedd nesaf at aelod o gôr yr UD a phan welsant fi'n neidio ar fy nhraed i gymeradwyo'n frwdfrydig, meddai'r Americanes wrthi: *'That guy **must** be an American to be on his feet so quickly!' 'No, no,'* meddai Ann, *'he's my old headmaster!'*

✦ ✦ ✦

Eisoes, cyfeiriais ychydig at fywyd Cymraeg y brifddinas yn ystod ein blynyddoedd cynnar yng Nghaerdydd. Yr hyn oedd tynnu Cymry'r brifddinas at ei gilydd yn ystod y tair blynedd ar hugain a dreuliasom yng Nghaerdydd oedd yr ysgol Gymraeg a'r capel yn bennaf. Drwy gyswllt ag Ysgol Bryntaf, deuai teuluoedd i 'nabod ei gilydd, ac yn ein hanes ni, wedi agoriad Rhydfelen, ehangodd ein cylch o gydnabod drwy gangen fywiog Caerdydd o Gymdeithas Rhieni Rhydfelen. Byddai achlysuron cymdeithasol byrlymus yn digwydd yn aml – dawns neu gyngerdd neu ginio. Ar ben hynny, byddai eisteddfodau aml yr Urdd – cylch, sir a chenedlaethol – yn dod â'r un bobl at ei gilydd, ac roedd hynny'n braf ac yn creu cwlwm tynn rhyngom. Pan gynhaliwyd Eisteddfod Genedlaethol yr Urdd yng Nghaerdydd yn 1965, a'r Genedlaethol yn 1978, rhieni, athrawon a chyfeillion yr ysgolion Cymraeg oedd asgwrn cefn y gynhaliaeth, ynghyd ag aelodau'r eglwysi Cymraeg.

Drwy ein hymwneud ag addysg ein plant, a oedd o'r un oed fwy neu lai, cawsom ein hunain o fewn cylch o ffrindiau o gyffelyb anian a diddordebau. Er fy mod yn brifathro ar blant llawer ohonynt, ni fanteisiodd neb ar y berthynas ac ni theimlais innau'r un eiliad o anghyfforddusrwydd yn eu cwmni. Roeddem yn ffodus o gael ymwneud â rhai mewn gwahanol broffesiynau a oedd yn deall perthynas broffesiynol a'r pwysigrwydd o gael trafod pynciau a oedd o ddiddordeb cyffredin heblaw addysg – y celfyddydau, gwleidyddiaeth a chrefydd – a chan edrych am bob cyfle i ymlacio heb i ni ein cymryd ein hunain ormod o ddifrif.

Buom yn byw yn Llanisien am naw mlynedd cyn penderfynu, ym Medi 1969, symud i Landaf. Cawsom hyd i dŷ delfrydol yn Heol San Mihangel (St Michael's Road oedd ar yr arwydd!), tŷ a oedd wedi ei addasu gyda stydi a darpariaeth briodol i ferch a bachgen i weithio a hamddena yn eu hystafelloedd gwely. Dyna oedd ein hanghenion ni, gyda Gareth yn saith oed, a Nia yn un ar ddeg ac yn dechrau yn Rhydfelen y mis Medi hwnnw. Roedd Annedd Wen (fel y galwasom ein tŷ newydd) yn gartref oedd yn plesio pob un ohonom. Un nodwedd oedd y sgroliau bach (o Deuteronomium) a osodwyd ar byst y drysau oedd yn ein hatgoffa mai Iddewon oedd y meddyg a'i deulu a fu'n byw yno o'n blaenau. Y nodwedd arall oedd y gwrych llawryf uchel a dyfai o flaen y tŷ a byddai ei dorri'n ofalus (i beidio â briwio'r dail) yn orchwyl blynyddol i mi. Gorchwyl arall, amlach na blynyddol, oedd torri'r lawntiau – rhai bach mewn gwirionedd o gymharu â'r rhai sydd yn ein cartref presennol – ond sy'n fy atgoffa o hanes fy nhorrwr gwair yn diflannu.

Wrth i mi baratoi i arddio ryw fore, 'fedrwn i ddim dod o hyd i'r peiriant yn unman ond deallais yn fuan i rywun dorri i mewn i'r garej liw nos a'i ddwyn. Ffonio'r heddlu a'r cwmni yswiriant (nad oedd yn gwneud 'drama' o 'argyfwng') a hwnnw'n fy ngwahodd i brynu un newydd ar unwaith. Ymhen yr awr, a finnau'n torri'r borfa gyda'r peiriant newydd, cyrhaeddodd yr heddlu gan synnu fy ngweld wrthi a'r peiriant wedi ei ddwyn! Eglurais fy ngweithredu di-oed a'r heddlu'n rhyfeddu. Ond yr hyn oedd yn fwy o ryfeddod oedd bod pump ar hugain o beiriannau wedi diflannu dros nos yn yr ardal. Roedd marchnad dda yn rhywle!

Os oedd lladron clyfar yn yr ardal, roedd yno adar yr un mor ddeallus. Roeddem wedi penderfynu dymchwel simdde uwchben un o'r llofftydd lle'r oedd arwyddion lleithder. Â'r adeiladydd wrth ei waith ryw fore, gwelsom ef yn dod i lawr o'i ysgol â nyth 'deryn yn ei law, nyth yr oedd wedi ei dynnu o'r simdde. O edrych yn fanwl arno, fe welem fod gwahanol ddeunyddiau wedi eu plethu'n gywrain i mewn i'r nyth ac ar un ohonynt y geiriau Marks a Spensaidd, *St Michaels*. Yr oedd un aderyn o leiaf yn gwybod ym mhle'r oedd yn byw os nad oedd yn cofio'r rhif!

Er mawr foddhad i ni fel teulu, roedd nifer dda o deuluoedd Cymraeg yn byw yn Heol San Mihangel – canran uwch nag yn y mwyafrif o strydoedd Caerdydd, mi allwn dybio. Dyna Gwyn a Lisa Erfyl, Robin ac

Eleri Gwyndaf, David a Heulwen Thomas a Seiriol a Vera Davies (o'r Ponciau ger y Rhos ac yn hen gydnabod) ac enwi dim ond rhai ohonynt. A'r drws nesaf roedd Bill a Buddug Thomas am rai blynyddoedd cyn iddynt symud i Landre, Aberystwyth. Felly, roedd yn ein hewl ni yn Llandaf gymuned Gymraeg gynnes a chynhaliol – fel y profwyd ar ambell achlysur o argyfwng a phryder.

Byddai'r Nadolig a'r Flwyddyn Newydd yn cael eu dathlu'n fyrlymus iawn o fewn cylch ein ffrindiau ni yng Nghaerdydd gan gynnwys parti blynyddol yn ein tŷ ni ar fore Gŵyl San Steffan. Roedd yno bob amser ganu da gydag Eirion Lewis yn ddeheuig iawn yn gallu cyfeilio unrhyw dôn neu alaw a drawyd, a hynny mewn unrhyw gyweirnod. Ac yr oedd angen newid cyweirnod yn aml pan ganai Owen Edwards *The Vicar of Bray* yn soniarus iawn i ddathlu ei ben-blwydd! Byddai datganiad crisialaidd Shân Emlyn o *Ar Lan y Môr* yn parhau cyfraniad cerddorol y teulu cyn inni glywed, yn ddi-feth, Kynric Lewis yn *Anfon y Nico i Landŵr* gydag arddeliad a Ben Thomas, y ffisegydd, yn dewis *Milgi Milgi* yn gyson o'i *repertoire* eang! Chwith yw cofio bod cynifer o'r criw – Shân Emlyn, Lisa Erfyl, Ben Thomas, Arfon Williams, Lyn Jones a Lloyd Evans – wedi ein gadael.

Yn 1972, dechreuodd criw ohonom, yn rhieni a phlant – o saith teulu i gyd – dreulio'r Calan yng ngorllewin Cymru, trefniant hynod o braf a barodd am nifer o flynyddoedd. I fythynnod diddos yn Dinas, Sir Benfro yr aethom y flwyddyn gyntaf a chynnal gwasanaeth y plygain yng Nghapel Brynhenllan yng nghwmni cyfeillion lleol. Ein profiad o grwydro llwybrau'r arfordir bryd hynny a roes ddechrau i wyliau cerdded i nifer ohonom o 1975 ymlaen, fel y sonnir eto. Y blynyddoedd dilynol, buom yn aros yn Aberporth ac ym Mhenrhyn Gŵyr. Trysoraf o hyd recordiad o'r rhaglen *Dewch am Dro* a gyflwynodd Alun Williams o Aberporth lle clywir addunedau blwyddyn newydd rhai o'r criw. Adduned y gwas sifil, Richard Hall Williams, oedd peidio â phlygu ei goesau (dan ddesg!) yn ystod y flwyddyn. Ni holais a lwyddodd ai peidio.

Daeth Richard a'i wraig, Nia, a'r plant i fyw i Gaerdydd o Abertawe yn fuan ar ein holau ni. Yr oeddwn wedi clywed am gyfraniad Richard i addysg Gymraeg drwy ei waith fel ysgrifennydd y de i'r mudiad dylanwadol, Rhieni Dros Addysg Gymraeg, a chyfraniad Nia fel sylfaenydd a chyd-olygydd *Hon*, cylchgrawn arloesol i ferched. Cawsom lawer o'u cwmni dros y blynyddoedd – ar wyliau cyfandirol yn y Swistir (1973) ac yn yr Eidal (1978) a hefyd ar dripiau munud olaf hyfryd i Stratford ar sawl achlysur yn y saith a'r wyth degau i weld dramâu Shakespeare. Cofiaf fel y bu inni, cyn mynd i weld *The Comedy of Errors* droi i'r casgliad o ddramâu a sylwi mai llinell gyntaf y gwaith yr oeddem i'w glywed oedd '*Proceed, Solinus, to procure my fall. . .*'. Buom yn dadlau ar sut y dylid ynganu *Solinus* – un yn dweud (a defnyddio seineg y

Gymraeg ar gyfer y gair) 'Solînys' a'r llall yn dweud 'Solînws'. Mawr oedd y disgwyl am y llinell gyntaf yn y theatr a chlywed: *'Proceed, Solainys!'* Y pedwar ohonom, mewn bocs ar fin y llwyfan, yn torri allan i chwerthin yn afieithus. 'Wn i ddim beth a feddyliai gweddill y gynulleidfa ohonom, ac yn arbennig yr actorion – yn chwerthin wrth glywed y llinell gyntaf!

I Stratford yr aeth Carys a minnau i ddathlu ein priodas arian ar Awst 15, 1980; roedd rhyw apêl arbennig yn nhref y Bardd.

Soniais eisoes am fywiogrwydd yr eglwys yn Heol y Crwys dan weinidogaeth y Parchedig Lodwig Jones ac roedd y ddarpariaeth yn yr Ysgol Sul i Nia a Gareth yn arbennig o dda. Er 1965, yr oeddwn wedi f'ethol yn flaenor yno a chefais y gwaith wythnosol o ofalu bod hysbysiad am oedfaon y Sul yn y *Western Mail*. Er bod dros ddwy flynedd ar bymtheg wedi mynd heibio ers i mi adael Caerdydd, byddaf yn edrych yn y *Western Mail* bob bore Sadwrn i weld pwy sy'n pregethu yn y Crwys ac yn eglwysi eraill Caerdydd. Deuai fy nhad i bregethu i'r Crwys yn y chwe degau a byddwn, fel erioed, yn mwynhau gwrando arno gan fod ei bregethau'n rhai mor sylweddol a chlir eu neges. Ond cofiaf am un o'i ymweliadau am reswm arall. Ymhlith y cyhoeddiadau y nos Sul honno, yr oedd un yn ymwneud â ffair sborion. 'Dewch â'ch *nwydau* efo chi i'r festri', meddai'r cyhoeddwr. Sylwais ar fy nhad yn cilwenu yn y pulpud y tu ôl iddo! Ond roedd nwyd ac asbri yn y mabolgampau byrlymus a drefnid yn y Crwys, gyda'r rhieni yn ymuno yn y miri drwy rasio â'i gilydd ond yn dechrau dangos eu hoedran yn aml yn yr ymdrech.

Oedran neu beidio, pan fyddai hi'n bartïon pen-blwydd y plant, roedd yn rhaid sicrhau bod y ffrindiau bywiog yn cael eu blino yn ogystal â'u bwydo. Â Gareth yn wyth oed, gwahoddwyd yr un nifer o'i gyfeillion ysgol i'r parti. Pentyrrais y bechgyn i'r car a mynd â hwy i Barc Fictoria gerllaw i chwarae pêl-droed ond nid oeddwn wedi sylweddoli'n llawn pa mor lleidiog yr oedd hi dan draed. Wedi'r cwbl, Ionawr 31 oedd y dyddiad. Wrth eu cludo'n ôl i'r tŷ i gael te, sylweddolais beth oedd cyflwr y pêldroedwyr ifanc; roeddent yn edrych yn bur druenus. Doedd dim i'w wneud ond eu rhoi efo'i gilydd yn y baddon a minnau'n bustachu i lanhau deg pâr o sgidie tra oedd Carys yn sychu a brwsio eu trowsusau. 'Wn i ddim beth a ddywedson nhw wrth eu rhieni! Eu bod wedi cael parti hyfryd – yn y bath?

Ar ôl cyfnod o bron chwarter canrif yn y Crwys, penderfynodd ein gweinidog a'i briod symud i Lanbedr Pont Steffan ac ym Mai 1975 buom yn rhoi teyrnged a diolch iddynt am eu gwasanaeth maith a chyfoethog. Fel y canodd y parti cerdd dant, a ffurfiwyd yn arbennig ar gyfer yr achlysur, eiriau Alun Ogwen i'w bugail, Dan Lodwig Jones, a oedd yn hoff iawn o geir cyflym:

Yn ddwys o'r Crwys fe ddaw cri
'O'n muriau aeth y miri';
Nid oeda Dan odidog
A'i gar yn mynd fel y gog.
Enaid dewr y cennad hwn
A'i afiaith fyth a gofiwn.

Fis yn gynharach, yr oeddwn innau wedi newid newid maes fy 'ngweinidogaeth' ac i dreulio llawer o'm hamser yn teithio'n gyflym yn ystod y blynyddoedd oedd o'm blaen.

PENNOD 8

Her yr Arolygiaeth

Anodd oedd cyfeirio trwyn y car o Landaf i ganol y ddinas yn hytrach nag ar yr A470 ar Ebrill 14, 1975, fy niwrnod cyntaf yn Arolygydd Ei Mawrhydi. Yn Cathedral Road, lai na dwy filltir o'm cartref, yr oedd Swyddfa Addysg y Swyddfa Gymreig ac yno y byddai fy nesg a'm swyddfa o hynny ymlaen.

Yr oedd y cyfan yn dipyn o newid. Yn wir, roedd yn fwy o newid nag a ddisgwyliwn. Roedd y cwbl mor wahanol i ysgol ac i swyddogaeth prifathro mewn ysgol. Doedd gen i ddim staff, dim ysgrifenyddes, a dim sefydliad i'w lywio. Wedi bod yn Rhydfelen, roedd yr awyrgylch mor Seisnig er bod amryw o'm cydweithwyr yn siarad Cymraeg. Cawswn fy hun yn un o chwech yn rhannu swyddfa a byddwn, fe ddeallais, yn dibynnu ar rywun o'r 'pwll' ysgrifenyddol i wneud y gwaith teipio, yn ôl yr angen. Yn fuan, deuthum i ddeall hefyd mai fy nghartref oedd fy 'swyddfa' swyddogol ac mai ychydig iawn o amser a dreuliwn yn y swyddfa yn Cathedral Road o gwbl. Yn 1980, symudodd y swyddfa i Adeiladau'r Llywodraeth yn Llanisien a diolchais droeon mai ychydig o amser y bu'n rhaid i mi ei dreulio yn y swyddfa gynllun agored yno. Ond cyflwynwyd system newydd hwylus o glywdeipio pan allech godi ffôn ac arddweud eich llythyrau ar gyfer eu teipio.

Roedd yn yr Arolygiaeth bryd hynny drefn o fentora'r rhai a ddeuai i mewn o'r newydd – un profiadol yn y gwaith i fod ar gael i gynghori ac i fugeilio newyddian. Bûm yn hynod ffodus i gael Gareth Lloyd Jones yn fentor i mi yn ystod fy mlwyddyn gyntaf yn y swydd. Ar wahân i'r ffaith fy mod yn ei adnabod yn weddol dda, yr oeddwn yn falch o gael un a oedd wedi dilyn yr un llwybr â mi i'r Arolygiaeth; bu'n brifathro, yn ifanc fel fi, am gyfnod yn Ysgol yr Alyn, Yr Wyddgrug (hen ysgol fy rhieni) cyn dod yn AEM, ac roeddem wedi cyfarfod yn broffesiynol yn y *WSSA*. Bu Gareth o gymorth mawr i mi wrth i mi geisio cael fy nhraed danaf a dygymod â ffordd dra gwahanol o weithio. Yn ystod y flwyddyn gyntaf, byddai'n awgrymu patrwm fy ngwaith a'r profiadau newydd y dylwn eu cael, pobl y dylwn eu cyfarfod, a byddai hefyd yn bwrw golwg dros fy adroddiadau – ffurfiol ac anffurfiol. Am rai wythnosau, byddai fy mentor yn ymweld â sefydliadau gyda mi, a rhoddai hynny gyfle i mi sylwi ar arddull a phrotocol, yn ogystal â chymharu ein hargraffiadau o'r hyn a welem mewn ysgol neu goleg. Yn fy marn i, roedd gwerth mawr i'r system fentora a chyflwynais y drefn i sawl sefyllfa yng Ngwynedd yn ddiweddarach, yn arbennig i brifathrawon newydd. Nid yr un yw anghenion pawb ond mae rhai agweddau sylfaenol yn perthyn i bob swydd sy'n werth eu rhannu gyda'r rhai sy'n newydd iddi.

Buan y deallais fod dau arall a ddaeth i'r Arolygiaeth tua'r un pryd wedi dilyn llwybr proffesiynol digon tebyg – dod yn arolygwyr wedi cael profiad fel prifathrawon. Yn ddiweddarach, gadawai rhai a benodwyd yn gymharol ifanc i'r Arolygiaeth i fod yn brifathrawon. Byddai'n werth inni gyfarfod i gymharu manteision y llwybrau gwahanol a ddilynwyd gennym. Daeth Nellie Lloyd Jones i'r swydd ar ôl bod yn brifathrawes yn Ysgol Dr Williams, Dolgellau, a James Nicholas o Ysgol y Preseli, Crymych, ac yn un yr oeddwn yn ei adnabod yn bur dda. Cofiais i mi fod yn ei ysgol yn siarad am addysg uwchradd ddwyieithog rai blynyddoedd yn gynharach. Roedd cael rhannu profiadau gyda'r ddau yma yn arbennig o werthfawr; rwy'n credu i'r tri ohonom deimlo tipyn o hiraeth am ein hysgolion ar y dechrau.

Yn gymharol fuan ar ôl dechrau yn yr Arolygiaeth, euthum i Lundain ar gwrs ar gyfer arolygwyr newydd – cwrs i arolygwyr Cymru a Lloegr. Yno, cawsom gyflwyniad i gwmpas gwaith ac arddull AEM. Cofiaf yn arbennig y pwyslais ar steil a phroffesiynoldeb gan Sheila Brown, Prif Arolygydd Ysgolion Lloegr – dynes awdurdodol, benderfynol, fel y daeth yn amlwg yn ddiweddarach.

Fy mhrif gyfrifoldeb fel arolygydd oedd cemeg, a hynny, ar y dechrau, mewn colegau addysg bellach yn ogystal ag ysgolion gan mai fi oedd yr unig gemegydd yn yr Arolygiaeth ar y pryd. Ond, o fewn y flwyddyn, penodwyd Tony Hamilton-Jones i ofalu am waith yn y colegau. Ar wahân i'm pwnc, roedd gennyf gyfrifoldebau hefyd fel aelod o'r tîm uwchradd, a thros y blynyddoedd bûm yn gyfrifol am elfennau megis 'swyddogaeth staff hŷn', 'y chweched dosbarth' a'r 'drefniadaeth gwricwlaidd' yn ystod arolygiadau llawn o ysgolion uwchradd. Yn naturiol, cefais hefyd ryddid ac anogaeth i ymddiddori mewn dwyieithrwydd, yn yr ysgolion uwchradd yn arbennig. Bu cael y fraint o edrych ar ysgolion uwchradd Cymraeg eraill mewn manylder yn ddiddorol iawn ac yn gyfle i mi osod fy mhrofiadau yn Rhydfelen mewn cyd-destun ehangach. Rwy'n gobeithio hefyd i'r ysgolion elwa peth o fy mhrofiad innau.

Ar ben y cyfrifoldebau hyn, roedd gan bob arolygydd nifer o ysgolion ac/neu golegau i'w bugeilio. Yn fy achos i, ysgolion cynradd ac uwchradd yn Ne a Gorllewin Morgannwg oedd y rhain yn y blynyddoedd cyntaf ac, yn ddiweddarach, Morgannwg Ganol oedd fy nhiriogaeth. Amcan trefn o'r fath yw i geisio cadw golwg ar waith yr ysgolion yn gyffredinol gan dynnu sylw'r ysgolion a'r awdurdod addysg at ddiffygion mewn trefniadaeth, darpariaeth ac adnoddau. Ar yr un pryd, roedd yn fodd i'r Arolygiaeth adeiladu darlun cyfansawdd o'r ysgolion o ran safonau a threfniadaeth. Yn achos yr ysgolion cynradd, byddai'r ymweliadau'n digwydd gan amlaf yn ddirybudd, ond oherwydd yr angen i strwythuro'r ymweliad, byddai'r ymweliadau uwchradd yn digwydd fel arfer drwy drefniant ymlaen llaw.

Byddai'r ymweliad dirybudd yn ddadlennol iawn ar adegau. Cofiaf gyrraedd un ysgol gynradd yn gynnar ar fore Llun a chael drws y prifathro'n gilagored. Yr oedd yn siarad ar y ffôn ac yn hytrach na churo arhosais iddo orffen. Wedi pum munud o leiaf o aros, curais y drws yn ysgafn gan dderbyn ymateb chwyrn: '*Stay there, child. I'm busy.*' Bu'n *busy* am bum munud arall ac ni allwn beidio â chlywed mai siarad gyda chyfaill o brifathro yr oedd ac yn trafod gêm rygbi'r Sadwrn blaenorol. Curais eto a chael ymateb mwy chwyrn nag o'r blaen! Ymhen rhai munudau pellach o hyn, penderfynais y dylai wybod nad disgybl penderfynol oedd yno: curais y drws, a gwthio fy mag du swyddogol o fy mlaen ac arno'r *ER* a'r goron eurog. '*You're very busy this morning, headmaster,*' meddwn i. '*Yes*', mynte yntau, '*I always exchange views on the curriculum with a headmaster colleague on Monday mornings.*' Roedd ymatal yn anodd.

Byddai nodiadau ar yr ymweliadau bugeiliol hyn yn cael eu paratoi ar gyfer yr arolygydd ardal a ffeil yr ysgol ac fe ofalid, pan oedd angen tynnu sylw at rai materion, anfon cofnod ysgrifenedig i'r pennaeth wedi'r ymweliad.

Yr oedd o fewn yr Arolygiaeth nifer o bwyllgorau a phanelau ac roeddwn i, fel y gweddill, yn aelod o nifer ohonynt – uwchradd, gwyddoniaeth, addysg 16-19 a dwyieithrwydd. Yr oedd y pwyllgor uwchradd yn un pwerus iawn, a than gadeiryddiaeth Illtyd Lloyd, arolygydd staff – un a ddaeth yn Brif Arolygydd Cymru yn ddiweddarach. Yn y pwyllgor hwn y trafodid egwyddorion a threfniadaeth addysg uwchradd gyfoes, yn dilyn cyflwyniad byr fel arfer gan un ohonom. Roedd min arbennig ar y trafod ac roedd dyn yn ymwybodol, dan arweiniad Illtyd Lloyd, bod yn rhaid cyfiawnhau pob safbwynt, osgoi rhagfarn a bod yn barod i bwyso a mesur ar sail tystiolaeth. Roedd gofyn i rywun fod effro iawn ac yn barod i ddadlau ei achos. Dyma, efallai, y profiad addysgol mwyaf ymenyddol heriol a brofais i erioed. Yma, hefyd, y trafodem ffurf yr arolygiadau uwchradd. Dan oruchwyliaeth newydd, roedd ffurf yr arolygiad uwchradd wedi newid llawer ers i Rydfelen gael ei harolygu, a'r adroddiadau'n llawer manylach. Trafodid y rhaglen arolygu flynyddol yn y pwyllgor hwn ac yn arbennig ffurf yr arolygu a chyfrifoldebau penodol o fewn y tîm.

Chwech ohonom oedd ar y panel gwyddoniaeth dan gadeiryddiaeth y bywydegydd Ricey Thomas. Neville Evans, y ffisegydd ffraeth, oedd ein hysgrifennydd. Yn gynnar wedi i mi ymuno â'r tîm, penderfynwyd ar gyfres o arolygon cynradd mewn gwahanol ardaloedd a bu hwn yn gyfrwng i weld a deall y diffyg darpariaeth mewn gwyddoniaeth yn yr ysgolion cynradd ar y pryd – rhywbeth yr oeddwn wedi bod yn ymwybodol ohono ers fy nghyfnod yng Ngholeg Caerllion. Nid oedd llawer o'r athrawon cynradd wedi dilyn fawr ddim o gyrsiau gwyddoniaeth, yn arbennig ffiseg a chemeg, ym mlynyddoedd olaf eu haddysg uwchradd a oedd yn arwain at lefel O, ac roeddent yn brin o'r cefndir a'r hyder i gyflwyno gwyddoniaeth a phrofiadau gwyddonol i ddisgyblion yr ysgol gynradd. Yn yr uwchradd, penderfynwyd cynnal arolygon o'r wyth sir yn eu tro gydag un ohonom, o'r tîm, yn arwain yr ymarferiad. Rhoddodd yr arolygon hyn ddarlun llawn inni o gyflwr gwyddoniaeth yn yr ysgolion uwchradd – darlun oedd yn dangos bod gormod o ddisgyblion o lawer yn mynd drwy'r ysgol uwchradd heb afael ddigonol ar hanfodion gwyddoniaeth, yn enwedig gwyddoniaeth ffisegol (neu ffiseg a chemeg i fod yn fanwl).

A ninnau fel gwyddonwyr yn pwyllgora dros nos un tro yng ngwesty Glansevin, pwy oedd yn aros yno hefyd ond James Nicholas, y mathemategydd. Cododd Jâms yn blygeiniol ac roedd ffrwyth ei fyfyrdod byrfyfyr, yn ogystal â sudd oren, ar ein bwrdd brecwast.

Arhosais gyda Ricey – a Gwilym
Dwymgalon a Tony;
Tawel yw Glyn a Nellie,
A'i lon wedd – ein Nefyl ni.

Ni lwyddodd yr Arolygiaeth i fygu awen y prifardd Jâms a chynhwyswyd yr englyn – nad yw Jâms yn hawlio iddo fod yn gampwaith – yng nghofnodion y panel gwyddoniaeth; doedd dim angen rhestr arall i nodi presenoldeb.

Roedd y panel 16-19 yn cynnwys arolygwyr ysgolion a cholegau yn ceisio ymgodymu â chymhlethdod ac anghenion y maes hwn – testun sawl adroddiad dros y blynyddoedd. Hefyd, rhwng 1976 ac 1980, cefais fod yn aelod o weithgor 16-19 Lloegr a Chymru – profiad a fu'n fuddiol iawn i mi allu ddeall cryfder a gwendidau'r gwahanol fathau o drefniadaeth ar gyfer y myfyrwyr hyn, fel y crybwyllir eto.

Panel cymharol newydd oedd yr un ar ddwyieithrwydd dan gadeiryddiaeth Gareth Lloyd Jones. Ei brif waith oedd sefydlu dealltwriaeth ar arfer dda yn yr ysgolion, ystyried casgliadau arolygon ac arolygiadau a cheisio ffurfio barn ar gyfer cynghori'r Swyddfa Gymreig ar bolisi a darpariaeth ar gyfer y Gymraeg a chyfrwng Cymraeg yn benodol.

Staff a disgyblion Ysgol Rhydfelen 1962-63 (y flwyddyn gyntaf yn ei hanes).
Enwau'r staff (o'r chwith): D. Thomas Vale, Mary Edwards, Nia Daniel, Rhiannedd Bowen, Lily Richards, Gwilym E. Humphreys (Prifathro), Dilys W. Lloyd, Glyn Williams, Susie Evans, Janet Ann Davies, Arthur Saunders.

Ysgol Rhydfelen – llun 1962 o'r adeilad pren a godwyd tua 1918.

Cyfarfod gwobrwyo Ysgol Rhydfelen, Hydref 1967.
Y Prif Arolygydd Ysgolion, Wynne Lloyd, yn eistedd nesaf at Gadeirydd y Llywodraethwyr, Yr Henadur J. Haydn Thomas.

Staff cynnar Ysgol Rhydfelen, 1967-68.

Rhes gefn (o'r chwith): Twrog E. Jones, Robin Bateman, Hywel Williams, Gareth Evans, Wyn Harries, Rhys Llwyd, Gwyn P. Jones, Alun Davies, Gareth Williams, Huw Thomas, Eleri Evans, Ruth Evans.
Rhes ganol: Howard Jones, Ieuan Morgan, Eileen Beasley, M. Richards, Régine Le Garrec, Menna Bennett Owen, Eirlys Jones, Janet Lewis, Gwen Aaron, Olwen Walters, Ann Ladd, Bethan Roberts, Siân Morgan, Marian James.
Eistedd: Nesta Hughes Roberts, Susie Evans, Gwyneth Jeffreys, D. Thomas Vale, Hywel W. Jeffreys, Gwilym E. Humphreys (Prifathro), Lily Richards, Nia Daniel, Rhiannedd Bowen, Gwen Humphreys, Arthur Saunders.

Nia a Gareth yn ffair haf gyntaf Cymdeithas Rhieni Rhydfelen, Gorffennaf 1964.

Cyflwyno cyfres o raglenni gwyddonol i ysgolion ar y teledu, 1965.

Dawns rhieni Ysgol Bryntaf, 1971.
Yn eistedd (o'r chwith): Nia Hall Williams, Bethan Lewis, Richard Hall Williams, Gwilym E. Humphreys, Carys Humphreys.
Yn sefyll: Elan Griffith, Kynric Lewis, Douglas Bassett, Menna Bassett, Gwilym Griffith.

Gwledd ganoloesol yng Nghastell Caerdydd.
Ochr chwith y ford (o'r chwith): Gwyn Erfyl, Lisa Erfyl, Gwilym E. Humphreys, Carys Humphreys.
Ochr dde'r ford (o'r chwith): Shân Emlyn (ei phen), Nia Hall Williams, Owenna Hopwood, Eifion Hopwood, Joan Thomas, Ben Thomas.

Cerdded llwybr arfordir Sir Benfro: Pwllderi, hydref 1975.
(O'r chwith): Eirion Lewis, Glan Roberts, Gwilym E. Humphreys, Ben Thomas, Owen Edwards.

Taith gerdded yn Llangynidr, Gwent, Gorffennaf 1981.
Yn eistedd: Lloyd Evans.
Yn sefyll (o'r chwith): Gwilym E. Humphreys, Seiriol Davies, Owen Edwards, Ben Thomas, Kynric Lewis.

Y teulu yn Annedd Wen, Heol San Mihangel, Caerdydd, 1976.

Gwilym fwstasiog yng ngardd Annedd Wen, Caerdydd, 1977.

Yn ystafell y prifathro, Rhydfelen, 1974.

Yn flynyddol, fe'n gwahoddid ni fel arbenigwyr pwnc neu faes i gynnig cyrsiau hyfforddiant mewn swydd i athrawon ac/neu i ddarlithwyr – cyrsiau i ateb yr anghenion cyfredol o fewn y maes. O fewn gwyddoniaeth, er enghraifft, daeth yn amlwg bod angen trafodaeth a chyfarwyddyd ar swyddogaeth pennaeth adran yn yr ysgol uwchradd, ac mewn cemeg, fe welwyd bod agweddau ar y cwrs Safon Uwch yn peri problem i rai athrawon. Bu'r cyrsiau a drefnwyd gennym er mwyn gosod canllawiau i athrawon yn dra phoblogaidd, a buddiol yn ôl yr ymateb. (Yn ystod un o'r cyrsiau hyn, yn y Coleg Normal yn Ebrill 1980, y cefais fy neffro gan alwad ffôn ganol nos gan fy chwaer, Ann, i ddweud bod fy nhad yn ddifrifol wael yn yr ysbyty a medrais gyrraedd yr ysbyty i gael fy sgwrs olaf ag ef.) Teimlwn fod sefyllfa wahanol yr ysgolion uwchradd dwyieithog yn haeddu sylw arbennig ac o fewn y rhaglen hyfforddiant mewn-swydd cynigiais gwrs i brifathrawon a staff hŷn yr ysgolion hynny – fel y nodir yn ddiweddarach.

Yr oedd yr amser a dreuliem yn hyfforddi yn gyfran gymharol fach o'n rhaglen ond yn un a werthfawrogid gan ysgolion yn gyffredinol. Yn ystod fy wyth mlynedd yn yr Arolygiaeth, cwtogwyd yn fawr ar y rhaglen hon er mwyn rhoi blaenoriaeth i agweddau eraill.

Cydnabyddid yr angen i hyfforddi'r arolygwyr eu hunain ac fe gynigid rhaglen o gyrsiau yn y gwahanol feysydd, gan wahodd arbenigwyr o'r tu allan i'r Arolygiaeth i gyfrannu ar adegau, yn enwedig athrawon a allai gyflwyno arfer dda yn eu hysgolion. Cofiaf yn dda fynychu cyrsiau hynod fuddiol ar sgiliau astudio, dysgu-o-bell ac ar iaith ar draws y cwricwlwm – meysydd y ceisiais roi pwyslais arbennig arnynt yn ddiweddarach yn fy ngyrfa. Gan mai gwaith pur unig oedd gwaith arolygydd yn aml, fe werthfawrogid yn fawr unrhyw gyfle i gyfarfod cydweithwyr mewn cwrs a chynhadledd ac i weithio fel tîm. Yr oedd cynhadledd flynyddol arolygwyr Cymru, nosweithiau cymdeithasol swyddfa Caerdydd, a'r gemau criced yn y Fenni yn achlysuron i'w croesawu.

Fe geisid cadw mewn cysylltiad â phanelau pwnc y Cyd-bwyllgor Addysg ac â chymdeithasau proffesiynol y gwahanol bynciau. Yr oeddem, wrth reswm, yn gweithio'n agos gyda'r awdurdodau addysg – gyda'r ymgynghorwyr ar faterion cwricwlwm a chyda'r swyddogion addysg ar gasgliadau ein harolygon ac arolygiadau. Deuthum i ddeall rhai agweddau o waith Cyfarwyddwr Addysg, ond nid y cyfan o bell ffordd – fel y darganfûm yn ddiweddarach.

Bu rhannu amser gwaith arolygwyr rhwng y gwahanol elfennau o'u cyfrifoldebau yn destun trafodaeth barhaus – yn fewnol ac, yn ddiweddarach, gan swyddogion y *DES* a'r Swyddfa Gymreig. Bûm yn aelod o grŵp bach o arolygwyr o Gymru a Lloegr a fu'n edrych ar y mater hwn ac a gyflwynodd adroddiad ar y pwnc. Dros y blynyddoedd, cynyddodd y pwyslais ar ymweld ag ysgolion a cholegau – naill ai drwy ymweliadau bugeiliol unigol, neu drwy arolygiadau llawn neu arolygon pwnc neu faes wedi eu rhaglennu ar gyfer tîm o arolygwyr – a lleihaodd yr hyfforddiant mewn-swydd a chysylltiadau allanol.

Cynhwysai'r rhaglen flynyddol fanylion am gyfraniad yr arolygwyr i gyd – tua chwe deg ohonom yng Nghymru ar y pryd, os cofiaf yn iawn. Fel rheol, ni chynhwysid mwy na deg arolygiad llawn o ysgolion uwchradd yn y rhaglen a thua dwywaith cymaint o'r cynradd. Golygai hynny mai tua 4% o ysgolion Cymru a arolygid bob blwyddyn. Er y gallai ysgol dderbyn ymweliad gan AEM yn rhan o arolwg pwnc neu faes penodol, ac ymweliadau bugeiliol achlysurol, gallai fod heb ei harolygu'n llawn am gyfnod o ugain mlynedd a mwy. Roedd y diffyg hwn i brofi'n un rheswm, neu esgus, dros chwalu'r drefn arolygu'n llwyr gan y llywodraeth Dorïaidd yn y naw degau cynnar.

Yn ystod y cyfnod y bûm i yn yr Arolygiaeth, roedd cryn bwyslais ar gyhoeddi papurau trafod ar feysydd penodol megis addysg drwy'r Gymraeg, swyddogaeth staff hŷn, swyddogaeth pennaeth adran, chweched dosbarth ac ati – y cyfan wedi eu sylfaenu ar brofiadau arolygwyr yn y maes drwy arolygiadau llawn, arolygon pwnc/maes ac ymweliadau bugeiliol. Dewisid un arolygydd i ysgrifennu'r papur wedi iddo/iddi dderbyn cyfraniadau a thystiolaeth gan gydweithwyr ar agweddau penodol. Trafodid y papurau uwchradd yn y pwyllgor hwnnw ac fe ffurfiai tîm o hanner dwsin ohonom yn grŵp sgrifennu i drafod yn fanwl bob drafft o bob cyhoeddiad cyn ei ryddhau i'w gyhoeddi. Prif amcan y cyhoeddiadau hyn oedd hyrwyddo arfer dda a gosod canllawiau ar gyfer datblygiad. Ar adegau, gelwid cynhadledd i gyflwyno ac ysgogi trafodaeth ar y papurau hyn. Heb amheuaeth, bu'n gyfnod cynhyrchiol iawn gan arolygwyr Cymru.

Deuthum i ddeall yn bur gynnar ar ôl ymuno â'r Arolygiaeth fod gofyn am safon arbennig o ysgrifennu ac roedd canllawiau clir ynglŷn â'r hyn oedd yn dderbyniol o ran cynnwys ac arddull. Roedd confensiwn na ddylid enwi athrawon mewn adroddiad na chyhoeddiad ac mai ar brofiadau a safonau disgyblion y dylid canolbwyntio. Ar adegau, gwnâi hyn yr ysgrifennu'n gymhleth a heb fod yn ddigon penodol a chlir ond roedd yn adlewyrchu'r pwyslais o fewn yr Arolygiaeth ar drin cydaddysgwyr yn sensitif a phroffesiynol. Dyma'r elfen a wnaeth i'r llywodraeth ddisgrifio'r berthynas rhwng AEM a'r athrawon yn un rhy gyfforddus – *cosy* oedd y gair Saesneg.

Yr oedd y gwaith ysgrifennu'n drwm a heriol. Hefyd, mae'n rhaid cyfaddef i mi gael tipyn o sioc gyda llymder beirniadaeth arolygwyr o waith ysgrifenedig eu cymheiriaid. Cofiaf, er enghraifft, y driniaeth a gafodd drafft cyntaf fy adroddiad cyntaf – un y bûm yn chwysu drosto am wythnos neu fwy ac yn tybied ei fod yn bur dderbyniol, os nad yn gampwaith! Roedd derbyn sylwadau ar bob tudalen gyda'r geiriau fel

'Cyfiawnhewch' neu 'Tystiolaeth?' yn dipyn o ergyd ond yn werthfawr iawn yn y pen draw i sicrhau adroddiad teg a rhesymegol. Ers y cyfnod hwnnw, bûm yn fwy na pharod i dderbyn barn arall ar yr hyn a ysgrifennaf gan sylweddoli mai'r awdur yw'r olaf i weld ei wendidau a'i lithriadau.

Un nodwedd o waith AEM a ddaeth i'r amlwg yn gynnar oedd maint y teithio a'r gofyn i fod oddi cartref dros nos yn aml. Yn fy mlwyddyn gyntaf fel arolygydd, treuliais dros naw deg o nosweithiau oddi cartref. A derbyn bod hyn yn anarferol o uchel oherwydd mai fi oedd yr unig gemegydd ar gyfer galwadau ysgolion a cholegau nes penodi cydweithiwr arall yn y maes, hyd yn oed wedyn bu'n gyson tua saith deg noson y flwyddyn. Deuthum i wybod ble'r oedd y rhan fwyaf o westyau Cymru, a nifer dda yn Lloegr, a gallwn roi darlun gweddol i'r Bwrdd Croeso o'u safon, ac ym mha rai yr oedd bwrdd snwcer!

Roedd yr wyth mlynedd a dreuliais i yn yr Arolygiaeth yn cydredeg, i raddau helaeth, â chynyrfiadau gwleidyddol yn ymwneud ag addysg. Oherwydd ein bod yn rhan o'r Swyddfa Gymreig ac yn gysylltiedig efo digwyddiadau yn Elizabeth House, cartref yr Adran Addysg a Gwyddoniaeth, y *DES*, yn Llundain, roeddem fel arolygwyr, i wahanol raddau, yn weddol agos at lywodraeth y dydd ac roedd yr hinsawdd wleidyddol yn effeithio i ryw raddau ar ein gwaith, er bod Sheila Brown, Prif Arolygydd Lloegr, ac Eryl Davies, Prif Arolygydd Cymru, a'i olynydd, Illtyd Lloyd, yn amddiffynwyr glew o'n hannibyniaeth ar lywodraeth y dydd, annibyniaeth a oedd yn destun poendod i'r llywodraeth.

Fel y nodais eisoes mewn pennod flaenorol, roedd 1944 yn ddechrau cyfnod pan fu'r cwricwlwm – yr hyn a addysgid yn yr ysgolion – i bob pwrpas, yn nwylo'r athrawon, heb fawr ddim ymyrraeth gan lywodraeth ganol na lleol. Gellid dweud i hyn barhau fwy neu lai heb ei gwestiynu hyd at ddiwedd y chwe degau ac eithrio pan fynegodd David Eccles, yr Ysgrifennydd Addysg Torïaidd, yn 1960, ei bryder fod dadleuon ar addysg yn ymwneud gormod â brics a morter a threfniadaeth yn hytrach nag ar gynnwys y cwricwlwm. Ei ymadrodd ef yw 'gardd ddirgel y cwricwlwm' – geiriau a ailadroddwyd yn 1976 gan James Callaghan, y Prif Weinidog Llafur, yn ei araith enwog yng Ngholeg Ruskin, Rhydychen.

Nodwedd y cyfnod o 1970 hyd heddiw yw'r diddordeb cynyddol a gymerodd gwleidyddion mewn addysg – naill ai am fod ganddynt bryder gwirioneddol ynglŷn â safonau neu roeddent yn gweld mantais wleidyddol o roi addysg yn uchel ar yr agenda. Ar ôl i wleidyddion roi penrhyddid i athrawon am gyfnod go hir, doedd hi ddim yn anodd priodoli'r bai am safonau addysg i'r proffesiwn; ac mi fyddwn i'n cytuno ei bod yn deg i'r proffesiwn (athrawon, darlithwyr adrannau addysg y colegau, swyddogion addysg, ymgynghorwyr, ac arolygwyr) ysgwyddo peth o'r bai – ac awdurdodau addysg hefyd, oherwydd eu diffyg diddordeb yn yr hyn a ddigwyddai yn yr ysgolion.

Yn benodol, haerodd James Callaghan nad oedd yr ysgolion yn darparu disgyblion ar gyfer anghenion y byd real, eu bod wedi colli cyswllt â'r byd hwnnw. Darlith Ruskin a roddodd ddechrau i'r Ddadl Fawr ar addysg ac a fu'n ysgogiad i greu'r Cwricwlwm Cenedlaethol. Yn 1978, cynhaliwyd arolwg trwyadl o addysg gynradd yn Lloegr, ac un llai cynhwysfawr yng Nghymru. Yn 1979, trefnwyd yr un peth mewn perthynas ag addysg uwchradd, ac yn yr un flwyddyn fe gyhoeddwyd 'papurau du' Cox a Dyson, yn ymosod ar addysg gyfun yn arbennig.

Yr oeddwn yn ymwybodol o'r frwydr fewnol yn yr Adran Addysg a Gwyddoniaeth. Roedd y gwleidyddion yn dymuno rheoli'r cwricwlwm gan fod rhai agweddau'n achosi consýrn gwleidyddol, yn arbennig felly mewn awdurdodau tebyg i *ILEA*, Llundain. Dadleuai swyddogion y *DES* a'r Swyddfa Gymreig, a oedd yn awyddus i'w hailsefydlu eu hunain ar faterion polisi, ynglŷn â'r angen am wella effeithlonrwydd. Ar y llaw arall, roeddem fel Arolygwyr yn fawr ein pryder ynglŷn â natur y cwricwlwm yn yr ysgolion, yn arbennig felly ym mlynyddoedd 4 a 5 (blynyddoedd 10 ac 11 bellach) yn yr ysgolion uwchradd. Gwelwyd drwy ein hymweliadau ag ysgolion, ac a gadarnhawyd yn Arolwg Uwchradd (1978), fod rhai disgyblion yn dilyn cwricwlwm cul, diffaith, nid yn unig o ran pynciau ond o ran y math o brofiadau a gaent – cwricwlwm nad oedd yn eu darparu'n ddigonol ar gyfer gwaith a bywyd. Daeth yn amlwg hefyd fod carfan dda o ddisgyblion yn tangyflawni yng Nghymru, yn arbennig bechgyn yn eu blynyddoedd olaf o addysg statudol. Rhyddhaodd yr Arolygiaeth yng Nghymru nifer o gyhoeddiadau i drafod y rhesymau am hyn a chynnig arweiniad i ysgolion drwy gyrsiau a chynadleddau.

Yn oblygedig yn y sylwadau a fynegwyd gan y carfanau uchod, heblaw am eu beirniadaeth breifat o'i gilydd, yr oedd beirniadaeth o'r awdurdodau addysg am eu diffyg rheolaeth o'r cwricwlwm ac am iddynt ganiatáu i ysgolion gael gormod o ryddid. Yn bersonol, credaf fod sail i'r feirniadaeth honno yn y rhan fwyaf o awdurdodau, a phan afaelodd awdurdodau addysg yn yr awenau yng nghanol yr wyth degau roedd hi'n rhy hwyr; roedd gan y gwleidyddion Toriaidd eu bryd ar ddirymu swyddogaeth yr awdurdodau addysg a thynnu rheolaeth addysg fwyfwy i'r canol.

Os nodwedd y cyfnod o 1944 tan 1970 oedd bod penderfyniadau yn nwylo athrawon, nodweddwyd y cyfnod o 1970 hyd heddiw gan ymyrraeth gwleidyddion, yn arbennig yn ystod cyfnod Margaret Thatcher fel Prif Weinidog, o 1979 tan 1991, ac ni leihaodd diddordeb y gwleidyddion wedi dyfodiad llywodraeth Lafur Tony Blair.

Ein gwaith ni fel arolygwyr yn yr hinsawdd hwn oedd ceisio cyflwyno'r gwir ddarlun, mewn ysgolion unigol ac yn gyffredinol, a cheisio gosod canllawiau ar gyfer gwella, drwy ein cyhoeddiadau annibynnol a'n hyfforddiant mewn swydd. Cyn 1983, ar gyfer yr Ysgrifennydd Gwladol y bwriadwyd adroddiadau arolygiadau AEM yn bennaf. Ond yn 1983, penderfynwyd eu rhyddhau i bawb â diddordeb yn yr ysgol neu'r coleg dan sylw. Golygai hynny fod sylwadau AEM yn agored bellach i sylw cylch ehangach a bod gwaith AEM yn fwy cyhoeddus nag ar unrhyw adeg yn ei hanes fel corff. Ni wn yn union pa effaith a gafodd hyn ar yr Arolygiaeth gan mai yn y flwyddyn honno y newidiais swydd ond, yn sicr, o safbwynt yr Awdurdod Addysg, roedd mwy o bwysau i ymateb i'r gwendidau a nodwyd.

Drwy gydol fy nghyfnod yn arolygydd, ystyriais hi'n fraint fawr i gael mynd i ysgol a choleg, ac yn arbennig o gael gwylio athrawon a disgyblion wrth eu gwaith yn yr ystafell ddosbarth, neu'n aml yn fy achos i, yn y labordy. Er i mi fod yn gyfarwydd ag ymweld â dosbarthiadau yng Nghaerllion a Rhydfelen, sylweddolais fy mod i, fel arolygydd dieithr i'r mwyafrif o athrawon, a thrwy fy mhresenoldeb yn y dosbarth, yn ymyrryd ar eu perthynas gyda'u disgyblion; bûm yn ymwybodol o hyn drwy gydol yr adeg. Ymdeimlwn hefyd â maint fy nghyfrifioldeb ac effaith anuniongyrchol posibl unrhyw beth a ddywedwn neu a ysgrifennwn ar yr athro neu'r athrawes. Clywais ddywedyd ganwaith bod athrawon mewn ofn a dychryn o gael ymweliad gan arolygydd ac mae'n sicr bod hynny'n wir. Ond rhaid cofio'r un pryd bod y profiad yn un llawn tyndra hefyd i'r arolygydd cydwybodol oherwydd bod gofynion proffesiynol y swydd mor uchel.

Wrth reswm, caiff arolygydd fod yn dyst i brofiadau amrywiol iawn wrth wylio athrawon a disgyblion wrth eu gwaith. Mae'n anodd cyffredinoli ond mae'n debyg mai yn y dosbarth babanod, lle'r oedd athrawesau (ac athro mewn un ysgol y bûm ynddi) yn gosod sylfeini penodol i ddisgyblion, y gwelais i addysgu ar ei orau – a hynny dan amgylchiadau anodd weithiau gan fod y dosbarthiadau mor fawr. Ar y pegwn arall, yn aml mewn dosbarthiadau chwech bychain, gwelais addysgu di-ffrwt a chwbl amddifad o her a sialens. Ond mae un wers gemeg chweched dosbarth mewn dosbarth o ddwsin yn aros o hyd yn y cof. Gofynnwyd i'r myfyrwyr baratoi a darllen mewn maes newydd ymlaen llaw, yna dewisodd yr athro un ohonynt i gyflwyno'r pwnc a chael ymateb ei gyd-fyfyrwyr. Wedyn, aeth yr athro ati i lenwi'r bylchau o ran gwybodaeth a dealltwriaeth a'r myfyrwyr, oherwydd eu paratoad, mewn *cyflwr* i gael eu goleuo. Ni chaed dysgu o'r safon yma yn aml, yn enwedig yn y chweched dosbarth.

Trawyd fi'n aml gan y sefyllfa afresymegol o addysgu plant y dosbarth babanod, lle gosodir seiliau addysg yr unigolyn, mewn dosbarthiadau o ddeg ar hugain neu fwy, tra câi disgyblion blynyddoedd deg i dri ar ddeg (yn enwedig y chweched dosbarth) eu haddysgu mewn grwpiau bach iawn mor aml. Mae gwir angen troi'r pyramid hwn ar ei ben gan gynyddu maint dosbarthiadau wrth ddringo'r ysgol. Credaf fod manteision mawr i drefn o ddechrau gyda dosbarthiadau bach gyda'r babanod a chynyddu'r rhif yn raddol o ris i ris, yn enwedig mewn gwlad sy'n ceisio gosod seiliau mewn dwy iaith. Ond ni chredaf chwaith bod newid y drefn yn hawdd!

Un o'r profiadau mwyaf diddorol a dadlennol oedd yr arolwg a wnaethom fel AEM o'r defnydd o iaith, y Gymraeg neu'r Saesneg, llafar ac ysgrifenedig, wrth addysgu'r gwahanol bynciau yn yr ysgol uwchradd. Ar un pegwn, daethpwyd ar draws gwersi lle na ofynnid i'r disgybl unigol *ddweud* yr un gair a lle nad oedd rhaid iddo wneud dim mwy na chopïo oddi ar y bwrdd du (neu wyn). Yn y gwersi gorau, caed cyflwyniad bywiog, holi heriol ar unigolion gan fynnu ymateb llafar llawn cyn troi i ysgrifennu mewn gwahanol arddulliau a chyweiriau i gyfateb i natur y gynulleidfa. Deuthum i sylweddoli, mewn perthynas â defnyddio'r Gymraeg yn gyfrwng, mai natur ac ansawdd y profiadau a roddid i hybu'r defnydd o'r iaith yn y wers oedd yn bwysig. Bûm mewn ambell ysgol lle'r oedd y polisi iaith yn nodi y dysgid y mwyafrif o bynciau drwy'r Gymraeg ond, oherwydd y diffyg cyfle a roed i ddisgyblion ei defnyddio yn y gwersi, yn llafar yn enwedig, ychydig o ddylanwad a gâi'r gwersi hynny ar eu datblygiad iaith. Daeth yn amlwg i mi mai'r addysgu gorau o safbwynt rhoi dealltwriaeth o gysyniadau'r pwnc – addysgu sy'n heriol ac yn mynnu ymateb – yw'r addysgu gorau hefyd o safbwynt datblygu iaith. Cymharol ychydig o ysgolion a roddai le canolog i hyrwyddo datblygiad iaith ar draws y pynciau ac i drafodaeth ysgol gyfan ar ddefnyddio iaith. Yn y cyfnod hwn y deuthum i sylweddoli bod gofyn i ysgol ddwyieithog ei chyfrwng roi ystyriaeth i gydbwysedd ieithyddol y disgybl mewn modd mwy soffistigedig na rhannu pynciau'n gyfrwng Cymraeg neu gyfrwng Saesneg. Wedi'r profiad o wylio ystod helaeth o athrawon yn addysgu amrywiol bynciau, mor braf fyddai cael mynd yn ôl i Ysgol Rhydfelen i ailystyried y gwahanol ffyrdd o ddefnyddio'r ddwy iaith ac i arbrofi'n benodol gyda defnyddio'r ddwy iaith o fewn un pwnc.

Mewn gwirionedd, cefais wahoddiad i fynd yn ôl i Rydfelen ar 11 Tachwedd 1983, naw mis ar ôl i mi adael yr Arolygiaeth, i draddodi Darlith Rhydfelen (Darlith Goffa J. Haydn Thomas erbyn hynny) unwaith eto. Y testun a ddewisais oedd 'Dysgu dysgu – dysgu byw'. Wrth ymdrin â'r thema o sicrhau'r cydbwysedd priodol rhwng gwybodaeth a phroses ym mhrofiadau disgyblion, cefais y cyfle i drafod fy syniadau diweddaraf ar y defnydd o'r ddwy iaith yn gyfrwng. Yng Ngwynedd y cefais y cyfle i weld gweithredu rhai o'r syniadau hyn a ddaethant i mi o wylio eraill yn addysgu pan oeddwn yn yr Arolygiaeth. Yn yr Arolygiaeth yr oeddwn yn debyg i wyddonydd heb labordy.

Wrth edrych yn ôl ar fy nghyfnod yn yr Arolygiaeth, wyth mlynedd i gyd, daw nifer o ddigwyddiadau a phrofiadau cyfoethog i'r cof, a rhai troeon trwstan na ellir eu cofnodi. Ond fe fentraf nodi profiad neu ddau sy'n dod â gwen i'r wyneb wrth i mi feddwl amdanynt.

Yn ystod un o'r arolygon gwyddoniaeth uwchradd, roedd tri ohonom wedi treulio'r bore ar safle'r ysgol uchaf. Ar ôl cinio, aethom draw i'r ysgol isaf a oedd gryn bellter i ffwrdd gan gyrraedd yno ychydig funudau cyn amser dechrau gwersi'r pnawn. Eglurodd ysgrifenyddes y prifathro fod y pennaeth wedi mynd i'r safle uchaf ond bod croeso inni eistedd yn ei ystafell i ddisgwyl dechrau'r gwersi, gan ein cyfeirio i'r ystafell briodol. Gadawodd yr ysgrifenyddes a gwelsom fod tedi bêr anferth yn eistedd yng nghadair y prifathro y tu ôl i'r ddesg ac wedi'i wisgo â gŵn, a *mortar board* ar ei ben. Gan dybio bod rhywun yn chwarae cast ar y prifathro, trodd un ohonom yr arth ar ei ben gyda'i goesau yn yr awyr. Ar yr union eiliad hwnnw, daeth yr ysgrifenyddes i mewn. O weld yr olwg tra phryderus ar ei hwyneb, bu inni egluro bod rhywun direidus wedi gosod y tedi ar gadair ei phennaeth, a ninnau wedi ymuno yn yr hwyl. 'Na, na,' meddai, 'y prifathro a'i gosododd yno. Bydd yn rhoi'r tedi bob amser yn y gadair pan fydd yn yr ysgol uchaf. Mae am i ni deimlo ei bresenoldeb pan fydd oddi yma!' 'Allem ni ddim gadael yr ystafell ddigon cyflym i guddio'r wên anghrediniol ar ein hwynebau. Doedd y gwersi gwyddoniaeth y pnawn hwnnw ddim hanner mor ddiddorol.

Ac mae digwyddiad arall na allaf yn hawdd ei anghofio.

Ar brynhawn crasboeth yng Ngorffennaf roeddwn wedi trefnu i ymweld ag ysgol uwchradd i edrych ar wersi cemeg yno ac wedi cyrraedd yr ysgol yn weddol gynnar i gael sgwrs gyda'r prifathro cyn mynd i'r gwersi. Wrth godi, neu geisio codi o'r car, gwelais fod llinynnau o gwm cnoi meddal stici yn fy nilyn o sedd y car ac yn dew ar ben ôl fy nhrowsus. Yr unig eglurhad posib oedd fod y gwm cnoi wedi ei daflu o gerbyd wrth iddo fynd heibio, wedi dod i mewn i'r car drwy'r ffenestr agored ac wedi glanio rhwng fy nghoesau heb i mi sylwi. A minnau wedi eistedd ar y gwm drwy gydol y daith chwyslyd. Gorfu i mi wneud penderfyniad anodd. Ymweld neu yrru adref ar f'union. Ymlaen!

Roedd yn rhaid i mi egluro fy mhroblem i'r prifathro ac awgrymais y gallai'r adran gemeg helpu drwy roi i mi dipyn o aseton neu glorofform. Braidd yn amharod oedd y prifathro o fynd ar y neges ei hun – rhag ofn iddo ddrysu'r enwau cemegol (ys dywedodd)! Ac, felly, bu'n rhaid imi sleifio'n llechwraidd-grancaidd ar hyd wal y coridor i'r labordy, a oedd gerllaw wrth ryw lwc. Ymhen munudau, roeddwn yn ôl yn ystafell y prifathro wedi f'arfogi gyda photel o glorofform a gwlân cotwm. Gan ei bod yn amlwg y byddai angen i mi dynnu fy nhrowsus i gyflawni'r gorchwyl o lanhau, awgrymodd y prifathro y cawn ddefnyddio'i doiled preifat a oedd nesaf at ei ystafell â'i fynedfa yn y coridor. Yno, yn llawn embaras, tynnais fy nhrowsus a mynd ar fy ngliniau i rwbio'r clorofform ar ben ôl trioglyd y trowsus. Llwyddiant ond yn yr ystafell fach gaeëdig yr oeddwn yn dechrau simsanu dan ddylanwad yr anesthetig. Heb feddwl, a minnau'n dal ar fy nghwrcwd, agorais gil y drws ond fe'i caeais mewn amrantiad, ac mewn pryd o drugaredd, o weld y drws gyferbyn yn agor a chip o'r uwch-athrawes yn dod allan o'i hystafell! Meddyliais droeon beth fyddai'r pennawd yn y *Western Mail* pe bai rhywun wedi gweld y ddrama!

Un o'r profiadau mwyaf pleserus ac, mewn llawer ystyr, mwyaf heriol, oedd hwnnw a gawn ym mis Hydref yn flynyddol bron, sef cael bod yn aelod o'r tîm uwchradd a oedd yn cynnal cwrs wythnos i brifathrawon a staff hŷn yn Llandrindod – cwrs yr oeddwn wedi ei fynychu fel prifathro yn nyddiau Rhydfelen a'i gael yn hynod fuddiol. Ein bwriad drwy'r cwrs hwn oedd rhoi cyfle i staff hŷn yr ysgolion uwchradd roi ystyriaeth i gwricwlwm, trefniadaeth a rheolaeth yr ysgol uwchradd ac fe wnaed hynny drwy ddarlithoedd, grwpiau trafod a gweithdai. Ar wahân i gyfraniad yr Arolygiaeth, fe wahoddid siaradwyr o gylchoedd eraill ym myd addysg i ddarlithio ar wahanol agweddau, ond efallai mai'r agwedd fwyaf buddiol a diddorol oedd yr astudiaeth o Ysgol X. Fe baratoid ymlaen llaw gennym fel arolygwyr fanylion llawn o ysgol ddychmygol – ei chwricwlwm, ei threfniadaeth, ei system fugeiliaeth, ei staffio, ynghyd â phroffil o'i staff a chyfres o 'broblemau' yr oedd yn eu hwynebu. Un o brif dasgau'r cwrs oedd dadansoddi'r ysgol hon ac, ar sail dealltwriaeth ohoni a'r syniadau a gyflwynwyd drwy'r darlithoedd a'r trafodaethau, ei haddasu i gyfarfod â gofynion cyfoes a chynnig canllawiau i ddatrys ei 'phroblemau'. Ar ddiwedd y cwrs, caed cyflwyniadau gan aelodau'r cwrs o'u hysgol X ar ei newydd wedd. Rhyfeddais droeon at y modd y byddai mynychwyr y cwrs yma yn ymroi i'w tasgau mor frwdfrydig ac âi'r trafodaethau ymlaen ymhell y tu hwnt i oriau'r cwrs. Un o fendithion amlwg y cwrs preswyl oedd y cyfle a gâi aelodau i drafod eu hysgolion eu hunain ac i wrando ar eraill yn sôn am eu problemau a'u llwyddiannau. Roedd yn anodd iawn ymryddhau o gwrs fel hwn ond byddai rhai ohonom yn llwyddo i ymlacio drwy gael ambell gêm o snwcer yn hwyr yn y nos yng Nghlwb y Toriaid y drws nesaf i'r gwesty lle cynhelid y cwrs.

Wedi bod yn Llandrindod am nifer o flynyddoedd, teimlais fod angen i gwrs o'r fath roi sylw penodol i'r ysgol uwchradd ddwyieithog ac yng Ngorffennaf 1979 trefnais y cwrs cyntaf o'i fath yn y Coleg Amaethyddol yn Llanbadarn. Daeth dros hanner cant o brifathrawon a staff hŷn ynghyd i drafod natur a phroblemau'r ysgol uwchradd – penodol a naturiol – a oedd yn defnyddio'r Gymraeg yn gyfrwng. Ar wahân i'r trafodaethau brwd a hynod fuddiol, caed cyfle i gymdeithasu ac i ddatblygu cysylltiadau newydd. Ymhen dwy flynedd, trefnais gwrs arall tebyg ac yr oeddwn erbyn hyn wedi llunio ysgol ddwyieithog ddychmygol

– a elwais yn Ysgol Uwchradd Ffridd y Llyn – heb wybod fod ysgol gynradd o'r un enw yng Ngwynedd! Erbyn diwedd yr wythnos, roedd pawb yn 'nabod yr ysgol uwchradd hon yn dda ond roedd yr aelodau wedi ei newid o ran ei chwricwlwm a'i threfniadaeth ar sail ein trafodaethau ac wedi elwa'n fawr, mi gredaf, o'r darlithoedd a'r trafodaethau. Cyn i mi allu cynnal cwrs 1983, roeddwn wedi gadael yr Arolygiaeth i wynebu her real yng Ngwynedd.

Ystyriwn fy hun yn hynod ffodus o gael cynrychioli'r Arolygiaeth yng Nghymru ar banel addysg 16-19 Lloegr rhwng 1977 a 1980. Grŵp bach o wyth o arolygwyr oedd hwn yn cyfarfod fel arfer yn Elizabeth House, cartre'r *DES* yn Llundain. Roedd yr adeilad digymeriad seithllawr hwn ger gorsaf Waterloo. Gan fod yr adeilad yn gyson rhy boeth ac fel popty yn yr haf, fe agorid y ffenestri a byddai ein trafodaethau'n cael eu cynnal i gefndir o sŵn trenau di-baid. Ond roeddent yn drafodaethau hynod ddiddorol, yn arbennig y rheini ar ôl ein hymweliadau â gwahanol sefydliadau. Buom, dros gyfnod o dros flwyddyn, yn ymweld ag amrywiaeth o sefydliadau a oedd yn darparu addysg 16-19, yn chweched dosbarth mewn ysgolion 11-18 o bob maint, yn golegau chweched dosbarth, colegau trydyddol a cholegau addysg bellach. Ac, yn ddiddorol iawn i mi, fe gynhwysid ysgolion bonedd yn y rhaglen hon o ymweliadau – llefydd fel Eton a Bryanston. Roedd cael treulio pedwar diwrnod yn Eton gyda'r rhyddid i ymweld â gwersi chweched dosbarth yn y gwahanol bynciau yn brofiad cofiadwy ac, ar ryw ystyr, yn un annisgwyl. Yn un peth, roedd y rhan fwyaf o'r dosbarthiadau yn fawr – ugain a mwy o fyfyrwyr a'r addysgu'n manteisio'n sylweddol ar ymateb a chyfraniadau llafar y myfyrwyr. Roedd yr adnoddau'n rhagorol ac ymroddiad yr athrawon talentog yn sylweddol i'w ryfeddu. Awyrgylch o weithio caled ac o fod yn werthfawrogol o'r cyfle i fod yno oedd yr argraff a adawyd arnaf fi gan y myfyrwyr a oedd yn hynod o gwrtais ac agored. Ond deuthum ar draws ambell un oedd yn teimlo'n euog ei fod yn cael y fath ffafriaeth oherwydd cyfoeth ei deulu.

A minnau'n gweithio yn y swyddfa yn Llanisien ar ddechrau haf 1882, daeth Ronnie Williams, un o'm cydweithwyr, ataf a thynnu fy sylw at hysbyseb yn y wasg am Gyfarwyddwr Addysg i Wynedd gan ychwanegu'n frwdfrydig y byddai'n sialens wrth fy modd ac yn un y dylwn ei chymryd. Nid oeddwn wedi clywed dim oll am hyn a daeth y newydd yn dipyn o sioc. Er fy mod ar fin wynebu cyfrifoldebau newydd yn yr Arolygiaeth, lle'r oeddwn yn berffaith hapus, ni chymerodd hi'n hir iawn i mi benderfynu mai hon, efallai, oedd y sialens nesaf, a'r olaf, mewn gyrfa hynod ddiddorol. Pe bai hi'n swydd mewn unrhyw awdurdod addysg arall, 'fyddwn i ddim wedi cyffroi dim ond yr oedd swydd Cyfarwyddwr Addysg *Gwynedd* yn wahanol. Onid yma yr oedd yr Awdurdod Addysg wedi sefydlu polisi iaith blaengar ar ôl ad-drefnu'r siroedd yn 1974? Onid yma yr oedd nifer dda o gynghorwyr a oedd o ddifrif dros gynnal y bywyd Cymraeg a diogelu'r cymunedau Cymraeg? Onid yn y sir hon yr oedd amryw o addysgwyr profiadol wedi cael eu hethol i'r Cyngor? Ac onid yma yr oedd Prif Weithredwr y byddwn yn sicr o fod ar yr un donfedd ag ef? Roedd y swydd yn apelio'n bendant ac, o'm hadnabyddiaeth o'r sir a'i hysgolion, yn faes ffrwythlon i nifer o ddatblygiadau pellach ar y sylfeini a osodwyd.

Cefais fy mhenodi ar Orffennaf 15, 1982, ar ôl deuddydd o gyfweliadau o flaen y Cyngor llawn, yn y siambr a elwir bellach yn siambr Hywel Dda. Roeddwn yn hynod falch o gael olynu Tecwyn Ellis yn Gyfarwyddwr am fod ein gwerthoedd a'n hathroniaeth yn debyg – yn enwedig o safbwynt lle'r Gymraeg mewn addysg. Trefnwyd i mi ddechrau ar Chwefror 14, 1983, gan roi cyfnod o orgyffwrdd rhwng y ddau ohonom nes byddai Tecwyn Ellis yn ymddeol yn Ebrill ar ôl naw mlynedd o wasanaeth gwerthfawr fel Cyfarwyddwr yn y sir newydd. Roedd y cyfnod rhwng y penodi a'r dechrau yn gyfle i ddod i 'nabod arferion llywodraeth leol yn well, dod yn gyfarwydd â threfn yr Adran Addysg yng Ngwynedd ac i osod rhai datblygiadau ar y gweill. Bûm yng Nghaernarfon ar fwy nag un achlysur ac Owain Owain, y Dirprwy Gyfarwyddwr, yn hynod o gymwynasgar a pharod i hwyluso fy nyfodiad i'r swydd. Bu'r Cyngor Sir yn barod iawn i ymateb i'm ceisiadau am arian ychwanegol i ddibenion penodol ac yn arbennig o barod i weld penodi Prif Ymgynghorydd rhag blaen – swydd a ystyriwn i'n allweddol os oeddem am ddatblygu tîm ymgynghorol a oedd yn cerdded i'r un cyfeiriad ac yn gefn buddiol i'r ysgolion ac i'r Awdurdod. Ac yr oedd bylchau amlwg eraill i'w llenwi; nid oedd Ymgynghorydd Gwyddoniaeth yng Ngwynedd a hefyd fe ystyriwn ei bod yn anhepgorol cael Ymgynghorydd Saesneg mewn sir a oedd yn rhoi'r fath bwyslais ar y gallu i siarad dwy iaith. Roedd ymateb y Cyngor i'r gofynion hyn ac eraill yn galonogol iawn ac yn help i godi fy awch am gael dechrau yn y swydd. Rhwng Gorffennaf 1982 a Chwefror 1983, tueddwn i edrych ar bob mater addysgol o safbwynt anghenion a gobeithion Gwynedd.

Fel y gellir tybio, nid oedd gadael yr Arolygiaeth hanner mor anodd â gadael Rhydfelen; doedd gen i'r un greadigaeth benodol i'w gadael. Heb amheuaeth, bu fy wyth mlynedd fel AEM yn rhai cyfoethog iawn o ran profiad a chyfeillgarwch personol a phroffesiynol. Roedd yn chwith gen i adael cydweithwyr hynod o hawdd gweithio â nhw, a llawer ohonynt wedi dysgu llawer i mi. Illtyd Lloyd, brodor o Borth Talbot, oedd y Prif Arolygydd ar ddiwedd fy nghyfnod yn yr Arolygiaeth – un y mae gennyf y parch mwyaf tuag ato. Yn weithiwr caled iawn ei hun, fe ddisgwyliai'r un ymroddiad gan ei gydweithwyr ac ni allai oddef llai na'r safonau proffesiynol uchaf. Rhoddodd arweiniad cadarn a diogel i sefydliadau ac awdurdodau o fewn y gyfundrefn addysg yng Nghymru – cyfundrefn yr oedd yr Arolygiaeth yng Nghymru yn ei hadnabod yn dda gan ein bod mor agos at y sefydliadau ac yn meddu ar gymaint o dystiolaeth uniongyrchol o gymharu ag arolygwyr Lloegr. Gwelwyd ffrwyth dylanwad tawel Illtyd Lloyd ar wleidyddion y Swyddfa Gymreig mewn sawl maes – yn arbennig mewn perthynas â'r Gymraeg a'i lle yn y Cwricwlwm Cenedlaethol. Dysgais lawer ganddo ac os oeddwn yn aeddfetach addysgwr a phraffach arsyllwr yn gadael yr Arolygiaeth i fod yn Gyfarwyddwr Addysg, mae llawer o'r diolch am hynny i Illtyd a'i debyg o fewn yr Arolygiaeth. Yn bendifaddau, roeddwn yn gadael yn well ysgrifennwr yn y ddwy iaith, ac ysgrifennwr adroddiadau yn arbennig; yn sicr, cefais ddigon o ymarfer ac elwais o fod mewn cyfundrefn a oedd yn agored feirniadol o waith ysgrifenedig ein gilydd.

✦ ✦ ✦

Fel y nodais eisoes, roedd gofynion fy swydd fel arolygydd yn golygu fy mod i ffwrdd oddi cartref yn aml ac roedd hynny'n lleihau'r cyfle a gawn i roi sylw teilwng i'r teulu, a'r plant yn arbennig, mewn adeg go bwysig yn eu haddysg a'u datblygiad. Rhoddais gyfran go dda o'm hamser yn 1975 i waith y Pwyllgor Bugeiliol a sefydlwyd i chwilio am olynydd i'r Parchedig Lodwig Jones. Ar Sul crasboeth ym Mehefin 1975, daeth y Parchedig Cynwil Williams, Dinbych, atom fel eglwys i bregethu ar brawf. Pan gymerwyd llais yr eglwys (ac Eglwys Pembroke Terrace, hefyd, a oedd i uno â ni ar ddechrau 1976), penderfynwyd rhoi gwahoddiad iddo i ddod atom yn fugail yn Ionawr 1976, a derbyniodd yntau. Ers blynyddoedd, roedd fy chwaer, Ann, wedi bod yn canmol ei gweinidog yn Ninbych. Credaf iddi sylweddoli ei chamgymeriad pan ddaeth Cynwil atom i Gaerdydd! Fe gefais, fel llywydd y mis, y pleser o'i groesawu ef a'i deulu, ac aelodau Pembroke Terrace, atom ar Sul cyntaf yn 1976 ond yr oedd hi'n Ebrill 1976 arnom yn cael Cwrdd Sefydlu. Yr oedd gair am Cynwil fel meddyliwr praff, darllenwr eang a phregethwr a diwinydd a allai gyfathrebu â'i gynulleidfa. Roedd ein disgwyliadau'n uchel.

Rwyf eisoes wedi cyfeirio at apêl Sir Benfro i ni a'n cyfeillion yng Nghaerdydd. Wrth ymuno â'r Arolygiaeth, roedd un fantais amlwg o gymharu â bod yn brifathro – gallwn gymryd gwyliau yn ystod tymor yr ysgol – ac o hydref 1975 ac am flynyddoedd wedyn byddai nifer ohonom, ddynion, yn mynd i gerdded llwybr yr arfordir. Amrywiai cynnwys y fintai o flwyddyn i flwyddyn (byth yn fwy na saith) ond bu Owen Edwards a Ben Thomas a minnau yn gerddwyr cyson. Y drefn arferol fyddai cychwyn ar ôl te nos Fawrth am Aberteifi ac roedd ffermdy gwyliau Pantyderi, Boncath, yn llety croesawgar inni droeon ar y noson honno. Fore Mercher, dechrau cerdded y llwybr, gyda'n paciau ar ein cefnau, o draeth Poppit ger Llandudoch a cherdded y diwrnod cyntaf heibio Ceibwr i Drefdraeth. Roeddem wedi llwyr ymlâdd fel rheol ar ôl cerdded dros bymtheng milltir caled – yn serth i fyny ac i lawr am yn ail – ond gyda'r golygfeydd hydrefol mwyaf gogoneddus i'n hysbrydoli, weithiau mewn heulwen ac ambell dro mewn glaw. Pryd sylweddol o fwyd yn y Golden Lion gan Glyn a Penny Rees, a gwely, gweddol gynnar, y noson honno a chodi fore drannoeth â'n cymalau braidd yn anystwyth oherwydd ein diffyg ymarfer blaenorol – yr hyn oedd yn sbarduno addewid blynyddol i ymarfer yn gyson yn y dyfodol, ond nas cyflawnid. Taith arferol yr ail ddiwrnod fyddai o gwmpas Pen Dinas a Phwll Gwaelod i Abergwaun ac aros dros nos mewn gwesty yno. Ond y flwyddyn gyntaf roeddem wedi trefnu i aros yn yr hostel ieuenctid ym Mhwll Deri ar benrhyn Strumble, y tu hwnt i Abergwaun – llecyn a anfarwolwyd, wrth gwrs, gan Dewi Emrys. Cyrraedd yno tua phump o'r gloch a chael bod y lle ar gau a hithau'n tywallt y glaw a ninnau'n gorfod aros tan tua saith i gael tynnu ein dillad gwlyb, a hwyrach na hynny i gael ein bwydo. Cofiaf gyrraedd gwesty'r *Fishguard Bay* un tro wedi cerdded am oriau drwy law trwm a'r ferch y tu ôl i'r ddesg groeso yn gofyn ai ni oedd y *deep sea divers* oedd wedi dod i godi llong wartheg a oedd wedi suddo y tu allan i'r harbwr! Ond taith y diwrnod olaf oedd orau gen i fel arfer, efallai oherwydd ein bod yn cerdded dipyn rhwyddach erbyn hynny ond yn debygol oherwydd ein bod yn galw ym mhentrefi cyfareddol Abercastell, Trefin, Porthgain ac Abereiddi ar ein taith i Dŷ Ddewi. (Dyma oedd pen y siwrnai fel arfer ac eithrio un flwyddyn, 1979, pan gychwynsom ni yn Nhydraeth a mynd ymlaen i westy yn *Little Haven* – y lle tebycaf i *Fawlty Towers* a welais erioed ac yn llawn storïau rhyfedd am *UFOs*.) Yn Nhŷ Ddewi, byddai ein gwragedd wedi ymgynnull yn y gwesty i fwrw'r Sul – ac yn gyfleus i fynd i nôl y car a adawyd ar ddechrau'r daith. Cofiaf i Ben luddedig, un sydd er mawr dristwch wedi ein gadael ers sawl blwyddyn, orfod dewis un tro ar ben y daith rhwng gwely dwbl neu faddon. Dewisodd y baddon! Tynnwyd ei goes droeon am hynny ac am arfer gofalus ei wraig, Joan, o bacio ei fag cerdded gyda rhestr ar y top yn nodi ei gynnwys a dyddiad gwisgo pob dilledyn!

Bu inni amrywio'r daith yn 1976, a mynd o'r de i'r gogledd ond ni ddaeth y newid hwn â fawr o lwc i mi gan fod neges yn fy nisgwyl yn Nhydraeth yn dweud bod Carys yn yr ysbyty ac ar fin mynd i gael tynnu ei phendics. A minnau wedi chwyrlïo yng nghar Owen i Gaerdydd, roedd yn dda gen i fod mewn pryd i'w gweld yn mynd i'r theatr. Roedd y meddyg wedi dweud ychydig ddyddiau ynghynt mai hiraeth am Nia wedi iddi fynd i'r coleg oedd yn achosi ei phoenau! Ond pendics cudd y teulu oedd y broblem – pendics nad oedd yn hawdd mynd ato!

Cerddais rannau o lwybr Sir Benfro saith gwaith i gyd – y tro olaf yn Awst 1993 gyda Gareth, fy mab, a Glan Roberts tra oedd Bethan, ei wraig – un a roes wasanaeth arbennig i'r Mudiad Ysgolion Meithrin yn ei ddyddiau cynnar – yn siopa efo Carys. Bu Glan ar y daith gyda'r criw droeon, gan gynnwys yr arhosiad ym Mhwllderi lle sgwriodd gegin yr Hostel Ieuenctid yn lân cyn gadael! Mae rhyw gyfaredd a thawelwch rhyfedd i'w profi ar y llwybr a'i gerdded yn falm i'r enaid. Prin bod unman tebyg iddo ac eithrio llwybrau llai diffiniedig arfordir Môn a'r llwybr yn ardal y Rhiw, Pen Llŷn. Ni welais ddim harddach mewn unrhyw wlad na'r llecynnau hyn.

Yn Awst 1980, aeth Owen Edwards a minnau ar wyliau cerdded i'r Alban am dipyn o newid gan ddringo Ben Nevis o Fort William a threulio peth amser hefyd yn ardal y Cuillin yn Ynys Skye. Ond efallai mai'r atgof hyfrytaf yw hwnnw am ein hymweliad ag Ynys Iona i brofi o naws heddychlon a sanctaidd y noddfa a greodd George MacLeod yn y tri degau. Roedd gofalon y *BBC* a'r Arolygiaeth yn mynd yn ddiddim yn yr hafan bellennig hon.

Ac yr oedd ambell gêm griced gyda'r hwyr ar gae Clwb Criced y Fenni yn ymlaciol braf. Trefniant oedd hwn gan Peter Thomas, un o'r arolygwyr a oedd hefyd yn aelod o'r Clwb, ac yn rhoi cyfle i ni a'n gwragedd gymdeithasu – cyfle na ddigwyddai'n aml yn yr Arolygiaeth. Hefyd, fe drefnid gemau criced rhyng-eglwysig yn y Mynydd Bychan a rheithor Eglwys Dewi Sant, y Parchedig George Noakes (Archesgob Cymru yn ddiweddarach) yn fwy brwdfrydig na neb, ac yn chwaraewr pur ddawnus. Yn y cyfnod hwn hefyd, byddai criw ohonom o Gaerdydd yn llogi bad ar y gamlas ger Pencroesoped, Gwent, ac yn treulio oriau diddan yn llywio'r cwch drwy wlad hynod brydferth, a newydd i'r rhan fwyaf ohonom. Cofiaf inni fel dynion neidio o'r bad i'r lan gyda'n gilydd un tro a gadael Carys a Joan (Thomas) i lywio'r cwch eu hunain – ac fe ddysgasant y grefft yn eitha buan wedi dod dros y sioc o gael eu gadael yn ddiymgeledd wrth y llyw.

Yn Hydref 1976, fe aeth Nia i'r Brifysgol yn Aberystwyth lle'r oedd wedi ennill Ysgoloriaeth Evan Morgan. Ei nod oedd graddio gydag anrhydedd mewn Ffrangeg a dyna a wnaeth yn haf 1980, ar ôl treulio blwyddyn hynod ddiddorol yn Laval, Ffrainc. Ar ôl hyfforddi i fod yn athrawes, cafodd swydd ar ei hunion yn Ysgol Penweddig, Aberystwyth, ym Medi 1981, yr un adeg ag y dechreuodd Gareth ei gwrs yn y Coleg Politechnig yn Nhrefforest. Roedd Gareth a minnau wedi mwynhau gwyliau hyfryd gyda'n gilydd yn Amsterdam yr haf hwnnw.

Ni fanylaf ar y cyfnod o saith mlynedd y bûm dan weinidogaeth Cynwil ond digon yw dweud i mi fwynhau ei weinidogaeth a chael bendith ohoni gan werthfawrogi'r ffresni a oedd yn ei bregethu gyda'i ymgais ddidwyll i berthnasu neges yr efengyl i fywyd cyfoes ac i'r meddwl cyfoes. Bu i'w gynulleidfa yn Heol y Crwys elwa llawer o'i ddarllen eang. Byddai'n dyfynnu llawer o'i hoff awduron ac yr oedd

Solzhenitsyn yn bendifaddau yn un o'r rheini yn ystod y blynyddoedd cynnar.

Roedd Cymdeithas y capel yn arbennig o fywiog yn y cyfnod hwn a'r gwibdeithiau Sadwrn, fel arfer dan arweiniad y Dr John Gwynfor Jones, yr hanesydd – Yr Athro John Gwynfor Jones bellach – i lefydd fel Dolwar Fach, Pantycelyn, Bryste a Bethesda'r Fro – yn nodwedd arbennig o boblogaidd a chymdeithasol gyfoethog. Ar un ymweliad â Bryste i weld capel John Wesley a'r cerflun ohono yn teithio'r wlad ar gefn ceffyl i bregethu, y clywais y perl yma gan y Parchedig Lewis Mendus – un a fu'n genhadwr yn India am gyfnod ac yn un o tua deg o gyn-weinidogion a oedd yn aelodau yn Heol y Crwys. Fe safai Mendus ryw ddiwrnod yn edrych ar gerflun Wesley a sylwodd bod gŵr ifanc o *hippy* yn sefyll wrth ei ochr. Trodd Mendus ato ac adrodd hanes y teithiau pregethu ar gefn ceffyl a'r llwyddiant a gawsai Wesley. Yna gofynnodd Mendus iddo: '*What do you think of that?*' '*What a wonderful horse!*' oedd ymateb yr *hippy*.

Teimlai Cynwil nad oedd adnoddau'r Crwys yn addas ar gyfer holl weithgareddau'r cyfnod hwnnw o ran addoliad a digwyddiadau diwylliannol a chymdeithasol, a phrin bod neb oedd yno yn anghytuno â hynny. Pan soniwyd yn 1980 bod angen sefydlu cronfa ddatblygu i'r eglwys, ymegnïodd y gwahanol ardaloedd i gasglu arian, a daeth llawer o fudd a bendith cymdeithasol yn sgîl y gwahanol ymdrechion. Ein prif ymdrech ni yn Llandaf oedd cynnal taith noddedig o Goleg Trefeca i Gaerdydd. Ddydd Sadwrn, Ebrill 11, 1981, hebryngwyd un ar ddeg ohonom a oedd am gerdded i'r coleg er mwyn cychwyn ar y daith dau ddiwrnod o hanner can milltir. Taith drwy Langors, Bwlch, Llangynidr, Dyffryn Crawnon, Trefil, Tredegar a Bargoed ar y diwrnod cyntaf gan gysgu'r noson honno mewn carafanau a oedd wedi eu gosod ar gwrs golff Bargoed. Ymlaen wedyn ar y bore Sul drwy Hengoed, ac ar ben Mynydd y Grug y cynhaliwyd Ysgol Sul y diwrnod hwnnw yn meddwl am adnodau'n cynnwys y gair 'traed'! Gwneud un ymdrech arall wrth fynd trwy Machen a Llysfaen nes cyrraedd Heol y Crwys yn lluddedig ar ddiwedd oedfa'r nos i dderbyn croeso'r gweinidog a'r aelodau. Casglwyd yn agos i fil o bunnau drwy'r ymdrech honno, a gwnaed ymdrechion cyffelyb gan ardaloedd eraill yr eglwys. A chafwyd hwyl a chwmnïaeth gyfoethog yn y profiad.

Yn Ebrill 1980, sefydlwyd Pwyllgor Datblygu a'r mis canlynol Pwyllgor Cronfa. Gan mai fi oedd cadeirydd y Pwyllgor Datblygu, gwn iddo gyfarfod dros ddwsin o weithiau o'r dyddiad yma hyd 13 Rhagfyr 1982, gyda Lloyd Evans yn ysgrifennydd hynod effeithiol a brwdfrydig – fel yr oedd ef bob amser gyda phopeth. Yn ystod y cyfnod hwn, archwiliwyd pob ateb posib ar gyfer yr adeiladau yn ofalus a chael barn arbenigwyr, yn benseiri ac adeiladwyr, ar nifer ohonynt. Yr oedd y dewisiadau'n cynnwys addasu capel Heol y Crwys, addasu adeiladau eraill yn yr ardal ac adeiladu capel newydd. Pan gyflwynwyd adroddiad o'n holl ymholiadau a'n hargymhellion i gyfarfod eglwys ar 14 Rhagfyr 1982, rhoes y gweinidog ei farn mai edrych am adeilad newydd fyddai'r unig wir ddewis tra oedd carfan sylweddol, a minnau yn eu plith, yn credu bod yr holl dystiolaeth a gasglwyd yn ffafrio addasu'r adeilad oedd gennym ar gost o chwarter miliwn. Ni allaf gelu'r ffaith i'r mater o hynny ymlaen esgor ar deimladau cryfion am resymau rhy gymhleth i'w rhestru, a rhaid inni oll, er mawr gywilydd, ysgwyddo'r bai am fethu cyd-dynnu ar faterion o frics a mortar. Yr oeddwn i'n gadael am Gaernarfon i weithio ymhen deufis a throsglwyddwyd cadeiryddiaeth y Pwyllgor Datblygu i Kynric Lewis a oedd yn cymryd yr un safbwynt â mi. Ar ôl cyfnod o ystyriaeth bellach, y canlyniad terfynol oedd gwerthu capel Heol y Crwys i'r Mwslemiaid fel mosc ac addasu adeilad mwy diweddar y *Christian Scientists* yn Ffordd Richmond gerllaw yn gapel y Crwys newydd. Ysywaeth, yn ystod y broses hon, penderfynodd nifer o deuluoedd fynd i eglwysi eraill yn y ddinas. Fe wnaed y gwaith o addasu'r adeilad yn Ffordd Richmond yn chwaethus iawn ond fe gostiodd yn ddrud mewn mwy nag un ystyr.

I gloi'r saga hon, rwy'n falch o allu dweud, er i'm perthynas â'r gweinidog fod o dan beth straen yn ystod y cyfnod, na surwyd y berthynas rhyngom yn barhaol ac yr ydym ers talwm yn gallu chwerthin ar styfnigrwydd y naill a'r llall – fi yn bennaf, mae'n sicr. Cas beth gen i yn y pen draw ydi methu cefnogi fy ngweinidog ar unrhyw adeg.

PENNOD 9

Cyfarwyddo

Wrth yrru i'r swyddfa addysg yng Nghaernarfon ar Chwefror 14, 1983, roeddwn yn ymwybodol fy mod yn camu'n ôl i ganol llwyfan addysg eto ar ôl bod yn sylwebydd ar y 'chwarae' am wyth mlynedd. Roeddwn yn ymwybodol hefyd fy mod yn mynd i fyd llywodraeth leol, byd nad oeddwn yn gyfarwydd iawn â'i ddulliau o weithredu a'i gonfensiynau – ac, yn arbennig, â natur y berthynas rhwng swyddog fel fi a'r cynghorwyr. Roedd gennyf fwriad clir fel Cyfarwyddwr i geisio deall anghenion a gobeithion y gwahanol sefydliadau a oedd dan fy ngofal a cheisio ymateb iddynt, yn ysgolion a cholegau, yn glybiau ieuenctid a dosbarthiadau nos, ac yn wasanaethau eraill yn y byd addysg megis cynghori ar yrfaoedd. Yr oedd ymweld â chymaint ag yr oedd modd o'r rhain yn flaenoriaeth uchel o'r cychwyn cyntaf. Fy nymuniad hefyd oedd cyfarfod â chynrychiolwyr y gwahanol undebau a chymdeithasau athrawon. Roeddwn yn eiddgar i sicrhau tîm o swyddogion ac ymgynghorwyr a oedd yn rhannu'r un gwerthoedd â mi ac ar y cyd yn gallu cynnig yr holl arbenigeddau angenrheidiol. Gobeithiwn y gallai'r tîm hwn roi i mi, ac yna i aelodau'r Pwyllgor Addysg, y darlun llawnaf o'r safonau, yr anghenion a'r problemau yn y maes. Ac, fel yn Rhydfelen, roeddwn yn awyddus, drwy'r wasg a'r cyfryngau, i dynnu sylw at ein hamcanion, ein gwerthoedd a'n syniadau blaengar, heb anghofio rhoi cyhoeddusrwydd i'n llwyddiannau. Ar sail y wybodaeth a oedd gennyf a'r gefnogaeth a dderbyniais cyn dechrau ar fy ngwaith, roeddwn yn mynd i'r swydd â'm gobeithion yn uchel, a chyda'r nod o sicrhau bod Awdurdod Gwynedd, a oedd eisoes yn rhoi bri ar y Gymraeg, yn ehangu'r defnydd ohoni a hefyd yn mynnu'r safonau addysgol uchaf ym mhob maes. Yr oeddwn yn sicr, o'm profiad yn yr Arolygiaeth, na ellid cyflawni hynny heb fod gennym swyddogion a phrifathrawon o'r ansawdd gorau. Gwelwn y pwysigrwydd i mi ymwneud yn bersonol, hyd y bo modd, yn y broses o'u penodi, o'u bugeilio ac o hyrwyddo eu datblygiad proffesiynol. Roedd cael y tîm iawn yn bwysig; yna byddwn yn dymuno ymddiried ynddynt i wneud eu gwaith gan

Aled Roberts a'r awdur yn ymlacio ar Lyn Windemere, Awst 1977.

Ymweliad â'r Senedd Ewropeaidd yn Strasburg, 1986.
(O'r chwith): Dafydd Orwig (Cadeirydd y Pwyllgor Addysg), Gwilym E. Humphreys (Cyfarwyddwr Addysg), Beata Brooks (Aelod Gogledd Cymru o'r Senedd), Carys Humphreys, Beryl Orwig.

Ein cartref, Bodlondeb, ar lan y Fenai, Bangor (tynnwyd yn 1995).

Gweinidog a blaenoriaid Eglwys y Graig, Penrhosgarnedd, 1990.

Yn eistedd (o'r chwith): Stanley Thomas, W. Robert Parry, Y Parchedig Eric Jones (Gweinidog), Gwilym Arthur Jones, William Lloyd Davies.
Yn sefyll: R. Maldwyn Thomas, Huw Williams, Geraint Huws Roberts, Cynthia Owen, Gwilym E. Humphreys, Gwilym Roberts.

Yr ysbaid annisgwyl yn 'Pen-y-bryn', Québec – hydref 1992.

Cyfarwyddwyr Addysg Gwynedd 1974-96 gyda thri Cadeirydd Addysg.
Yn eistedd (o'r chwith): Handel M. Morgan (Cadeirydd 1991-94), Dafydd Orwig (1985-87), John L. Williams (1983-85).
Yn sefyll: Gwynn Jarvis (Cyfarwyddwr 1994-96), Tecwyn Ellis (1974-83), Gwilym E. Humphreys (1983-94), John Eryl Thomas (Prif Glerc 1974-96).

Staff swyddfa ganolog Awdurdod Addysg Gwynedd, Caernarfon, Mai 25, 1993.

Y rhes flaen, yn eistedd (o'r chwith): Ann Hughes, Menai Parry, Richard Parry Jones (Cyfarwyddwr Addysg Cynorthwyol [CAC]), Rhys Wyn Parry (CAC), Geraint Elis (CAC), Gwynn Jarvis (Dirprwy Gyfarwyddwr), Gwilym E. Humphreys (Cyfarwyddwr Addysg), Alwyn Evans (Prif Ymgynghorydd), Dafydd Edwards (CAC), Gwyn Hefin Jones (CAC), John Pierce Williams, John Eryl Thomas, Rita Geary, Iris Evans.

Yr ail res: Ceri Griffith, Evan Rees Williams, Dewi Jones, Luned Williams, Gwenno Fôn, Catherine Williams, Rhian Williams, Rhian Owen, Delyth Williams, Siân Jones, Rhian Wyn Owen, Nia Wyn Griffiths, Diane Jones, Judith Hibbert, Rhian Jones, Lona Roberts, Gwenllïan Roberts, Lynda Owen.

Y drydedd res: Rhian Mostyn Lewis, Gwenno Jones, Awena Morris, Heulwen Piggot, Siân Robinson, Jean Hughes, Llinos Williams, Enid Williams, Menna Evans, Gwenno Williams, Iona Parry, Yvonne Williams, Carys Jones, Elizabeth Jones, Jackie Hughes.

Y bedwaredd res : Sharon Evans, Emma Evans, Rhian Owen, Julie Edwards, Lynn Paterson, Bethan Ellis.

Y rhes gefn: Owen Wynne Williams, William Bryn Jones, Wyn Owen, Ian Kendrick Hughes, Robin Llywelyn Roberts, Dafydd Roberts, Gwyn Owen, Kevin Owen, Hefin Owen, Gwilym Ellis Jones, Iwan Roberts, Anwen Williams, R. Hefin Jones, Ian Jones, Aeron Roberts, William Wilkinson, Wilf Roberts, Gareth Owen, Alun Jones.

Pedwarawd 'Troad' (Homer, Monw, Carys a Gwilym) yn canu yn sosial y Tabernacl, Trelew, Patagonia, 1995.

'Criw Cathrin' ger pwerdy hydroelectrig yr Andes, Patagonia, 1995.
(O'r chwith): Betty Jones, Edna Hamer, Aira Hughes (ein tywysydd o Esquel), Cathrin Williams, Carys Humphreys, Gwyneth Llywelyn, Mary Jones, Annie Owen, Joan Jones, Eirlys Williams.
Cefn: Gwilym E. Humphreys, Gwynn Llywelyn.

Carys a Gwilym wedi croesi'r ffin o'r Wladfa i Chile, 1995.

Rhaeadrau Igazú, gogledd Ariannin ger y ffin â Brasil.
(O'r chwith): Gwynn Llywelyn, Gwyneth Llywelyn, Carys Humphreys ac Edna Hamer.

Coleg Meirion-Dwyfor, Pwllheli.

Criw snwcer nos Iau, 1997.

Yn eistedd (o'r chwith): Dafydd Morris (Eic) Jones, Gareth Humphreys, Gwyn Morris.
Yn sefyll: Morien Phillips, Joe Lloyd, Gwilym E. Humphreys, J. Elwyn Hughes, Harry Lloyd.

gynnwys eu cefnogi pan fyddent yn cymryd ambell gam gwag, fel y gwna pob un ohonom o bryd i'w gilydd.

Roedd y Swyddfa Addysg yng Nghaernarfon wedi ei lleoli dros dro mewn tŷ o'r enw 'Highfield' yn Ffordd Priestley ar gyrion dwyreiniol y dref, filltir o ganol Caernarfon. (Symudodd i ganol Caernarfon – adeilad Plas Llanwnda, Stryd y Castell, yn 1994.) Ac i 'Highfield', yr adeilad brics coch, ffug-Duduraidd, y cyrhaeddais ar fy more cyntaf a dod yn ymwybodol ar unwaith fy mod wedi newid byd dros nos. Yr oedd fy ystafell yn un braf a helaeth yn edrych tros y Fenai. Roedd y croeso a roddwyd i mi i'r Swyddfa Addysg yn gynnes ac roedd yno awyrgylch disgwylgar. Roedd gennyf ysgrifenyddes bersonol unwaith eto ac, ar unwaith, teimlais yn gyfforddus yn y swydd drwy'r gwasanaeth a ddarparai Menai Parry – gwasanaeth a fu'n arbennig o effeithiol dros yr holl gyfnod y bûm yn y swydd. O'r cychwyn cyntaf, bu fy ngofynion yn drwm ar fy ysgrifenyddes o ran yr angen i drefnu i gyfarfod ag unigolion a grwpiau ac o ran nifer y llythyrau a'r adroddiadau a oedd i'w teipio. Roeddwn yn awyddus iawn i gyfarfod fy nghydweithwyr, yn y swyddfa ac yn y sefydliadau, cyn gynted ag yr oedd modd ac yn awyddus hefyd i fod ar gael i ymateb i alwadau aelodau etholedig, a phrifathrawon yn arbennig gan fy mod mor ymwybodol o unigrwydd eu swydd. Gofalodd Menai dros y blynyddoedd fy mod yn cael fy ngwarchod rhag gorfod ymateb yn bersonol i faterion y byddai eraill yn gallu delio â hwy yn fwy effeithiol ond gan ganiatáu i mi glywed am y problemau a'r gofidiau a oedd yn gofyn am fy sylw personol. Roedd gan Menai y ddawn i 'nabod y gwahaniaeth rhwng y ddau gategori ac o ymateb iddynt yn ei ffordd gwrtais ac effeithiol ei hun. Ar un achlysur o leiaf, bu'n hynod o effeithiol y tu allan i oriau arferol swyddfa.

A minnau ar fy nhaith o Gaerdydd ar nos Sul ac yn gyrru ger Trawsfynydd wedi iddi nosi, fe benderfynodd gyrrwr bws mini glas tywyll wneud tro triphwynt yn union o 'mlaen a methais stopio mewn pryd cyn plymio i'w ganol. Er bod y bws yn llawn o bobl ifanc o Loegr, chafodd neb niwed heblaw amdanaf i; fe anafais f'asennau yn y gwrthdrawiad. Wedi galw'r heddlu ac ati a threfnu i'r car gael ei dynnu i Gricieth i'w drwsio, pan oeddwn ar fin trafod gyda'r heddlu i gael fy nghludo i Fangor, pwy ddaeth heibio yn rhyfeddol iawn ond Menai, a Ceiri, ei gŵr, ac fe setlwyd fy nghludiant i Fangor yn y fan a'r lle! Dyma enghraifft nodedig o ysgrifenyddes yn y lle iawn ar yr amser iawn!

✦ ✦ ✦

Pan ddechreuais yn fy swydd yng Ngwynedd, doedden ni ddim wedi symud i fyw i'r ardal fel teulu a byddwn yn teithio i Gaerdydd, ar nos Wener fel rheol, a dychwelyd yn hwyr nos Sul i Fangor lle'r oedd gennyf fflat dros dro yn y Coleg Normal drwy garedigrwydd y Prifathro, Dr Jim Davies. Ond yn ddi-feth, byddwn yn galw yn Afallon, Y Felinheli, rhwng naw a deg o'r gloch bob nos Sul lle cawn groeso a lluniaeth gan Aled a Nêst. Fel y nodais eisoes, roeddwn wedi sefydlu cyfeillgarwch efo Aled flynyddoedd yn gynharach yng nghynadleddau UCAC. Erbyn i mi gyrraedd Gwynedd, roedd wedi ymddeol o'i swydd yn brifathro Ysgol Bontnewydd ac roedd hynny'n ei gwneud hi'n haws inni fod yn gyfeillion clòs. Yr oedd y 'cemeg' a oedd rhyngom yn iawn o'r dechrau a bron drwy gydol fy nghyfnod fel Cyfarwyddwr roeddem yn ymlaciol a naturiol yng nghwmni ein gilydd. Ar wahân i alw arno ef a Nêst ar nos Sul ar fy nheithiau rhwng de a gogledd yn ystod y flwyddyn gyntaf yn y swydd, byddwn yn taro i mewn bron bob nos Wener dros y blynyddoedd i gasglu'r cig yr oedd wedi ei brynu inni yn siop bwtsiar ragorol y pentref. Ond, hefyd, yn bwysicach, fe alwn er mwyn i mi gael dadweindio ar ddiwedd wythnos galed yn y swyddfa. Gallai Aled fy narllen fel llyfr a gwyddai o'r edrychiad cyntaf beth oedd natur fy hwyl. Ar nosweithiau Llun, fe alwai amdanaf i fynd allan i seiadu – yn y Buckley, Beaumaris, yn y blynyddoedd cynnar ac yn Carreg Brân, Llanfairpwll, yn ddiweddarach. Paned yn ein tŷ ni wedyn cyn iddo fynd adref, ac wedi inni roi'r byd yn ei le unwaith eto yn ein dwyawr riniol wythnosol. Ergyd a cholled enbyd i mi oedd marwolaeth sydyn Aled yn Ionawr 1993. Yr oeddwn wedi gobeithio cael mwynhau cwmni'r enaid mawr hwn yn llawer amlach wedi ymddeol. Ychydig fisoedd cyn ei farw, rwy'n cofio dweud wrtho fy mod wedi cael gwahoddiad i roi'r deyrnged mewn cynhebrwng un nad oeddwn yn ei adnabod yn arbennig o dda, a bod hynny'n anodd. Meddai Aled: 'Mi roi di deyrnged i mi, yn gwnei?' A dyna'r gwaith anoddaf a gefais erioed, nid am nad oedd gen i ddim i'w ddweud ond am fod colli Aled yn brifo i'r byw.

Parhaodd y drefn gymudo rhwng Bangor a Chaerdydd am flwyddyn ac roedd yn dipyn o draul, yn enwedig pan oedd angen rhoi sylw i faterion yng Nghaerdydd, gan gynnwys yr ardd, ar ddydd Sadwrn. Ond yr oedd iddi ei manteision ar gyfer y cyfnod hwnnw. Ar noson waith, gan gynnwys nosweithiau Gwener weithiau, yr oeddwn yn rhydd i fynd i wahanol ddigwyddiadau addysgol o fewn y sir ac i gyfarfod grwpiau o athrawon a chymdeithasau rhieni. Â'm diwrnod gwaith yn gorffen yn aml yn hwyr y nos, roedd bywyd 'hen lanc' mewn fflat yn gweddu i'r rhaglen drom a osodais i mi fy hun. Sylweddolais yn fuan ehangder y sir, yn enwedig o deithio i lawr i Dywyn ac yn ôl mewn noson – siwrnai a oedd yn rhan o fywyd y Cynghorydd Morgan Vaughan bron bob dydd o'r wythnos am flynyddoedd.

Wedi treulio dros flwyddyn yn cymudo rhwng de a gogledd, roeddwn yn edrych ymlaen at gael ymgartrefu fel teulu yn y gogledd. Roedd sawl man wedi apelio at Carys, gan gynnwys Cricieth, tref y bu hi'n ymweld yn gyson â hi ar wyliau o'i chartref yn y Bala. Ond pan ddywedais wrth Carys fod un o dai Bodlondeb, ar lan y Fenai, ar ochr Bangor i Bont Telford, ar werth, fe wyddwn fod y man hwn yn bodloni un maen prawf pwysig i Carys, sef golygfa o ddŵr – a hithau mor hoff o Lyn Tegid, Y Bala. Fe brynasom Rhif 1, Bodlondeb, yn Nhachwedd 1983 a rhwng hynny a Chwefror 1984 bu gweithwyr yn atgyweirio ac addasu'r tŷ i'w gael yn barod inni symud i mewn. Un o'r gweithwyr hynny oedd Arthur Furlong, y paentiwr ffraeth o Langefni – un y bûm yn ei addysgu yn Ysgol Llangefni yn ôl yn y pum degau, a daeth ag adroddiad ysgol gydag ef ryw ddiwrnod i ddangos rhai o sylwadau brathog ei athro cemeg. A minnau'n byw yn y fflat yn y Coleg Normal, roedd yn gyfleus i mi alw i mewn yn aml i gadw llygaid ar y gwaith, ac i sgwrsio efo Arthur, ac efo Emrys Edwards, yr adeiladydd cyfeillgar o Lansadwrn. Wrth daro i mewn fel hyn, deuthum i sylweddoli pa mor arbennig oedd y llecyn yr adeiladwyd Bodlondeb arno a'r golygfeydd a geid o'i ystafelloedd – y ddwy bont i'r chwith, Porthaethwy yn union gyferbyn, a glannau'r Fenai hyd gyffiniau Beaumaris i'r dde. Roedd yno erddi helaeth, rhy helaeth efallai i ddyn prysur – saith o lawntiau i gyd, yn disgyn tua'r Fenai a'r tir i gyd yn ddwy acer. Roedd y tŷ gwydr yn fwy nag ambell dŷ, yn ugain llathen o hyd ac yn gysgod i ddwy winwydden a choeden eirin gwlanog. Pan ddaeth Carys a Gareth i fyny o Gaerdydd, roedd yn braf cael eu cwmni a chael cartref i droi iddo ar ddiwedd diwrnod gwaith, a'r cartref hwnnw mewn man mor dawel a neilltuedig – man delfrydol i gau allan faterion y byd addysg am ysbaid. Wrth lwc, fûm i 'rioed yn un i fynd â 'mhroblemau gartref gyda mi; byddwn yn eu gadael yn y swyddfa yng Nghaernarfon lle y byddem fel tîm yn eu hwynebu efo'n gilydd – a'u datrys gan amlaf.

Rhif 1 Bodlondeb, yw ein cartref, ers Chwefror 1984. Plasty oedd Bodlondeb ond wedi ei rannu'n dri thŷ (1 i 3) ers 1935; mae rhifau 4 a 5 yn dai diweddarach o lawer. Ar dir Bodlondeb y mae tŷ arall sy'n nes i geg Ffordd y Borth ac yno, yn y Wern, bu'r diweddar Syr Ben Bowen Thomas yn byw ar un adeg gyda'i ferch, Ann, a'i gŵr, Trefor Morgan, y cyfreithiwr – a fu farw'n ddyn cymharol ifanc.

Yn Chwefror 1984, wrth inni symud i mewn, y cyntaf i'n croesawu oedd fy hen Athro Addysg yn y Brifysgol, yr Athro D. W. T. Jenkins. Dyma'r dyn a oedd wedi fy nghyfareddu gyda'i arddull darlithio dros ddeng mlynedd ar hugain ynghynt wrth i mi dderbyn hyfforddiant athro yn y Brifysgol. Roedd ef a Muriel, ei wraig (cymeriad byrlymus unigryw a rêl *hwntw*), wedi bod yn byw yn Rhif 3 Bodlondeb, er 1944. Yr oeddwn wedi edrych ymlaen at gael ambell sgwrs efo Trevor Jenkins ond er mawr siom bu farw ym Mai 1984, a'i wraig ychydig fisoedd ar ei ôl.

Bu Trevor Jenkins yn Gyfarwyddwr Addysg yr hen Sir Gaernarfon am rai blynyddoedd, a diddorol yw nodi i'w olynydd, Mansel Williams, fyw yn

Rhif 2 Bodlondeb, am gyfnod. A chan fy mod innau yn Rhif 1 yn yr un olyniaeth, er yn Gyfarwyddwr Addysg *Gwynedd* yn hytrach na Sir *Gaernarfon*, mae'n werth gofyn be' sydd ym Modloneb sy'n denu Cyfarwyddwyr Addysg ac addysgwyr? Yn Rhif 5, roedd yr addysgwr a'r hanesydd, Dr Bryn L. Davies, gynt ar staff y Coleg Normal a'r Brifysgol, yn byw am flynyddoedd cyn ei farwolaeth yn Ebrill 2000, a Dr Dewi Morris, gynt o Adran Ffiseg y Brifysgol, yn Rhif 4.

A does dim amheuaeth nad oes i Fodlondeb ryw gyfaredd a llonyddwch. Yr oeddwn wedi clywed si fod Muriel Jenkins wedi sgrifennu hanes Bodlondeb ac yn gymharol ddiweddar derbyniais gopi (anghyflawn) o'i gwaith. Erbyn hyn rwyf wedi golygu'r llyfryn a diweddaru ei ddiwyg. Nid oes gofod i ddweud llawer am Fodlondeb yn y gyfrol hon, dim ond nodi rhai ffeithiau. Adeiladwyd y plasty gwreiddiol yn 1836 ar stad Gorffwysfa a oedd wedi ei hollti'n ddwy pan adeiladwyd Pont Menai gan Thomas Telford yn 1826. Ei berchennog cyntaf oedd Sarah Bicknell o'r Penrhyn Arms, Bangor, dynes gyfoethog a dylanwadol iawn yn ei dydd. Ac yna gwerthwyd y tŷ yn 1852 gan un o'i disgynyddion i Robert Davies, un o'r tri brawd cyfoethog a oedd yn berchnogion ar yr iard goed ym Mhorthaethwy. Hen lanc oedd Robert – dyn byr yn gwisgo dillad du bob amser ac yn byw'n gynnil iawn yn ôl pob sôn, ond yn hael tuag at achosion dewisol gan gynnwys Byddin yr Iachawdwriaeth a'r Coleg Normal. Mae stori amdano'n rhoi siec i ddirprwyaeth o eglwys dlawd a ddaeth ato i ofyn am ei help. Ond anghofiodd yr ymwelwyr gau'r giât ar y ffordd allan. Galwodd hwy'n ôl, rhwygodd y siec yn ei hanner gan eu cymell i ddod eto ymhen blwyddyn wedi iddynt ddysgu sut i gau giatiau! Does gennym ni ddim giât – nac arian!

Yn 1906, perchennog Bodlondeb oedd Major H. R. Davies, gŵr diwylliedig iawn – Uchel Siryf Sir Fôn ac Is-lywydd y Brifysgol. (Gan fy mod innau'n Is-lywydd y Brifysgol erbyn hyn, dyna olyniaeth arall!) Cyn iddo ef ddod yn berchennog, cynhwysai Bodlondeb y rhannau 2 a 3 presennol yn unig ond ychwanegodd Major Davies asgell yn 1909 gan ofalu bod yr estyniad (ein tŷ ni – Rhif 1) yn cydweddu â'r adeilad gwreiddiol. Bu Bodlondeb estynedig yn ysbyty'r Groes Goch drwy gydol y Rhyfel Mawr. Yn 1935, gwerthodd Major Davies y tŷ i adeiladydd o Fangor, Hugh Williams, a rannodd y tŷ yn chwaethus iawn yn dri fel y maent heddiw gan roi'r rhan helaethaf o'r ardd i Rif 1. At ei gilydd, staff y Brifysgol a fu'n byw yn nhai Bodlondeb ers hynny er nad yw hynny'n wir ar hyn o bryd. Arbenigwr meddygol yw Tony Howard yn Rhif 2 (Sais a ddysgodd Gymraeg – ef a'i wraig, Chris) a dyn busnes a chynghorydd llwyddiannus yw Dewi Llewelyn yn Rhif 3. Mae Carol, ei wraig yn gerddores broffesiynol ac mae teuluoedd y ddau dŷ yn rhai cerddgar a cherddorol iawn.

I nodi fy ymddeoliad o Wynedd yn 1995 ac i ddathlu ein priodas ruddem, fe godasom huanell (*conservatory*) i wynebu Sir Fôn (ar ôl tipyn o drafferth i gael caniatâd cynllunio gan fod Bodlondeb yn adeilad cofrestredig) ac ers hynny yr ydym yn mwynhau'r olygfa o'r tŷ yn fwy nag erioed – patrymau amrywiol y Fenai, a'r machludau trawiadol, drwy gydol y flwyddyn. Bydd Carys a minnau'n rhyfeddu yn aml ar ôl bod yn crwydro i wledydd tramor fod gennym y fath olygfa ogoneddus o'n cartref.

Wedi inni sicrhau cartref ym Mangor, roedd yn bryd ymaelodi mewn eglwys yn y dref. Yr oeddwn wedi bod yn addoli mewn dwy neu dair ohonynt yn ystod y Suliau prin yr oeddwn wedi'u treulio ym Mangor ar fy mlwyddyn gyntaf yng Ngwynedd. Roedd pob eglwys yn groesawgar ac yn debyg o ran eu pellter o Fodlondeb ond roedd naws gartrefol a bywiog Eglwys y Graig, Penrhosgarnedd, yn apelio ataf ac yno yr ymaelodais i, a Gareth, hefyd, cyn iddo fynd i fyw i Gaernarfon ac ymaelodi yng nghapel Seilo. Penderfynodd Carys a Nia ymuno â'r Eglwys Efengylaidd Gymraeg ym Mangor.

Mae sawl peth yn aros yn fy meddwl o'r blynyddoedd cynnar yn y Graig. Roedd y gweinidog, y Parchedig Dafydd Lloyd Williams, yn bregethwr grymus a hawdd gwrando arno. Er nad oedd yn medru darllen fawr ddim oherwydd ei olwg gwael, byddai ei draethu yn ddi-fefl a llifeiriol oherwydd ei baratoad gofalus a'i gof anhygoel. Yn yr eglwys, hefyd, er mawr lawenydd i mi, yr oedd y Parchedig Ednyfed Thomas a'i wraig, Gwladys, a byddem yn dwyn i gof yn aml eu cyfnod yn y Capel Mawr a'r Aelwyd yn y Rhos. Roedd yr eglwys yn ffodus o'u cael wedi eu holl waith ym maes cenhadol Bryniau Khasia.

Yn flaenor yn y Graig yr oedd yr hynafgwr hynaws, Robert Parry, ac y mae fy nghof ohono'n cynnal seiat ar ôl oedfa'r hwyr (sy'n parhau'n arferiad yn y Graig) yn felys iawn – dyn gwirioneddol dduwiol yn rhannu ei brofiad a datgan ei ffydd ac yn ein codi i'r dimensiwn ysbrydol. Dywed Gareth ei fod yn mwynhau gwrando ar Robert Parry (tad Dr Emrys Parry a oedd yn arolygwr ysgolion yr un adeg â mi) yn anad dim ac fe gefais innau hefyd fendith o gael rhannu ei sêl a'i ffydd dawel, sicr.

Yr elfen arall a oedd yn apelio ataf o safbwynt addoli yn y Graig, ar ôl bod mewn dwy sêt fawr er 1959, oedd cael eistedd yn dawel yn y cefn. Yno y cefais lonydd am ddwy flynedd nes iddynt godi mwy o flaenoriaid yn 1987 ac i minnau gael fy newis yn un o dri. Byddwn wedi hoffi gwrthod y swydd ond 'allwn i ddim rywsut; yr oeddwn wedi f'ethol a minnau heb chwenychu'r swydd ac roedd rhaid ymateb i'r ymddiried-aeth. A derbyn wnes i hefyd swydd codwr canu (ar y cyd ag un o'm cydweithwyr yng Ngwynedd – Rhianwen Huws Roberts) er nad oeddwn mewn gwirionedd yn ddigon o gerddor i'r swydd, yn wahanol i Rianwen. Os cofiwch, dyma oedd un o'm huchelgeisiau'n blentyn ond yr oeddwn yn dra anghymwys i'w llenwi. 'Chynigiodd neb i mi swydd sieff na gorsaf-feistr!

Pan ymddeolodd y Parchedig Dafydd Lloyd Williams yn 1989, daeth y Parchedig Eric Jones atom o Lansannan. Ar ddiwedd dros ddeng mlynedd o'i fugeiliaeth gyson, mae'r eglwys yn fwy na dal ei thir ac Ysgol Sul y plant bron wedi treblu yn ei rhif – ffenomen dra anarferol y dyddiau yma ac mae hyn yn adlewyrchu brwdfrydedd a gofal ein gweinidog ac yn destun llawenydd i bob un ohonom. Fe'n tristawyd fel eglwys o golli Dafydd Lloyd Williams yn Ebrill 1993 ac Ednyfed Thomas ym mis Hydref yr un flwyddyn.

Er 1994, rwy'n gyfrifol am y 'llyfr bach' – sef cofnod o'r cyhoeddiadau Sabothol ac y mae'r gwaith o lenwi'r pulpud yn fy nghadw'n brysur. Ond ni chaf lawer iawn o anhawster i gael pregethwyr i'r Graig a byddaf yn eu recriwtio o bell ac agos.

✦ ✦ ✦

Ar ôl cyfnod o ymweld â gwahanol fudiadau a chymdeithasau gyda'r nos dros yr wythnosau a'r misoedd cyntaf, ac o gyfarfod â staff allweddol y swyddfa yn ystod y dydd, ffurfiais farn am nifer o agweddau ar y gwasanaeth addysg yng Ngwynedd. Dyma'r cyfnod y sefydlais y Grŵp Rheoli yn y swyddfa. Bu i'r grŵp hwn gadarnhau fy marn am faterion addysgol y sir, ac ambell dro bu'n gyfrifol am ei haddasu a'i hamodi hefyd. Bu'r Grŵp Rheoli, yn ei amrywiol ffyrdd, yn cyfarfod yn fisol drwy gydol y cyfnod y bûm yn Gyfarwyddwr Addysg y sir. Roedd y grŵp yn fodd o ddatblygu athroniaeth addysgol gytûn; yr oedd hefyd yn ddull o sicrhau cysondeb yn ein gweithredoedd. Yn fuan iawn, daeth y materion a ganlyn yn uchel o ran blaenoriaeth: y tîm ymgynghorol – ei gryfder a'i ddull o weithio; penodiadau prifathrawon – rhan swyddogion ac ymgynghorwyr yn y broses; ysgolion cynradd bach; datblygu'r polisi iaith yn y sector uwchradd a'i ehangu i'r sector addysg bellach; theatr mewn addysg; addysg dechnegol; athrawon bro a chanolfannau hwyrddyfodiaid; y ddarpariaeth yng ngholegau addysg bellach y sir.

Yr oedd sicrhau bod gennym dîm effeithiol, yn swyddogion ac ymgynghorwyr, yn bwysig iawn yn fy ngolwg i. Teimlwn fod rhai o'r swyddogion addysg yn cario gormod o faich. Yr oedd Owain Owain yn ddirprwy ac yn cario cyfrifoldeb am addysg gynradd, Gwynn Jarvis – a benodwyd yn ddirprwy i mi yn ddiweddarach ac a'm holynodd yn Gyfarwyddwr Addysg yn 1994 – yn Uwch Swyddog Addysg ac yn cario llwyth enfawr gan gynnwys addysg uwchradd, Gwyn Hefin Jones yn swyddog staffio, Geraint Elis (Dirprwy Gyfarwyddwr Addysg Môn erbyn hyn) yn gyfrifol am adeiladau a'r cynlluniau ar eu cyfer, John Norman Davies yn gyfrifol am addysg arbennig, Napier Williams yn brif swyddog ieuenctid, Alun Roberts yn brif swyddog gyrfaoedd a J. E. Thomas (nad oedd neb yn ynganu gweddill ei enw ar ôl y 'T') yn brif glerc.

Yr oedd cyfansoddiad y tîm ymgynghorol yn anghytbwys ac roedd bylchau amlwg yn y rhengoedd. Yn y tîm yr oedd R. Cyril Hughes yn Uwch-ymgynghorydd Dwyieithrwydd, Rhiannon Lloyd, newydd ei phenodi'n Ymgynghorydd y Gymraeg, a'r Dr H. Gareth Ff. Roberts yn newyddian yn ei swydd fel Ymgynghorydd Mathemateg. Yn rhyfeddol iawn, roedd Gwynedd wedi etifeddu tri Ymgynghorydd Cerdd ar ôl yr ad-drefnu yn 1974 – John Huw Davies yn Uwch-ymgynghorydd, ynghyd â Joan Wyn Hughes a Hywel Williams. Yn yr un modd, roedd tri ymgynghorydd cynradd – Elfyn Pritchard, Gruff Roberts a J. Dennis Jones. A dyna ni. Roedd y bylchau'n amlwg.

Pan benodwyd Ronnie Williams yn Brif Ymgynghorydd ymhen ychydig wythnosau wedi i mi gyrraedd Gwynedd, yr oeddwn yn teimlo ein bod yn dechrau adeiladu. Yr oedd cael person o brofiad ac arbenigedd Ronnie – gynt yn ddarlithydd mathemateg mewn Coleg Addysg, yn brifathro uwchradd ac AEM – yn gaffaeliad mawr a phan ychwanegwyd Geraint Parry at y tîm fel Ymgynghorydd Gwyddoniaeth cyn diwedd 1983, roedd sail o arbenigedd yn dechrau datblygu a fyddai'n caniatáu i'r tîm hyrwyddo'r datblygiadau yr oedd eu gwir angen. Gosododd Ronnie Williams batrwm o weithio i'r tîm ymgynghorol gyda phwyslais ar waith tîm, ymweliadau cyson ag ysgolion a pharatoi cofnodion o'u hymweliadau a fyddai ar gael i bawb ohonom yn ffeiliau'r ysgolion. Yn ystod y blynyddoedd dilynol, ychwanegwyd arbenigwyr mewn Saesneg (Helen Lewis), Gwyddor Tŷ (Beryl Portlock), Crefftau (John Hughes), Babanod (Rhianwen Huws Roberts), Technoleg (Terry Brockley), ac Islwyn Parry i drefnu cyrsiau hyfforddiant ar gyfer athrawon y sir ac i gynghori ar gwricwlwm y sector uwchradd. Llanwyd y bylchau i gwmpasu holl feysydd y cwricwlwm drwy ddefnyddio athrawon ymgynghorol ar fenthyciad o'u hysgolion. Erbyn 1986, roeddem mewn sefyllfa i gynnig gwasanaeth llawn i'r ysgolion. Roedd y tîm yn gallu cadw golwg ar ddatblygiadau yn yr ysgolion a rhoi gwybod i'r canol am eu problemau a'u llwyddiannau.

Ceisiais neilltuo amser i ymweld ag ysgolion a cholegau fy hun, er mwyn i mi gael argraff o'r safonau gan gymharu â'r gorau a welais tra yn yr Arolygiaeth. Yn ystod fy neuddeng mlynedd yng Ngwynedd, llwyddais i ymweld â phob un bron o'r ddau gant a hanner o ysgolion yn y sir, a bûm mewn nifer dda ohonynt droeon. Rhoddais sylw arbennig i'r ysgolion uwchradd a'r colegau addysg bellach. Ymatebwn yn frwd i wahoddiadau i fynd i berfformiadau cyhoeddus yn yr ysgolion gyda'r nos ac o fynychu'r rhain byddwn yn cael fy atgoffa am nosweithiau gwefreiddiol Rhydfelen. Byddwn bob amser yn gwerthfawrogi ymroddiad yr athrawon a'r disgyblion yn llwyfannu perfformiadau ac yn ailsylweddoli pwysigrwydd gweithgareddau o'r fath – yn enwedig pan fyddent yn tynnu ar ddawn a brwdfrydedd o blith trwch disgyblion yr ysgol.

Pan ddenwyd Ronnie Williams i fod yn brifathro'r Coleg Normal yn gynnar yn 1985, ac Owain Owain yn penderfynu ymddeol yn gynnar ar sail afiechyd, fe welwyd bylchau mawr yn y rhengoedd uchaf. Penodwyd Gwynn Jarvis, a oedd eisoes yn chwarae rhan allweddol iawn yn y Swyddfa Addysg, yn Ddirprwy Gyfarwyddwr, ac Alwyn Evans, o Glwyd, yn Brif Ymgynghorydd. Gan mai mab i Susie Evans, fy ysgrifenyddes yn Rhydfelen, yw Alwyn, roedd gen i syniad go lew o beth i'w ddisgwyl o ran teyrngarwch ac ymroddiad. Tua'r un adeg, hefyd, penodwyd swyddog gyda chyfrifoldeb am golegau addysg bellach y sir (Dr Ken Jones) a dau swyddog addysg arall sef Richard Parry Jones a Rhys Wyn Parry i gryfhau gweinyddiaeth addysg uwchradd ac addysg arbennig. (Mae Richard yn Gyfarwyddwr Addysg Môn erbyn hyn a Rhys yn Gyfarwyddwr Cynorthwyol yn y Wynedd newydd.) Cryfhawyd y weinyddiaeth ymhellach gyda phenodi Anwen Lloyd ac Iwan Roberts i'r tîm, a Helen Ellis i ofalu am ein cyswllt â diwydiant. Sonnir eto am yr ad-drefnu diweddarach yng nghyfrifoldebau'r swyddogion addysg ond nodaf yn unig yn awr pa mor allweddol oedd y penodiadau hyn i gyd i greu tîm a oedd yn deilwng o'r Awdurdod ac yn gallu cynnal a chefnogi cyfundrefn addysg y sir mewn modd pur effeithiol. Yr ydw i'n cofnodi, gyda diolch, barodrwydd yr Awdurdod i ymateb i'm cais i greu'r swyddi ac rwy'n dawel fy meddwl bod ei ymddiriedaeth wedi'i ad-dalu ar ei ganfed o ran delwedd ac effeithiolrwydd y gwasanaeth. Ond, yn y pen draw, yr oeddwn yn ymwybodol bod cymaint yn dibynnu ar ansawdd yr arweiniad a gynigiai ein prifathrawon. Roedd sicrhau penodiadau cymwys o'r pwys mwyaf.

O'r cychwyn cyntaf, yr oeddwn yng nghanol y rhan hon o'm cyfrifoldeb gan fynychu llawer o'r penodiadau hyn fy hun er mwyn cynnig cyngor i'r pwyllgor penodi. Yr oedd hwn yn bwyllgor canolog yng Nghaernarfon cyn datganoli'r cyfrifoldeb i lywodraethwyr yn ddiweddarach. Sefydlwyd y drefn o gyfweliadau proffesiynol ddiwrnod cyn y penodiad – cyfweliadau gyda'm swyddogion, fy ymgynghorwyr a minnau pryd y caem gyfle estynedig i fynd i bac yr ymgeiswyr a oedd ar y rhestr fer – ac yr oeddem wedi rhoi cyngor ar ffurfio hon. Nid arwydd o ddiffyg ymddiriedaeth yn y cynghorwyr oedd hyn ond ymgais i ofalu bod y penodiadau a wnaed ganddynt yn cael eu gwneud ar sail y wybodaeth a'r farn broffesiynol lawnaf.

Yn gynnar, cefais yr argraff fod nifer dda o athrawesau yn ysgolion y sir a allai, o gael tipyn o anogaeth, wneud penaethiaid rhagorol. A thros y blynyddoedd, gwelwyd cynnydd yn nifer y prifathrawesau a benodwyd – yn y cynradd i ddechrau ac yn ddiweddarach yn yr uwchradd. Rwy'n falch fod prifathrawon, o bob sector, wedi teimlo'n rhydd i godi ffôn pan oedd ganddynt faterion a oedd yn eu blino. Fe geisiais fy ngorau i roi clust i'w pryderon a chynnig y cyngor gorau a allwn yn seiliedig ar y profiad oedd gennyf. Pan oedd gennyf innau bryderon ynglŷn â materion yn eu hysgolion neu golegau, byddwn un ai'n galw i'w gweld neu'n eu gwahodd i'r swyddfa. Doedd pob cyfarfod ddim mor bleserus ag eraill ond roeddent i gyd yn broffesiynol a chyfrinachol – a buddiol yn y pen draw, gobeithio.

Yr oedd un prifathro arbennig yr oeddwn wedi edrych ymlaen at gael cydweithio ag ef – Elwyn Evans, pennaeth Ysgol David Hughes, Porthaethwy. Yr oeddem yn gyfoedion coleg ac wedi cyfathrachu llawer pan oedd ef yn brifathro Ysgol Maes Garmon, Yr Wyddgrug, a minnau yn Rhydfelen yn nyddiau arloesol addysg uwchradd Gymraeg. Ond yn haf 1984, ac yntau a Beryl, ei wraig (un o'r Rhos), ar eu gwyliau ar un o ynysoedd Groeg, cafodd drawiad ar y galon ac yntau'n nofio yn y môr. Roedd ei ymadawiad annhymig, ac yntau yng nghanol ei bum degau, yn golled fawr. Doedd hi ddim yn anodd i mi nodi hynny yn ei wasanaeth angladdol wrth roi teyrnged uchel iddo fel addysgwr a Chymro tra diwylliedig.

Yn fuan, gwelais y fantais o gyfarfod prifathrawon uwchradd bob tymor, neu'n amlach pan oedd gofyn am hynny. Yn y cyfarfodydd hyn, byddai'r prifathrawon yn cael cyfle i godi materion a oedd yn eu poeni a byddai fy swyddogion a minnau yn ymateb – naill ai ar lafar yn y cyfarfod neu'n ysgrifenedig yn ddiweddarach. Fel arfer, byddwn wedi paratoi anerchiad ar destun cyfoes ym myd addysg uwchradd ar gyfer y cyfarfodydd hyn ac roedd y cydadwaith ar faterion llosg yn brofiad a fwynhawn bron yn ddi-feth. Yn ychwanegol at y cyfarfodydd rheolaidd, fe drefnid cynadleddau, rhai preswyl weithiau, er mwyn cael digon o amser i drafod materion fel y polisi iaith ac addysg 16-19. Yn ystod y cyfnod o weithredu diwydiannol (cyfnod diflas iawn pan gollwyd ewyllys da llawer o athrawon i gynnal gweithgareddau ac arolygu ganol dydd), cofiaf fod y prifathrawon yn awchu am gyfarfodydd cyson er mwyn ceisio gweithredu yr un fath yn eu gwahanol ysgolion. Roeddem ninnau fel swyddogion yr un mor awyddus i gyfarfod er mwyn ceisio deall problemau'r ysgolion a synhwyro'r hinsawdd.

Roedd cyfarfodydd gyda phenaethiaid addysg bellach yr un mor fuddiol.

Er nad oedd modd cynnal un cyfarfod sirol i brifathrawon cynradd, fe gynhelid cyfarfodydd rhanbarthol yn eitha rheolaidd (ac yn arbennig felly ar ôl sefydlu timau bro yn 1989, fel y nodir eto). Byddai prifathrawon ysgolion cynradd dalgylch pob ysgol uwchradd hefyd yn cyfarfod i sefydlu consensws ar faterion o ddiddordeb cyffredin gan gynnwys ceisio dealltwriaeth ar nifer o faterion i esmwytho'r trosglwyddo o'r cynradd i'r uwchradd. Gwerthfawrogwn y cyfle i fynychu llawer o'r rhain – i wrando'n bennaf ond hefyd i hyrwyddo rhai datblygiadau ac i geisio'u cefnogaeth i bolisïau sirol a chenedlaethol. Credaf i'm profiad yn yr Arolygiaeth fod o fudd i mi wrth geisio deall agweddau a safbwyntiau prifathrawon cynradd.

Fe geisiwn ymyrryd cyn lleied â phosib gyda phrifathrawon yn eu gwaith. Ond, o bryd i'w gilydd, byddwn yn tynnu sylw at rai materion nad oeddwn yn credu eu bod er lles a budd y disgyblion neu ar ambell achlysur pan fyddai rhieni wedi mynegi pryder. Un o'r ychydig faterion o'r fath oedd yr arfer mewn rhai ysgolion i roi sylw i wrachod ac ysbrydion ar nos Galan Gaeaf, ac i'r arfer gan rai plant o roi'r dewis amheus o *'Trick o'r Treat?'* wrth guro ar ddrysau tai. Ysgrifennais at y prifathrawon i annog ymbwyllo ac osgoi creu braw a dychryn – i'r plant eu hunain ac i bobl hŷn. Bu'r mater yn destun trafod yn y wasg a'r cyfryngau am rai dyddiau yn ystod hydref 1989.

Ar wahân i'r rhaglen ymweld a osodais i mi fy hun (ond na fedrwn ei chyflawni'n llwyr oherwydd galwadau eraill), byddwn yn galw i ffarwelio â phob pennaeth ar ei ymddeoliad o'r gwasanaeth. Trwy effeithiolrwydd fy ysgrifenyddes a'r adran staffio, byddwn yn cael rhestr o'r ymddeol-iadau hyn a byddai Menai yn ffonio i ddweud fy mod am alw yn yr ysgol – fel y gwnâi gyda phob ymweliad. Cofiaf am ddau achlysur pan ddywedodd dau bennaeth cynradd nad oeddent am imi alw – un, rwy'n tybio, oherwydd i mi orfod ei ddisgyblu a'r llall oherwydd nad oeddwn wedi llwyddo i alw yn ei ysgol cyn hynny. Eithriadau prin oedd y rhain. Ni honnwn fod llawer o bwysigrwydd i Gwilym Humphreys alw i ddiolch ond yr oedd yn bwysig fod cynrychiolydd yr Awdurdod yn cydnabod gwasanaeth – a hwnnw'n wasanaeth maith a llwyddiannus mewn llawer o achosion. Câi pob pennaeth lythyr personol o ddiolch hefyd.

Mae un digwyddiad yn dod i'm cof am ymweld ag ysgol i ffarwelio efo'r pennaeth – un a oedd wedi rhoi gwasanaeth teilwng iawn ac yn fawr ei barch gan rieni. Gofynnais iddo a oedd ganddo un neges i'w rhoi ar ddiwedd ei yrfa. 'Oes', meddai, 'Rwy'n methu deall pam fod y gwasanaeth prydau bwyd yn codi pum ceiniog am *ketchup* yn y ffreutur a'r disgyblion yn ei gael am dair ceiniog yn y dre!' Neges i'w chofio, yn wir.

Hefyd ni allaf anghofio'r llythyr oddi wrth Richard Jones, prifathro ysgol gynradd Amlwch, yn nodi ei fwriad i ymddeol yn Rhagfyr 1988. Tybed sawl Cyfarwyddwr Addysg a dderbyniodd rybudd o'r fath ar ffurf cyfres o englynion?

Mi ddaw, amser ymddeol, – yn y man
I minnau o f'ysgol,
Awr y ffoi o ruthro ffôl,
A sŵn, i hedd pensiynol.

Ac eto gwerthfawrogaf – a gefais,
'Ratgofion drysoraf –
Oes o weithio mewn bro braf,
Oes o hwyl i'r wers olaf.

Diofal ddyddiau difyr – a ddaw arnaf
Ddiwrnod d'wethaf Rhagfyr,
Wyth deg wyth, dyma lythyr
Fy notus yn felys fyr.

Roeddwn yn ffodus fod gennyf ar staff y Swyddfa Addysg englynwr medrus ym mherson Gwynfor ap Ifor a luniodd gyfres o englynion ar fy rhan yn yr un cywair.

Roedd sawl agwedd ar y gwasanaeth addysg y carwn fod wedi rhoi mwy o amser iddo. Un ymhlith nifer oedd y gwasanaeth ieuenctid (dan arweiniad Napier Williams i ddechrau ac yna Peter Lunt Williams) a gynhwysai ein clybiau ieuenctid fel Awdurdod a hefyd y mudiadau gwirfoddol – Yr Urdd a'r Ffermwyr Ifanc y byddem yn dyrannu grantiau blynyddol iddynt i hyrwyddo eu gwaith. Mewn cyfnodau o dorri'n ôl ar ein cyllideb, cyfnodau a ddeuai arnom yn rhy aml o lawer, byddem yn gorfod edrych ar gwtogi ein grantiau i fudiadau gwirfoddol yn hytrach na thorri ein darpariaeth yn yr ysgolion. Bryd hynny y cawn fy atgoffa yn ddigon eglur o'r gwaith rhagorol a gyflawnent. Roedd lobi'r ffermwyr yn arbennig o gryf a llafar a thasg amhosib oedd cael cynghorwyr i dorri dim ar ein grant i Fudiad y Ffermwyr Ifanc. Yn wir, byddai hynny'n gwbl groes i'r graen gen i hefyd gan fy mod yn ymwybodol o bwysigrwydd y clybiau i bobl ifanc yn ein cymunedau gwledig.

Cawn wahoddiadau i weithgareddau'r Urdd – yn enwedig yr eisteddfodau – a byddwn yn ceisio mynychu cymaint ag y gallwn ohonynt a byddwn yn mwynhau'r cyflwyniadau bron yn ddieithriad. Felly hefyd ralïau'r Ffermwyr Ifanc yn y gwahanol ranbarthau lle'r oedd asbri i'w ryfeddu. Ond o dderbyn gwahoddiad i fynychu cyfarfod blynyddol Ffermwyr Ifanc Môn yn 1984 ac i annerch yno, roedd gennyf amheuon o fuddioldeb mynd i gyfarfod o'r fath. Cynyddodd fy amheuon pan gyrhaeddais y cyfarfod a deall mai eitem 22 allan o 28 oedd fy nghyfraniad i. Setlais yn fy sedd, yn barod i ddioddef cael fy niflasu gan adroddiadau a chyflwyniadau sych! Ond dim o'r fath beth. Roedd yno drefn anhygoel o'r cadeirydd i'r ysgrifennydd a'r trysorydd; pawb yn cyflwyno'n raenus ac yn ddiddorol. Felly hefyd yr adroddiadau o'r clybiau a'r is-bwyllgorau. Roedd gan y bobl ifanc hyn afael ryfeddol ar drefn pwyllgor – y cynnig, y gwelliant cyntaf ac ail, materion o drefn a gwybodaeth. Ac nid yn unig hynny; roedd y cyfan yn cael ei gyflwyno mewn Cymraeg cyhyrog a'r llefaru'n raenus a rhywiog. Dyma'r tro cyntaf, ac olaf, i mi fwynhau cyfarfod blynyddol ac fe gododd fy ngwerthfawrogiad o'r mudiad i'r entrychion. Pan ddaeth fy nhro i i siarad, roedd gennyf destun parod ond ni allwn gystadlu â'r brwdfrydedd a'r egni a brofais dros yr awr a hanner flaenorol. Noson i'w chofio, yn wir.

Yr oedd enw da i gynghorwyr Gwynedd ac, fel y nodais eisoes, roedd gwybod am argyhoeddiadau a gallu nifer ohonynt yn un o'r rhesymau pam y cynigiais am swydd Cyfarwyddwr yn y sir. Yng Ngwynedd, roedd ad-drefnu 1974 wedi denu nifer o addysgwyr – rhai wedi ymddeol yn gynnar – i'r Cyngor. Cyn dod i'r swydd, roeddwn yn gyfarwydd â Dafydd Orwig a John Lasarus Williams o ddyddiau coleg a thrwy'r Coleg Normal, ac roedd aelodau fel O. M. Roberts, Tom Jones (Llanuwchllyn) a W. R. P. George yn rhai yr oeddwn yn weddol sicr o'u daliadau a'u hargyhoeddiadau drwy gysylltiadau eraill – eisteddfodol yn bennaf. O ddiwrnod fy nghyfweliad penodi yn y siambr ac yn ystod fy misoedd cyntaf yn y swydd, yr oeddwn yn synhwyro bod trwch y cynghorwyr yn rhai a fyddai'n barod i wrando a derbyn arweiniad ar faterion addysgol – dim ond i'r arweiniad hwnnw gael ei sylfaenu ar ddadleuon addysgol cadarn. Dros y blynyddoedd, fe anogais fy nghydswyddogion i baratoi adroddiadau clir a dealladwy ar gyfer pwyllgorau ac fe geisiais innau roi cryn feddwl a min i'm cyflwyniadau. Yr oedd yr ymateb yn ystod fy mlynyddoedd cynnar yn y swydd yn ystyriol a theg ac fe deimlwn fod siawns bob amser y gellid ennill achos drwy ddadl addysgol gadarn. Yr oedd ansawdd y dadlau yn y Pwyllgor Addysg bryd hynny o safon uchel a'r cyfraniadau gan aelodau fel arfer yn werth gwrando arnynt. Amheuthun oedd cael gweld dwyieithrwydd ar waith yn y siambr gyda'r holl ddogfennau yn y Gymraeg a'r Saesneg a'r system gyfieithu gyfredol yn hynod o effeithiol – a byth yn destun dadl.

Agorodd siambr newydd y Cyngor yn 1984 ac yno y cynhelid y prif bwyllgorau a'r Cyngor Sir ei hun. Roedd hon gyda'r orau, os nad yr orau, o'r holl siambrau cyngor y bûm ynddynt. Ar ffurf darlithfa yn codi'n raddol gyda chadeiriau unigol coch lliw gwin, roedd yno urddas a chyfleusterau teilwng o gyngor sir. Gyda'r offer siarad ac uchelseinyddion effeithiol, roedd pawb yn glywadwy a gweladwy. Hyd nes ffurfiwyd carfanau plaid yn 1990, roedd yno awyrgylch o barchu barn pawb, ac er bod anghydweld ffyrnig ar adegau, ni welais arlliw o atgasedd na malais. Caf sôn eto am y dirywiad a fu yn ddiweddarach.

O feddwl am Gynghorau Sir a Phwyllgorau Addysg cynnar, cofiaf yn arbennig am Wil Pierce a'i bwyntiau o drefn (dilys fel rheol), Mair Ellis am ei dwyieithrwydd unigryw, Maldwyn Lewis a Betty Williams am eu dadlau caled ar eu hoff themâu – athrawon ac addysg arbennig, Tom Jones (Llanuwchllyn) am ei drosiadau amaethyddol grymus a'i allu i gyfleu'r cymhleth yn syml, ac yr oedd y ddau Tom Jones arall (Cemaes a Phenmachno) yr un mor ffraeth; O. M. Roberts am gysondeb ei argyhoeddiadau, a Richard Gwynedd Roberts a'r Canon Robert Williams am eu diffuantrwydd a'u hymlyniad i egwyddor bob amser.

Cadeirydd y Pwyllgor Addysg pan benodwyd fi, ac am fy nhri mis cyntaf yn y swydd, oedd Capten Alex Robertson o Gaergybi. Ymhyfrydai'r cyn-gapten llong hwn yn ei dras Albanaidd ac o ddeall i mi gael fy ngeni yn Lloegr, ei ebychiad pan anghytunai â barn ei gydaelodau oedd 'Rhai felly ydyn *nhw'r* Cymry, ynte?' – gan ddisgwyl i mi gytuno! Roedd Capten yn ei elfen ar ei draed mewn pwyllgor ac yn ymhyfrydu yn ei iaith flodeuog (Saesneg yn arbennig) ond ni fyddai bob amser yn gweithredu'r cyngor a roddodd unwaith imi – i fod yn gryno ac i beidio byth â dyfynnu ffigurau! Er nad oedd yn addysgwr, roedd ganddo ddealltwriaeth dda o hanfodion addysg.

Roedd gweddill Cadeiryddion y Pwyllgor Addysg yn fy nghyfnod i yn addysgwyr wedi ymddeol i gyd, a golygai hynny ein bod yn aml ar yr un donfedd. Ar wahân i gyfarfodydd briffio rheolaidd yn y swyddfa, byddem yn teithio llawer gyda'n gilydd i gyfarfodydd cenedlaethol, Cyd-bwyllgor Addysg Cymru ac ati, ac i gynadleddau megis Cynhadledd Awdurdodau Lleol [*CLEA*], a Chynhadledd Addysg Gogledd Lloegr – un nodedig iawn y gwahoddid awdurdodau addysg Cymru iddi yn flynyddol. Drwy hyn, deuthum i'w hadnabod yn bur dda a hwythau i wybod am fy nyheadau i. Gwerthfawrogais allu John Lasarus Williams (Cadeirydd 1983-85) i ddeall hanfodion pob dadl, a'i sêl dros y Gymraeg. Cryfder Dafydd Orwig (1985-87) oedd ei unplygrwydd, ei baratoi hynod drylwyr yn ddi-feth, a'i allu i ennill cyfeillion i'r Gymraeg ymhlith ei wrthwynebwyr gwleidyddol, yng Ngwynedd ac yn arbennig yn y Cyd-bwyllgor. Byddai'r bonheddig Cynrig Williams (1987-89) yn tynnu llawer ar ei brofiad fel prifathro mewn ysgol 'prosiect dwyieithrwydd'. A chyn-brifathrawon ac undebwyr addysg oedd Hywel Thomas (1989-91) a Handel Morgan (1991-94); roedd gan y ddau brofiad cyhoeddus da a buont yn gefn cadarn i mi ac i bolisïau'r Awdurdod mewn sawl dadl a brwydr addysgol.

Cymerodd dipyn go lew o amser i mi gyfarwyddo â threfn pwyllgorau'r Cyngor Sir. Er enghraifft, gan fod holl aelodau'r Cyngor Sir ar y Pwyllgor Addysg, methwn ddeall pam fod yn rhaid i'r Cyngor Sir gadarnhau ei benderfyniadau. Ac fe welwn y broses o drafod mewn panel, yna trosglwyddo i is-bwyllgor, i Bwyllgor Addysg, ac i'r Cyngor Sir yn hynod o araf. O ganol yr wyth degau ymlaen, bu cryn chwyldro ym myd addysg ac roedd gallu ymateb yn gyflym yn bwysig. Fe deimlwn yn bur rhwystredig ar adegau, a phan ddaeth y drefn o ffurfio carfanau plaid i fodolaeth yn 1990, fe gynyddodd fy rhwystredigaeth. Bryd hynny, roeddwn yn eitha eiddigeddus o Gyfarwyddwyr Addysg mewn Awdurdodau lle'r oedd un blaid yn rheoli – fe wyddent hwy eu blaenoriaethau; yng Ngwynedd, lle nad oedd *un* blaid yn rheoli a'r grŵp mwyaf, yr aelodau Annibynnol, â chryn amrywiaeth barn o'i fewn, roedd yn anodd gwybod pa ddatblygiad neu ad-drefnu a fyddai'n ennill cefnogaeth. Yn y blynyddoedd cynnar, grym y ddadl fyddai'n penderfynu tynged argymhelliad. Yn y blynyddoedd olaf, roedd y sefyllfa'n fwy cymhleth, a herio barn pob prif swyddog yn arfer cyson, yn enwedig gan aelodau'r Blaid Lafur.

Does dim amheuaeth nad oedd addysg yn fater o bwys gan Gyngor Sir

Gwynedd ond bu i mi ddadlau o'r cychwyn nad adlewyrchid y pwysigrwydd hwn yng nghyllideb addysg y Cyngor Sir er ei fod yn ganran sylweddol (tua 60%, os cofiaf yn iawn) o'r holl wariant. Y gwir amdani oedd bod rhai o'r siroedd Cymreig eraill – siroedd nad oedd wedi datblygu cyfundrefn o addysg ddwyieithog fel yng Ngwynedd – yn gwario canran sylweddol uwch ar addysg. Ond wedi dweud hyn, roedd cefnogaeth Gwynedd i gynlluniau blaengar, ac yn arbennig i weithredu'r polisi iaith, yn gadarn ac yn frwdfrydig.

Caf sôn eto am yr adolygu a fu ar y polisi iaith yn 1985 wedi deng mlynedd o'r polisi a weithredwyd ers sefydlu Gwynedd yn ystod yr ad-drefnu. Ond mae'n werth sôn yn awr mai un o'r problemau cynharaf y deuthum ar ei thraws ar ôl dod i Wynedd, ac un a oedd yn poeni fy nghydweithwyr a phrifathrawon yr ysgolion, oedd honno o fewnlifiad o blant di-Gymraeg i ardaloedd Cymraeg y sir. Yn aml, ar ysgolion bach gwledig yr effeithid ac mewn rhai achosion gallai hyd at chwarter y boblogaeth ysgol fod yn fewnfudwyr di-Gymraeg dros nos. Does dim angen llawer o ddychymyg i sylweddoli effaith debygol y fath fewnlifiad ar iaith yr ysgol ac ar ei natur.

Yr ateb, ac un a gefnogwyd yn frwd gan arian y Pwyllgor Addysg, ac yn rhannol drwy Grant Iaith y Llywodraeth, oedd agor canolfan hwyrddyfodiaid. Yn y ganolfan, câi disgyblion rhwng 7 ac 11 oed gwrs dwys yn y Gymraeg yn fuan ar ôl eu dyfodiad i'r sir, ac yna eu cymhathu'n hwylus i'r ysgol leol ar ddiwedd tymor yn y ganolfan. Sefydlwyd trefn ar gyfer eu derbyn, yn wirfoddol wrth gwrs, yn cynnwys egluro'r amcanion, sicrhau'r rhieni y câi eu plant ofal gan arbenigwyr iaith ac y caent ddilyn y cwricwlwm cyflawn. Gan fod y ddarpariaeth, a'r cludiant, yn rhad, a'r gymhareb disgybl:athro yn well na 10:1 (roedd dau athro ym mhob canolfan), nid oedd yn syndod i rieni o fewnfudwyr gytuno'n barod, at ei gilydd, i drefniant o'r fath; ymunodd nifer ohonynt mewn dosbarthiadau nos i ddysgu'r Gymraeg eu hunain. Mae'n werth nodi, hefyd, bod nifer sylweddol o'r disgyblion a fynychai'r canolfannau ag anawsterau dysgu ganddynt. O ganlyniad i waith y canolfannau, roeddynt yn ennill hyder ac yn gwella eu sgiliau darllen Saesneg a rhifedd, yn ogystal â dysgu Cymraeg. Gwelai'r rhieni werth hynny, a does rhyfedd iddynt gefnogi'r canolfannau lle câi eu plant y fath lwyddiant. Ar ôl rhai blynyddoedd o weithredu llwyddiannus iawn, paratowyd fideo yn disgrifio'r gweithredu llwyddiannus a'r ymateb i'r ddarpariaeth, a bu copïau o hon o ddefnydd i brifathrawon wrth iddynt egluro natur y ganolfan i rieni.

Sefydlwyd y ganolfan gyntaf, a'r gyntaf yng Nghymru, yng Nghaernarfon yn 1984; yna Llangybi, Dwyfor (1985), Llangefni (1985), Dolgarrog (1987), Botwnnog (1987 – caewyd yn 1989 oherwydd llai o alw), a Phenrhyndeudraeth (1989). O bryd i'w gilydd, i gyfarfod â galw brys, agorid canolfannau dros dro. Bu gostyngiad yn y mewnlifiad o 1991 ymlaen ond parhaodd y galw yn weddol gyson. Rhwng 1984 a 1993, bu 1509 o blant yn y canolfannau. Roeddem ni yn sicr eu bod yn llwyddiant mawr yn yr amcan a osodwyd iddynt ond braf oedd cael cadarnhad AEM yn 1989 'i'w cyflawniad sylweddol yn cyflwyno'r ail iaith i'r plant . . . hefyd eu llwyddiant yn plannu hyder a sgiliau addysgiadol sylweddol mewn nifer ohonynt.'

Yn 1983, pan ddeuthum i i'r sir, sylweddolais fod agweddau at y Gymraeg wedi newid yn fawr o gymharu â'r sefyllfa anfoddhaol a fodolai cyn 1974 yn yr hen siroedd ac, yn sicr, roedd llawer mwy o ddefnyddio ar y Gymraeg yn gyfrwng yn yr ysgolion uwchradd. Roedd defnyddio'r Gymraeg yn gyfrwng wedi ymledu i feysydd cwricwlaidd newydd megis ffiseg, cemeg, mathemateg ac addysg gorfforol. Roedd tair ysgol uwchradd newydd wedi eu sefydlu – Tryfan, Bodedern a'r Creuddyn – y gyntaf a'r olaf yn benodol Gymraeg, yr olaf ar y cyd â Chlwyd, a'r tair yn dangos eisoes gryn flaengaredd o ran datblygu addysg ddwyieithog. Ar ben hyn, roedd tîm o athrawon bro cylchynol wedi ei sefydlu yn 1978 i hybu addysgu Cymraeg yn ail iaith, yn yr ysgolion cynradd yn bennaf, ac roedd disgwyliadau o ran dysgu ail iaith wedi codi'n sylweddol.

Yn 1985, pan aethom ati fel swyddogion ac ymgynghorwyr iaith i adolygu'r polisi iaith wedi deng mlynedd o'i weithredu, roeddem yn ymwybodol bod y sylfeini wedi eu gosod ond, oherwydd newid yn yr amgylchiadau addysgol ac ieithyddol, bod angen ail-lunio'r polisi. Roedd rhaid rhoi mwy o bwysigrwydd a statws iddo, a chynnig targedau – roedd gan Wynedd dargedau ymhell cyn i'r Llywodraeth eu cyflwyno! – canllawiau penodol a hyfforddiant addas i'r athrawon ar gyfer ei weithredu yn yr ysgolion, cynradd ac uwchradd. Roedd angen diffinio dwyieithrwydd yn fwy cadarn ac angen codi safonau Cymraeg a Saesneg y disgyblion yn gyffredinol. Hefyd, roeddem ym ymwybodol bod angen datblygu polisi iaith ar gyfer y sector addysg bellach, sector nad oedd yn gynwysedig ym mholisi 1975.

Un newid sylfaenol yn y polisi diwygiedig hyd un ar ddeg oed oedd na wahaniaethid yn y polisi newydd rhwng ysgolion cynradd yr ardaloedd traddodiadol Gymraeg a'r rhai mewn ardaloedd llai Cymraeg, fel y gwnaed yn y polisi blaenorol. Ar wahân i'r ffaith ei bod yn anodd diffinio'r categorïau hyn, roedd yn bwysig fod pob ysgol gynradd yn deall mai'r nod ar gyfer pob disgybl yn ddiwahân, beth bynnag fo'i gefndir cartref, oedd gallu siarad a darllen ac ysgrifennu'n rhugl yn y ddwy iaith pan fyddai'n trosglwyddo i'r ysgol uwchradd. Er mwyn hyrwyddo hyn, cryfhawyd y pwyslais ar osod sylfaen gadarn i'r Gymraeg drwy addysg feithrin. Hefyd, rhoddwyd mwy o bwyslais ar ddatblygu Saesneg y Cymro Cymraeg; roedd 'dylid gwneud pob ymdrech i ddatblygu'r Saesneg' braidd yn amhendant ym mholisi 1975.

Yn atodiad i'r polisi iaith, cynhwyswyd canllawiau manwl i'r ysgolion cynradd ar weithredu'r polisi gan gynnwys rhai ar sicrhau parhad a dilyniant wrth i'r disgyblion drosglwyddo i'r ysgol uwchradd, a chanllawiau ar bolisi cytunedig i'r ysgolion cynradd a oedd yn bwydo'r ysgol uwchradd. Roedd y canllawiau hyn hefyd yn disgrifio swyddogaeth yr athrawon bro a'u perthynas â'r prifathro a'r athro dosbarth, ac yn rhoi arweiniad ar addysgu mewn sefyllfaoedd cymysg yn ieithyddol.

Roedd y newidiadau yn y polisi ar gyfer ysgolion uwchradd yn fwy chwyldroadol nag yn y cynradd. Ychydig o newid sylfaenol oedd mewn perthynas â dysgu iaith ac eithrio bod yr atodiad i'r polisi yn manylu ynglŷn â disgwyliadau ar gyfer y rhai nad oedd y Gymraeg yn famiaith iddynt. Roedd yr hyn a ddywedai'r polisi newydd mewn perthynas â chyfrwng yn newid mwy sylweddol.

Roedd polisi 1975 ar addysgu drwy gyfrwng y Gymraeg yn gofyn am 'sicrhau dilyniant o addysgu trwy'r Gymraeg mewn nifer o bynciau yn yr ysgolion uwchradd a threfnu bod modd i'r plant sefyll yr arholiadau allanol yn y pynciau hyn trwy gyfrwng y Gymraeg'. Roedd y polisi newydd yn gofyn i'r ysgolion ofalu bod 'pob disgybl yn defnyddio'r ddwy iaith yn gyfrwng i amrywiol raddau yn unol â gofynion pob unigolyn, er mwyn sicrhau parhad i'r addysg ddwyieithog yn yr ysgolion cynradd'. Sylfaen y polisi hwn oedd y gred mai dim ond wrth ddefnyddio iaith yn weithredol y mae cryfhau'r gafael ynddi yn yr ysgol uwchradd, fel yn y cynradd. Bwriad yr Awdurdod oedd gosod nod dwyieithog clir ar gyfer pob un o'u hysgolion uwchradd. Tybiwyd bod angen chwe model i ddisgrifio holl ysgolion uwchradd Gwynedd a chysylltwyd pob ysgol uwchradd ag un o'r modelau hyn. Roedd y modelau'n cynnwys ar un pegwn yr ysgol uwchradd fach mewn ardal wledig Gymraeg, a'r ysgol fawr drefol mewn ardal Seisnigedig ar y pegwn arall.

Roeddem yn ystyried holl ysgolion uwchradd Gwynedd yn rhai dwyieithog o ran eu polisi iaith a'u trefniadau ar gyfer addysg ddwyieithog ond roedd yn rhaid wrth batrwm chwe model i adlewyrchu'r amrywiol sefyllfaoedd oedd yn bodoli. Roedd y modelau'n rhoi ystyriaeth i natur ieithyddol y dalgylch, natur ieithyddol y staff, maint yr ysgol a'i threfniadaeth fewnol a'r ddarpariaeth y gallai'r Awdurdod ei wneud, o ran adnoddau o bob math, i gynnal y drefniadaeth ddwyieithog. Yr oeddem yn ei hystyried hi'n bwysig fod pob ysgol yn gosod nod ieithyddol perffaith glir iddi ei hun fel rhan o batrwm sirol, gan gofio nad ceisio meithrin dwy iaith yn gyfartal â'i gilydd oedd tasg ysgol ddwyieithog ond meithrin dwyieithrwydd disgyblion unigol i'r graddau uchaf tra'n addysgu'r disgyblion hynny yn unol â natur, cyrhaeddiad a photensial pob disgybl. Nid oedd cysylltu ysgol â model arbennig yn golygu na allai fod mewn categori gwahanol yn y dyfodol. Gallai newid o ran niferoedd ac/neu natur ddwyieithog ei disgyblion neu newid yn natur y staff olygu y byddai model arall yn rhoi gwell disgrifiad o'i nod.

O fewn y modelau, nodwyd targedau, canllawiau bras, ynglŷn â faint o'r cwricwlwm y dylid ei addysgu drwy'r ddau gyfrwng i ddisgyblion o hyfedredd ieithyddol gwahanol – o 70% cyfrwng Cymraeg i Gymry cynhenid i 20% i ddysgwyr llai llwyddiannus.

Roedd edrych ar ddwyieithrwydd yr ysgolion uwchradd yn y dull yma yn ddatblygiad pur chwyldroadol. Bu inni nodi yn nogfennaeth y polisi bwysigrwydd penodi cydgysylltydd iaith, uchel ei statws yn yr ysgol, i arwain datblygiad addysg ddwyieithog yr ysgol, i arfarnu ei llwyddiant ac i fod yn gynhaliaeth i'r adrannau pynciol. Gallem ddweud heb lawer o betruster i'r datblygiadau mwyaf arwyddocaol ddigwydd yn yr ysgolion lle penodwyd person a chanddo weledigaeth a dealltwriaeth dda o faes dwyieithrwydd a'i anghenion. O gysylltu'r datblygiad hwn â'r prosiect *Ansawdd profiadau addysgol mewn sefyllfa ddwyieithog* (Dafydd Whittall), prosiect a fu'n edrych yn fanwl ar ddulliau addysgu dros y cwricwlwm sy'n hyrwyddo meistrolaeth iaith (y Gymraeg yn benodol ond roedd y gwersi yr un mor berthnasol i'r Saesneg), ein gobaith oedd gweld grymuso pellach ar weithrediad y polisi iaith yn yr ysgolion uwchradd. Roedd goblygiadau mewn perthynas â hyfforddiant mewn-swydd i athrawon uwchradd yn bur sylweddol, gan gynnwys darparu cyrsiau Cymraeg i athrawon uwchradd di-Gymraeg.

Ym mis Ionawr 1988 y cynhaliwyd y cwrs cyntaf i athrawon di-Gymraeg. Yn fuan, fe ddatblygwyd tri chwrs o wahanol safon ac erbyn 1992 roedd tua chant o athrawon uwchradd a darlithwyr y colegau addysg bellach wedi mynd drwy'r felin dan gyfarwyddyd tiwtor profiadol iawn yn y maes addysgu iaith i oedolion – Glenys Roberts. Byddai'r athrawon yn cael eu rhyddhau am un diwrnod yr wythnos am 35 o ddyddiau i fynychu'r cwrs ond yn ystod y cyfnod cymharol fyr yma, rhaid oedd sefyll arholiadau 'Defnyddio'r Gymraeg – Safon TGAU' neu 'Defnyddio'r Gymraeg – Safon Uwch' i'r rhai mwy profiadol. O ardaloedd mwy Seisnigedig y deuai'r rhan fwyaf ar y cwrs, ynghyd â nifer fach o ysgolion ardaloedd Cymraeg. Roedd yn dda gweld bod nifer o ddarlith-wyr colegau addysg bellach wedi manteisio ar y ddarpariaeth. Yr hyn oedd yn galonogol oedd bod nifer o'r rhai a fu ar y cwrs bellach wedi gallu addysgu drwy'r Gymraeg yn eu hysgolion, nifer yn dal swyddi uchel yn eu sefydliadau gan gynnwys un pennaeth, a phob un wedi gallu cyfrannu i gadarnhau a chryfhau'r Gymraeg yn eu hysgol neu goleg. Ym Medi 1991, ymestynnwyd y cyrsiau i'r sector cynradd a chynigiwyd cyfle i athrawon llanw a rhai di-waith ddysgu'r Gymraeg. Cafwyd dros 160 o geisiadau!

Cafodd y polisi iaith diwygiedig dderbyniad da gan y Pwyllgor Addysg a chan ysgolion fel ei gilydd, a hynny, rwy'n credu, oherwydd yr athroniaeth gymeradwy oedd yn sail iddo. Polisi addysg oedd sail y polisi iaith a phwysleisiwyd gennym yn barhaus na ellid gwahaniaethu addysgu iaith yn llwyddiannus ac addysgu cyffredinol llwyddiannus. Roeddem yn gobeithio bod y cwbl yn rhesymol ac yn deillio o synnwyr cyffredin mewn sir ddwyieithog!

Wrth gyflwyno'r polisi iaith diwygiedig i'r Pwyllgor Addysg yn 1986, teimlwn ein bod ar dir diogelach o ran technegau addysgu iaith a hefyd o ran agwedd rhieni nag yn 1975. Ond pwysleisiwyd bod yn rhaid dwysáu ein hegnïon i egluro'r polisi i rieni, bod yn rhaid diogelu safonau er mwyn cadw'r gefnogaeth. Ni chyflwynwyd y polisi iaith diwygiedig heb rai trafferthion (ychydig, mewn gwirionedd) ond, yn aml, fe godai'r anawsterau oherwydd i rieni gamddeall ein bwriadau er inni geisio manteisio ar bob cyfle posib i'w hegluro gan gynnwys y defnydd o fideo yn cynnwys cyfweliadau gyda rhieni o wahanol gefndiroedd ieithyddol.

Yn y pen draw, roeddwn yn argyhoeddedig fod gweithredu'r polisi iaith yn llwyddiannus yn dibynnu ar lwyddiant y pennaeth i egluro'r polisi i'w rieni, ei b(ph)arodrwydd i wrando ar broblemau real y rhieni ac ymateb iddynt, ac ar ansawdd yr addysgu. Dros y blynyddoedd, deuthum i sylweddoli mai cymharol ychydig o rieni fyddai'n gwrthwynebu polisi os byddai eu plant yn hapus yn yr ysgol ac yn llwyddo. Gallaf dystio bod mwyafrif prifathrawon Gwynedd wedi ymdopi'n rhyfeddol o dda yn yr agweddau hyn a hyderaf iddynt deimlo eu bod wedi cael cefnogaeth uniongyrchol yr Awdurdod, drwy fy swyddogion a minnau, pan fyddai angen hynny.

Mewn rhai ardaloedd Seisnigedig, megis Llandudno a Chaergybi, cafwyd pwysau gan rieni ar brifathrawon ac athrawon ac o ganlyniad cafodd y polisi iaith ei lastwreiddio. Cawsom sawl cyfarfod tanllyd, ond buddiol mi gredaf, rhyngom ni, swyddogion yr Awdurdod Addysg, ymgynghorwyr iaith a rhieni yn y mannau hyn. Mewn nifer gymharol fach o ysgolion, cawsom anhawster i ddarbwyllo rhieni o werth dwy-ieithrwydd er defnyddio tystiolaeth ymchwil ac arbrofion mewn gwledydd fel Canada. (Roeddwn bob amser yn ymwybodol o'r ffaith nad oedd digon o ymchwil gwrthrychol wedi'i weithredu a'i gyhoeddi yng Nghymru. Mae'r sefyllfa wedi gwella rywfaint erbyn hyn, ond mae angen llawer mwy o ymchwil a chyhoeddusrwydd i lwyddiannau dwyieith-rwydd o ran datblygiad cyffredinol addysgol ac ieithyddol plant. Gwnaeth yr Athro Colin Baker, Bangor, gyfraniad mawr yn hyn o beth.)

Wrth ail-lunio'r polisi iaith, daethom yn ymwybodol na allai'r ysgolion ymgodymu ar eu pennau eu hunain â chyflwyno addysg mewn dwy iaith heb gefnogaeth gan yr Awdurdod. Rhoddwyd y gefnogaeth hon mewn sawl ffurf a phwysleisiais droeon fod gan bob ymgynghorydd swyddog-aeth bwysig ynglŷn â hybu'r Gymraeg a'i defnyddio'n gyfrwng.

Dros y blynyddoedd, bu'r Tîm Ymgynghorol, mewn cydweithrediad llwyr â swyddogion addysg, yn allweddol i weithredu'r polisi iaith ar draws y gwahanol feysydd, yn ogystal, wrth gwrs, â datblygu'r cwricwlwm.

Roedd y cyfnod o ganol yr wyth degau ymlaen yn un o'r rhai mwyaf cynhyrfus o ran datblygiadau cwricwlaidd a phroffesiynol. Yn sgîl ymestyn arbenigedd y Tîm Ymgynghorol, rhoi pwyslais ar feithrin sgiliau rheolaeth penaethiaid a dirprwyon ysgolion cynradd ac uwchradd (a phenaethiaid adran yn yr uwchradd) a thrwy greu rhwydwaith i gynnal hyfforddiant amrywiol ar draws y sir, fe ddatblygodd ysbryd o gydweithrediad ar y naill law a hyder ysgolion i fod yn fwy hunangynhaliol ar y llaw arall. Yn ddiweddarach, byddai'r nodweddion hyn yn allweddol yn yr her i ymateb i ofynion Llywodraeth Ganol a'r newidiadau mewn Llywodraeth Leol.

Ym maes y Cwricwlwm Cenedlaethol, er enghraifft, rhagflaenwyd nifer o'r datblygiadau, yn enwedig yn yr uwchradd, gan waith gweithgorau o swyddogion, ymgynghorwyr ac athrawon. Er 1985, bu'r rhain yn llunio cwricwlwm sirol wedi ei seilio i raddau helaeth ar gyhoeddiadau AEM y cyfnod gan bwysleisio ehangder, cydbwysedd a pherthnasedd. Gogwyddai'r farn flaengar yr adeg honno tuag at yr egwyddor o *feysydd profiad* megis y dyniaethau, y creadigol, gwyddoniaeth ac ati. Pan sefydlwyd Cyngor Cwricwlwm Cymru, roeddem fel sir ar ein mantais o gael Hywel Evans, Prifathro Ysgol Aberconwy, yn Gadeirydd y Cyngor hwnnw ac Alwyn Evans yn aelod ohono ac yn cadeirio gweithgor cenedlaethol ar y cwricwlwm cyflawn. A chan fy mod innau'n aelod o'r gweithgor Prydeinig a luniodd y cwricwlwm gwyddoniaeth, rwy'n credu inni lwyddo i roi arweiniad a chynhaliaeth sylweddol i ysgolion mewn cyfnod digon anodd. Yn wir, defnyddiwyd llawer o'n modelau a'n cyhoeddiadau megis *Cydbwysedd ac Ehangder* gan nifer o awdurdodau eraill.

Fel y soniwyd eisoes, roedd y Tîm Athrawon Bro mewn bodolaeth er 1978 ac ar ei gryfaf roedd 34 o athrawon yn y tîm, gan gynnwys cydgysylltydd. Rhwng 1978 a 1986, roedd y tîm yn gyfrifol am roi gwersi Cymraeg i grwpiau o ddysgwyr yr ysgolion cynradd. Wedi ail-lunio'r polisi iaith, newidiwyd eu swyddogaeth i un o *weithio ochr yn ochr ag athrawon dosbarth* a gwaith ar draws y cwricwlwm. Targedwyd ysgolion penodol am dymor neu fwy gan eu paratoi i fod yn hunangynhaliol wedi i'r athrawon bro adael. Amcan y dull hwn o weithio oedd codi disgwyliadau athrawon a gosod patrwm o arfer dda o ran dulliau addysgu heriol. Cafwyd tystiolaeth o werthfawrogiad y mwyafrif llethol o ysgolion o'r dull dwys hwn o weithio. Gyda dyfodiad y Cwricwlwm Cenedlaethol, cynyddodd eu pwysigrwydd a'u defnyddioldeb gan yr ysgolion.

Ym maes cyfrwng Cymraeg/Saesneg uwchradd, bu'r Awdurdod yn hyrwyddo dealltwriaeth yr ysgolion o'r drefniadaeth a'r dulliau addysgu angenrheidiol i ymgodymu â threfniadaeth ysgol a sefyllfaoedd dysgu yn y dosbarth.

Wrth osod canllawiau i'r ysgolion uwchradd ynglŷn â'r ganran o'r cwricwlwm y dylid ei haddysgu yn y Gymraeg a'r Saesneg i ddisgyblion o wahanol gefndiroedd ysgol, fe anogwyd yr ysgolion i anelu at y ganran hon drwy *amrywiol ddulliau* gan gynnwys edrych ar ffyrdd o addysgu elfennau o fewn pwnc drwy'r ddwy iaith yn eu tro. At ei gilydd, dewisodd y mwyafrif o'r ysgolion rannu'r pynciau yn ôl cyfrwng ond gwelwyd blaengaredd a dyfeisgarwch mewn rhai ysgolion dan anogaeth y prosiectau a gomisiynwyd. Cafwyd enghreifftiau o addysgu dwyieithog tra llwyddiannus i ddosbarth cymysg iaith. Cafodd yr ysgolion fudd mawr o brosiectau a gomisiynwyd gan yr Awdurdod megis *Ansawdd profiadau addysgol mewn sefyllfa ddwyieithog* (Dafydd Whittall) a *Pwnc Iaith – Iaith Pwnc* (Cen Williams).

I ategu'r ddarpariaeth ar gyfer yr athrawon di-Gymraeg y cyfeiriwyd atynt uchod, datblygwyd rhaglen hyfforddiant drwyadl gan Cen Williams yn y Coleg Normal i gynorthwyo'r rhai a deimlai fod angen mireinio eu hiaith ar gyfer addysgu drwy'r Gymraeg. Roedd Cen Williams wedi bod yn gydgysylltydd iaith tra llwyddiannus pan oedd ar staff Ysgol Bodedern. Dibynnai llwyddiant y gwaith hwn ar gyllid o grant hyfforddiant mewn-swydd yr Awdurdod ac ewyllys da yr athrawon eu hunain ynghyd â chefnogaeth eu penaethiaid a'u cydweithwyr.

Cydnabuwyd gennym fod angen edrych yn fanylach ar ddulliau o ddatblygu dwyieithrwydd disgyblion a oedd â'r Gymraeg yn ail iaith iddynt yn yr ysgolion uwchradd ac yn y dull o ffrydio a setio yn achos dysgwyr da yn yr ysgolion uwchradd mawr mewn ardaloedd cymysg ieithyddol. Er gwaethaf nifer o ymdrechion buddiol, ni ddatryswyd yn ystod fy nghyfnod i y broblem o roi'r Gymraeg am y tro cyntaf i ddysgwyr a oedd yn cyrraedd y dalgylch yn ystod eu cyfnod uwchradd neu ym misoedd olaf y cynradd. Roedd hefyd y broblem enfawr o gyflwyno'r diwylliant i fewnfudwyr – eu cael i sylweddoli eu bod bellach yn byw yng Nghymru – ond nid ar ysgwyddau awdurdod addysg yn unig yr oedd y cyfrifoldeb am barhad y diwylliant Cymraeg!

Teimlwn ei bod yn bwysig fod cynghorwyr, yn ogystal â swyddogion ac ymgynghorwyr, yn cael cyfle i weld enghreifftiau o'r polisi iaith ar waith a bu'r Panel Iaith yn treulio diwrnod mewn ambell ysgol uwchradd, megis Bodedern a'r Creuddyn, i arsyllu arfer dda ac i gynnal trafodaeth ar bolisi iaith penodol yr ysgol ynghyd â'i hanghenion.

Yn ystod y blynyddoedd o weithredu'r polisi yn yr uwchradd, ychydig o drafferthion a gafwyd yn yr ysgolion, mewn gwirionedd, ond cofiaf ddau neu dri o achosion a fu'n destun trafodaeth rhwng yr ysgol, rhiant a'r Awdurdod am wythnosau. Roedd fy swyddogion a minnau'n ceisio gofalu ein bod yn cymryd cwynion y rhieni o ddifrif gan geisio lles gorau'r disgybl yn addysgol ac yn ieithyddol. At ei gilydd, pan fyddem yn cynnal trafodaeth resymol gyda rhieni ac yn eu sicrhau ynglŷn â safon yr addysg, fe giliai'r pryderon – a fynegid weithiau mewn modd ymosodol iawn ar y dechrau. Ysywaeth, fe aeth un achos yn ymwneud â chanran o'r cwrs a gâi disgybl (o gartref Cymraeg) drwy gyfrwng y Gymraeg yn Ysgol Uwchradd Llangefni i'r Uchel Lys. Bu i mi ymwneud yn bersonol â'r achos anodd hwn mewn cydweithrediad â Chyfreithiwr y Sir. Rhaid oedd i mi baratoi brîff manwl i Gwnsler y Frenhines a ymgymerodd â'r achos ar ran y Cyngor Sir ac ar 26 Mai 1993 bûm i a Chyfreithiwr y Sir (a Carys fy ngwraig) yn yr Uchel Lys yn gwrando ar yr adolygiad barnwrol gerbron y Barnwr Tasker Watkins. Fel yr âi'r achos yn ei flaen, roedd arwyddion fod y gwynt o'n tu ond ni chyhoeddwyd y dyfarniad am fis. Pan ddaeth, dyfarnwyd nad oedd achos i'w ateb gan na chwblhawyd y drafodaeth rhwng y rhiant a'r ysgol a'r Awdurdod. Roedd ymladd yr achos yn fusnes drud ond byddai ei golli wedi bod yn ddrutach gyda goblygiadau sylweddol i weithredu'r Polisi Iaith yn ysgolion uwchradd Gwynedd. Fel pob cwyn arall yn erbyn y polisi iaith, fe ddysgwyd rhai gwersi gwerthfawr gan yr ysgol a'r Awdurdod – yn arbennig o ran cyflwyno a thrafod y polisi iaith gyda rhieni.

Ym Medi 1989, cofiaf i Gyfarwyddwr Awdurdod Datblygu Cymru [ADC neu'r *WDA*] ofyn am gyfarfod i drafod ein polisi iaith a'n hagwedd tuag at fewnfudwyr di-Gymraeg. Ei ofn penodol oedd y byddai ein gorfodaeth ar ddisgyblion i ddysgu'r Gymraeg yn atal gweithwyr allweddol rhag dod i mewn i'r sir i weithio a byw. Addewais y byddwn yn fwy na pharod i gyfarfod unrhyw un a oedd yn pryderu a threfnu iddynt gyfarfod penaethiaid yr ysgol neu'r ysgolion dan ystyriaeth. Fe roddais sicrwydd iddo mai darparu addysg o safon oedd ein nod a chynnig y gynhaliaeth orau ar gyfer dysgu'r Gymraeg i gyfateb â'r gofyn. Atgoffodd y cyfarfod hwn fi o'r angen i ymateb yn llawn ac yn fuan i unrhyw bryder di-sail fel hyn. Ni chododd y mater wedyn yn ystod fy nghyfnod i.

Ni ellir sôn am ein polisi iaith heb gyfeiriad at Gymdeithas yr Iaith Gymraeg a'i hymwneud â'r Awdurdod ac â mi fel Cyfarwyddwr Addysg. Fe dynnai'r Gymdeithas – drwy Angharad Tomos a Siân Howys fel arfer – fy sylw o bryd i'w gilydd at ddiffygion gweithredu ein polisi ac ar adegau at yr angen am fwy eto o le i'r Gymraeg o fewn ein polisïau. Ni allwn gytuno â hwy bob amser ar y pwyslais ar le'r ddwy iaith o fewn ein hysgolion ond byddwn bob amser yn cymryd sylw o'u safbwynt. Cofiaf i gynrychiolaeth o Ffederasiwn Ysgolion Gwynedd y Gymdeithas ddod i'm gweld gyda thystiolaeth o ddiffyg darpariaeth mewn meysydd penodol. Pan gyhoeddodd y Gymdeithas *Chwalu'r Myth* yn 1987, yn tynnu sylw at ddiffygion yn rhai o ysgolion Gwynedd, gelwais brifathrawon penodol i'r swyddfa i drafod yr honiadau a chael bod sail i rai o'r cwynion o leiaf. Does dim amheuaeth nad oedd Cymdeithas yr Iaith yn cyflawni swyddogaeth bwysig o dynnu sylw at y mannau gwan er nad oeddwn i fel Cyfarwyddwr yn credu bod eu tactegau'n help i'r sefyllfa bob amser, a byddai cefnogaeth gyhoeddus i rai datblygiadau blaengar wedi cael ei werthfawrogi! Cefais y cyfle i drafod llawer gyda swyddogion y Gymdeithas adeg sefydlu'r Pwyllgor Datblygu Addysg Gymraeg ac yr oeddwn i a hwythau yn siomedig na chafodd y Pwyllgor Datblygu hwnnw y gefnogaeth briodol gan y Llywodraeth i fod yn ddylanwad effeithiol i hyrwyddo darparu addysg Gymraeg yn yr ysgolion a'r colegau. Bu trafferthion sylweddol ynglŷn â'r polisi iaith yn Ysgol Caergeiliog, Môn, a chefnogodd y Gymdeithas safbwynt yr Awdurdod bryd hynny. Cefnogais innau'r Gymdeithas yn ei rali yn Nhachwedd 1992 i wrthwynebu Mesur Addysg y Llywodraeth ac, yn benodol, yr egwyddor o 'eithrio'. Teimlwn, fel hwythau, fod pwyslais Mesur Addysg 1992 yn gwbl estron i ni yng Nghymru ac yn tanlinellu'r angen am gyfundrefn addysg annibynnol i Gymru.

Tua'r un adeg ag adolygu'r Polisi Iaith, bu datblygiad pwysig arall a oedd yn atgyfnerthiad sylweddol i waith llafar a chreadigol yn yr ysgolion. Trwy gydweithrediad a chefnogaeth ariannol Cyngor y Celfyddydau (a thrwy'r Grant Iaith yn ddiweddarach), sefydlwyd cwmni Theatr mewn Addysg yng Ngwynedd – cwmni'r Frân Wen. Bu cyfraniad a diddordeb Gwynn Jarvis, fy nirprwy, yn y datblygiad hwn yn allweddol. Sefydlwyd patrwm o ymweliadau i'r ysgolion gan dri actor o'r Cwmni, a gyflwynai themâu pwysig i ddatblygiad personol a chymdeithasol y disgyblion yn ogystal â hyrwyddo eu sgiliau llafar. Cefais gyfle i weld pa mor effeithiol oedd y gwaith drwy fynychu rhai o'r cyflwyniadau cynnar. Roedd diddordeb y disgyblion yn y themâu a gyflwynwyd yn fyw iawn a'r ymateb yn frwdfrydig a chwbl naturiol. Mewn un cyflwyniad yn Ysgol y Felinheli ar y thema 'Y Syrcas', gofynnwyd i'r disgyblion awgrymu rhywun i chwarae'r clown. Ar ôl ennyd o ddistawrwydd, awgrymodd un ohonynt, 'Y dyn acw!' – sef fi, a minnau wedi ceisio cuddio yng nghornel y dosbarth. Roedd yr athrawon yn eu dyblau.

Ar wahân i'r Polisi Iaith, y rhoddais gryn sylw iddo uchod oherwydd y lle canolog a gymerodd yn ein gweithgareddau fel swyddogion ac ymgynghorwyr, roedd nifer o faterion eraill yn galw am sylw – materion y deuthum yn ymwybodol ohonynt yn gynnar yn fy swydd.

Un ohonynt oedd addysg bellach. Yn ystod fy nghyfnod yn yr Arolygiaeth, clywais ddisgrifio addysg bellach fel *Cinderella* y gyfundrefn addysg ac yn sicr dyna oedd y sefyllfa yng Ngwynedd ar ddechrau'r wyth degau. Roedd Coleg Gwynedd ym Mangor yn darparu ystod eithaf helaeth o gyrsiau; Coleg Pencraig yn Llangefni gyda'i bwyslais garddwriaethol ac amaethyddol yn bennaf; Coleg Meirionnydd yn Nolgellau yn cynnig nifer gyfyngedig o gyrsiau ond heb yr arian i ddatblygu; a Choleg Llandrillo, coleg sylweddol ei faint a'i ddarpariaeth, a gâi ei redeg ar y cyd â Chlwyd gan ei fod ar y ffin rhwng y ddwy sir, a Choleg Glynllifon, Llanwnda, Caernarfon, a oedd yn goleg amaethyddol bach. Yr oedd yr adnoddau yn Llandrillo yn eithaf ffafriol – efallai oherwydd iddynt fanteisio ar lacrwydd y drefn ryng-sirol a oedd yn anfoddhaol o ran atebolrwydd a rheolaeth. Ond yr oedd yr adnoddau yn y colegau eraill yn bur annigonol ar sawl cyfrif. Serch hynny, y diffyg amlycaf oedd lleoliad daearyddol y colegau yng Ngwynedd heb ddim darpariaeth addysg bellach gyffredinol i'r gorllewin o Fangor ac i gyfeiriad Llŷn – ac eithrio'r ychydig ddarpariaeth a gynigid yng Nghanolfan Fron-deg, Pwllheli (mewn adeilad hen ysgol) a oedd i bob pwrpas yn ganolfan i rai dosbarthiadau nos a gweithgareddau cymunedol lleol. Ac yr oedd dau ddiffyg arall. Tueddai gormod o ddisgyblion cymedrol eu gallu barhau eu haddysg yn chweched dosbarth yr ysgolion. Byddai wedi bod yn fwy buddiol i fwy ohonynt ddilyn cyrsiau galwedigaethol yn hytrach nag ymgodymu gyda chyrsiau academaidd Safon Uwch. Ychydig o gyfeirio myfyrwyr i'r colegau addysg bellach a wnâi'r ysgolion ac mewn un neu ddau o achosion, er mawr syndod i mi, fe waherddid cynrychiolwyr y colegau rhag dod i'r ysgol i ddisgrifio eu cyrsiau i ddarpar fyfyrwyr a fyddai o bosib wedi elwa o ddarpariaeth o'r fath. Bu'n rhaid i mi ymyrryd yn y mater hwn.

Roedd cywiro'r diffyg arall yn golygu torri tir newydd. Er bod y polisi iaith wedi dechrau gwreiddio o ddifrif yn yr ysgolion uwchradd, doedd dim dilyniant cyfrwng Cymraeg i fyfyrwyr a ddymunai hynny yn y colegau addysg bellach. Yn adolygiad 1985 o'r polisi iaith, fe ychwanegwyd y colegau o fewn y polisi ar ôl cyfnod o ymgynghori â hwy. Dyma oedd yn y polisi newydd a dderbyniwyd gan y Pwyllgor Addysg yn 1986:

> Dylai holl sefydliadau addysg y sir adlewyrchu ac atgyfnerthu'r polisi iaith yn eu gweinyddiad, eu bywyd cymdeithasol a'u trefn fugeiliol yn ogystal ag yn eu darpariaeth academaidd.

Roedd y penderfyniad i gynnwys colegau addysg bellach Gwynedd yn y polisi iaith yn symudiad pwysig ond prin ein bod wedi dechrau rhoi'r polisi mewn grym o ddifrif pan dynnwyd addysg bellach o reolaeth yr awdurdodau addysg. Ond mae'n dda deall, ac felly y byddwn wedi gobeithio, bod y ddau goleg sydd yng Ngwynedd erbyn hyn, Coleg Menai a Choleg Meirion-Dwyfor, yn arddel polisi o hybu'r defnydd o'r Gymraeg yn gyfrwng ochr yn ochr â'r Saesneg, ac yn datblygu dulliau llwyddiannus o addysgu dwyieithog mewn sawl maes. Yn hyn o beth, maent ymhell ar y blaen i weddill colegau Cymru.

Bu i'r ystyriaethau a drafodwyd uchod o fewn maes addysg bellach ddylanwadu llawer ar y safbwynt a fynegais i'r Pwyllgor Addysg yn Rhagfyr 1985 pan benderfynwyd bod angen edrych yn fanwl ar addysg 16-19 yn yr ysgolion a'r colegau. O hynny ymlaen, a nes i mi ymddeol yn

1994, bu'r maes yma yn uchel ar yr agenda ac yn un y treuliais lawer o amser ac egni ynglŷn ag ef yn ceisio'r atebion addysgol gorau i fyfyrwyr Gwynedd. Cyfeiriaf at hyn ymhellach ymlaen.

O fewn addysg gynradd, yr hyn a ofynnai am sylw buan oedd ystyried nifer yr ysgolion yr oedd eu hangen yn y trefi, ac yn benodol yn Llandudno a Blaenau Ffestiniog. Yn y mannau hynny, roedd gor-ddarpariaeth a rhai o'r adeiladau'n hen ac anaddas. Busnes anodd ac, mewn llawer ystyr, diddiolch, yw cau ysgol gan fod traddodiad a chysylltiadau teuluol yn bwysig iawn yng ngolwg rhai rhieni yn arbennig. Ond anghyfrifol fyddai peidio â gwneud dim a chynnal system aneffeithlon a gwastrafflyd o ran y defnydd o adnoddau.

Cafwyd cydweithrediad y Catholigion i uno dwy ysgol Babyddol yn Llandudno ond methiant fu'r ymgais i uno dwy ysgol yr Eglwys yng Nghymru yn yr ardal ac ni lwyddwyd i gau yr un o chwe ysgol gynradd yr Awdurdod er mwyn rhyddhau arian i gartrefu'r gweddill mewn gwell adeiladau. Ym Mlaenau Ffestiniog, caewyd Ysgol Glanpwll, yr hynaf yn y dref o ran ei hadeiladau, ond nid heb gryn wrthwynebiad lleol, yn enwedig o du nifer o rieni. Mewn achosion eraill yn y sir, lle'r oedd teimladau gwrthwynebus cryf, methwyd cael pleidlais o blaid cau er bod y dadleuon addysgol ac ariannol yn rhai cryf. Weithiau, roedd ystyriaethau lleol, nad oedd a wnelont ddim ag addysg ac effeithiolrwydd, yn gorbwyso.

Yr oedd yng Ngwynedd yn 1985 dros gant o ysgolion tri-athro a llai ac yr oeddem fel swyddogion yn teimlo bod angen edrych arnynt i weld a oedd lle i ystyried cau rhai ohonynt er mwyn gwella effeithiolrwydd ac i arbed adnoddau mewn sefyllfa lle'r oedd gwasgu parhaus ar y gyllideb addysg. Roedd cost pob disgybl mewn ysgol dan ugain disgybl yn ddwy neu dair gwaith y gost mewn ysgol gyda thros gant.

Y strategaeth y cytunwyd arni oedd llunio proffil o bob ysgol dan benawdau penodol gyda'r bwriad o lunio dau gategori o ysgolion: Categori A – ysgolion y gellid rhoi sicrwydd pum mlynedd iddynt ynglŷn â'u dyfodol; Categori B – ysgolion y dylid ystyried eu dyfodol rhag blaen. Y meini prawf a ddefnyddiwyd ar gyfer categoreiddio oedd nifer y disgyblion a'r rhagolygon twf, cyflwr yr adeiladau a'r cyfleusterau, lleoliad a defnydd cymunedol, pellter oddi wrth ysgolion eraill a natur ieithyddol yr ysgolion agosaf.

Gellir gweld o'r meini prawf uchod fod modd i ysgol fach wledig, ymhell o bob ysgol arall o'r un natur, fod yng Nghategori A tra gallai ysgol fwy a oedd yn nes at ysgol arall a heb fod yn bwysig fel canolfan i fywyd y gymuned fod yng Nghategori B. Y bwriad oedd edrych ar ysgolion Categori B yn fanwl a threfnu i banel o swyddogion ac aelodau ymweld â hwy cyn penderfynu eu tynged. Drwy'r ymweliadau hyn, daeth cynghorwyr yn ymwybodol o fanteision ac anfanteision ysgol fach. Roedd yr awyrgylch teuluol yn fantais ynghyd â bugeiliaeth y plant hŷn dros y rhai iau, a'r gymhareb athro-disgybl ffafriol a fodolai yn yr ysgolion hyn. Roedd nifer o anfanteision hefyd: anhawster cael arbenigedd ym mhob pwnc, diffyg cyfle i athrawon drafod eu gwaith gyda chydweithwyr, disgyblion efo'r un athro neu athrawes am nifer o flynyddoedd, adnoddau prin, adeiladau annigonol, diffyg cyfle i ddisgyblion gydweithio megis canu mewn corau a chwaraeon tîm, a dosbarthiadau aml-oedran yn cael effaith ar ddarparu addysg addas ar gyfer oedran a gallu. Er hynny, gwelwyd enghreifftiau o addysg o'r ansawdd gorau mewn ysgolion bach a oedd yn deyrnged i ymroddiad arbennig yr athrawon. Ond roedd rhai anawsterau na ellid eu lleihau neu eu dileu.

Yn ystod ymweliadau'r panel, fe ymgynghorid â phob carfan – athrawon, gweithwyr llaw, rhieni, llywodraethwyr. Wedyn, byddai'r panel yn gwneud argymhellion i'r is-bwyllgor ysgolion ac yna i'r Pwyllgor Addysg. Droeon, argymhelliad y panel oedd cau a hynny am fod yr ysgol yn methu bron bob un o'r meini prawf ond, bron yn ddieithriad, y canlyniad terfynol oedd symud yr ysgol i Gategori A – y rhai a oedd yn ddiogel am bum mlynedd! Yn syml, roedd gan bron bob aelod o'r Cyngor Sir ysgolion bach yn ei etholaeth a phan ddeuai hi'n bleidlais i gau ysgol fach, fe geid traed oer rhag ofn mai ysgol o fewn etholaeth yr aelod fyddai'r nesaf! Golygai mynd trwy'r prosesau angenrheidiol oriau ar oriau o waith i swyddogion fel Geraint Elis a oedd yn gyfrifol am adnoddau a datblygiad, ond ofnaf i'r gwaith fynd yn ofer o ran arbed adnoddau a gwella effeithiolrwydd mewn sawl achos, a hynny oherwydd i gynghorwyr fethu gweld y lles amlwg a ddeilliai i'r disgyblion yn y pen draw. Fe gaewyd ysgolion Maenan a Chapel Curig, lle'r oedd y niferoedd yn isel iawn, heb fawr o wrthwynebiad ond methwyd cau ysgolion Ro-wen a Felinwnda ac roedd yr olaf yn methu ar bob maen prawf.

Un o'r ysgolion bach gwledig a fu'n destun trafodaeth yng Ngwynedd cyn i mi ddod i'r sir oedd Ysgol Croesor. Roedd yr Awdurdod wedi penderfynu cau'r ysgol hon ond ar ôl cyhoeddi rhybuddion Adran 12 a derbyn ymateb, penderfynodd yr Ysgrifennydd Gwladol ar y pryd na ddylid ei chau. Gan fy mod yn arolygydd ysgolion yr adeg honno, fe gesglais fod a wnelo'r penderfyniad â safon uchel yr addysg yno er bod y nifer disgyblion yn isel – tua dwsin neu lai, os cofiaf yn iawn. Cofiaf yn dda fy ymweliad â Chroesor yn Ebrill 1983, ychydig fisoedd ar ôl i mi gyrraedd Gwynedd. Roedd yr ysgol newydd ennill cystadleuaeth genedlaethol am lunio model gyda darnau *Lego* ac roeddwn wedi rhoi gwybod i'r ysgol fy mod yn bwriadu galw i weld eu hymdrechion. Roedd yn ddiwrnod gwanwynol braf, a chan fod Carys, fy ngwraig, wedi dod i'r gogledd am dro (cyn inni symud cartref o Gaerdydd) gwahoddais hi i ddod gyda mi. A ninnau braidd yn hwyr yn cyrraedd ar ôl cael ein dal ar y siwrnai, roedd y plant ar y buarth yn chwarae pan ddynesais at y giât i barcio'n gyfochrog â wal yr ysgol. Rhedodd y criw bach o ddisgyblion at ffens yr ysgol a gwelodd rhai ohonynt Carys yn dod allan o'r car. Trodd un o'r genod ar ei sawdl ac i mewn â hi i'r ysgol. Wedi inni fynd i mewn i'r ysgol, clywsom beth a ddywedodd, a'i gwynt yn ei dwrn, wrth y brifathrawes. 'Mrs Morgan, dynas ydi o!'

Cyn i mi gyrraedd Gwynedd, yr oeddwn yn ymwybodol o gyfraniad Comisiwn Gwasanaethau'r Gweithlu [CGG neu'r *MSC*] yn ceisio hybu addysg alwedigaethol a thechnegol yn yr ysgolion uwchradd drwy wahodd ceisiadau gan yr awdurdodau addysg i fod yn rhan o gynllun Addysg Dechnegol a Galwedigaethol [ADAG neu *TVEI*] – cynllun a oedd yn cynnig arian sylweddol i brynu offer newydd a datblygu cyrsiau a dulliau addysgu newydd. Yn hytrach na chyflwyno cais brys yn 1982, cynghorais mai doethach fyddai ymbwyllo a chynnig cynllun mwy ystyriol yn ystod y flwyddyn ganlynol, a dyna a wnaed.

Roedd rhywbeth yn anfoddhaol mewn trefn a oedd yn gorfodi awdurdodau i ddewis rhai ysgolion ar gyfer prosiectau – a hynny ar draul ysgolion eraill, gan mai arian 'addysg' wedi ei ddargyfeirio oedd hwn. Roedd hwn yn ddechrau cyfnod, a barodd am flynyddoedd, o orfodi awdurdodau addysg i gynnig am eu harian eu hunain yn ôl ar gyfer gweithredu blaenoriaethau'r Llywodraeth – nad oeddynt yn aml yn cydfynd â blaenoriaethau'r Awdurdod. Y gamp oedd cysoni'r ddau mewn un cais a dyna'n union a wnaeth Gwynn Jarvis a Ronnie Williams wrth lunio'r cais ADAG cyntaf – cais a fu'n llwyddiannus.

Yn 1984, dewiswyd clwstwr o ysgolion uwchradd Môn, a cholegau Pencraig a Gwynedd, i ddechrau'r cynllun a phenodwyd Terry Brockley, dirprwy brifathro Ysgol Uwchradd Caergybi, i arwain y fenter o'r Ganolfan Dechnoleg a sefydlwyd yn Stryd y Bont, Llangefni. Er mai ym Môn y canolbwyntiwyd y gwaith i ddechrau, roedd pwyslais ar gynnal diddordeb yr ysgolion eraill yn y gwaith nes iddynt hwythau ddod i mewn i estyniad ADAG rai blynyddoedd yn ddiweddarach. O'r cychwyn cyntaf, ar wahân i godi pontydd rhwng y sefydliadau a byd gwaith, y bwriad oedd diwygio'r cwricwlwm ym mlynyddoedd 4 a 5 (10 ac 11 bellach). Ymatebodd yr ysgolion yn wahanol i'r sialens – ar un eithaf, gwelwyd ysgol yn manteisio ar y cyfle i ailstrwythuro'r cwricwlwm i *bawb* ac un arall yn gweld y newidiadau fel rhai i'r disgyblion llai galluog yn unig. Manteisiodd yr holl ysgolion ar yr arian a ddaeth drwy ADAG i brynu offer ac i addasu ystafelloedd. O safbwynt yr Awdurdod, ni welwyd ADAG fel ychwanegiad ond yn rhan integrol o bolisi cwricwlwm yr Awdurdod yn yr wyth degau.

Yn y ganolfan yn Llangefni, canolbwyntiwyd ar ddatblygu pedwar maes: electroneg/technoleg (John Bloom Roberts); astudiaethau busnes (John Penry Williams); cyfrifiaduraeth (Dr Gwynne Jones); dylunio a thechnoleg (Mansel Davies). Datblygodd y ganolfan yn un o'r rhai mwyaf blaengar ym Mhrydain am ddatblygu cyrsiau yn y meysydd hyn. Pan ddaeth y galw'n ddiweddarach am gyrsiau chweched dosbarth, gwnaethpwyd gwaith gwych ar ddatblygu cyrsiau modiwlaidd, dulliau dysgu-o-bell a deunyddiau hunan-addysgu gyda chymorth. Cyflawnwyd gwaith arloesol ar ddatblygu'r defnydd o ddulliau electronig – dysgu dros y ffôn i ddechrau, yna gyda'r Bwrdd Gwyn Electronig, fideo-gynadleddau a thrwy ddarlledu lloeren. Treialwyd llawer o'r dulliau addysgu hyn am y tro cyntaf drwy Brydain yn Llangefni. Roedd y cyfuniad o Terry Brockley, y chwiliwr am syniadau newydd a'r gwerthwr, Dr Gwynne Jones trwyadl a manwl, a John Bloom Roberts, gyda'i gyrsiau modiwlaidd hynod lwyddiannus, yn effeithiol tu hwnt. Deuai arbenigwyr ledled gwlad i weld y Bwrdd Gwyn Electronig yn cael ei ddefnyddio ar gyfer dysgu-o-bell a byddai disgyblion chweched dosbarth Gwynedd, ac yn ddiweddarach rhai o awdurdodau eraill yng Nghymru a Lloegr a'r Alban, yn cael eu haddysgu yn eu hysgolion o'r ganolfan yn Llangefni. Roedd canlyniadau Safon Uwch yn dda, ac yn eithriadol felly mewn electroneg.

Maes a oedd yn gymharol ddiarth i mi, ond un tra phwysig, oedd Addysg Arbennig ac un a gynyddodd yn ei bwysigrwydd ac o ran y galw amdano dros y blynyddoedd. Roedd Gwynedd wedi buddsoddi'n helaeth mewn ysgolion arbennig a oedd yn cynnig darpariaeth addysgol i ddisgyblion ag anawsterau penodol ganddynt – Y Bont, Llangefni; Hafod Lon, Y Ffôr; Pendalar, Caernarfon; a'r Gogarth, Llandudno; ac roedd Ysgol Treborth, Bangor, yn cynnig darpariaeth i blant a chanddynt broblemau ymddygiad. Ond yr oedd gofynion penodol eraill a oedd y tu hwnt i allu'r ysgolion hyn i'w diwallu a rhaid oedd anfon rhai plant y tu allan i'r sir i dderbyn addysg addas i'w gofynion – y dall a'r byddar, er enghraifft. Yr oedd y ddarpariaeth yma y tu hwnt i ffiniau Gwynedd yn ddrud iawn ac yn defnyddio llawer o'r arian a neilltuwyd ar gyfer grantiau dewisol o fewn y gyllideb addysg ond roedd yn gyfleuster a oedd yn gwbl hanfodol i'r plant a'u teuluoedd.

Gyda chyhoeddi Adroddiad Warnock yn 1978 a gweithredu Deddf Addysg Arbennig 1981, cynyddodd y sylw a roed i addysg arbennig o fewn ysgolion cynradd ac uwchradd y sir, a chodwyd pwysigrwydd swyddogaeth rhieni yn y broses o asesu'r plentyn a chytuno ar y ddarpariaeth fwyaf addas. Cynyddodd, hefyd, y galw am adnoddau ychwanegol ond heb fawr ddim ychwanegiad yn y gyllideb addysg o flwyddyn i flwyddyn. Daeth *dislecsia* yn air cyfarwydd iawn o fewn y maes ynghyd â'r angen am hyfforddi athrawon dosbarth i ddeall y cyflwr hwn (lle y camleolir trefn llythrennau wrth sillafu, er enghraifft) ac i allu estyn cynhaliaeth a hyfforddiant. Yr oedd uned ddislecsia yn y Brifysgol ym Mangor – uned a ddefnyddiwyd gennym ni fel Awdurdod yn bennaf i hyfforddi'r athrawon i ddelio â'r anfantais yn hytrach na bod yn ganolfan i ddisgyblion gan nad oedd nemor ddarpariaeth Gymraeg yn yr uned. Yn sgîl Adroddiad Warnock, gosodwyd disgyblion rhannol ddall a rhannol fyddar, ynghyd â rhai ag anfanteision corfforol eraill, yn ysgolion arferol y sir a chafwyd enghreifftiau gloyw o ddatblygiad arbennig drwy gydweithrediad neilltuol disgyblion ac athrawon yn yr ysgolion hyn.

Yr oeddwn bob amser yn falch o'r cyfle i weld disgyblion y sir yn rhagori – boed hynny ar y maes chwarae, yn yr ystafell ddosbarth neu ar lwyfan. Dotiais at afiaith rhai o'n disgyblion addysg arbennig ar lwyfannau eisteddfod a chyngerdd ac roedd yr achlysur pan welais Ysgol Hafod Lon yn perfformio yn y Proms Ysgolion yn yr Albert Hall, Llundain, yn Nhachwedd 1991, yn un cofiadwy iawn; fe gawson nhw gymeradwyaeth fyddarol (fel, yn wir, y cawson nhw ac Ysgol Glanaethwy yn Neuadd Dewi Sant, Caerdydd, dri mis yn ddiweddarach). Flwyddyn ynghynt, roeddwn wedi gweld Ysgol Hafod Lon ac Ysgol Gynradd y Ffôr yn derbyn gwobr, *The School Curriculum Award*, am eu gwaith ar y cyd. Ar yr un achlysur, yn y Barbican, Llundain, derbyniodd Ysgol Tudweiliog wobr cwricwlwm am waith arbennig. Wrth weld disgyblion yr ysgol hon wrth eu gwaith yn yr ysgol, nid oedd yn syndod iddynt ddod i'r brig; roedd yr addysgu'n ysbrydoledig. Er nad ysgol yr Awdurdod oedd Ysgol Glanaethwy, roeddwn (ac rwy'n para i fod felly) yn edmygwr mawr o waith Cefin a Rhian Roberts a'u staff yn yr ysgol berfformio breifat hon ym Mangor. Yn bendifaddau, llanwodd fwlch na lwyddodd yr ysgolion, am wahanol resymau, i'w lenwi a byddai llwyfannau ein gwyliau cenedlaethol yn dipyn tlotach heb gyfraniad byrlymus yr ysgol nodedig hon.

Rwyf eisoes wedi cyfeirio at y grantiau a delid i ganiatáu i ddisgyblion ag anghenion arbennig gael mynd allan o'r sir i dderbyn eu haddysg. O'r un gronfa, fe roddid grantiau i fyfyrwyr dan amodau penodol i ddilyn cyrsiau nad oeddent yn denu grantiau statudol. Byddai'r panel grantiau yn ystyried y ceisiadau dan gadeiryddiaeth cynghorydd arbennig iawn, y Cynghorydd J. O. Roberts, Chwilog. Byddai J. O., un a fu'n gadeirydd Coleg Glynllifon am flynyddoedd, yn llywio'r panel yn deg a thrylwyr yn y gwaith o benderfynu pwy a gâi grant ac yn gofidio'n aml oherwydd bod y pwrs yn annigonol i roi grant i bob achos teilwng. Cefais y fraint o roi teyrnged i'r cymeriad hoffus a charedig hwn, sefydlwr a rheolwr Ffatri Laeth Rhydygwystl, yn ei angladd yn Rhagfyr 1992.

✦ ✦ ✦

Yn ystod fy nghyfnod yn Gyfarwyddwr Addysg, derbyniwyd llu o ymwelwyr – y rhan fwyaf ohonynt i edrych ar weithrediad ein polisi iaith – yn yr ysgolion ac yn y canolfannau i'r hwyrddyfodiaid. Yn naturiol, roedd ein defnydd o dechnoleg ar gyfer dysgu-o-bell yn faes o ddiddordeb i amryw. Deuai Ysgrifenyddion Gwladol a Gweinidogion y Swyddfa Gymreig a'u gweision sifil yn eu tro i'n gweld. Wedi'r cwbl, ni oedd yr unig awdurdod addysg a weithredai gyfundrefn gwbl ddwyieithog yn ei holl sefydliadau ac yr oedd yr hyn a ddigwyddai yng Ngwynedd, ac adwaith Gwynedd i bolisïau'r llywodraeth a'r newidiadau sylfaenol a ddigwyddasai o ganol yr wyth degau ymlaen, o gryn ddiddordeb ac arwyddocâd. Deuai ymwelwyr o'r Alban i'n gweld yn aml – yn arbennig o ardaloedd fel yr Hebrides a oedd yn ceisio cynnal y Gaeleg yn yr ysgolion a'r colegau. Felly hefyd o Iwerddon. Sefydlodd rhai o'n hysgolion berthynas agos ag ysgolion o'r gwledydd hyn a chydag ysgolion o Lydaw a threfi o'r cyfandir a oedd wedi gefeillio â'r dref lle lleolid yr ysgol.

Dros y deuddeng mlynedd y bûm wrth y llyw addysgol yng Ngwynedd, oherwydd prysurdeb y gwaith a'r galwadau di-baid o fewn ac o'r tu allan i'r sir, ychydig o gyfle a gawn, mewn gwirionedd, i fynd dramor ond gwerthfawrogwn y cyfleoedd hynny a ddaeth i'm rhan. Yn sicr, roedd gweld a deall cyfundrefnau gwahanol yn ddiddorol ac yn ysgogi dyn i gwestiynu rhai rhagdybiaethau 'sanctaidd'. Deilliodd rhai datblygiadau yng Ngwynedd o'r ymweliadau hyn ac rwy'n weddol sicr i ninnau gael rhyw ddylanwad ar arferion yn y gwledydd yr ymwelsom â hwy.

Ym Mawrth 1984, gwahoddwyd Ioan Bowen Rees (ein Prif Weithredwr), Dafydd Orwig (a oedd yn Gadeirydd Is-bwyllgor Dwyieithrwydd y Cyngor Sir) a minnau i fynychu cynhadledd dridiau yn Inverness, Yr Alban. Cynhadledd oedd hon a alwyd gan y *Comhairle Roinn na Gàidhealtachd* (Cyngor Rhanbarthol yr Ucheldir) i drafod Datblygiad Dwyieithrwydd. Roedd ymhell dros gant o gynrychiolwyr o'r Alban, Iwerddon a Chymru yn bresennol a gwnaed cyflwyniadau ar ran Cymru gan Alwyn Roberts (Prifysgol Cymru, Bangor), Iain Skewis (Bwrdd Datblygu Cymru Wledig), Ioan Bowen Rees a minnau. Daethom oddi yno yn teimlo'n falch inni gefnogi ymdrechion yr Alban i ennyn diddordeb yn y defnydd o'r Gaeleg mewn bywyd cyhoeddus, ac yn arbennig mewn addysg, ac roedd yn dda gennym glywed yn ddiweddarach bod rhai datblygiadau addysgol wedi deillio o'r gynhadledd. Diddorol oedd sylwi bod Morgannwg Ganol yn cael ei chynrychioli yno gan un o'r cynghorwyr mwyaf gwrth-Gymreig y deuthum ar ei draws erioed! Diddorol, a siomedig hefyd, oedd ymateb Mudiad Adfer yn eu papur newydd i'm cyfraniad ar ddwyieithrwydd mewn addysg yn y gynhadledd. Pennawd eu herthygl oedd 'Dwyieithrwydd – Cludo'r Haint o Wynedd i'r Alban'! Derbyniad brwdfrydig yn yr Alban; beirniadaeth goeglyd yng Ngwynedd!

Yr oedd Athrofa Gogledd-Ddwyrain Cymru [*NEWI*], dan arweiniad eu pennaeth a'm cyfaill, yr Athro Glyn O. Phillips, wedi sefydlu perthynas fuddiol o gydweithio a chyfnewid myfyrwyr gyda Phrifysgol Wisconsin-Stout yn Menomonie, UDA – sefydliad â'i bwyslais ar gyrsiau technegol/ galwedigaethol. Oherwydd ein diddordeb yng Ngwynedd mewn addysg dechnegol a galwedigaethol drwy ADAG, gwahoddwyd ni fel Awdurdod i anfon criw o athrawon a darlithwyr i ymweld ag UW-Stout ac i ysgolion a cholegau cyfagos yn ystod gwyliau'r Pasg 1985. Cefais innau wahoddiad personol, ar eu cost hwy, i fynd yno ymlaen llaw i gynllunio'r seminar i'r athrawon, i sefydlu cysylltiadau ac i weld agweddau ar addysg dechnegol a galwedigaethol yr oeddwn wedi mynegi fy niddordeb ynddynt ac yn awyddus i'w gweld yn cael eu datblygu yng Ngwynedd. Treuliais wythnos yno ddechrau Mawrth 1985 – ar ddiwedd gaeaf arbennig o galed yno ac roedd olion rhew ac eira i'w gweld ar y strydoedd a'r llynnoedd o hyd. Drwy gydol fy arhosiad, cefais gyfle ardderchog i weld y ddarpariaeth yn y Brifysgol, yn y colegau sirol ac yn yr ysgolion.

Bu fy ymweliad yn hynod ddiddorol, buddiol a pherthnasol. Yr elfennau sy'n aros yn y cof yw'r adnoddau technolegol rhagorol oedd yno, yn arbennig ar gyfer hunan-astudio ac ar gyfer dysgu-o-bell – technegau a fabwysiadwyd gennym yng Ngwynedd wedi'r ymweliad. Yn y colegau, yr oedd cyrsiau twristiaeth rhagorol hefyd – lle'r oedd y myfyrwyr yn cael eu haddysgu am hanes a diwylliant ardal yn ogystal â chael eu hyfforddi mewn sgiliau gweini a chroesawu. Roedd yno bwyslais ar ddatblygu personoliaeth y myfyrwyr. Gobeithiwn y byddai hyn yn treiddio i'r math o hyfforddiant 'diwylliedig' y dylem ni ei gyflwyno i'n myfyrwyr yng Ngwynedd.

Roedd un agwedd arall o'r addysg a welais a oedd yn creu argraff arnaf. Cyfeirio yr wyf at yr arfer o hunan-arfarnu – profiad ac agwedd greiddiol ar ddatblygiad pob athro. Fe ddaeth yr arfer hwn yn drefn bwysig iawn yng Ngwynedd yn ddiweddarach.

Yn Chwefror 1986, ar wahoddiad Beata Brooks, Aelod Seneddol Ewropeaidd Gogledd Cymru, bu Dafydd Orwig, Cadeirydd y Pwyllgor Addysg ar y pryd, a minnau ar ymweliad byr â Strasburg. Cyfle oedd hwn inni ymgyfarwyddo â'r drefn wleidyddol a gweinyddol yn Senedd Ewrop, ac yn benodol i sefydlu cysylltiadau mewn perthynas â cheisiadau am grantiau o fewn maes addysg a hyfforddiant. Yn yr un modd, ym Mehefin 1993, cafodd Cadeirydd y Pwyllgor Addysg diweddarach, Handel Morgan, a minnau fynd i Frwsel i sefydlu cysylltiadau yno a fyddai o fudd inni yng Ngwynedd, yn arbennig wrth geisio am grantiau. Joe Wilson ASE oedd ein gwestai a'n tywysydd ar yr achlysur hwnnw.

Mae dinas Bangor wedi ei gefeillio efo dinas hynafol Soest, Westphalia, Yr Almaen, ac yn dilyn ymweliad gan Faer y ddinas honno yn 1992, derbyniodd nifer ohonom o fyd cyhoeddus Gwynedd wahoddiad i ymweld â Soest. Ymweliad byr ond un buddiol oedd hwnnw gan i hynny gychwyn cyfnewidiadau rhwng cerddorfeydd ieuenctid o Wynedd a Soest. Gwelsom hyfforddiant yn ysgolion galwedigaethol y fro, lle mae ansawdd y gwaith yn rhyfeddol o uchel ac athrawon yn 'feistri' ar eu crefft ac yn mynnu'r safonau uchaf gan eu myfyrwyr. Cofiaf i Dr Geraint Wyn Jones o Goleg Prifysgol Bangor ryfeddu at safon y teilsio mewn un tŷ ac wedi holi fe gafodd yr ateb: dim ond teilsiwr wrth ei grefft a gâi wneud y gwaith hwnnw; roedd crefftwr ar gyfer pob agwedd ar waith adeiladu. Ymfalchïai trigolion Soest yn eu treftadaeth ac roedd eu dinas hardd yn adlewyrchu'r balchder hwnnw.

Un o'n hymwelwyr i Wynedd yn 1992 oedd Tom Matthews o North Hatley, Québec, lle'r oedd yn Swyddog Addysg ar yr *Eastern Townships School Board*. Bu ef, a Barbara ei wraig, yn treulio sawl diwrnod yn ymweld â'n hysgolion ac yn trafod ein polisïau efo fy swyddogion a minnau. Yn ôl pob sôn, roeddent wedi cael budd mawr o'r ymweliad ac fe wahoddwyd Carys a minnau gan Tom i fynd draw i ymweld â'u hysgolion hwy ac i edrych yn benodol ar ddwyieithrwydd yn ysgolion y Bwrdd ac mewn ysgolion eraill yn Nhalaith Québec. Roeddwn yn falch o allu derbyn y gwahoddiad a chefnogaeth y Cyngor Prydeinig i fynd yno ym mis Medi 1992.

Bu'r ymweliad yn un llawn a phrysur a diddorol ac roedd croeso Tom a'i wraig i Carys a minnau yn eu cartref braf yn North Hatley yn gynnes ac ymlaciol. Yn swyddfa'r Bwrdd yn Lennoxville, ac yng nghwmni Hugh Auger, y *Director General* (y buom yn aros yn ei gartref ef a Helénè am rai nosweithiau'n ddiweddarach ar y daith) a Tom Matthews, dysgais mai Bwrdd *Eastern Townships* oedd yr unig fwrdd Protestannaidd o'r naw yn y dalaith ac yn darparu addysg drwy gyfrwng y Saesneg yn bennaf; roedd yr wyth bwrdd arall yn Gatholig a'r mwyafrif llethol o'u hysgolion yn addysgu'n bennaf drwy gyfrwng y Ffrangeg.

Fe'm hatgoffwyd fwy nag unwaith fod refferendwm i'w chynnal ar Hydref 26, 1992, i geisio llais y bobl ar gytundeb rhwng y Gweinidogion Taleithiol a Phrif Weinidog Canada, cytundeb a fyddai'n rhoi mwy o fanteision economaidd i Québec a mwy o seddau yn y llywodraeth ffederal. Deuthum yn fwyfwy ymwybodol o'r tensiynau a fodolai rhwng y carfanau ieithyddol – rhwng y rhai a geisiai annibyniaeth i Québec a'r ffederalwyr. Roedd y refferendwm yn amlwg ym mhob sgwrsio, bron. Deallais, hefyd, beth oedd yn debygol o ddigwydd, sef y byddai llawer o'r rhai a oedd yn ffafrio annibyniaeth (y siaradwyr Ffrangeg) yn teimlo nad oedd y cytundeb yn mynd ddigon pell ac yn pleidleisio NA a, hefyd, yn yr un modd, y ceidwadwyr a oedd yn teimlo y câi Québec ormod o ffafriaeth drwy'r drefn newydd. Pan ddaeth y canlyniad, roedd mwyafrif wedi pleidleisio NA.

Roedd rhaglen ddiddorol, ond un drom, o ymweliadau wedi ei threfnu ar fy nghyfer – yn ysgolion a cholegau *Eastern Townships* yn ystod yr wythnos gyntaf ac yna mewn sefydliadau yn ninasoedd Québec a Montreal yn ystod yr ail. Rhwng yr ymweliadau hyn, cafodd Carys a minnau gyfle i logi car dros y penwythnos (fy mhrofiad pleserus cyntaf o yrru car otomatig) a chroesi'r ffin i ymweld â rhannau o daleithiau Vermont a New Hampshire, UDA. Roedd y ffyrdd yn braf (ac eithrio'r rhai ar y ffin rhwng y ddwy wlad nad oeddent fawr gwell na thraciau) ac yn dawel iawn o ran traffig ond gydag arwyddion cyson yn ein rhybuddio rhag y *moose*. 'Welsom ni'r un! Yn haul yr hydref cynnar, roedd y coed masarn ar dân a'r golygfeydd yn odidog – yn enwedig o ben mynydd Washington a oedd yn 6500 troedfedd o uchder ond â llwybr hwylus i fynd i'w gopa mewn bws mini. Roedd hi'n hawdd coelio ei bod yn 20°F yn oerach ar y copa o gymharu â'r gwaelod. Hwn oedd y man mwyaf deheuol o'n crwydro hamddenol a phleserus yn yr UDA. Cyn croesi'r ffin yn ôl i Ganada, yr oedd yn rhaid cofio llenwi'r tanc â phetrol – am saith doler!

Creodd dinas Québec argraff fawr arnom yn ystod yr ychydig ddyddiau y buom yno. Dinas Ffrengig iawn ac yn debyg i Baris o ran ei hawyrgylch, gyda phobl yn bwyta allan yn hamddenol i sŵn cerddoriaeth fyw o lawer gwlad, ac artistiaid yn arddangos ac yn gwerthu eu gwaith ar y palmentydd. Roedd yr harbwr a'r gwesty anferth, *Château Frontinec*, yn gefndir urddasol i'r bwrlwm cosmopolitaidd oedd yno.

Ym Montreal, drwy drefniant caredig Hugh Auger, arhosem yn y *Château Champlain*, gwesty arbennig o foethus yng nghanol y ddinas. Cawsom ystafell ar yr ail lawr ar hugain o'r 36 llawr yn y gwesty, yn edrych allan dros y wlad o'n cwmpas. Cawsom gyfle i grwydro peth ym Montreal a chofiaf yn arbennig y gerddi botanegol ger y stadiwm Olympaidd, a'r biosffer lle ceid profiad o wahanol hinsoddau'r byd – o'r trofannol i'r Antarctig.

Cefais yr ymweliadau â'r ysgolion cynradd ac uwchradd ac i'r colegau yn hynod ddiddorol ac fe haeddant amgenach sylw, mewn gwirionedd, nag y gellir ei roi iddynt yma. Gwelais addysgu Ffrangeg ail iaith eithaf llwyddiannus yn ysgolion Saesneg yr *Eastern Townships*, a diddorol oedd y modd y rhannai un athrawes babanod yr ystafell ddosbarth yn ddwy – ardal Saesneg ac ardal Ffrangeg. Byddai hi a'r plant yn gweithio mewn un rhan o'r ystafell yn y bore ac yn y rhan arall yn y pnawn. Fe newidiai'r athrawes ei sgarff o las i goch wrth newid cyfrwng rhwng y ddwy ran. Yn yr holl ysgolion Saesneg, cynradd ac uwchradd, doedd dim polisi o ddefnyddio'r Ffrangeg yn *gyfrwng* addysgu – ac roedd hyn yn arbennig o wir yn ysgolion Saesneg byrddau Ffrengig Québec. Ar ddiogelu'r Saesneg yr oedd y pwyslais gan fod y Ffrangeg mor gryf yn y gymdeithas yno. Ond doedd dim pwyslais ar *gyfrwng* Ffrangeg ym mwrdd Saesneg *Eastern Townships* chwaith, mewn ardal lle nad oedd fawr ddim Ffrangeg yn cael ei siarad. Yn yr ysgol Ffrangeg yr ymwelais â hi yn Sherbrooke, *Eastern Townships*, oherwydd cryfder y Saesneg yn y gymdeithas, ni chyflwynwyd y Saesneg nes bod y disgyblion yn ddeg oed.

Cefais argraff dda o safonau addysgol yn yr ysgolion at ei gilydd ond deallais pam yr oedd Tom Matthews wedi dotio ar ganu ysgolion

Gwynedd. 'Chlywais i ddim canu mewn unrhyw ysgol y bûm ynddi! Ac i mi, fel yr awgrymais mewn sawl man, ysgol heb enaid yw ysgol heb ganu.

Ar ddiwedd rhaglen o ymweld di-dor ag ysgolion am wythnos, cefais wahoddiad i fynd gyda Bob Fitzimmons, prifathro ysgol yn Richmond, i weld ei ysgol. Mae Bob a Muriel, ei wraig, yn gyfarwydd iawn â Chymru, ac er fy syndod gwelais mai Pen-y-bryn oedd enw eu cartref. Ail syndod – un pleserus iawn – oedd deall mai chwarae pŵl ym Mhen-y-bryn oedd gweithgarwch y pnawn i fod. Ni phrotestiais! Cafwyd pnawn o chwarae pŵl rhyngwladol, Cymru yn erbyn Canada – gyda'r canlyniad iawn, wrth gwrs! Ar ddiwedd y pnawn, fe longyfarchwyd Bob gan Hugh Auger, ei bennaeth, am sylweddoli'n sensitif bod angen cyfle i ymlacio ar deithiwr addysgol blinedig.

Heb amheuaeth, un o uchafbwyntiau'r daith oedd y diwrnod a dreuliais ym mhrifysgolion McGill a Concordia, Montreal. Ym Mhrifysgol McGill – un o'r enwocaf yng Nghanada, lle'r oedd dros 30,000 o fyfyrwyr – y cyfarfûm â'r Dr Jacques Rebuffot a oedd yn Athro Addysg yno. Yr oedd wedi darllen, er mawr syndod i mi, fersiwn Saesneg o f'anerchiad yn Eisteddfod Genedlaethol Casnewydd 1988, *Camu 'mlaen yn hyderus*, a bu'r drafodaeth rhyngom ar ddwyieithrwydd yn y ddwy wlad gyda'r profiad mwyaf diddorol a gefais erioed – a fi a elwodd fwyaf o lawer. Eglurodd i mi holl gefndir addysg trochiad Ffrangeg yng Nghanada a swyddogaeth y Brifysgol yn arfarnu'r gwaith. Aeth yr ymchwilwyr i mewn i'r ysgolion *yn gynnar* yn hanes y gwaith addysgol hwn a chanfod bod safonau Saesneg yn foddhaol yn yr ysgolion lle trochid mewn Ffrangeg. Ond nododd bod gwahaniaeth sylweddol rhwng safon y Ffrangeg a siaredid gan y disgyblion â'r Ffrangeg yn iaith gyntaf iddynt a safon iaith y rhai a ddysgasai Ffrangeg yn ail iaith. Cytunodd â'm hawgrym bod angen rhoi mwy o bwyslais ar ddefnyddio'r iaith yn *gyfrwng* ac ar drosglwyddo diwylliant yn ogystal ag iaith. Yr oedd yn edmygu'r gwaith a oedd yn digwydd yn ysgolion Gwynedd. A derbyn nad yr un yw'r sefyllfa yn y ddwy wlad, teimlwn mai dyma gryfder y sefyllfa yng Nghymru ond y byddem yn falch o gael yr holl adnoddau ymchwil a oedd ym McGill a mannau eraill yng Nghanada y tu cefn i waith ein hysgolion.

Nododd Rebuffot fethiant yr ysgolion Ffrangeg i addysgu Saesneg yn llwyddiannus gan y teimlent fod rhoi gormod o bwyslais ar y Saesneg yn fygythiad, ond yr hyn a ddigwyddai oedd peidio â chynhyrchu disgyblion gwir ddwyieithog a goblygiadau anfanteisiol hynny i'w dyfodol o ran gwaith lle'r oedd angen y Saesneg.

Mae Prifysgol Concordia tua thair milltir o ganol Montreal ac yno y cyfarfûm â Dr Florence Stephens, sy'n arbenigo mewn addysg gynradd a dwyieithrwydd. Yr oedd yn gyfarwydd â'r sefyllfa yng Nghlwyd a Gwynedd ac yn adnabod Dorothy Selleck, cyn-gydweithiwr i mi yn yr

Arolygiaeth, yn dda. Drwy gydol y pnawn buom yn trafod agweddau ar ddwyieithrwydd yn y ddwy wlad ac yn arbennig eu problem o bontio rhwng Ffrangeg llafar ac ysgrifenedig. Teimlai fod Cymru gryn dipyn ar y blaen o ran addysgu ail iaith. Yr oedd hefyd yn wfftio'n arw yr hyn oedd yn digwydd bryd hynny ym Mhrydain dan ddylanwad y Llywodraeth Doriaidd. Yr oeddent, meddai, yn dilyn arferion salaf Gogledd America gan or-bwysleisio profion yn yr ysgolion ac ymchwil ar draul addysgu yn y prifysgolion.

Roedd cyfarfod y ddau academydd o'r ddwy brifysgol yn achlysuron i'w cofio ac yn ychwanegiad gwerthfawr i'r rhaglen o brofiadau amrywiol a diddorol a wnaeth yr ymweliad â Chanada yn un arbennig o werth chweil a chyfoethog.

Ar ddwy adeg arall yn unig y bu i mi adael y tir mawr fel rhan o'm gwaith fel Cyfarwyddwr Addysg. Cyrchodd criw o'r swyddfa addysg am Enlli ddydd Sadwrn, Mai 5, 1984, drwy drefniant efo Gwynfor Williams, y swyddog ieuenctid. Cychwyn o Aber-soch ben bore a chael diwrnod i'w gofio yn heddwch ynys y saint. Mynychu cynhadledd addysgol Gogledd Lloegr yn Ynys Manaw oedd yr achlysur arall, yn Ionawr 1989 – fy ymweliad cyntaf â'r ynys ddymunol honno.

✦ ✦ ✦

Soniais fwy nag unwaith am bwysigrwydd cynnal a chefnogi prif-athrawon a swyddogion yn eu gwaith; fe wneid hynny drwy gysylltiad personol a thrwy eu hannog i fynychu cyrsiau perthnasol, a hefyd drwy gydgyfarfod eu cymheiriaid. A dyna'n union a wnaem ninnau, Gyfar-wyddwyr Addysg, unwaith y tymor. Byddai'r wyth ohonom, ynghyd ag Ysgrifennydd y Cyd-bwyllgor Addysg – John Brace, Gareth Lloyd Jones a Clayton Heycock yn eu tro dros fy nghyfnod i'n Gyfarwyddwr – yn ymgynnull, fel arfer, yn swyddfeydd Cyngor Sir Powys yn Llandrindod. Roedd cyfarfod fel hyn yn gyfle inni rannu gwybodaeth a phrofiad a chytuno ar strategaeth i ddelio â rhai o'r amryfal newidiadau a orfodwyd arnom gan y Llywodraeth. Byddem yn gwahodd atom yn achlysurol siaradwyr o feysydd perthnasol a chynrychiolwyr o fudiadau a gwasan-aethau a oedd mewn cyswllt â'n hysgolion, a byddai gweision sifil y Swyddfa Gymreig, a'r Prif Arolygwr, yn ein gweld yn fforwm hwylus i geisio ein hymateb i rai o'u bwriadau polisïol. Ond amcan pennaf y cyfarfodydd oedd cynnal ein gilydd a cheisio darganfod y llais Cymreig i faterion addysg y dydd. Cofiaf inni drafod ein safbwynt ar rannu'r flwyddyn ysgol yn bedwar tymor yn hytrach na thri cyn inni ymgynghori â llywodraethwyr ein hysgolion (ac a wrthodwyd ganddynt yng Ngwynedd fel ym mhobman arall ac roedd calendr yr Eisteddfodau, y Genedlaethol a'r Urdd, yn rhan o'r rheswm). Cofiaf yn nyddiau'r 'Siarter i Rieni' (lle pwysleisiwyd 24 o 'hawliau' ac un 'cyfrifoldeb'!) i Keith Evans, Cyfarwyddwr Addysg Clwyd, a minnau ddrafftio 'Siarter i Ddisgyblion', yn nodi'r hyn y gallai disgybl ei resymol ddisgwyl gan ei ysgol, ond ni chafwyd sêl bendith yr holl awdurdodau i ddosbarthu'r siarter.

Roedd un achlysur arall pan fyddem fel Cyfarwyddwyr yn cyfarfod, sef yn eisteddle'r de yn y maes rygbi cenedlaethol i wylio Cymru yn chwarae rygbi. Byddai'r Undeb Rygbi yn cydnabod cydweithrediad yr awdurdodau addysg drwy roi cynnig inni brynu tocyn yr un a chadw naw sedd gyda'i gilydd ar ein cyfer i'r gemau hyn. Fe werthfawrogem hyn a'r unig 'gŵyn' oedd gennym oedd inni gael ein symud yn raddol, o gêm i gêm, o ganol eisteddle'r de i eisteddle'r gorllewin y tu ôl i'r pyst! Dyna pryd y dirywiodd safon y rygbi hefyd! Wedi ad-drefnu, 'wn i ddim a yw'r Undeb Rygbi yn cadw 23 o seddau!

Wrth sôn am gemau rygbi rhyngwladol, mae'n werth nodi un achlysur sy'n para'n fyw yn y cof. Trwy garedigrwydd Windsor Major, un o rieni Rhydfelen a chyn-chwaraewr ar yr asgell i Gymru, byddwn yn cael cynnig tocyn i Gareth, fy mab, i weld bron bob un o'r gemau cartref. Y trefniant oedd cyfarfod ger y *Bristol & West*, nid nepell o'r cae, ryw hanner awr cyn dechrau'r gêm. Ar un achlysur prin, methodd Windsor â chael gafael ar docyn a bu'n rhaid chwilio am un ar fyrder a'r gêm ar fin dechrau. Yr oeddwn bron wedi penderfynu mynd i wylio'r gêm ar y teledu yn un o'r siopau pan glywais gri o'r dorf fod tocyn ar werth a rhuthrais i ganol criw a oedd yn amgylchynu dyn y ticed. Trodd at bawb yn eu tro gyda'r un cwestiwn: '*How much will you give me?*' '*Twenty pounds*', meddai'r cyntaf (a oedd bum punt yn uwch na gwerth y tocyn). '*Thirty*', meddai'r ail ac roedd y swm yn hanner can punt neu fwy pan ofynnwyd y cwestiwn i mi. '*Face value*', meddwn innau'n gadarn – ond ddim yn obeithiol. '*Its your ticket sir*', meddai'r gwerthwr er mawr syndod i bawb a oedd yn rhan o'r bargeinio. Ac i ffwrdd â'r ddau ohonom i'r gêm yn llawen gan fethu credu ein lwc. O glywed am y digwyddiad, fe ddywedodd Elwyn, fy mrawd yng nghyfraith, mai fy llais awdurdodol (o ddyddiau prifathro!) a roes y tocyn i mi. Gwell gen i gredu i mi ddod ar draws gŵr o egwyddor yng nghanol y dorf a'r masnachu y dydd Sadwrn hwnnw.

Ar wahân i'r cyfarfodydd cynhaliol a nodais, byddem fel Cyfarwyddwyr Addysg yn ymgynghori ar y ffôn yn gyson. Byddwn yn trafod llawer gyda John Phillips, Dyfed – ar faterion polisi iaith fel rheol – a hefyd gyda John Howard Davies a Keith Evans, Clwyd, gan ein bod yn cydredeg rhai sefydliadau, gan gynnwys Ysgol y Creuddyn a Choleg Llandrillo a oedd ar y ffin rhyngom. Byddem hefyd yn cyfarfod o fewn Cymdeithas Swyddogion Addysg Cymru [SEO] lle y byddai swyddogion addysg ail a thrydedd reng hefyd yn rhan o'r Gymdeithas. Yr oeddwn bob amser yn falch o gyfraniad fy nghydswyddogion o Wynedd yn y cyfarfodydd hyn; roeddent yn dangos cymaint o flaengaredd a gweledigaeth.

Cynhelid cynhadledd flynyddol yr awdurdodau addysg [*CLEA*] yng Ngorffennaf bob blwyddyn a byddai Cadeirydd y Pwyllgor Addysg a minnau yn ei mynychu'n rheolaidd. Rhoddodd hyn gyfle inni ymweld â sawl dinas yn Lloegr ac eithrio'r flwyddyn y buom yn Abertawe. Roedd y rhan fwyaf o awdurdodau addysg Cymru yn mynychu'r cynadleddau hyn a byddai Morgannwg Ganol yn anfon dirprwyaeth gref. Tueddai'r gynhadledd i fod yn wleidyddol ei naws ond ceid hefyd gyfraniadau gan addysgwyr proffesiynol ar agweddau cyfoes o'r gwasanaeth. Bron yn ddieithriad, fe anerchid y gynhadledd gan yr Ysgrifennydd Addysg ac yn nyddiau'r polisïau gwrth-awdurdodau-lleol, câi'r Ysgrifenyddion Toriaidd, rhai fel Kenneth Baker a Kenneth Clarke, amser digon caled gan y cynghorwyr Llafur a oedd yn y mwyafrif yno. Dan arweiniad y Cymro, Tudor David, golygydd *Education*, cynhelid *cabaret* un noson gan gynnwys eitemau gan y côr meibion a ffurfiai Tudor rai oriau cyn yr adloniant. Does dim rhaid dweud bod ansawdd lleisiol y côr hwn yn cyfateb yn union i'r nifer o Gymry a oedd yn bresennol yn y gynhadledd.

Roedd cynhadledd addysg Gogledd Lloegr, a gynhelid ddechrau Ionawr yn ninasoedd gogleddol siroedd Caer, Caerefrog a Chaerhirfryn (ac unwaith yn Ynys Manaw) yn gynadleddau mwy addysgol yn hytrach na gwleidyddol eu naws er y byddai'r Ysgrifennydd Gwladol yn annerch yno hefyd fel rheol. Bron yn ddi-feth, roedd safon y cyfraniadau yn y gynhadledd hon yn rhyfeddol o uchel – gan addysgwyr yn bennaf ond hefyd gan arweinyddion o fyd diwydiant, masnach, y gyfraith a'r eglwys – yn siaradwyr o'r ynysoedd hyn ac o dramor. Cofiaf yn arbennig am gyfraniadau rhai fel yr Esgob Hapgood o Efrog, yr awdur-economegydd Charles Handy, a'r fargyfreithwraig ddisglair, Helena Kennedy, ac roedd gwrando a darllen yr areithiau hyn yn rhoi i ddyn lawer i gnoi cil arno ar ddechrau blwyddyn. Yr oedd darlith nodedig yr Esgob ar *Maps and Dreams* yn fodd i'n hatgoffa bod addysg wâr yn cynnwys mwy na chynlluniau, gan gynnwys y Cwricwlwm Cenedlaethol. Wedi gwrando ar Charles Handy, darllenais ei lyfr enwog, *The Empty Raincoat*, gyda'i drosiadau gafaelgar, deirgwaith yn ystod un gwyliau yn Nhenerife, a bûm yn gohebu ag ef ar ei syniadau ar reolaeth. Ym mhob Cynhadledd yng Ngogledd Lloegr, fe drefnid noson o adloniant, cerddorol fel rheol, gan ddisgyblion ysgol yr ardal. Er i mi fwynhau'r cyngherddau hyn, byddwn bob amser yn gadael gyda'r teimlad y gallai ein disgyblion ni yng Nghymru wneud yn llawer gwell – yn arbennig o ran y canu, diolch i'n traddodiad eisteddfodol o berfformio ar lwyfan. Drwy'r cynadleddau hyn, deuthum i adnabod nifer dda o Gyfarwyddwyr Addysg Lloegr a chefais gyfle i adnewyddu hen gysylltiadau o fewn amrywiol sefydliadau yn y byd addysg. Byddwn yn dod oddi yno bron yn ddi-feth wedi f'ysbrydoli gan rywbeth a glywais – neges y gallwn ei rhannu gyda fy nghydweithwyr yng Ngwynedd. Ar wahân i gynadleddau undydd UCAC (ar themâu cyfoes), doedd gennym ni yng Nghymru ddim a fyddai'n cyfateb i'r achlysuron hyn.

Cyn troi at y prif faterion addysgol a fu ar agenda'r Pwyllgor Addysg yn ystod fy nghyfnod i'n Gyfarwyddwr Addysg, mae'n werth cyfeirio'n fyr at weithrediad mewnol y Cyngor Sir a'r Adran Addysg o safbwynt rheolaeth. Yn y cyfnod cyn i'r Cyngor benderfynu ffurfio grwpiau gwleidyddol yn 1990, ac wedi hynny i raddau llai, prif swyddogion y gwahanol adrannau fyddai'n gosod yr agenda fel arfer ac ymateb i'r rheini a wnâi'r aelodau etholedig yn y gwahanol bwyllgorau a phanelau, ac yng nghyfarfodydd chwarterol y Cyngor Sir. Ond yn achos nifer o'r adrannau, byddai dealltwriaeth dda yn bodoli rhwng y prif swyddog a'i gadeirydd wrth yrru materion penodol ymlaen. Ni ellid dweud bod yn y cyngor ymwybyddiaeth gorfforaethol gref er bod prif swyddogion yn cyfarfod dan gadeiryddiaeth y Prif Weithredwr yn fisol – weithiau fel tîm rheoli llawn ac weithiau'n grŵp llai o brif swyddogion yr adrannau mwyaf. Ar faterion cyllidol a chynllunio cyllidebau neu wneud toriadau y caed y trafodaethau bywiocaf, er bod lle hefyd i faterion personél a chyflogaeth, ac i bolisïau cyffredinol megis y polisi iaith. Ond ar ymateb i sefyllfa yn hytrach nag ar gynllunio strategol yr oedd pwyslais y cyfarfodydd hyn.

Roedd i'm gwaith a'm cyfrifoldebau fel Cyfarwyddwr Addysg nifer o elfennau creiddiol: cynnig arweiniad i'r Pwyllgor Addysg ar faterion polisi, dadansoddi ac egluro'r newidiadau mewn deddfwriaeth ac ymateb iddynt, cadw golwg ar yr hyn oedd yn digwydd yn yr ysgolion a'r colegau a darparu gwasanaethau a chynhaliaeth i'r holl sefydliadau hyn.

Swyddogion addysg, o lefel Cyfarwyddwr Addysg Cynorthwyol ac uwch, fyddai'n bennaf ymwneud â'r ddwy elfen gyntaf gyda mewnbwn gan yr ymgynghorwyr ar faterion cwricwlaidd, a'r ymgynghorwyr yn gweithredu'n bennaf ar y ddwy elfen arall gyda'r swyddogion addysg yn chwarae eu rhan. Byddai'r swyddogion addysg yn cael eu harwain gan y Dirprwy Gyfarwyddwr a'r ymgynghorwyr yn gweithio dan gyfarwyddyd y Prif Ymgynghorydd.

Dros y blynyddoedd bu inni gynyddu'r pwyslais arolygol yng ngwaith ein timau ymgynghorol a hynny cyn iddo ddigwydd fel polisi llywodraeth y dydd. Yn y dechrau, edrychid ar agweddau cyffredinol megis dulliau trefnu disgyblion mewn dosbarthiadau a grwpiau, gofal bugeiliol, cyswllt â'r cynradd, defnydd o hyfforddiant mewn-swydd, gan grynhoi'r sylwadau mewn adroddiad i sylw'r ysgol yn unig. Yn ddiweddarach, bu'r timau'n archwilio Cynllun Datblygu'r ysgolion, yn arolygu adrannau pwnc ysgolion uwchradd a hyrwyddo Cynllun Datblygu Adran. Ar adegau, y tîm a benderfynai ei flaenoriaeth arolygu; ar adegau eraill, caed cais gan yr ysgol i archwilio adran neu grŵp o adrannau. Yn raddol, tyfodd y syniad o gael ysgol i arfarnu a phwyso a mesur ei chryfderau a'i diffygion ei hun; rhan yn unig o'r broses hon fyddai ymweliadau gan y timau ymgynghorol gan roi i'r ysgol drosolwg allanol. Pan ddaeth trefn arolygu newydd y Llywodraeth i rym yn 1994, chwalwyd trefn sirol a brofodd yn bur effeithiol o ran codi safonau – trefn a oedd nid yn unig yn nodi gwendidau ond hefyd yn cynnig cynhaliaeth er mwyn gwella.

Yn 1989, oherwydd gweld yr angen i sicrhau gwell cydlyniad a dealltwriaeth rhwng swyddogion ac ymgynghorwyr o feysydd gweinyddol a chwricwlaidd, ffurfiwyd tri thîm bro ar gyfer Môn, Arfon a Meirion/Dwyfor i weithio o Langefni, Llandudno a Phwllheli dan arweiniad Richard Parry Jones, Gruff Roberts ac Islwyn Parry. Heblaw cyfannu'r gwasanaeth o ran gwasanaethu'r ysgolion, roedd y symudiad yn fodd o fynd â'r ymgynghorwyr a swyddogion yn *nes* at y sefydliadau, a darparwyd gwasanaethau gweinyddol a chefnogol yn y tair canolfan bro.

Roedd cynhadledd flynyddol yr adran, a oedd yn cynnwys yr holl ymgynghorwyr, yn fforwm pwysig er ceisio cytuno ar flaenoriaethau'r adran ac i adolygu llwyddiant gweithrediad ein polisïau. Ac roedd y cyfarfodydd rheolaidd gyda'r prifathrawon – uwchradd, cynradd a cholegau – yn rhan o'r un broses o geisio creu diwylliant addysgol cytûn a bras gytundeb ar y meysydd yr oedd angen eu datblygu a'u cryfhau. I mi'n bersonol, roedd y cyfarfodydd hyn yn rhyfeddol o bwysig ac yn help aruthrol i ffurfio a chadarnhau barn – ac i deimlo'r tymheredd o fewn y sefydliadau ac yn nhimau'r gwasanaethau.

Yn nhrafodaethau'r Grŵp Rheoli adrannol, byddai swyddogion yn nodi meysydd a oedd yn galw am sylw ac o'r trafodaethau hynny y cododd nifer o faterion i'r brig – materion a fu'n feysydd trafod – am flynyddoedd mewn rhai achosion, er mawr rwystredigaeth i nifer ohonom, oherwydd peirianwaith araf y Cyngor Sir. Ymhlith y materion hyn, yr oedd ysgolion cynradd trefol ac ysgolion cynradd bach, addysg 16-19, ac addysg feithrin. Deallaf fod Cyngor newydd Gwynedd, dan arweiniad y Prif Weithredwr, Geraint R. Jones, wedi sefydlu trefn 'gabinet' erbyn hyn i gyflymu gwneud penderfyniadau. Roedd mawr angen hynny, hyd yn oed os yw'r drefn yn ymddangos yn llai democrataidd.

Wedi trafodaeth ar fater o fewn y Grŵp Rheoli a chael cytundeb ei fod yn haeddu sylw a ffurfio polisi arno, byddai un o'r swyddogion yn paratoi papur ar y maes i ddadlau'r achos dros roi ystyriaeth iddo. Ar ôl i'r papur gael ei addasu a chael cytundeb arno gan y Grŵp Rheoli, cyflwynid ef i'r pwyllgor perthnasol i gael ymateb aelodau a cheisio penderfyniad ar y ffordd ymlaen. Wedi iddo fynd drwy'r Pwyllgor Addysg a'r Cyngor Sir, yr oedd modd inni weithredu'r cam nesaf gan ddechrau cylch arall o bwyllgorau – ac yn aml (yn briodol iawn) ymgynghoriad â'r sefydliadau a'r undebau. Rhaid oedd crynhoi'r ymateb hwn mewn adroddiad arall a chylch arall o bwyllgorau, ac yna fe geid penderfyniad – i weithredu, neu weithiau i wneud dim!

Nid heb dreulio misoedd o ymchwil, dyddiau o ddarllen ac oriau lawer o drafod y byddem fel Grŵp Rheoli yn ffurfio barn ar fater ac yn ei gyflwyno fel arweiniad i aelodau ac i'r sefydliadau. Byddwn bob amser yn gwasgu ar fy nghydweithwyr i gyfiawnhau unrhyw farn ar dir addysgol i ddechrau cyn symud i ystyriaethau eraill. A dyna a geisiais i ei wneud yn fy nghyflwyniadau i aelodau'r Pwyllgor Addysg wrth geisio'u hargyhoeddi o bwysigrwydd gweithredu ar y mater dan sylw.

Yn dilyn etholiad llywodraeth leol 1990, etholwyd carfan o gynghorwyr newydd – yn arbennig o fewn rhengoedd y Blaid Lafur a oedd, er prin yn ddeg o ran nifer, yn uchel eu cloch o fewn y Cyngor. Rwy'n credu mai nhw a hybodd ffurfio grwpiau gwleidyddol o fewn y Cyngor yn 1990 yn dilyn Deddf Llywodraeth Leol 1989. Grŵp mwyaf y Cyngor o gryn dipyn oedd yr Annibynwyr, wedyn Plaid Cymru, yna Llafur, a'r Rhyddfrydwyr Democrataidd y grŵp lleiaf. Cafwyd yr argraff nad oedd mwyafrif aelodau'r Cyngor Sir yn hoff o ddisgyblaeth grŵp ond yr oedd aelodau'r grŵp Llafur yn dangos cryn unoliaeth ac yn cyfarfod yn aml fel grŵp. Gan nad oedd yr un ohonynt yn gadeirydd ar unrhyw bwyllgor, doedd eu dylanwad ddim yn fawr ar bolisïau ond yr oeddynt yn llafar iawn yn y siambr – yn enwedig y Cynghorydd Jimmy O'Toole a oedd yn tueddu i fod yn afreolus ond yn ddidwyll ac egwyddorol. Nodweddwyd eu harddull gan eu herio parhaus ynglŷn â chywirdeb a dilysrwydd adroddiadau gan swyddogion a'u hymgais i fygu llais y prif swyddogion. Yr oedd y newid hwn yn creu awyrgylch mor wahanol yn y siambr i'r un a fodolai cyn hynny ac yn creu tensiynau diangen rhwng aelodau a swyddogion. Rhaid i mi gyfaddef na allwn aros yn dawel pan ymosodid ar fy swyddogion a byddwn, yn gam neu'n gymwys, yn ymateb yn o chwyrn i'r aelodau a wnâi hynny. Mae'n bwysig i mi ychwanegu fy mod yn gallu gweld rhinwedd yn nifer o gynigion yr aelodau Llafur ac yn eu hedmygu hyd yn oed, yn arbennig am eu pendantrwydd polisi o'u cymharu â'r grwpiau eraill lle'r oedd rhai aelodau'n tueddu i ymateb yn fwy mympwyol ac yn ôl y budd i'w hetholaethau hwy yn bennaf yn hytrach nag o ran egwyddor. Ond roedd yr awyrgylch wedi newid ac ni chefais yr un boddhad o gyflwyno materion i'r Pwyllgor Addysg yn ystod y blynyddoedd cyn i mi ymddeol – ac, yn wir, fe gyfrannodd hynny, ynghyd ag effaith deddfwriaethau'r Llywodraeth ar y Gwasanaeth, i'm penderfyniad i ymddeol ddwy flynedd yn gynnar.

Cyfeiriais mewn pennod flaenorol at fwriadau amlwg y Llywodraeth drwy'r wyth degau ac ymlaen i gwtogi grym yr Awdurdod Addysg Lleol a'u diddordeb cynyddol mewn rheoli'r cwricwlwm o'r canol. Er mwyn cyfleu naws y blynyddoedd hynny, mae'n bwysig fy mod yn nodi'n fyr ba newidiadau deddfwriaethol a ddaeth i rym yn ystod fy nghyfnod yn Gyfarwyddwr a'n hadwaith iddynt fel swyddogion ac Awdurdod.

Gellir crynhoi credo addysgol y Torïaid tuag at addysg yn y cyfnod dan bum pennawd:

- cynyddu llais rhieni mewn rheolaeth ysgolion;
- rhoi mwy o ddewis o ysgolion i rieni;
- trosglwyddo mwy o reolaeth i lywodraethwyr ysgolion;
- hybu cystadleuaeth rhwng ysgolion;
- rheoli'r cwricwlwm o'r canol.

Er eglurder, nodaf y cerrig milltir pwysicaf yn y ddeddfwriaeth newydd drwy fewnosod y rhannau allweddol mewn llythrennau italaidd ac yna ychwanegu rhai sylwadau perthnasol ar y newidiadau a'r amcanion a gynhwyswyd ynddynt.

Prif amcan Deddf Addysg (Rhif 2) 1986, y cyfeiriwyd ati fel 'Siarter y Llywodraethwyr', oedd rhoi i lywodraethwyr ddyletswyddau a chyfrifoldebau mwy penodol nag yn y gorffennol, a diffinio eu swyddogaeth yn fanylach. (Ychwanegwyd ymhellach at y swyddogaeth hon dan Ddeddf Diwygio Addysg 1988 a roddai gyfrifoldeb cynyddol i gyrff llywodraethu ysgolion mewn perthynas â chyllidebau ysgolion, ynghyd â chyfrifoldebau rheoli eraill yn ymwneud â materion personél, derbyn disgyblion, y Cwricwlwm Cenedlaethol, arolygiadau ac anghenion arbennig.) Dan Ddeddf 1986, hefyd, y rhoed sylw i addysg rhyw, i ddileu cosb gorfforol ac i werthuso athrawon.

At ei gilydd, nid oedd llawer o'r materion uchod yn rhai y gellid anghydweld â hwy ac, yn wir, roedd nifer ohonynt yn welliannau derbyniol. Er enghraifft, roedd hi'n gwbl briodol fod rhieni'n cael llais cryfach ond credaf fod gosodiad yr Ysgrifennydd Addysg yn ddiweddarach mai'r 'Rhieni Ŵyr Orau' yn groes i'm profiad i beth bynnag. Roedd 'gwerthuso' athrawon fel rhan o broses i adnabod eu hanghenion er mwyn hyrwyddo eu datblygiad proffesiynol yn llwyr dderbyniol gen i a bûm yn traethu'n gefnogol ar y bwriad mewn cyfarfodydd o fewn a'r tu allan i'r sir. Ond fe edrychai athrawon arno ar y dechrau gyda chryn bryder, a gallai rhywun ddeall hynny.

Roedd Deddf Diwygio Addysg 1988 yn cynnwys sefydlu Cwricwlwm Cenedlaethol i ysgolion ynghyd â sefydlu Cyngor Cwricwlwm i Gymru a Chyngor Asesu ac Arholiadau Ysgolion Prydeinig; sicrhau lle addysg grefyddol yn y cwricwlwm i bawb, ynghyd â'r orfodaeth i gynnal act o gyd-addoliad; a sefydlu ym mhob Awdurdod Gyngor Ymgynghorol Sefydlog Addysg Grefyddol [CYSAG].

Erbyn canol yr wyth degau, nodwyd eisoes ein bod fel Awdurdod ac ysgolion wedi derbyn arweiniad yr arolygwyr [AEM] ac eraill ac roedd consensws wedi ei ddatblygu ynglŷn â siâp a chynnwys y cwricwlwm, uwchradd yn arbennig. Pan gynigiwyd inni Gwricwlwm Cenedlaethol a oedd yn bynciol ei sail, croesawem y cyfle i roi sylw i feysydd megis gwyddoniaeth a esgeuluswyd i raddau yn yr ysgol gynradd ond roeddem yn bryderus ynglŷn â'r gorlwytho a fyddai'n debygol o ddigwydd. Yn ystod y blynyddoedd dilynol, profwyd ni'n gywir a gwelwyd ffurfio ac ailffurfio'r Cwricwlwm Cenedlaethol, y newid meddwl parhaus, a thorri'n ôl oherwydd y gorlwytho. Rhoddai hyn bwysau mawr ar ein hathrawon gan arwain at gryn ansicrwydd. Roedd agweddau eraill yn ein poeni hefyd, megis y pwyslais ar gynnwys yn y maes llafur yr hyn y gellid ei asesu'n rhwydd. Yn wir, fe wrthwynebai rhai o'm cydweithwyr y syniad o gwricwlwm 'cenedlaethol' yn gyfan gwbl gan ei weld yn gam tuag at reolaeth ganolog a fyddai'n cynnwys dulliau addysgu yn y man. I raddau, roeddent wedi darogan yn gywir.

Fel y digwyddodd pethau, cefais wahoddiad i fod yn aelod o weithgor gwyddoniaeth y Cwricwlwm Cenedlaethol, ar ran Cymru ac ar ran Cyfarwyddwyr Addysg Prydain. O fewn llai na blwyddyn, bu'n rhaid llunio cwricwlwm gwyddoniaeth ar gyfer disgyblion oed statudol, o'r babanod hyd at 16 oed. Roedd y pwyllgor hwn yn llawn o frwdfrydigion addysg wyddonol ac roedd y trafodaethau'n ddifyr ac ysgogol. Nid oes lle yma i fanylu ond rhaid nodi rhai digwyddiadau a oedd, efallai, yn nodweddiadol o bwyslais ac arddull llywodraeth y dydd.

Roeddem fel gweithgor yn gweld cyfle i lunio cwricwlwm gwyddoniaeth a roddai i bob disgybl gyflwyniad i ddull y gwyddonydd o weithio a rhoi blas iddo/i o amrywiol feysydd y ddisgyblaeth. Gwelem gyfle arbennig i gryfhau lle gwyddoniaeth yn yr ysgol gynradd ac roedd athrawon cynradd ar y gweithgor yn fyrlymus eu syniadau. Yn ystod ein trafodaethau ar gynlluniau drafft, codwyd y cwestiwn yn barhaus gan weision sifil yr Adran Addysg a Gwyddoniaeth [*DES*] yn Elizabeth House, Llundain, ynglŷn â sut y gellid asesu ein rhaglenni gwaith – yn arbennig y prosesau gwyddonol o'u cymharu â'r cynnwys ffeithiol. Gan ein bod yn un o'r ddau weithgor cyntaf i gael eu ffurfio (mathemateg oedd y llall), cymerai'r Ysgrifennydd Addysg, Kenneth Baker, gryn ddiddordeb yn ein gwaith a daeth atom ar fwy nag un achlysur gan gyflwyno safbwynt y Prif Weinidog, Margaret Thatcher, ar sicrhau addasrwydd y cwricwlwm gwyddoniaeth ar gyfer ei asesu – yn fwy, efallai, na'i addasrwydd o ran profiadau addysgol gwyddonol. Gorffennwyd y gwaith mewn pryd a bu ein hargymhellion yn destun i nifer o gynadleddau. Yng Nghymru, fy ngwaith i oedd cyflwyno'r adroddiad yn y cynadleddau hyn i athrawon cynradd ac uwchradd, a chefais foddhad mawr yn y gwaith, yn enwedig o dderbyn ymateb mor gadarnhaol i'r rhan fwyaf o'n hargymhellion. Wedi cyfnod o ymgynghori, fe gyhoeddodd y Llywodraeth y cwricwlwm a oedd i'w weithredu yn yr ysgolion a gwelsom fod ein rhaglenni astudio ni wedi eu tocio'n sylweddol (a oedd yn ddigon rhesymol) ond y siom fwyaf oedd gweld lleihau'r pwyslais ar ddull o weithio a chynyddu'r pwyslais ar wybodaeth ffeithiol. Dros y blynyddoedd ers hynny, bu mwy o newidiadau ac o docio gan fod cyfanswm y Cwricwlwm Cenedlaethol a luniwyd yn y gwahanol bynciau unigol yn ormod o gawdel. Pe byddid wedi dechrau gyda fframwaith cwricwlaidd – cynradd ac uwchradd – dichon y gellid bod wedi osgoi'r holl ailfeddwl a'r ansicrwydd a fodolodd am flynyddoedd, a hefyd llawer o'r gwaith ofer a'r gwastraff arian.

Yng Ngwynedd, lle'r oeddem wedi llunio dogfennau cwricwlwm i'r cynradd a'r uwchradd gyda chryn bwyslais ar themâu trawsbynciol cyn dyfodiad y Cwricwlwm Cenedlaethol, gorfodwyd ni i ailystyried sawl agwedd a bu ein hymgynghorwyr pwnc yn hynod o weithgar yn cynnig arweiniad i athrawon ar gyflwyno ac asesu pynciau'r Cwricwlwm Cenedlaethol. Does dim amheuaeth na fu'r Cwricwlwm Cenedlaethol, er ei holl wendidau – cychwynnol, o leiaf – yn fodd o orfodi awdurdodau addysg i ymddiddori mwy yn yr hyn a ddigwyddai *yn* y dosbarth yn hytrach nag mewn brics a mortar yn unig. Am y tro cyntaf erioed, sicrhawyd lle'r Gymraeg yn bwnc craidd yn y cwricwlwm a theg yw cydnabod cyfraniad allweddol y Gweinidog Gwladol, Syr Wyn Roberts, yn hyn o beth, yn ogystal â dylanwad, yn y cefndir, y Prif Arolygwr, Illtyd Lloyd, ac eraill.

> *Gosododd Deddf Addysg 1988 y rheidrwydd ar bob awdurdod addysg i gyflwyno i'r Ysgrifennydd Gwladol gynllun i ariannu ysgolion gyda darpariaeth ar gyfer dirprwyo cyfran o gyllideb yr ysgol i'r corff llywodraethu.*

Ymhell cyn i'r ddeddfwriaeth hon ddod i rym, yr oeddem fel swyddogion addysg Gwynedd wedi bod yn trafod y budd a allai ddeillio o ddatganoli cyfran o'r gyllideb addysg i ysgolion ac roeddem, felly, yn fwy na bodlon i gydymffurfio pan fu gofyn inni gyflwyno cynllun ariannu ysgolion i'r Swyddfa Gymreig. Yr oeddem yn derbyn y gallai ysgolion fod yn fwy effeithiol ac effeithlon o gael rhyddid i benderfynu eu blaenoriaethau gwariant eu hunain – ond nid oeddem yn gweld budd mewn datganoli'r cyfan o 'arian ysgolion' gan fod cymaint o'r gwasanaethau canolog, megis y timau athrawon bro, mor allweddol i gynnal polisïau'r Awdurdod.

> *Gwnaeth Deddf 1988 ddarpariaeth ar gyfer caniatáu i ysgolion eithrio o ofal yr awdurdod addysg lleol.*

Yr oedd hyn yn dynodi pa mor benderfynol yr oedd y llywodraeth o ryddhau ysgolion o 'afael' yr awdurdodau addysg. Yn naturiol, roedd yn gwbl annerbyniol i ni yng Ngwynedd gan fod dealltwriaeth yn bodoli mai mewn partneriaeth â'n gilydd – ysgolion, rhieni, llywodraethwyr ac Awdurdod – y deuai'r budd mwyaf i'r disgyblion. Teimlem fod datganoli rheolaeth a chyllid yn caniatáu i ysgolion gryn elfen o ryddid i benderfynu ar eu blaenoriaethau a byddent hefyd yn derbyn cefnogaeth gwasanaethau canolog yr Awdurdod. Yr oeddem yn weddol ffyddiog na fyddai unrhyw ysgol yng Ngwynedd yn ystyried eithrio a cheisio manteisio ar yr abwyd ariannol a gynigid gan y llywodraeth – a mwy felly yn Neddf Addysg 1993.

Roedd deddfwriaeth 1988 yn dileu cyfrifoldeb yr AALl i ddarparu addysg uwch a chreu corfforaethau annibynnol ac yn gorchymyn ffurfio Cyngor Ariannu Addysg Uwch. (Yn 1992, bu deddfwriaeth gyfatebol i addysg bellach.) Hefyd, roedd yn newid cyfansoddiad cyrff llywodraethu colegau addysg bellach fel bod o leiaf hanner yr aelodau yn dod o fyd diwydiant a masnach.

Sefydlodd Deddf Addysg (Ysgolion) 1992 fframwaith newydd ar gyfer arolygu ysgolion a oedd yn gwahodd awdurdodau addysg ac asiantaethau preifat i sefydlu timau arolygu. Byddai'r timau'n cynnwys arolygwyr cofrestredig ac yn atebol i Swyddfa Prif Arolygydd Ei Mawrhydi [SPAEM] Cymru. Dan y drefn newydd, byddai pob ysgol yng Nghymru yn cael ei harolygu unwaith bob pum mlynedd.

Trosglwyddwyd adnoddau o'r awdurdodau addysg lleol i SPAEM er mwyn ariannu'r drefn newydd hon ac, o ganlyniad, bu lleihad sylweddol yng ngallu'r Awdurdod i fonitro a chefnogi ei ysgolion ac i hyrwyddo datblygiadau newydd (sefyllfa a waethygwyd ymhellach gan ad-drefnu llywodraeth leol).

Yn ôl pob tystiolaeth, anwastad fu safon yr arolygu, gyda nifer o dimau yn isel eu hygrededd oherwydd diffyg profiad ac arbenigedd ymhlith llawer o'r arolygwyr newydd. Ond roedd yn rhaid croesawu'r arolygu rheolaidd; gresyn na alluogwyd AEM i wneud hynny gyda'u hygrededd gymaint uwch a phan oedd timau cynhaliol cryf gan yr awdurdodau addysg i gynorthwyo ysgolion i wella eu safonau.

Fe'n gorfodwyd trwy Ddeddf Addysg 1988 i ailddiffinio swyddogaeth yr Awdurdod ond roedd ei swyddogaethau'n parhau yn sylweddol ac yn cynnwys:

- cynllunio strategol ac arwain;
- darparu a dyrannu adnoddau;
- darparu gwasanaethau cynhaliol i'w sefydliadau;
- monitro, arolygu a rheoli ansawdd y gwasanaeth.

I gyflawni'r swyddogaethau newydd, sefydlwyd strwythurau rheolaethol a gweinyddol newydd a datblygwyd timau i'w cyflawni. Yn gyson â'n hathroniaeth sylfaenol o bartneriaeth, rhoddwyd cyfle i brifathrawon a llywodraethwyr ymuno yn y drafodaeth flynyddol ar flaenoriaethau.

Felly, cyn cyhoeddi'r Papur Gwyn, *Dewis ac Amrywiaeth*, yn 1992, roedd awdurdodau addysg, er yn anghytuno â llawer o elfennau, wedi llwyddo i gymhathu'r newidiadau o fewn y gyfundrefn addysg; yn wir, roedd y llywodraeth yn dibynnu ar yr awdurdodau a'u hysgolion i'w gwireddu. Ond yr oedd y Papur Gwyn hwn yn fygythiad i barhad yr awdurdodau ac i'r gyfundrefn leol o werthoedd.

Dyma oedd ei brif themâu:

ei gwneud yn haws i ysgolion eithrio o ofal yr AALl a sefydlu corff arall, Asiantaeth Cyllido Ysgolion; dirprwyo mwy eto (85%) o gyllid i ysgolion; mwy o ddewis i rieni a hyrwyddo cystadleuaeth rhwng ysgolion; gwanhau swyddogaeth yr awdurdod addysg i fod yn bennaf yn ddarparwr gwasanaeth i ysgolion ar sail gystadleuol gan amau gwerth cynnal Pwyllgor Addysg o gwbl. (Yn sgîl hyn, byddai'r Pwyllgor Datblygu Addysg Gymraeg yn dod i ben a'i waith o ddatblygu deunyddiau Cymraeg yn mynd i gorff newydd, Awdurdod Cwricwlwm ac Asesu Cymru [ACAC] – corff enwebedig arall!)

Pan gyflwynais y Papur Gwyn i'r Pwyllgor Addysg ym Medi 1992, dyma a ddywedais bryd hynny ac nid oes gennyf le i newid fy meddwl wyth mlynedd yn ddiweddarach: 'Dyma'r Papur Gwyn sydd â'i fryd ar ddinistrio rôl llywodraeth ddemocrataidd leol mewn addysg. Mae'n gwbl anghydnaws ag ethos a gwerthoedd Gwynedd. I'r rhan helaethaf o Wynedd, myth yw bod dewis gan rieni'.

Bu gwrthwynebiad ffyrnig, ond byr hoedlog, gan awdurdodau addysg Cymru i'r Papur Gwyn a chynhaliwyd sawl cynhadledd i drafod cyd-wrthwynebu gyda mudiadau cenedlaethol. Y budd mwyaf a ddeilliodd o'r cyfarfodydd hyn, efallai, oedd cynnau'r awydd ymhlith addysgwyr a chynghorwyr i weld sefydlu cyfundrefn addysg annibynnol yng Nghymru yn seiliedig ar y traddodiad lle mae'r ysgol leol yn rhan annatod o'r gymuned leol a lle mae athroniaeth y farchnad yn anathema mewn cyd-destun addysgol. Yr oedd teimlad cryf iawn yng Nghymru fod y Llywodraeth wedi mynd yn rhy bell y tro yma.

Yn dilyn y ddeddfwriaeth a ddaeth o argymhellion y Papur Gwyn, a hefyd oherwydd y bwriad i ad-drefnu llywodraeth leol, yr oedd yn amlwg bod gofyn inni ddatgymalu'r holl wasanaeth a oedd wedi ei adeiladu mor ofalus ac, yn ôl pob tystiolaeth wrthrychol, wedi bod yn dra llwyddiannus. Bellach, yn dilyn Deddf Addysg 1993, cyfrifoldebau'r awdurdod addysg lleol yn unig fyddai cynllunio strategol a darparu nifer o wasanaethau statudol a rhai cefnogol anstatudol – cysgod o'r hyn a fu, a'r llywodraeth wedi llwyddo i wanhau'n fawr swyddogaeth yr Awdurdod. Yr oedd angen inni newid y pwyslais o fod yn ddarparwr uniongyrchol i fod yn brynwr gwasanaethau – hynny yw, i hyrwyddo a galluogi. Sefydlwyd Unedau Gwasanaeth i gyflawni ein cyfrifoldebau statudol ac Unedau Busnes i fod yn gyfrifol am ddarparu gwasanaeth i'r ysgolion (y trosglwyddwyd iddynt yr arian a ddaliwyd yn ganolog yn flaenorol) ar sail fasnachol.

Bu'r gwaith a gyflawnodd Gwynn Jarvis, fy nirprwy, yn y maes cymhleth a sensitif hwn, yn rhyfeddol o fanwl a thrylwyr, a chreadigol, ac ef hefyd a fu'n chwarae'r rhan flaenllaw (o Medi 1994 fel Cyfarwyddwr

Addysg) yn y datgymalu a fu ar y gwasanaethau ar gyfer ffurfio'r cynghorau amlbwrpas llai yn dilyn ad-drefnu Llywodraeth Leol.

I mi yn bersonol ar ddiwedd gyrfa ac ar ôl cael cyfle i weld adeiladu tîm effeithiol a hynod broffesiynol, roedd yr ad-drefnu pellach hwn yn fwy nag y gallwn ei wynebu. Gwneuthum gais am ymddeoliad cynnar ac, yn ddoeth iawn, penododd y Pwyllgor Addysg Gwynn Jarvis i'm holynu ac i fod yn y swydd hyd nes byddai yntau hefyd yn ymddeol (yn gynnar iawn) adeg yr ad-drefnu yn Ebrill 1996.

✦ ✦ ✦

Gan i mi roi llawer iawn o'm hamser rhwng 1985 a 1994 i addysg 16-19 yn y sir, mae llawer iawn y gallaf ei ddweud am y pwnc ac yn wir byddai angen cyfrol ar wahân i groniclo'r holl stori. Bodlonaf ar gyfleu rhai ffeithiau ac argraffiadau, a nodi fy safbwynt personol, i'r hyn a ddigwyddodd yn arwain at sefydlu Coleg (Trydyddol) Meirion-Dwyfor ym Medi 1993.

Rwyf eisoes wedi sôn am y diffygion oedd yn gysylltiedig ag addysg bellach yn y sir ac yn benodol at y diffyg darpariaeth ym Mhen Llŷn. Buan y deuthum i sylweddoli, drwy drafodaethau o fewn y Grŵp Rheoli adrannol ac o'm hymweliadau, bod yr hollt rhwng addysg academaidd a galwedigaethol yn un ddofn a bod diffyg cyfle cyfartal i ddisgyblion o bob gallu. Hefyd, roedd adnoddau'n cael eu camddefnyddio mewn dosbarthiadau chwech bach ledled y sir, adnoddau y gellid eu defnyddio'n fwy effeithiol ac i ehangu'r ddarpariaeth drwy drefniadaeth wahanol – yn arbennig mewn sefyllfa o ostyngiad cyson yn nifer disgyblion y sector uwchradd hyd 1994. Yn fy marn i, anghyfrifol fyddai peidio â gwneud dim ond roeddwn yn llwyr ymwybodol o ddau beth. Ni fyddai'n hawdd torri ar y traddodiad o gynnal chweched dosbarth, waeth pa mor fach a chostus; a byddai angen rhoi ystyriaeth ofalus i wahanol fframweithiau sefydliadol yn y gwahanol ardaloedd.

Er fy mod yn weddol gyfarwydd â'r amrywiol batrymau addysg 16-19 a oedd ar gael yng Nghymru a Lloegr drwy fy ymweliadau pan oeddwn yn yr Arolygiaeth, nid oeddwn ar ddechrau'r trafodaethau wedi ffurfio barn ar y drefn orau a'r un fwyaf effeithiol i Wynedd. Nodaf hyn am fod rhai'n credu, mi dybiaf, fy mod â'm bryd ar sefydlu colegau trydyddol yng Ngwynedd o'r cychwyn cyntaf. Nid oedd hynny'n wir ac os oedd gennyf ffafriaeth o gwbl, tueddu at y drefn o gonsortia (trefniant cydweithredol rhwng ysgolion a choleg) a wnawn nes iddi ddod yn bur amlwg nad oedd trefn o'r fath yn gallu ymgodymu efo'r problemau sylfaenol nac yn ymarferol o ran trefniadaeth rhwng y sefydliadau. Nodaf rai cerrig milltir yn y cynllunio a'r drafodaeth faith.

Rhagfyr 1985: Y Pwyllgor Addysg yn cytuno â'm hargymhelliad fod adolygu'r ddarpariaeth 16-19 yn flaenoriaeth uchel iawn. (Secondiwyd John Rowlands, prifathro Ysgol Uwchradd Caergybi, i wneud peth gwaith paratoi.)

Chwefror 1986: Cynhadledd Addysg 16-19 i benaethiaid yr ysgolion uwchradd a cholegau. Ffurfio Cyd-banel Addysg 14-19 (aelodau).

Mehefin 1986: Cyd-banel 14-19 yn derbyn tystiolaeth gan yr undebau.

Gorffennaf 1986: Y Pwyllgor Addysg yn cytuno'n unfrydol â'r egwyddor o golegau trydyddol.

Hydref 1986: Cyd-banel 14-19 yn trafod y ddogfen ymgynghorol ar Addysg 16-19, yn newid rhai dewisiadau a gynhwysid ac yn cytuno ar ffurf ar gyfer ymgynghori drwy'r sir, yn benodol gyda llywodraethwyr yr ysgolion a'r colegau, a chyda'r undebau. Lluniwyd y ddogfen gennym yn dilyn trafodaethau ar lefel broffesiynol gyda phrifathrawon ysgolion uwchradd a cholegau addysg bellach ac undebau'r athrawon. Ynddi, ar wahân i'r dadleuon o blaid ad-drefnu, cynhwysid dewisiadau posib ar gyfer pob rhanbarth, a oedd yn golygu cau ysgolion mewn rhai achosion. Yn ogystal â'r ddogfen ymgynghorol, dosbarthwyd 40,000 copi o ddogfen 'boblogaidd' yn crynhoi'r ddogfen lawn.

Rhwng Hydref 1986 a Mawrth 1987: Bu ymgynghori manwl ar y ddogfen gyda llywodraethwyr yn rhanbarthol, gyda'r undebau, a chyda phob corff llywodraethu yn unigol. Er nad oedd yn fwriad i gynnal cyfarfodydd rhieni yn ystod yr ymgynghori cyntaf hwn, fe gytunwyd i gyfarfod rhieni'r ysgolion a enwyd yn y ddogfen fel rhai y dylid ystyried eu cau – Ysgol Gyfun Llangefni, Ysgol David Hughes (Porthaethwy) ac Ysgol Ardudwy (Harlech), a chynhwyswyd dwy ysgol arall yn yr ymgynghori – Ysgol y Berwyn (Y Bala) ac Ysgol Botwnnog am resymau arbennig.

Mawrth/Mai 1987: Adroddwyd ar yr ymgynghori i'r Cyd-banel 14-19. Golygodd yr ymgynghori fod Cadeirydd y Pwyllgor Addysg, nifer o swyddogion a minnau wedi mynychu ac annerch mewn 37 o gyfarfodydd ledled y sir, a chofnodwyd yn fanwl yr holl sylwadau a wnaed yn ystod y cyflwyno a'r ymateb. Adroddwyd bod llywodraethwyr 20 o'r 23 ysgol a holl golegau addysg bellach y sir yn cefnogi'r egwyddor o addysg drydyddol (dau gorff heb benderfynu ac un yn erbyn), yn amodol ar gael sicrwydd ynglŷn â darpariaeth effeithiol ar gyfer addysg 11-16 ac ar y ddealltwriaeth na fyddai unrhyw un o'r ysgolion 11-18 presennol yn cau. Cafwyd ymateb cadarnhaol, ond amodol, gan yr undebau i gyd, ac eithrio Cymdeithas yr Athrawon/

Athrawesau Cynorthwyol [*AMMA*] a oedd yn ffafrio'r *status quo*. Adroddwyd, hefyd, ar yr ymateb i'r gwahanol fodelau a gynigiwyd ar gyfer ystyriaeth yn y gwahanol ranbarthau. Yn fras, gwrthodwyd y dewisiadau a olygai gau unrhyw ysgol, gan gynnwys un y gwelwn i, yn bersonol, lawer o ragoriaethau ynddo ym Meirion a Dwyfor, sef sefydlu coleg trydyddol ar un safle gan ddefnyddio adeiladau Ysgol Ardudwy, Harlech. Gwrthodwyd hefyd fframweithiau eraill, megis:

- cael darpariaeth chweched dosbarth mewn un ysgol yn unig ym mhob ardal a chynnal addysg hyd 16 yn y lleill, a throsglwyddo wedyn;
- colegau chweched dosbarth ochr yn ochr â cholegau addysg bellach;
- trefniant cydweithredol rhwng ysgolion a choleg ond gan barhau i gynnal ysgolion 11-18.

Mae'n rhaid i mi nodi i'r ymgynghori olygu ymdrech fawr gan fy nghydswyddogion a chan Gadeirydd y Pwyllgor Addysg ac, at ei gilydd, bu'r ymateb yn gwrtais a rhesymol, hyd yn oed os oedd teimladau'n mynd yn drech na rheswm ar rai achlysuron. Roedd gwrthwynebiad cryf yn y Bala i golli'r chweched dosbarth oherwydd y byddai disgyblion, fe honnid, yn mynd yn un ar ddeg oed i ysgolion cyfagos yng Nghlwyd a fyddai'n debygol o barhau i fod yn ysgolion 11-18. Bu inni ymweld ag Ysgol y Berwyn dair gwaith yn ystod yr ymgynghori cyntaf hwn a chyfarfod â'r Prifathro a'i Ddirprwy yn y swyddfa yng Nghaernarfon i drafod eu 'dewis cymunedol' a oedd yn seiliedig ar gael cefnogaeth (annhebygol) gan y Comisiwn Gwasanaethau'r Gweithlu [MSC]. Bu'r Prifathro a'i lywodraethwyr yn ddygn yn eu gwrthwynebiad ond bob amser yn llwyr broffesiynol, a bu'r aelod lleol yn fawr ei gefnogaeth iddynt. Gallwn ddeall rhai o'u pryderon ond fy nheimlad personol oedd bod gan drwch disgyblion Ysgol y Berwyn lawer iawn i'w ennill dan drefn drydyddol – a mynegwyd y farn honno wrthyf yn bersonol gan nifer o rieni'r Bala yn ystod yr ymgynghoriad cyntaf, ac yn ddiweddarach. Hefyd, ystyriwn fod Cymreigrwydd disgyblion y Bala yn bwysig i'r coleg trydyddol.

Gorffennaf 1987: Penderfynodd y Pwyllgor Addysg symud ymlaen â'r ad-drefnu yn sirol ond gan hepgor rhai dewisiadau lle byddid yn cau ysgolion. Hefyd, penderfynwyd sefydlu Uned Ddatblygu dan arweiniad Dr Ken Jones, swyddog a fu'n flaenllaw a chreadigol iawn ar ochr gynllunio a gweinyddu'r holl ddatblygiad.

Medi 1987: Penodwyd Dr Haydn Edwards, Prifathro Coleg Pencraig, a Dafydd Whittall, Prifathro Ysgol David Hughes, i weithio yn yr Uned Ddatblygu ar secondiad rhan amser – ac fe fuont yno am tua deunaw mis. Sefydlwyd hefyd bwyllgor llywio trydyddol o swyddogion addysg i dderbyn adroddiadau achlysurol o waith yr Uned Ddatblygu ac i gynnig arweiniad.

Medi 1987 – Ebrill 1989: Bu'r Uned Ddatblygu'n llunio cynllun ad-drefnu sirol gyda chynlluniau penodol ar gyfer pob rhanbarth. Nodwyd y sylwadau a wnaed yn ystod yr ymgynghori a dilynwyd canllawiau'r Pwyllgor Addysg. Ar ôl trafodaethau manwl o fewn y swyddfa a chyda swyddogion addysg Clwyd ynglŷn â'r trefniadau ar y cyd yn ardal Aberconwy, rhyddhawyd y cynllun sirol mewn pedair dogfen. Roedd y rhain yn crynhoi'r dadleuon a'r ymateb i'r ymgynghori, yn manylu ar y cwricwlwm trydyddol a'r defnydd o'r ddwy iaith, ac yn cynnig modelau enghreifftiol o golegau trydyddol ar gyfer gwahanol rannau o'r sir.

Ebrill 1989: Y Cyd-banel 14-19 yn derbyn y cynllun sirol ac yn argymell rhoi blaenoriaeth i Feirion/Dwyfor.

Gorffennaf 1989: Y Pwyllgor Addysg yn derbyn y canllawiau cwricwlaidd, yn cytuno y dylid symud i sefydlu cyfundrefn o golegau trydyddol ac yn penderfynu mai yn ardaloedd Meirionnydd a Dwyfor y dylid dechrau ar y broses o ad-drefnu gan mai yn yr ardaloedd hynny yr oedd yr angen pennaf. Penderfynwyd hefyd y dylid paratoi dogfen ymgynghorol ar *Ad-drefnu Addysg a Hyfforddiant Ôl-16 oed ym Meirionnydd a Dwyfor*.

Ionawr 1990: Rhyddhau'r ddogfen ymgynghorol i Feirion/Dwyfor (ynghyd â fersiwn poblogaidd unwaith eto) a chynnal cyfarfodydd ymgynghori gyda llywodraethwyr, athrawon, staff atodol, a rhieni pob un o'r wyth ysgol uwchradd, a llywodraethwyr, staff a myfyrwyr Coleg Meirionnydd. Y prif argymhelliad oedd y dylid sefydlu coleg bro (trydyddol) ar ddau safle, yn Nolgellau a Phwllheli, ac roedd y ddogfen yn gosod y cyd-destun, yn rhoi bras fanylion am y ddarpariaeth yn y ddwy iaith, ynghyd â manylion perthnasol eraill am y coleg arfaethedig gan gynnwys amcangyfrif o gostau adeiladu – bron o'r newydd ym Mhwllheli ac addasu ac ehangu yn Nolgellau.

Ionawr-Mawrth 1990: Cynhaliwyd cyfarfodydd ymgynghori – dros 40 cyfarfod i gyd dan gadeiryddiaeth Hywel Thomas, Cadeirydd y Pwyllgor Addysg ar y pryd, a rhai o fy nghydswyddogion a minnau yn annerch yn yr holl gyfarfodydd. Cofnodwyd yr ymateb yn llawn. Amrywiai'r ymateb o gefnogaeth lwyr yn Nhywyn i wrthwynebiad cryf yn y Bala, a chan staff a rhieni Ardudwy – ond nid gan y llywodraethwyr yn yr olaf. Mynegwyd rhai pryderon am agweddau o'r cynllun ym mhob cyfarfod bron – ar faterion megis y ddarpariaeth cyfrwng Cymraeg, y ddarpariaeth alwedigaethol, dyfodol yr ysgolion

11-16, effaith colli'r chweched dosbarth, trefniadau teithio, ond medrwyd tawelu'r ofnau ynglŷn â'r rhan fwyaf o'r pryderon hynny yn y cyfarfodydd neu drwy drafodaeth bellach yn ddiweddarach. Beth bynnag oedd yr amheuon, y tu cefn i'r cwbl cafwyd y teimlad o'r awydd i fachu ar gyfle na ddylid ei golli – ac roedd hyn yn arbennig o wir am y cyfle newydd a roddid ym Mhen Llŷn lle'r oeddwn wedi clywed cymaint o gwyno am dlodi'r ddarpariaeth alwedigaethol dros y blynyddoedd.

Mae'n rhaid i mi gyfaddef nad oeddent yn gyfarfodydd hawdd a chofiaf yn arbennig y cyfarfodydd yn y Bala ac yn Harlech a oedd yn rhai bywiog a gwresog, a dweud y lleiaf. Ond yr oedd yn weddol hawdd gwahaniaethu rhwng y gwir bryderon a gwrthwynebiadau a godai o geidwadaeth addysgol – yn cael eu harwain gan athrawon yn bennaf. Fel y soniwyd eisoes, daeth unigolion ataf ar ddiwedd y cyfarfod yn y Bala, ac ysgrifennodd nifer ataf yn ddiweddarach, i fynegi eu cefnogaeth a'u datgysylltiad efo'r farn 'boblogaidd' na feiddient ei herio'n gyhoeddus. Ar wahân i'r cyfarfodydd cyhoeddus, cynhaliwyd sawl cynhadledd i'r wasg, bu trafodaethau bywiog ar raglenni fel *Y Byd ar Bedwar* a *Week in, Week out* ac yn aml ar y radio. Neilltuwyd *Stondin Sulwyn* i'r ddadl ar fwy nag un achlysur.

Mai 1990: Cyflwynwyd holl dystiolaeth yr ymgynghori mewn cyfrol drwchus i gyfarfod arbennig o'r Pwyllgor Addysg. Collodd cynnig i eithrio'r Bala o'r cynllun o un bleidlais.

Mehefin 1990: Cynhaliwyd cyfarfodydd arbennig o'r Pwyllgor Addysg a'r Cyngor Sir i drafod y cynllun trydyddol ym Meirion/Dwyfor. Yn y naill, cariodd y cynllun o 66 i 1 ac yn y llall, trechwyd cynnig i eithrio'r Bala o 35 i 17 a derbyniwyd y cynllun trydyddol llawn gydag un gwrthwynebiad yn unig.

Cyhoeddwyd rhybuddion statudol ar newid natur ysgolion uwchradd Meirion/Dwyfor o fod yn rhai 11-18 i fod yn rhai 11-16. Derbyniwyd yr ymatebion a'u hanfon gyda fy sylwadau i'r Swyddfa Gymreig.

Ebrill 1991: Yr Ysgrifennydd Gwladol yn gwrthod y gwrthwynebiadau i'n had-drefnu trydyddol.

Gorffennaf 1991: Y Pwyllgor Addysg yn ystyried Papur Gwyn y Llywodraeth a oedd yn rhoi annibyniaeth i'r colegau addysg bellach (gan gynnwys trydyddol). Yn naturiol, fe godai'r cwestiwn a ddylid parhau â'r cynllun trydyddol o golli rheolaeth yr Awdurdod Addysg ar y coleg arfaethedig. Derbyniodd yr aelodau yr arweiniad a roddais, sef y dylid parhau i sefydlu'r coleg gan mai'r un oedd anghenion y myfyrwyr pwy bynnag oedd yn llywodraethu. Etholwyd cynrychiolwyr yr Awdurdod ar gorff llywodraethu cysgodol y coleg.

Mehefin 1992: Ag ansicrwydd wedi codi ynglŷn â dyfodol Coleg Glynllifon fel coleg annibynnol, cytunodd llywodraethwyr Coleg Meirion-Dwyfor, dan gadeiryddiaeth y Cynghorydd John Tudor, i ymgorffori'r coleg o fewn y coleg trydyddol ac fe gytunodd y Pwyllgor Addysg â hynny yn ei gyfarfod yng Ngorffennaf.

Medi 1993: Wedi rhai problemau ynglŷn â phenodi pennaeth i'r coleg oherwydd salwch Dr Ken Jones a benodwyd yn wreiddiol, agorodd y coleg gyda Keith Jones yn bennaeth.

Nodais hanes ad-drefnu addysg 16-19 yn weddol lawn er mwyn ceisio rhoi darlun o weithrediad un adran o lywodraeth leol wrth geisio sefydlu trefn newydd o fewn system ddemocrataidd y dydd. Dylid nodi, hefyd, bod yr hinsawdd wleidyddol wedi newid dros y cyfnod o drafod ac ymgynghori. Roedd tynnu addysg bellach o ofal llywodraeth leol yn golygu na ellid parhau'r ad-drefnu drwy weddill y sir yn ôl penderfyniad y Pwyllgor Addysg yn 1986. Roedd rhoi'r hawl i ysgolion eithrio o ofal yr Awdurdod hefyd yn newid yr awyrgylch. Pan benderfynodd y Pwyllgor Addysg yn Ebrill 1994 y dylid ymgynghori ar ailsefydlu'r chweched yn Ysgol y Berwyn, roedd carfan o rieni'r ysgol wedi galw am bleidlais i eithrio, ac er mai ymwrthod â'r llwybr hwn a wnaeth 79% o'r rhieni yn y bleidlais a drefnwyd, roedd yr ysgrifen ar y mur o ran grym llywodraeth leol mewn materion addysg. Yng Ngorffennaf 1994, cytunodd y Pwyllgor Addysg i gyhoeddi rhybuddion statudol ar ailsefydlu chweched dosbarth yn y Bala a rhoddodd yr Ysgrifennydd Gwladol Toriaidd sêl ei fendith ar y bwriad rai misoedd wedi i mi adael fy swydd fel Cyfarwyddwr Addysg ddiwedd Awst 1994.

Diddorol yw nodi i Ysgol Ardudwy, rai blynyddoedd yn ddiweddarach, fethu cael cefnogaeth y Pwyllgor Addysg i'w hymdrech i gael eu chweched dosbarth yn ôl. Yr oedd yr ysgolion 11-16 eraill yn gwrthwynebu'r symudiad am eu bod yn hapus, at ei gilydd, â'r drefn newydd o ysgolion 11-16. Drwy gydol y drafodaeth ar Ysgol y Berwyn, roedd cydnabyddiaeth bod eu sefyllfa hwy yn un arbennig ond a oedd yn *ddigon* arbennig iddi beidio â bod yn rhan o'r ad-drefnu oedd y cwestiwn anodd i mi ac i'r Pwyllgor Addysg.

Rhaid i mi gydnabod fy mod braidd yn siomedig pan glywais am rai o drafferthion cychwynnol Coleg Meirion-Dwyfor – yn arbennig y diffyg sefydlogrwydd a gododd o orfod newid penaethiaid. Ond, er gwaethaf colli mwyafrif (ond nid y cyfan) o ddisgyblion Safon Uwch Ysgol y Berwyn (âi'r disgyblion 'galwedigaethol' i'r coleg o hyd), yr oeddwn yn gwbl ffyddiog mai darpariaeth drydyddol oedd orau i'r ardal yn addysgol.

Yr oeddwn yn ymwybodol y byddai agor Coleg Meirion-Dwyfor ac ad-drefnu ysgolion uwchradd yr ardal i fod yn ysgolion 11-16 yn gyfnod anodd – yn arbennig i'r ysgolion, lle'r oedd yn rhaid addasu o ran staffio a chyfrifoldebau, a hynny mewn cyfnod o newidiadau eraill hefyd yn codi o ddatganoli rheolaeth. Ond yr oeddwn yn dawel fy meddwl y byddai'r manteision a oedd yn sail i'r dadleuon dros ad-drefnu yn eu hamlygu eu hunain wedi i'r ysgolion gael eu gwynt atynt.

Yr oedd chwyddwydr y cyhoedd a'r wasg ar Goleg Meirion-Dwyfor o'r diwrnod cyntaf yr agorwyd ef. Gwaetha'r modd, dros y blynyddoedd cynnar, cafwyd nifer o drafferthion tra anffodus gan gynnwys newid pennaeth ddwy waith mewn cyfnod cymharol fyr. Pwysleisiwyd yr elfennau negyddol gan y wasg ac yr oedd disgwyl afreal y gallai'r coleg gyflawni ei holl fwriadau dros nos. Fodd bynnag, gyda Dr Ian Rees yn bennaeth ers pedair blynedd bellach, mae'r coleg yn agosáu at gyflawni ein gobeithion gorau ar ei gyfer, yn tyfu'n sefydliad allweddol yng nghymunedau Meirionnydd a Dwyfor ac yn eu gwasanaethu'n deilwng iawn.

Yn ôl pob tystiolaeth, mae safonau academaidd y coleg yn uchel. Daeth y coleg i frig tabl y colegau trydyddol yng Nghymru (a rhai ohonynt yn rhai mawr iawn yn y de) dros y blynyddoedd diwethaf o ran canlyniadau Safon Uwch. Hefyd, cawsant wobr am ansawdd ardderchog mewn dau faes galwedigaethol mewn arolwg diweddar. Os yw cwrs ar gael drwy'r Gymraeg gan Gyd-bwyllgor Addysg Cymru, mae'r coleg yn cynnig darpariaeth ddwyieithog sy'n golygu mai yn ardal y coleg y ceir y ddarpariaeth ddwyieithog orau o ddigon yng Nghymru. Ag addysg ôl-16 dan y chwyddwydr gan y Cynulliad wedi cyhoeddi adroddiad yr *Education ond Training Advisory Plan [ETAP]*, mae Coleg Meirion-Dwyfor, fe ymddengys, mewn sefyllfa gref i ddarparu'r arlwy ehangaf o ran cyrsiau academaidd a galwedigaethol. Bu penderfyniad Cyngor Gwynedd i wrthod ailsefydlu chweched dosbarth yn Ysgol Ardudwy yn bleidlais o hyder cyhoeddus iawn yn y coleg ac yn y drefn drydyddol yn gyffredinol.

Yn ystod fy ymweliad â'r Coleg (safle Pwllheli) fel gŵr gwadd yn eu seremoni wobrwyo yn Rhagfyr 1999, cefais gyfle i sawru o awyrgylch cartrefol a bywiog y Coleg ac i gyfarfod â nifer dda o'r myfyrwyr a oedd i gyd yn hynod ddiolchgar i'r Coleg am eu llwyddiant a'u datblygiad personol.

A beth am yr ysgolion? Bûm yn holi rhai o brifathrawon yr ysgolion a gollodd eu chweched dosbarth o ganlyniad i'r ad-drefnu ynglŷn â'u bodlonrwydd gyda'r drefn o ysgol 11-16. Ac eithrio un – Pennaeth Ysgol y Gader, Dolgellau – a oedd yn credu bod colli'r chweched yn dwysáu'r broblem o ddenu staff i ardal wledig a'i bod yn 'anodd cynnal ethos yr ysgol heb y chweched', roedd y gweddill a holais yn ffafrio'r newid. Meddai Prifathro Ysgol Eifionydd, Porthmadog:

> Mae'n haws cynllunio cyllido ymlaen llaw oherwydd bod llai o ansicrwydd ynglŷn â niferoedd disgyblion yn yr ysgol. Nid yw'r ysgol bellach yn gorfod cyllido dosbarthiadau Lefel 'A' o un neu ddau ddisgybl ac, o'r herwydd, gwneir arbedion staffio amlwg gan arwain at ddosbarthiadau dysgu llai ym mlynyddoedd 7-11 a cheir gwell adnoddau dysgu.
>
> Mae'r ysgol dros y blynyddoedd diwethaf wedi mwy na dyblu ei 'llwyddiant' yn y nifer sy'n ennill pum gradd A* i C yn arholiadau TGAU; wedi llwyddo i . . . recriwtio athrawon ifanc addawol heb orfod rhoi ystyriaeth i brofiad o weithio gyda disgyblion Lefel 'A' wrth benodi.
>
> Cafodd colli presenoldeb a chyfraniad cymdeithasol disgyblion y chweched dosbarth effaith ar yr ysgol yn y tymor byr ond gwelwyd disgyblion iau yr ysgol yn ysgwyddo cyfrifoldebau newydd gan chwarae rhan flaenllaw mewn gweithgareddau cymdeithasol ac yn eu hamlygu eu hunain fel arweinwyr ynghynt. Yn sicr, ni welwyd unrhyw ddirywiad yn agwedd ac ymddygiad disgyblion o golli esiampl y chweched fel y bu i ambell broffwyd gwae ddarogan; os rhywbeth, i'r gwrthwyneb y bu'r effaith.

Ac yn yr un cywair, dyma a ddywed Prifathro Ysgol Botwnnog, Llŷn:

> Yn fy marn i, gwelwyd manteision mewn perthynas â rheolaeth, trefniadaeth, amserlennu a defnydd effeithiol o adnoddau. Gwelir blwyddyn 11 (yr hen bumed dosbarth) yn aeddfedu, yn derbyn cyfrifoldeb, yn cael mwy o sylw'r athrawon ac o'r herwydd mae safonau cyrhaeddiad wedi codi. Nid yw colli chweched dosbarth wedi amharu ar fywyd yr ysgol nac ar weithgareddau allgyrsiol. Mae morál y staff yn dda ac ni welwyd problemau recriwtio hyd yma.
>
> Ar y cychwyn, bu pryderon ynglŷn â safon yr addysgu mewn rhai pynciau a'r ddarpariaeth cyfrwng Cymraeg ond erbyn hyn mae'r coleg wedi ennill ei blwy ymysg trigolion Llŷn. Braf yw gweld ein cyn-ddisgyblion yn llwyddo; mae canlyniadau Lefel 'A' y Coleg yn dda iawn ar y cyfan.

Mae Prifathro Ysgol Glan y Môr, Pwllheli, yn ategu barn y ddau arall, gan ychwanegu:

> Gallwn dargedu ein holl adnoddau i Gyfnodau Allweddol 3 a 4 – heb bryderu am eu 'tlodi' trwy swbsideiddio addysg ôl-16.
>
> Sefydlwyd perthynas dda rhyngom a'r Coleg. Yr ydym, fel Penaethiaid Dwyfor, yn cyfarfod â Thîm Rheoli'r Coleg yn dymhorol gan drafod materion gweinyddol a chwricwlaidd.

Ni allaf gelu'r ffaith fod darllen y sylwadau uchod yn dod â chryn foddhad i mi gan gadarnhau mewn modd digamsyniol fod penderfyniad Awdurdod Addysg Gwynedd i sefydlu Coleg Meirion-Dwyfor ac ad-drefnu'r ysgolion uwchradd yn rhai 11-16 wedi bod yn un cywir. Ni wireddwyd yr ofnau y bu rhai'n eu darogan yn ystod yr ymgynghori. Yn bwysicach na dim, mae'r ardaloedd ar eu hennill yn arw. Oherwydd rhoi annibyniaeth i'r colegau, gresyn na lwyddwyd i drydyddu'r gweddill o ranbarthau'r hen Wynedd. Does dim llawer o amheuaeth, ys dywedodd un o'r prifathrawon, na fydd 'datblygiadau arfaethedig y Cynulliad yn rhoi ysgolion uwchradd bach, a rhai lled fawr, o dan bwysau cyllidol ychwanegol. Bydd yn rhaid i ysgolion uwchradd eraill Gwynedd wynebu'r union gwestiynau ag a drafodwyd ym Meirionnydd a Dwyfor rai blynyddoedd yn ôl.' Amser a ddengys!

A beth am y ddarpariaeth 16-19 ar gyfer disgyblion ysgolion uwchradd Cymraeg de Cymru ac ardaloedd eraill yn yr hinsawdd bresennol? Yn sicr, ni fedrodd colegau addysg bellach y de ddiwallu'r galw am gyrsiau cyfrwng Cymraeg ac y mae'r sefyllfa'n gweiddi am ateb beiddgar, megis sefydlu coleg trydyddol Cymraeg i dde Cymru ar ddau safle – un yng Nghaerdydd ac un yn Abertawe – a fyddai'n sicrhau dilyniant dwyieithog i'r ysgolion Cymraeg, yn academaidd a galwedigaethol. Mae mawr angen i'r Cynulliad afael yn y mater hwn rhag blaen.

Yn ystod fy mlwyddyn olaf yn fy swydd, fe barhaodd fy ymwneud ag addysg bellach er nad oedd y colegau'n rhan o'm cyfrifoldeb fel Cyfarwyddwr Addysg er Ebrill 1993. Fe'm gwahoddwyd gan y llywodraethwyr i gadeirio cyd-weithgor colegau Gwynedd (Bangor) a Phencraig (Llangefni). Roedd annibyniaeth wedi eu sbarduno i gredu bod eu dyfodol yn ddiogelach fel coleg unedig. Cafwyd nifer o gyfarfodydd dros y flwyddyn – y cyfarfodydd addysgol gyda'r mwyaf dymunol y bûm ynddynt erioed a'r ddau gorff llywodraethu yn awyddus i archwilio manteision uno. Paratowyd adroddiad yn crynhoi ein trafodaethau â'n hymgynghori gydag AEM a'r Cyngor Cyllido, a chytunwyd i ddod â'r ddau goleg ynghyd ar 1 Medi 1994. Yr oedd Dr Haydn Edwards wedi ei benodi'n bennaeth Coleg Gwynedd ers Mehefin 1993 ac roedd swydd pennaeth Coleg Pencraig heb ei llenwi'n barhaol. Penodwyd Dr Edwards yn bennaeth y coleg unedig, Coleg Menai, ym Mawrth 1994. Roedd y penodiad hwn yn sicrhau y byddai Coleg Menai yn datblygu ar yr egwyddorion cyffredinol a oedd yn rhan o'r cynllun trydyddol sirol. Er y byddai'r ysgolion yn parhau i gynnal chweched dosbarth yn ardal y coleg (yn y tymor byr, beth bynnag), yr oedd yma addewid o seiliau cadarn i adeiladu arnynt i'r dyfodol.

Mae'n werth i mi sôn hefyd am ddau goleg arall y bûm yn ymwneud â hwy fel Cyfarwyddwr Addysg ac yn arbennig ynglŷn â'r newid yn eu rheolaeth yn 1986. Crybwyllais eisoes fod Coleg Technegol Llandrillo, Llandrillo-yn-Rhos, yn cael ei reoli gan gorff llywodraethu a oedd yn cynnwys cynghorwyr o Wynedd a Chlwyd a'i gyllido gan y ddau Awdurdod. Roedd trefn debyg yn bodoli o ran rheolaeth y Coleg Normal ym Mangor ond, yn yr achos yma, roedd gan Awdurdod Powys ran yn y rheoli a'r cyllido hefyd. Doedd dim angen bod yn graff iawn i sylweddoli bod y drefn reoli, ac yn arbennig y drefn gyllido, yn y ddau goleg yn rhy annelwig ac anatebol. Teimlais mai rheitiach fyddai gwneud un yn goleg Clwyd, a'r llall yn goleg Gwynedd, ac ar ôl rhai misoedd o drafod manwl rhwng y llywodraethwyr a'r awdurdodau, dyna a gytunwyd. Daeth y

Coleg Normal dan reolaeth Gwynedd a Llandrillo dan ofal Clwyd ond gan barhau cyswllt â'r Awdurdod arall drwy gynrychiolaeth ar y bwrdd llywodraethu. Gan mai Ronnie Williams a olynodd Dr Jim Davies yn brifathro'r Coleg Normal yn Ebrill 1985, fe sicrhawyd parhad y cyswllt agos gydag Awdurdod Addysg Gwynedd. Â minnau'n Glerc y Llywodraethwyr, cynyddodd a datblygodd ein diddordeb yn y sefydliad addysg uwch a hyfforddai gymaint o'n darpar athrawon cynradd.

Yn 1987, gwelwyd ffrwyth y cydweithio rhwng y Coleg Normal a'r Awdurdod, a hefyd â'r Brifysgol ym Mangor (ac am gyfnod ag Awdurdod Addysg Clwyd) drwy inni sefydlu Canolfan Astudiaethau Iaith yn y Coleg a phenodi J. Elwyn Hughes yn Gyfarwyddwr y Ganolfan yn 1988 a John Emyr yn Olygydd Cyffredinol. Yr oedd gennym amcanion uchelgeisiol i'r ganolfan hon a oedd yn cynnwys bod yn ganolfan i drafod dwyieithrwydd, i gynnal ymchwil yn y maes ac i gynhyrchu deunyddiau ar gyfer ysgolion a cholegau. Bu'r Ganolfan yn asiantaeth gyfieithu lwyddiannus iawn, hefyd, mewn cyfnod pan oedd prinder cyfieithwyr safonol ac fe weithiodd i nifer dda o gyrff cenedlaethol. Profodd y darlithoedd gyda'r nos ar agweddau o ddatblygiad iaith yn rhai poblogaidd iawn – darlithoedd a gyhoeddwyd gan y Ganolfan ac a draddodwyd gan arbenigwyr fel yr Athro Colin Williams (un o ddisgyblion cyntaf Rhydfelen) a'r Athro Colin Baker, ynghyd â'n hymgynghorwyr iaith ni, Elfyn Pritchard, Gruff Roberts, Helen Lewis a chan Aled Lloyd Davies, cyn-brifathro Ysgol Maes Garmon, Yr Wyddgrug. Ond ni lwyddodd y Ganolfan, am amryw resymau, i fod y fforwm eang ar gyfer trafod dwyieithrwydd nac yn ganolfan ymchwil. Fodd bynnag, drwy'r arian a ddaeth iddi drwy'r Pwyllgor Datblygu Addysg Gymraeg a thrwy incwm o waith cyfieithu, profodd yn ganolfan olygu a chyhoeddi benigamp a chyhoeddwyd dros 300 o deitlau cyn i'r Pwyllgor Datblygu a'r cyllid a ddarparai ddod i ben yn 1994. Cyfeirir yn llawnach at hyn eto. Oherwydd ei fod yn gweithredu dan reolau llym tendro cystadleuol, ni fedrodd Awdurdod Cwricwlwm ac Asesu Cymru [ACAC] – sef olynydd y Pwyllgor Datblygu o ran darparu deunyddiau cyfrwng Cymraeg – gefnogi'r Ganolfan yn yr un modd. Bu'n rhaid ei dirwyn i ben oherwydd hynny ac oherwydd prinder cyllid i'w chynnal. Tyfasai'n rhy fawr i lawr cyntaf adeilad y George yn y Coleg Normal allu ei chynnal, ac yn ystod ei phedair blynedd olaf rhannai'r un adeilad â'r swyddfa addysg ranbarthol yn Llangefni. Yn bendifaddau, bu i'r ysgolion a'r colegau elwa'n fawr o gynnyrch graenus y ganolfan hon yn ystod wyth mlynedd ei bodolaeth ond a orfodwyd i gau oherwydd y drefn gystadleuol a osodai'r corff newydd ar ganolfannau cynhyrchu o'r fath – trefn gwbl anghymarus â chanolfan gyhoeddi deunyddiau Cymraeg.

Cyn gadael y Coleg Normal, mae'n rhaid i mi nodi'r syndod a deimlais o dderbyn gwahoddiad gan yr Ysgrifennydd Gwladol i fod yn un o lywodraethwyr y Coleg Normal ar ei annibyniaeth o'r Awdurdod Addysg yn Ebrill 1992. Cefais fwy o syndod fyth o gael fy ethol yn Gadeirydd gan y llywodraethwyr newydd – llawer ohonynt yn ddiwydianwyr. Clerc y Llywodraethwr ar ran yr Awdurdod Addysg un diwrnod, a Chadeirydd annibynnol y diwrnod canlynol! Ymhen blwyddyn a hanner, ymddeolodd Ronnie Williams, y Prifathro er 1985, yn gynnar ar sail afiechyd a phenodwyd un o'i gydweithwyr, yn y Coleg Normal ac yn yr Awdurdod Addysg, i'w olynu, sef Dr H. Gareth Ff. Roberts. Caf sôn eto am y datblygiadau a fu yn ei gyfnod ef wrth y llyw.

O safbwynt y Gymraeg a chyfrwng Cymraeg yn genedlaethol, does dim amheuaeth nad Pwyllgor Iaith a Diwylliant Cyd-bwyllgor Addysg Cymru dan arweiniad Iolo Walters oedd y pwyllgor allweddol – yn arbennig drwy ei gynllun gwerslyfrau i ysgolion gyda chyd-ddealltwriaeth yr wyth Awdurdod ynglŷn â phryniant a chyllido. O 1983 ymlaen, bu Cymdeithas yr Iaith yn galw ar i'r Cyd-bwyllgor drwy'r Pwyllgor Iaith a Diwylliant gefnogi'r syniad o sefydlu corff annibynnol i ddatblygu addysg Gymraeg. Yr oeddwn newydd ymuno â'r Pwyllgor Iaith a Diwylliant pan ddeuthum yn ymwybodol o hyn. Ymateb y Cyd-bwyllgor oedd sefydlu Gweithgor Addysg Gymraeg dan gadeiryddiaeth y Cynghorydd O. M. Roberts, a Grŵp Ymchwil, a minnau'n gadeirydd ar hwnnw, i ddarganfod cost y ddarpariaeth bresennol o addysg ddwyieithog ar draws y sector cyhoeddus, a chost estyn y ddarpariaeth yn ôl cynlluniau a pholisïau'r awdurdodau unigol. Adroddodd y Grŵp fod y gost ar y pryd yn £15 miliwn yn flynyddol, bod angen gwario £9 miliwn bob blwyddyn er mwyn gweithredu polisïau presennol yr awdurdodau yn llawn a £10 miliwn i ddatblygu'r gwaith ymhellach. Roedd mwyafrif y cynghorwyr o'r awdurdodau lleol ar y pwyllgor yn wrthwynebus i'r syniad o ffurfio corff ar wahân ond gwelai Dafydd Orwig, O. M. Roberts a minnau bod grym yn y dadleuon ac, ar ôl trafodaeth yn y swyddfa, lluniodd Gwynn Jarvis bapur, ar gyfer Awdurdod Addysg Gwynedd yn y lle cyntaf, i grynhoi ein safbwynt. Rhoddai'r papur hwn hefyd fframwaith posib i'r Corff a'r modd y gallai gydlynu a datblygu holl weithgareddau addysg Gymraeg yn y gwahanol sectorau. Cyflwynwyd ef i'r Cyd-bwyllgor a chafodd dderbyniad cynnes ond parhâi mwyafrif aelodau'r Cyd-bwyllgor i wrthwynebu corff annibynnol; roeddent am iddo fod, yn hytrach, yn bwyllgor dan y Cyd-bwyllgor a oedd yn atebol i awdurdodau lleol Cymru. Dyna hefyd oedd safbwynt y Gweinidog Gwladol, Syr Wyn Roberts, yn y cyfarfodydd a gafodd y ddirprwyaeth (yr oeddwn yn aelod ohoni) ag ef yn ystod 1985 a 1986. Yn ei lythyr, dyddiedig Gorffennaf 1985, nododd y Gweinidog beth a welai fyddai swyddogaeth y pwyllgor: fforwm trafod polisïau, cydlynu addysg Gymraeg, darparu hysbysaeth, nodi meysydd ymchwil a datblygiadau pellach. Roedd addewid i gyllido'r Pwyllgor newydd wedi ei wneud gan y Gweinidog ond roedd aelodau'r Cyd-bwyllgor yn amharod i gytuno i'w sefydlu nes ceid addewid sicrach o gyllid i ddatblygu, a hwnnw'n arian 'newydd'. Cafwyd addewid lafar y byddid yn '*cyllido datblygiadau beth bynnag y bônt*' mewn cyfarfod gyda'r Gweinidog. Roedd Cymdeithas yr Iaith yn parhau i fod yn anhapus gyda'r ffaith ei fod yn un o bwyllgorau'r Cyd-bwyllgor (yn hytrach na chorff annibynnol) ac am nad oedd yr addewid i ariannu teilwng yn ddigon cryf. Fodd bynnag, derbyniodd y Cyd-bwyllgor gynnig y Swyddfa Gymreig i gyllido'r Pwyllgor Datblygu.

Mae'r hyn ddigwyddodd rhwng 1987 a 1994 mewn perthynas â'r mater hwn yn ddrych o'r dylanwadau a'r pwerau a ddisgrifiwyd eisoes ac a oedd ar waith yn y cyfnod – ac yn arbennig y tyndra rhwng llywodraeth ganolog a lleol.

Roedd y Pwyllgor Datblygu Addysg Gymraeg, pan sefydlwyd ef yn 1987, yn cynnwys oddeutu 35 aelod a oedd yn cynnwys Cadeirydd y Cyd-bwyllgor, dau gynghorydd o bob awdurdod addysg, tri Chyfarwyddwr Addysg, cynrychiolaeth rhieni, mudiad meithrin, y Brifysgol, cadeiryddion yr is-bwyllgorau a sefydlid, a chyfle i gyfethol aelodau o wahanol asiantaethau yn y byd addysg. Gwahoddwyd yr Athro Eric Sunderland, Prifathro Coleg y Brifysgol, Bangor, i fod yn gadeirydd a bu yn y swydd honno drwy gydol yr adeg. Bu dau addysgwr blaengar yn Gyfarwyddwyr i'r Pwyllgor – Dr Gareth Edwards (1987-90) a W. H. Raybould (1990-94). Penodwyd nifer o swyddogion datblygu a bu Hywel Jeffreys, fy nghyn-gydweithiwr o Rydfelen, ymhlith eraill, ar staff y Pwyllgor Datblygu am gyfnod o secondiad. Cyfarfu'r Pwyllgor Datblygu gyntaf ar 20 Chwefror 1987 ac ymyrrwyd â'r cyfarfod gan Gymdeithas yr Iaith a oedd yn dal i fynnu bod angen sefydlu corff annibynnol gyda'i gyllideb ei hun.

Gan i mi fod yn aelod o'r Pwyllgor Datblygu o'r dechrau i'r diwedd, credaf fy mod mewn sefyllfa i werthfawrogi'r hyn a gyflawnodd a'r hyn na chaniatawyd iddo ei gyflawni, ac yn deall, hefyd, y rhwystredigaethau a brofodd y ddau Gyfarwyddwr a'u staff. Fe dreuliais i, ac eraill, lawer o amser yn y gwaith o sefydlu a chynnal y pwyllgor pwysig hwn yn ystod ei oes fer.

Aed ati drwy'r gwahanol is-bwyllgorau i geisio adnabod anghenion yn y gwahanol sectorau ac i greu rhaglen ymchwil a datblygu. Roedd yno obaith y byddid yn gweld addysg Gymraeg yn cael hwb sylweddol drwy dderbyn cyllid i ddiwallu'r llu o anghenion a ddaethai'n amlwg. Yn 1988, dyfarnwyd i'r Pwyllgor Datblygu arian i gefnogi paratoi deunyddiau Cymraeg mewn tair canolfan – Adran Gymraeg y Cyd-bwyllgor, Canolfan Astudiaethau Addysg Aberystwyth, a Chanolfan Astudiaethau Iaith, Bangor – canolfannau a fu'n hynod o ymatebol i anghenion yr ysgolion a'r colegau addysg bellach, ar ddiwedd yr wyth degau a dechrau'r naw degau. Fodd bynnag, ni roddwyd dim arian i gynllun blaengar o sefydlu

Yr Arglwydd Cledwyn yn agor Adeilad Syr Hugh Owen, Y Coleg Normal, 1996 (wedi'r tân).

Bwrdd
Llywodraethwyr olaf
y Coleg Normal,
1996.

Rhes flaen (o'r chwith):
Olwen Dennis Williams,
Gwen Hughes,
Gwilym E. Humphreys
(Cadeirydd),
H. Gareth Ff. Roberts
(Prifathro),
Bethan Jones-Parry.

Tu cefn:
Lionel Gardner,
Einion Holland
(Swyddog Cyllid),
Geoffrey Sagar,
Gwynfor ab Ifor (Clerc),
Terry Burman,
Dafydd Hughes,
R. Alun Evans
(Is-Gadeirydd).

Cyngor yr Eisteddfod Genedlaethol, Ebrill 1997.

Rhes gefn (o'r chwith): Neville Evans (Trefnydd), D. John Thomas, Tomi Scourfield, Dyfed Evans, Glyn O. Phillips, Dyfrig Roberts, G. Wyn James, John E. Davies, P. J. Law, Robin Llywelyn, Gerwyn Williams, Meirion MacIntyre Huws, Terence Lloyd, T. Alun V. Evans, Robyn Tomos, Eleri Twynog, Eifion Lloyd Jones, Hywel Wyn Edwards, Dewi P. Jones.

Rhes ganol: George P. Owen, John E. James, Alwyn Samuel, W. O. Jones, D. Roy Saer, Catherine Watkin, Buddug Lloyd Roberts, Carys Tudor Williams, Verona Bamford, Hawys Hughes, W. R. P. George, Rhiannon Lewis, Siân Teifi, Elinor Jones, Arwyn Woolcock, Idris Jones.

Rhes flaen: Penri Roberts (Trefnydd), Handel M. Morgan, Eirwen Gwynn, Shân Emlyn, James Nicholas, Gerallt Hughes, Dafydd Rowlands (Archdderwydd), Gwilym E. Humphreys (Llywydd), Aled Lloyd Davies (Cadeirydd), D. Hugh Thomas (Ysgrifennydd), R. Alun Evans (Is-gadeirydd), John Elfed Jones, Eddie Rea, W. Emrys Evans (Cymrawd), Elfed Roberts (Cyfarwyddwr), Islwyn Jones.

Agor Eisteddfod Genedlaethol Meirion a'r Cyffiniau yn y Bala, 1997.

Ar faes y Brifwyl yn y Bala, 1997.

Arwisgo'r Dr W. R. P. George yn Gymrawd
yn Eisteddfod Genedlaethol Bro Ogwr, 1998.

Arwisgo Ceiri Torjussen, enillydd Tlws y Cerddor,
Eisteddfod Genedlaethol Môn, 1999.

Seremoni derbyn Cymrodyr Prifysgol Cymru Bangor, Gorffennaf 1999.

Yn sefyll (o'r chwith): Wyn Thomas (Cerddoriaeth), Gwyn Hughes Jones (Cymrawd newydd), Roy Evans (Is-Ganghellor), Gwilym E. Humphreys (Is-Lywydd), David Roberts (Cofrestrydd).

Yn eistedd: Trefor Owen (Urdd y Graddedigion), Densil Morgan (Deon y Celfyddydau).

Y pedwar ohonom yng ngardd Bodlondeb, 1999.

Ar fordaith i'r Caribî, Chwefror 2000.

rhwydwaith cyfrifiadurol yn y canolfannau hyn – rhwydwaith a fyddai'n fodd o gysylltu ysgolion â'i gilydd ac o rannu adnoddau. Rhoddodd y Pwyllgor Datblygu restr o flaenoriaethau i raglen wariant o £15 miliwn yn 1989 ond ni chafwyd degfed ran o'r swm hwn. Roedd yn amlwg erbyn hyn nad oedd y Pwyllgor Datblygu yn mynd i gael y gefnogaeth ariannol ddisgwyliedig; ni chafwyd yr un ddimai ar gyfer y rhaglen ymchwil gynhwysfawr a oedd yn gweiddi i gael ei chyflawni. Roedd gan y Swyddfa Gymreig ei blaenoriaethau ei hun ac er inni fynd yn ddirprwyaeth i weld yr Ysgrifennydd Gwladol a'r Gweinidog, ni lwyddwyd i'w hargyhoeddi o bwysigrwydd gweithredu ein hagenda wahanol ni. Ar yr agenda honno, roedd addysg feithrin, addysg alwedigaethol ddwyieithog, anghenion arbennig, systemau trosglwyddo gwybodaeth Gymraeg yn electronig, a dysgu-o-bell.

Gan gofio'r hyn oedd yn digwydd o ran deddfwriaeth addysg yn y naw degau cynnar – y Cwricwlwm Cenedlaethol, tanseilio grym awdurdodau addysg drwy ddatganoli a chanoli – doedd hi ddim yn syndod, wrth edrych yn ôl, na wrandawyd ar lais y Pwyllgor Datblygu o ran blaenoriaethau gwariant. Roedd angen deunyddiau ar frys i hyrwyddo'r Cwricwlwm Cenedlaethol gan gynnwys gwneud y Gymraeg yn bwnc gorfodol ym mhob ysgol drwy Gymru. Roedd hyn yn wariant dilys ond heb fod yn cyfateb i flaenoriaethau'r Pwyllgor Datblygu. Yn hytrach na grymuso'i swyddogaeth gyda'r blynyddoedd, dirywiodd swyddogaeth y Pwyllgor Datblygu i ddim mwy na chynghori'r Swyddfa Gymreig ar wariant o fewn Grant Penodol Addysg Gymraeg (adran 21 Deddf 1980) – cyngor a anwybyddid yn amlach na heb.

Gyda gweithrediad Deddf Addysg 1993 yn ffurfio ACAC (a ddaeth yn ACCAC yn ddiweddarach gan ychwanegu 'Cymwysterau' i'w gyfrifoldeb) a sefydlu Bwrdd yr Iaith Gymraeg dan Ddeddf yr Iaith Gymraeg yn yr un flwyddyn, roedd tranc y Pwyllgor Datblygu, y corff a oedd yn gorwedd yn anesmwyth rhwng yr awdurdodau lleol a'r Swyddfa Gymreig a heb awdurdod cyllidol ganddo, yn agosáu'n gyflym. Cynhaliwyd yr angladd ar 21 Mawrth 1994 – dydd y pwyllgor olaf, a throsglwyddwyd ei swyddogaeth i'r cwangos – ACAC a'r Bwrdd Iaith.

Pe bai'r Pwyllgor Datblygu Addysg Gymraeg wedi ei eni mewn cyfnod gwahanol, pryd nad oedd ymyrraeth llywodraeth ganol mor rymus, dichon y gallai fod wedi cyflawni'r gwaith pwysig o uno, cyfeirio a datblygu addysg yn y Gymraeg. Oherwydd, o'r hyn a welais i, yr oedd llu o addysgwyr, yn yr ysgolion a'r tu allan, yn barod i roi o'u hamser a'u harbenigedd i gorff a oedd yn bod i hyrwyddo addysg drwy'r Gymraeg. Efallai, yn wir, mai Cymdeithas yr Iaith oedd yn iawn yn rhag-weld nad oedd modd i lywodraeth y dydd neilltuo arian i gael ei harwain gan athrawon a swyddogion awdurdodau lleol unwaith eto, fel y digwyddodd yn y chwe degau. Ond y mae'r galw am gorff i gydlynu a datblygu addysg

Gymraeg ar draws y sectorau yn aros er gwaethaf ymdrechion gorau ACAC a Bwrdd yr Iaith.

✦ ✦ ✦

Mae'n arwyddocaol mai'r materion a gymerodd lawer o sylw'r Pwyllgor Addysg ac o amser fy swyddogion a minnau oedd y rheini'n ymwneud â dau begwn yr ystod oedran – addysg wedi'r 16 oed ac addysg dan bump oed, addysg feithrin. Yng Ngwynedd, ar ddechrau'r naw degau, roedd y ddau gyfnod dan ystyriaeth y Pwyllgor Addysg yr un pryd, ac i ryw raddau am yr un rhesymau – ariannol a threfniadol.

Yr oedd cytundeb cyffredinol ymhlith aelodau a swyddogion bod gwerth arbennig i addysg feithrin ar gyfer plant dan bump oed – am resymau cymdeithasol ac addysgol, ac yn arbennig o safbwynt datblygiad iaith. Fodd bynnag, roedd nifer o ffactorau'n gofyn am sylw. Yn gyntaf, fe weithredai'r rhanbarthau – Môn, Arfon, Meirionnydd – bolisïau derbyn gwahanol, sef etifeddiaeth yr hen siroedd cyn ad-drefnu 1974. Yn Ebrill 1990, mabwysiadwyd y polisi sirol o dderbyn plant i'r ysgol ym mis Medi yn dilyn eu pen-blwydd yn bedair oed. (Roedd yn rhaid cael polisi sirol ar oed derbyn plant i'r ysgol yn ôl gofynion Deddf Addysg 1988.) Rhoddai hyn flwyddyn o addysg feithrin i bob disgybl gan ddileu'r broblem mewn rhai ysgolion o dderbyn plant yn dymhorol, a oedd yn dipyn o anhwylustod yn yr ysgolion bach. Ond ar wahân i hynny, roeddem fel addysgwyr yn anhapus gyda'r sefyllfa o ysgolion bach yn ceisio darparu addysg feithrin o fewn yr un dosbarth â disgyblion dwy neu dair blynedd yn hŷn. Yn aml, ceid tuedd i gyflwyno profiadau cwricwlaidd yn rhy gynnar yn hytrach na rhoi iddynt brofiadau addas i'w hoed – rhai a oedd yn eu datblygu'n gymdeithasol, ieithyddol, emosiynol, deallusol a chorfforol a hynny mewn amgylchedd priodol. Teimlem hefyd bod presenoldeb y plant meithrin yn effeithio ar y sylw a gâi'r disgyblion hŷn o fewn yr un dosbarth.

Yr oedd yng Ngwynedd fudiadau gwirfoddol – Mudiad Ysgolion Meithrin a *Pre-school Playgroups Association* – yn darparu addysg feithrin ran amser i blant 3-4 oed. Ceid darpariaeth weithiau mewn ysgolion pan oedd lle ar gael ac weithiau mewn adeiladau eraill llai addas megis neuaddau pentref a festrïoedd capel ac ati. Rhoddid cymhorthdal gan yr Awdurdod i'r mudiadau hyn oddi mewn i feini prawf penodol a oedd yn cynnwys ymateb i amddifadedd cymdeithasol a hyrwyddo'r polisi iaith. Roedd y Pwyllgor Addysg yn dymuno parhau'r cymhorthdal hwn a, hefyd, parhau i gynnal y tair uned feithrin yn Ysgolion Llanfawr (Caergybi), Maesincla (Caernarfon) a Maesgeirchen (Bangor), sef ardaloedd difreintiedig lle'r oedd grŵp hyfyw o blant 3-4 oed. (Ac yn wir, estynnwyd y trefniant hwn i 16 o ysgolion eraill ym Medi 1992.)

Er bod y drafodaeth ar addysg feithrin yn digwydd ar adeg o dorri'n ôl ar gyllideb ysgolion, ac er bod addysg feithrin y tu allan i ofynion statudol yr Awdurdod a heb fod yn tynnu dim ychwanegiad grant gan y llywodraeth, roedd y lobi meithrin yn un gref. Yng nghyfarfod Pwyllgor Addysg Ionawr 1991, penderfynwyd bod yr ysgolion hynny a oedd â dosbarthiadau meithrin wedi'u hariannu a'u staffio gan yr Awdurdod yn cael cadw'r ddarpariaeth hon. Aed ymhellach, gan sefydlu gweithgor o aelodau i lunio rhaglen i ddatblygu addysg feithrin.

Bu'r gweithgor hwn, a weinyddid gan Rhys Wyn Parri, yn ddiwyd tan fis Gorffennaf 1992 pan gyflwynwyd ei adroddiad i'r Pwyllgor Addysg. Yn ystod ei fodolaeth, bu'n ymweld ag amrywiol sefyllfaoedd meithrin o fewn y sir ac yn gwrando ar dystiolaeth gan y ddau fudiad gwirfoddol. Wrth gadarnhau'r angen am addysg feithrin o ansawdd uchel, cyflwynodd y Gweithgor raglen ddatblygu yn ymestyn dros bum mlynedd gan flaenoriaethu'r ysgolion ar sail y nifer a gâi ginio rhad. Y bwriad oedd cynyddu nifer yr ysgolion o dair i 57 dros y cyfnod ar gost o £1.35 miliwn refeniw, a chostau cyfalaf ar ben hynny. Er mai da o beth oedd i aelodau lunio rhaglen ddatblygu, yr oedd yn amlwg na ellid ei gweithredu heb ailgyfeirio arian o'r gwasanaeth statudol ac yr oeddwn i'n gwrthwynebu hynny gan fod y gofynion statudol mor drwm mewn cyfnod o gyflwyno'r Cwricwlwm Cenedlaethol. Prif werth yr ymarferiad oedd rhoi i aelodau'r gweithgor well dealltwriaeth o amodau addysg feithrin o ansawdd da.

Sefydlwyd panel o aelodau i benderfynu ar flaenoriaethau gwariant o fewn y sir a rhoesant flaenoriaeth uchel iawn i addysg feithrin. Gweithredwyd y rhaglen ddatblygu yn ystod y flwyddyn gyntaf ond nid ar ôl hynny gan adael y ddarpariaeth yn anghyfartal mewn gwahanol rannau o'r sir. Roedd hyn yn enghraifft o gynghorwyr yn gafael mewn syniad poblogaidd, a chynllun llesol pe ceid yr adnoddau priodol, ond yna'n methu sicrhau'r adnoddau hynny – fel yr oeddwn wedi ei rag-weld. Heb fod llywodraeth yn cydnabod yr angen i gyllido addysg feithrin, roedd yn anodd i awdurdodau addysg gynnal y fath ddarpariaeth allan o'u hadnoddau eu hunain.

Er na fu unrhyw fater y bu i mi ymwneud ag ef fel Cyfarwyddwr Addysg yn ddigon i beri i mi golli cwsg, mae un yn achos cofiadwy am fod iddo elfennau annymunol a adawai flas drwg yn y geg. Cafwyd dadlau caled, a ffyrnig ar adegau, ynglŷn â'r ad-drefnu trydyddol ac ar addysg feithrin, ond llwyddwyd, er bob anghydweld, i gadw'r gwahaniaeth barn ar lefel broffesiynol, heb falais a heb ddichell. Ond nid felly ysywaeth ynglŷn â digwyddiadau yn ymwneud ag Ysgol Caergeiliog o 1991 i 1993 – rhai y bu i mi, am ryw reswm neu'i gilydd, eu cofnodi'n fanylach nag a wneuthum gydag unrhyw achos arall, fel pe bawn i'n synhwyro o'r dechrau bod y mater hwn yn wahanol i'r cyffredin.

Ymwelais ag Ysgol Caergeiliog, Ynys Môn, gyntaf ar yr ail o Orffennaf

1987 a chael bod y Prifathro yn ddisgybl yn Ysgol Uwchradd Llangefni yn y cyfnod pan oeddwn i yno'n athro cemeg; roedd gennyf frith gof ohono. Yn ystod yr ymweliad, deuthum i ddeall sefyllfa unigryw'r ysgol. Deuai'r rhan fwyaf o'r disgyblion o orsaf yr awyrlu yn y Fali – llawer ohonynt yno am gyfnod cymharol fyr yn unig cyn i'w rhieni symud ymlaen i orsaf arall, yn aml dramor. Deuai'r disgyblion hyn i'r ysgol, weithiau ar ôl bod yn Ysgol Babanod y Tywyn a oedd ger yr orsaf, ac weithiau dipyn yn hŷn – yn dibynnu ar symudiadau eu rhieni. Fe addysgid disgyblion o'r awyrlu mewn ffrwd ar wahân, ac roedd yn drefniant digon rhesymol o ystyried amgylchiadau arbennig y disgyblion hyn. Mewn rhan o'r adeilad ar wahân, ac o'r neilltu, yr oedd dosbarthiadau'r disgyblion lleol, disgyblion pentref Caergeiliog, Cymry iaith gyntaf bron i gyd – nifer gryn dipyn yn llai nag oedd yn ffrwd yr awyrlu. Cofiaf, yn ystod fy ymweliad, inni drafod gweithrediad y polisi iaith yn yr ysgol, ac yn arbennig yn ffrwd yr awyrlu, a mynegi cydymdeimlad efo'r ysgol mewn sefyllfa o gymaint o fynd a dod. Cofiaf hefyd gael yr argraff fod addysgu yn ffrwd yr awyrlu yn ffurfiol iawn ac yn canolbwyntio llawer ar y 3R – ac esboniodd y Prifathro fod nifer o'r disgyblion yn sefyll arholiadau'r *Common Entrance* i ysgolion bonedd yn ôl dymuniad y rhieni. Deuthum oddi yno yn deall y sefyllfa, wedi fy mhlesio gan rai agweddau ar ddisgyblaeth a threfn, ond yn anniddig am y ddarpariaeth i'r disgyblion lleol mewn sefyllfa leiafrifol. Roeddwn yn dawel fy meddwl y byddai Ymgynghorydd Cynradd Môn yn cadw golwg ar y sefyllfa.

Yn ddiweddarach, roeddem fel Awdurdod yn pryderu bod plant i deuluoedd yr awyrlu yn mynd i *nifer* o ysgolion yr ardal ac yn ei gwneud hi'n anodd i'r ysgolion hynny ddarparu'n briodol ar eu cyfer. Pe gellid cael dealltwriaeth gyda swyddogion y Fali i gyfeirio'r plant, a'u cyfyngu, pe bai modd, i Ysgol Babanod y Tywyn ac Ysgol Caergeiliog, byddai hynny'n symleiddio'r broblem ac yn well o safbwynt yr ysgolion a'r disgyblion. Mewn cyfarfod adeiladol gyda swyddogion awyrlu'r Fali ym mis Mawrth 1988, cafwyd dealltwriaeth ar y mater.

Yn gynnar yn nhymor yr hydref 1991, deallais fod problemau wedi codi yng nghyfarfod llywodraethwyr Caergeiliog ynglŷn â nifer o faterion gan gynnwys derbyn disgyblion dan oed. Roedd diffyg asesu ar y Gymraeg hefyd, ac yn arbennig ynglŷn â'r ffaith bod disgyblion o'r tu allan i'r dalgylch naturiol yn cael eu derbyn i ffrwd yr awyrlu lle'r oedd gofynion o safbwynt y Gymraeg yn llai uchelgeisiol. (Erbyn deall, roedd cyfansoddiad bras yr ysgol yn 45% o'r awyrlu, 35% o'r tu allan i'r dalgylch a 20% lleol – ac yn dipyn o sioc.) Yr oedd y Prifathro yn derbyn disgyblion o ysgolion eraill yr oedd eu rhieni, fe ymddengys, am iddynt osgoi dysgu'r Gymraeg. Roedd tensiynau amlwg rhwng yr aelodau lleol ar y bwrdd llywodraethu a'r Prifathro ac, i raddau llai, â'r aelodau eraill gan gynnwys rhai â chysylltiad â'r awyrlu. Roedd ein hymgynghorydd cynradd wedi anghymeradwyo'r duedd i dderbyn y disgyblion o'r tu allan i'r dalgylch i ffrwd yr awyrlu. Yn dilyn y cyfarfod hwn, ymddiswyddodd cynrychiolydd yr Awdurdod ar y corff llywodraethu o'r gadair. Ymhen dim, roedd si fod nifer o rieni am alw pleidlais i eithrio'r ysgol o ofal yr Awdurdod.

Dyma bigion o'm dyddiadur personol ar ddigwyddiadau yn ymwneud â'r mater.

Hydref 8, 1991: Ffonio prifathro Caergeiliog i drafod yr anghydfod a deall bod y rhwyg rhwng y llywodraethwyr lleol a'r prifathro yn un ddofn. Fodd bynnag, byddai'r Prifathro'n cynghori yn erbyn mynd i bleidlais ar eithrio.

Hydref 10: Alwyn Evans, y Prif Ymgynghorydd, a minnau yn cyfarfod rhieni'r ysgol a cheisio tynnu'r gwres o'r sefyllfa. Trafodwyd y posibilrwydd o gael cytundeb newydd ar weithredu'r polisi iaith i blant yr awyrlu gyda disgwyliadau llai uchelgeisiol, ond i blant yr awyrlu yn unig. Wedi'r cyfarfod, derbyn cadarnhad gan y Prifathro ei fod yn erbyn eithrio.

Hydref 15: Trafodaeth gyda'r Prifathro a chadeirydd newydd y llywodraethwyr (Wing Commander R. M. Eastment o'r awyrlu ond yn gweithio yn Llundain) ar ddrafft o gytundeb iaith i blant yr awyrlu.

Hydref 16: Sgwrs ffôn gyda Phrifathro Caergeiliog ynglŷn â'r arfer o roi disgyblion a ddeuai i'r ysgol o'r tu allan i'r dalgylch yn ffrwd yr awyrlu. Addawodd arwain ei lywodraethwyr i anghymeradwyo hyn.

Hydref 17: Llywodraethwyr Caergeiliog yn mynnu cadarnhau eu polisi o roi disgyblion a ddeuai i'r ysgol o ysgolion eraill yn ffrwd yr awyrlu. Ni roddwyd arweiniad gwahanol gan y Prifathro.

Hydref 18: Llofnodi ein 'cytundeb' iaith newydd ar gyfer plant yr awyrlu gyda chadeirydd y llywodraethwyr, Wing Commander R. M. Eastment.

Hydref 28: Cyfarfod llywodraethwyr Caergeiliog ar y polisi iaith a chael dealltwriaeth ar ei weithredu yn yr ysgol. Cafwyd yr argraff nad oeddent yn cefnogi eithrio.

Tachwedd 20: Cyfarfod Cadeirydd y Llywodraethwyr a Phrifathro'r ysgol i drafod eu llawlyfr ar y polisi iaith.

Ionawr 29, 1992: Cyfarfod Cadeirydd y Llywodraethwyr yn y Fali a sicrhau dealltwriaeth ar nifer o faterion gan gynnwys gweithredu'r polisi iaith yn yr ysgol.

Mai 21, 1992: Clywed bod Ysgol Caergeiliog am gynnal balot i eithrio.

Mai 27, 1992: Cadeirydd y Llywodraethwyr yn dod i'n gweld i ddweud bod rhai rhieni'n frwd dros eithrio gan fod cynrychiolydd yr Awdurdod ar y llywodraethwyr wedi cynhyrfu'r rhieni a phe gellid ei 'symud' o'r Bwrdd (roedd eisoes wedi ymddiswyddo fel cadeirydd) gellid cael y rhieni i dynnu eu cais yn ôl.

Mehefin 2, 1992: Yr is-bwyllgor ysgolion yn penderfynu gwrthwynebu'r egwyddor o eithrio. Prifathro Caergeiliog yn ffonio i ddweud nad oedd ef o blaid eithrio chwaith.

Mawrth 1, 1993: Rod Richards A.S., ar lawr y Senedd, yn cyhuddo Awdurdod Addysg Gwynedd o fygwth y Prifathro trwy gynnig iddo ymddeoliad cynnar pe bai'n ffugio salwch.

[Gwrthododd Rod Richards fy nghais i ailadrodd y cyhuddiadau cwbl ddi-sail hyn y tu allan i furiau'r senedd lle y câi ddweud hynny heb berygl o'i erlyn.]

Mawrth 5, 1993: Y Swyddfa Gymreig yn caniatáu i Ysgol Caergeiliog eithrio ar sail pleidlais o 80% o rieni o blaid – yr un ganran â chyfanswm rhieni'r awyrlu a'r rhai o'r tu allan i'r dalgylch! Caergeiliog oedd yr ysgol gynradd gyntaf yng Nghymru i eithrio.

Ebrill 19, 1992: Mewn rhaglen deledu, 'Y Byd ar Bedwar', ar Ysgol Caergeiliog yn eithrio, dyma ddyfyniad o eiriau'r Prifathro: 'Y broblem ydi ein bod yn cwyno am gyflwr yr adeiladau ers blynyddoedd . . . Mae pwysau wedi dod o gyfeiriad rhai swyddogion yr Awdurdod i awgrymu, yn gryf iawn ar adegau, y byddai'n ddymunol i brifathro yr ysgol yma gael ei symud a'i ddisodli . . . oherwydd fy mod yn ymddangos iddyn nhw fel rhywun oedd yn arwain rhywbeth oedd yn groes i'w dymuniadau nhw.'

Mae'n rhaid i mi gyfaddef ei bod yn siom fawr i mi fod un o'n prifathrawon wedi hyrwyddo eithrio o ofal yr Awdurdod – yn enwedig o ddeall bod Ysgol Caergeiliog ar ôl eithrio i gael swm o arian ar gyfer adeiladau a oedd gymaint â'r cyfanswm a oedd ar gael i gynnal a chadw gweddill ysgolion cynradd Gwynedd. Credaf fod hyn yn tanlinellu'n fwy na dim pa mor felltigedig o hunanol ac annheg oedd yr egwyddor o eithrio.

Mae'n gwbl sicr bod a wnelo'r polisi iaith gryn dipyn â'r anghydfod yng Nghaergeiliog. Ond yr oedd, meddid, ystyriaethau eraill y tu cefn i'r cyfan a deuai nifer o gwestiynau i feddwl dyn. A ddylanwadwyd ar Gadeirydd y Llywodraethwyr (un y cefais i sgyrsiau eitha cyfeillgar ag ef), a oedd yn gweithio gyda'r awyrlu yn Llundain i hyrwyddo eithrio? Cofier bod 'eithrio' yn un o bolisïau canolog y Llywodraeth a oedd yn methu cael troedle yng Nghymru. Pam yr oedd gan Rod Richards gymaint o ddiddordeb mewn mater a oedd y tu allan i'w etholaeth? Ond yn fwy na dim, bu gweledigaeth bersonol y Prifathro am yr hyn a fyddai orau i'r ysgol, a'r arweiniad a roddodd i'w lywodraethwyr a'r rhieni, yn siom fawr i'r Awdurdod. Testun tristwch arbennig arall oedd y diffyg cyd-ddealltwriaeth a chydweithrediad rhyngddo ef a'i gydbrifathrawon. Canlyniad anochel hyn oedd dwysáu'r gagendor y naill oddi wrth y llall. Hanes trist, a effeithiodd ar ansawdd addysg disgyblion ac ar agweddau tuag at y Gymraeg ym Môn, oedd hanes Ysgol Caergeiliog. Rwy'n hollol dawel fy meddwl i swyddogion yr Awdurdod ymagweddu a gweithredu'n gwbl broffesiynol drwy gydol yr helynt ond byddem i gyd yn hoffi troi'r cloc yn ôl i gael cyfle arall, pe bai hynny'n bosib.

✦ ✦ ✦

Yr oedd Ioan Bowen Rees wedi bod yn ei swydd fel Prif Weithredwr am sawl blwyddyn pan ddeuthum i Wynedd yn Gyfarwyddwr Addysg. Cefais hi'n arbennig o hawdd i gydweithio ag ef – yr oeddem yn rhannu'r un gwerthoedd ac am i drigolion Gwynedd, yn oedolion a phlant, gael y cyfleoedd gorau. Yr oedd ansawdd addysg, a rheolaeth ddemocratig arno, yr un mor bwysig i Ioan ag i mi. Pan gyhoeddodd, ym Medi 1990, ei fwriad i ymddeol, bûm yn pendroni a ddylwn gynnig am y swydd a phenderfynu gwneud hynny ar ôl i nifer o gynghorwyr fy mherswadio y carent fy ngweld yn cyflwyno cais. Er i mi ddod yn un o dri ar y rhestr fer derfynol yn Chwefror 1991 (a theimlo i mi gael cyfweliad eitha boddhaol gerbron y Cyngor Sir) nid fi a benodwyd. Huw Vaughan Thomas o'r Swyddfa Gymreig a gafodd y swydd – un a allai gynnig arweiniad llawer cryfach na fi ar faterion economaidd gyda'i gefndir o weithio gyda diwydiant drwy Gomisiwn Gwasanaethau'r Gweithlu. Erbyn meddwl, dylwn fod wedi synhwyro mai un o'i gefndir ef fyddai'n apelio o fewn awyrgylch y cyfnod ac nid un oedd yn credu mai'r gwasanaeth addysg oedd yr ateb i'r rhan fwyaf o broblemau Gwynedd!

Dechreuodd Huw Thomas yn ei swydd ymhen rhai misoedd a chefais ef yn un mor hawdd cydweithio ag ef yng Ngwynedd â phan oedd yn arwain y Comisiwn yn y Swyddfa Gymreig lle rhoddodd gefnogaeth dda i le'r Gymraeg yng ngwaith y Comisiwn mewn cydweithrediad â'r awdurdodau addysg.

Yn ystod fy nghyfnod yn Gyfarwyddwr Addysg Gwynedd – cyfnod o ddeuddeng mlynedd hynod o brysur – profais lwyddiannau a methiannau. Fy mraint fu ceisio arwain tîm rhagorol o gydweithwyr, yn y swyddfa ac allan yn y maes fel ymgynghorwyr a thimau cefnogol eraill. Gwelais y tîm yn cynyddu yn ei faint a'i ddylanwad ac aelodau blaenllaw'r tîm yn aeddfedu fel addysgwyr ac fel gweinyddwyr. Braf oedd cael benthyg llawer o brifathrawon, ac eraill, i weithio gyda ni yn y canol am gyfnod i gynllunio a hyrwyddo datblygiadau penodol. Gwerthfawrogais deyrngarwch fy nghydweithwyr, i'r egwyddorion a'r gwerthoedd sylfaenol, a hefyd i mi yn bersonol fel eu harweinydd proffesiynol. Nod amgen Gwynedd, mi gredaf, oedd yr *unoliaeth barn* o fewn ei gweithwyr proffesiynol – athrawon, ymgynghorwyr a swyddogion. Yn aml, clywais ymwelwyr yn rhyfeddu at gysondeb y mynegiant o athroniaeth ac o werthoedd drwy'r sir – yn yr ysgolion ac yn y swyddfeydd. A hefyd, ei nod amgen arall, oedd ei *blaengaredd addysgol*. Credais ei bod yn bwysig i awdurdod a oedd yn rhoi bri a statws i'r Gymraeg fod hefyd ar y blaen mewn syniadaeth addysgol. Gwelwyd, fel y nodwyd eisoes, ddatblygiadau blaengar mewn nifer o feysydd allweddol. Adeiladwyd timau tra effeithiol a chydweithrediad da gyda'n hysgolion. Tristwch pethau yw fod y penllanw o ran blaengaredd a chael ysgolion i edrych yn feirniadol arnynt eu hunain, a ddigwyddodd, rwy'n credu, tua thair blynedd cyn i mi ymddeol, bellach yn drai oherwydd deddfwriaeth llywodraeth a'n gorfododd i chwalu timau a fu'n fath ysgogiad a chynhaliaeth i'r ysgolion.

Os oedd cryfderau i dîm Awdurdod Addysg Gwynedd, roeddent yn deillio o'r ffaith mai tîm oedd yno gyda phawb yn chwarae eu rhan ac yn rhannu'r un gwerthoedd. Nid oedd y llywodraeth ar y pryd, na'r un bresennol fe ymddengys, yn deall hyn. *Partneriaeth* yw'r allwedd i lwyddiant addysgol ac nid cystadleuaeth rhwng unigolion a sefydliadau. Ac er mwyn hyrwyddo parhad y bartneriaeth rhwng yr Awdurdod a'r ysgolion y rhoddais i a'm cydswyddogion gryn feddwl i'r syniad o ffurfio trefn ffurfiol o gydweithio yn dilyn datganoli – trefn a allai oroesi addrefnu llywodraeth leol.

O fis Mawrth 1993 ymlaen, cynhaliwyd nifer o gyfarfodydd rhanbarthol – Dwyfor, Meirion, Aberconwy a Môn – i deimlo tymheredd y dŵr ynglŷn â ffurfio Ffederasiwn Llywodraethwyr Gwynedd. Roedd yr ymateb yn wir frwdfrydig, yn arbennig o gyfeiriad yr ysgolion cynradd bach a oedd yn eu teimlo'u hunain yn fregus a diymgeledd heb barhad yng nghefnogaeth yr Awdurdod, ac yn benodol drwy rai o'r gwasanaethau cynhaliol, gan gynnwys hyfforddiant effeithiol ar y cyd i lywodraethwyr. Sylweddolwyd bod cydweithrediad rhwng ysgolion a chyda'r Awdurdod yn allweddol mewn sir wledig a sefydlwyd Pwyllgor Llywio i baratoi dogfen yn nodi amcanion a dull gweithredu'r Ffederasiwn. Ym Mai 1993, cynhaliwyd cynhadledd o lywodraethwyr ysgolion cynradd ac ysgolion arbennig yng Nghaernarfon ac yno y ffurfiwyd Ffederasiwn Ysgolion Cynradd ac Arbennig Gwynedd. Fis yn ddiweddarach, sefydlwyd Ffederasiwn Ysgolion Uwchradd Gwynedd. Cytunwyd ar gyfansoddiad ac ysgrifenyddiaeth y Ffederasiynau hyn ac roedd cytundeb cyffredinol fod y symudiad hwn i gydweithio yn rhoi diogelwch i'r ysgolion ac yn fodd i warchod yr elfennau hynny a ystyrid yn werthfawr yn y gwasanaeth addysg. Roedd aelodaeth o'r Ffederasiwn yn agored i unrhyw gorff llywodraethu a gytunai â'r amcanion sylfaenol. Edrychid am Ffederasiwn effeithiol, ymatebol a chynhaliol. Dyma a gredais ac a ddywedais adeg ffurfio'r Ffederasiwn.

> Dyna yn ei hanfod yw sail ffurfio'r Ffederasiwn hwn – y pryder y byddai gweld ysgolion unigol yn gweithredu ar eu pennau eu hunain o fewn awyrgylch cystadleuol yn arwain at sefyllfa o enillwyr a chollwyr, a hefyd at ddatgymalu gwasanaethau gwerthfawr – gwasanaethau y gellid eu darparu gan yr Awdurdod ond na fyddant yn goroesi pe byddai pob sefydliad yn gwneud penderfyniadau ar wahân.
>
> Mae Awdurdod Addysg Gwynedd wedi hyrwyddo partneriaeth gyda'i ysgolion dros y blynyddoedd ond bellach mae angen darganfod math gwahanol o bartneriaeth – partneriaeth sy'n cael ei gyrru gan werthoedd cytunedig a chan ofynion cwricwlaidd, bugeiliol a diwylliannol ein hysgolion; partneriaeth sy'n seiliedig ar yr egwyddor bod cydweithredu yn arwain at y lles mwyaf i'r nifer fwyaf o ysgolion. Yr hyn yr wy'n gobeithio sydd wedi digwydd yn y gynhadledd hon heddiw yw eich bod wedi dod yn fwy ymwybodol nag erioed mai dim ond drwy bartneriaeth y mae gwarchod yr elfennau hynny a ystyriwch chi yn werthfawr yn ein cyfundrefn addysg. Ar y llaw arall, 'rwy'n sicr, hefyd, eich bod yn edrych am sefydlu rhywbeth sydd o werth uniongyrchol i chi fel llywodraethwyr ac nid yn glwb cymdeithasol dymunol y gellwch droi iddo pan na fo gennych ddim byd arall i'w wneud! Byddwch yn gofyn am ffederasiwn effeithiol, ymatebol a chynhaliol yng ngwir ystyr y gair. 'Rwy'n gobeithio, hefyd, y byddwch yn barod i gynnal y weinyddiaeth angenrheidiol ac yn barod i gefnogi penderfyniadau'r Ffederasiwn yn y sicrwydd ei fod yn gorff democrataidd sy'n gweithredu er lles cyffredinol yr ysgolion sy'n aelodau ohono.

Teimlai prifathrawon cynradd y sir yr awydd i sefydlu eu Ffederasiwn Prifathrawon eu hunain tua'r un adeg; roeddent yn ymwybodol iawn o'r angen i weithio ar y cyd ac i barhau eu perthynas â'r Awdurdod. Cyfarfûm â'u swyddogion droeon i drafod eu pryderon a'u hanghenion o ran gwasanaethau i'w hysgolion.

Wrth ddod i ben fy nghyfnod fel Cyfarwyddwr, roeddwn yn weddol dawel fy meddwl ein bod wedi sefydlu trefn a allai fod yn fuddiol i achub rhai o nodweddion gorau Awdurdod Addysg Gwynedd cyn y 'chwalfa fawr'. Fe'm calonogwyd hefyd gan y symudiad cenedlaethol i ffurfio Cyd-Ffederasiwn Cymru ac roeddwn yn falch o dderbyn gwahoddiad i annerch yn y cyfarfod sefydlu ym mis Mai 1995 – cyfarfod lle mynegwyd awydd cryf i sicrhau parhad gwasanaethau'r awdurdodau addysg a'r bartneriaeth rhyngddynt a'r ysgolion. Dyma oedd byrdwn fy neges:

> Bwriad y llywodraeth oedd trosglwyddo grym i lywodraethwyr ysgolion, ac i'r llywodraethwyr hynny weithredu ar wahân heb gyswllt â'i gilydd, fel y gall y llywodraeth hon neu unrhyw lywodraeth a'i dilyno, drwy'r pwerau mawr sydd ganddi, ddylanwadu'n gryf ar gwrs addysg yn ystod y blynyddoedd nesaf, heb ormod o ymyrraeth.
>
> Os harneisir grym llywodraethwyr drwy'r ffederasiynau a'r Cyd-

Ffederasiwn hwn, gellir dylanwadu'n sylweddol ar bolisïau addysg yn lleol a chenedlaethol a chreu lobi gref i gael yr holl bleidiau gwleidyddol yng Nghymru i roi gwell ystyriaeth i addysg.

✦ ✦ ✦

Pe byddid yn gwasgu arnaf i ddweud pa elfen o waith Cyfarwyddwr Addysg a roddodd y boddhad mwyaf i mi, byddai tri pheth yn uchel ar y rhestr – nid fy mod yn honni i mi eu cyflawni'n llwyddiannus. Ond gan fy mod yn eu hoffi, efallai fod fy mwynhad ohonynt yn dangos.

Byddai darlithio i wahanol grwpiau o addysgwyr, o fewn a'r tu allan i Wynedd a Chymru, bob amser yn brofiad cynhyrfus. Cefais gynulleidfaoedd amrywiol – prifathrawon a dirprwyon, athrawon newydd i'r proffesiwn, penaethiaid adrannau, athrawon gwyddoniaeth, cyrff proffesiynol ac undebau, ymgynghorwyr a myfyrwyr. Ceisiwn bron yn ddi-feth baratoi'n bur fanwl a cheisio addasu fy arddull i'r gynulleidfa. Deuai gwefr o ymgodymu ag agweddau dadleuol a newydd a cheisio trosglwyddo fy argyhoeddiadau (a'm hamheuon) i'r gynulleidfa. O fewn y proffesiwn, y materion y traethwn arnynt amlaf oedd y rheini'n ymwneud â hyrwyddo ansawdd addysgu gan gynnwys y defnydd effeithiol o iaith a dulliau asesu. Ac, wrth gwrs, roedd dwyieithrwydd yn ei wahanol agweddau yn destun pur gyffredin. Cofiaf un sesiwn gyda swyddogion addysg ac ymgynghorwyr pan fu inni gyda'n gilydd lunio rhestr o *nodweddion ysgol dda* – rhestr a gyflwynais i grwpiau eraill o athrawon wedi hynny i ennyn trafodaeth ac i sbarduno gweithredu'r hanfodion cytunedig. Bron yn ddieithriad, fe ddeuwn yn ôl at bwysigrwydd gweledigaeth ac arweiniad y pennaeth, ei d(d)awn i gyfathrebu gyda'i staff a'u bugeilio. A dyna pam yr oedd cael rhan mewn penodi prifathrawon, swyddogion addysg ac ymgynghorwyr mor allweddol. Roedd penodi rhai a oedd yn rhannu'r un athroniaeth a gwerthoedd nid yn unig yn rhoi boddhad ond hefyd yn caniatáu i mi ymddiried ynddynt i gynnal y safonau uchaf yn eu gwaith.

Fel y nodais eisoes, yr oedd ein trefn o benodi yn drylwyr a phroffesiynol ac yn cynnwys cyfweliadau gyda fy swyddogion a mi cyn bod panel o aelodau yn eu gweld a'u holi. Ar adegau, golygai hynny ein bod yn argymell peidio penodi nes cael y person iawn. Gyda datganoli rheolaeth i lywodraethwyr, dewisodd llawer o'r cyrff ddefnyddio'r prosesau proffesiynol fel cynt ond byddai ambell gorff yn fwy annibynnol – ac weithiau yn medi canlyniadau penodiad anghymwys na fyddem ni wedi ei gymeradwyo. Cofiaf yn dda un cadeirydd llywodraethwyr bron yn ei ddagrau yn cyfaddef iddynt wneud camgymeriad drwy beidio gwrando ar ein cyngor wrth benodi pennaeth – nid nad oeddem ninnau'n ffaeledig ar adegau hefyd yn ein cyngor!

A dod yn ôl at yr areithio neu'r cyflwyniadau. Gerbron aelodau'r Pwyllgor Addysg yr oedd y sialens yn un wahanol i un o flaen cynulleidfa broffesiynol ac roedd yna demtasiwn i edrych am y slogan a'r gosodiadau slic. Er na allech gynnal deialog addysgol i'r un graddau â chyda'r grwpiau proffesiynol, yr oedd yn oblygedig arnoch i osod sylfaen addysgol i bob dadl ac fe geisiwn wneud hynny mor ofalus ag y gallwn cyn troi at agweddau cyllidol, cymdeithasol a gwleidyddol. Yr oedd cyflwyno pwnc i'r Pwyllgor Addysg cyn dyddiau ffurfio'r grwpiau gwleidyddol yn bleser pur gan eich bod yn gwybod bod siawns go dda o argyhoeddi'r mwyafrif. Wedi gwleidyddu'r Cyngor, doedd yr amodau ddim mor ffafriol i fewnbwn proffesiynol, gwaetha'r modd. Er mai fi fyddai'n cyflwyno'r materion polisi fel arfer, fe wnaed y gwaith cynllunio manwl ar faterion strwythurol a chyllidol gan Gwynn Jarvis, fy nirprwy, a'i dîm o swyddogion o fewn y swyddfa, neu gan Alwyn Evans, y Prif Ymgynghorydd, gyda chefndir o ymgynghori gyda'i dîm, ar faterion cwricwlaidd.

Cefais ddigon o gyfle i annerch rhieni, mewn sefyllfaoedd o ymgynghori ar faterion dadleuol ac mewn sefyllfaoedd mwy cymdeithasol lle y cawn rannu fy athroniaeth a pholisïau'r Awdurdod â hwy. Ym mhob sefyllfa, teimlwn fod gwerth i gyfarfodydd o'r fath hyd yn oed os na cheid cytundeb ar bob mater. Yr oedd y ffaith fy mod yn deall sail unrhyw wrthwynebiad yn bwysig – er na fyddwn bob amser, mi wn, yn rhoi'r argraff fy mod yn barod i ystyried newid fy safbwynt.

Fel Cyfarwyddwr Addysg, roedd disgwyl i mi gynrychioli'r Awdurdod ar nifer o gyrff cenedlaethol a theimlwn bob amser ei bod yn ddyletswydd arnaf i fod yn ffyddlon i werthoedd Gwynedd yng nghyfarfodydd y cyrff hynny ac i gyflwyno Gwynedd yn y goleuni mwyaf ffafriol. Un o'r cyrff pwysicaf i mi fel addysgwr oedd Cyd-bwyllgor Addysg Cymru a'i amryfal is-bwyllgorau – a oedd yn cynnwys y Pwyllgor Iaith a Diwylliant a gadeiriwyd gan O. M. Roberts a Dafydd Orwig yn eu tro gyda'r cadernid a'r doethineb a oedd yn nodweddu'r ddau addysgwr-gynghorydd. O'r Cyd-bwyllgor Addysg y tyfodd y Pwyllgor Datblygu Addysg Gymraeg byr hoedlog y cyfeiriais ato eisoes. Yr oedd galw arnaf i fod yn aelod o nifer o lysoedd a chynghorau addysg uwch – ac yn arbennig y Brifysgol, yn ganolog ac ym Mangor – a'r Coleg Normal fel y cyfeiriais eisoes. (Wedi i mi ymddeol, cynyddodd fy ymwneud â'r sefydliadau hyn yn fawr.) Fel Cyfarwyddwr Addysg gydag arbenigedd mewn gwyddoniaeth y cefais, fel y nodwyd, fy rhoi ar banel gwyddoniaeth y Cwricwlwm Cenedlaethol. Bûm yn gadeirydd Pwyllgor Adolygu Gwyddoniaeth yn ysgolion uwchradd Cymru ac yn aelod o'r pwyllgor cyfatebol yn Lloegr; a hefyd yn aelod o Gyngor Technoleg Addysg. Pan sefydlwyd pwyllgor Dwyieithrwydd Addysg Bellach Is yn 1986 gan Gomisiwn Gwasanaethau'r Gweithlu, bûm yn y gadair nes iddo gael ei ddirwyn i ben yn 1991. Cefais hefyd y profiad diddorol o gadeirio Panel Addysg S4C a oedd yn cynghori'r sianel ar ddarlledu i ysgolion a materion perthnasol.

Er fy mod wedi cynnwys y pwyllgorau hyn dan yr agweddau a roddodd foddhad i mi, prin y gall unrhyw un ystyried pwyllgora yn bleser. Roedd y rhain yn alwadau gweddol drwm ond gallent wedi bod yn fwy o faich oni bai fy mod wedi gwrthod rhai gwahoddiadau na theimlwn eu bod yn gwbl berthnasol i mi fel Cyfarwyddwr Addysg. Ni honnaf i bob un o'r rhai a enwais fod mor fuddiol â'i gilydd ond ceisiais fy ngorau i osod safbwynt Gwynedd a, hefyd, i ddod â manteision a ddeilliai o wybodaeth am yr hyn a ddigwyddai'n genedlaethol yn ôl i Wynedd. I wahanol raddau, roeddent yn gysylltiadau pwysig ac yn fuddiol i'r Awdurdod ac i mi. Deuai'r boddhad o deimlo bod Gwynedd yno, yn y drafodaeth, ar ddechrau pethau weithiau, ac mewn sefyllfa i ddylanwadu ar y penderfyniad neu'r rhaglen.

Ond heb amheuaeth, yr hyn a roddodd y pleser mwyaf i mi oedd teimlo, ar ambell achlysur – ymweliad ag ysgol neu goleg, cyfarfod y grŵp rheoli, cynhadledd y tîm ymgynghorol a swyddogion, cwrs prifathrawon – fod yng Ngwynedd, cyn y chwalfa fawr, ddealltwriaeth o wir natur addysg dda.

Rwyf eisoes wedi nodi fy rhesymau dros benderfynu ymddeol ddwy flynedd yn gynnar a dod â'm gyrfa addysgol broffesiynol o dros ddeugain mlynedd i ben. Yn fy mhwyllgor addysg olaf ar 7 Gorffennaf 1994, cefais gyfle i ddiolch i bawb a'm cefnogodd, yn aelodau a swyddogion, dros gyfnod diddorol pryd y gwelwyd newidiadau mawr – rhai wedi eu gorfodi arnom ac eraill yn codi o'n penderfyniadau ni fel Pwyllgor Addysg. Rhoddwyd teyrngedau hael i mi gan arweinyddion y grwpiau gwleidyddol yn eu tro a lluniodd y Cynghorydd (a'r Prifardd) W. R. P. George gerdd ar gyfer yr achlysur. Fe'm plesiwyd yn fawr gan y gerdd ac yn arbennig y cyfeiriadau a ganlyn:

Roedd ei ddwylo'n gadarn
ar gyrn yr aradr
â swch y polisi iaith
yn asio'r cwysi'n gyson
ymhob rhan o Wynedd
o dalar i dalar deg
cyn dyfod y difrod a'r chwalfa dwp.

Ef oedd arloeswr cynllun mentrus
coleg trydyddol Meirion-Dwyfor
i gadw er gwell
loywder addysg wledig.

Yr oedd y mynegiant yma o werthfawrogiad o agweddau o'm gwaith a dynnodd dipyn ar fy egni a'm hamser yn fy nghyffwrdd fel, yn wir, y gwnaeth un deyrnged arall, gwbl annisgwyl. Byddai'r Cynghorydd

Walter Jones, arweinydd y Grŵp Llafur ar y Cyngor, a minnau mewn gwrthdrawiad proffesiynol parhaus ond yn fy mhwyllgor olaf dyma a ddywedodd:

> *We disagreed with Gwilym Humphreys on many occasions, but we always knew where we were with him; he spoke his mind ond he always gave his opinion, openly ond honestly.*

✦ ✦ ✦

Ychydig fisoedd cyn i mi ymddeol, roedd Hywel a Gwyneth Jeffreys wedi dod â chriw o hen gyfeillion a chydweithwyr Rhydfelen ynghyd i'w cartref yng Nghaerdydd. Cafodd Carys a minnau noson i'w chofio o ganu, o adrodd hen atgofion a thynnu coes yn eu cwmni. A buont yn hael eu hanrheg yn ogystal â hael eu cyfeillgarwch tuag at un a oedd eisoes yn fawr ei ddyled iddynt.

Yn y cinio a drefnwyd gan yr Adran Addysg ym Medi 1994, ddeuddydd ar ôl i mi ymddeol, rhoddodd y Cyfarwyddwr Addysg newydd, Gwynn Jarvis, deyrnged hynod garedig i mi a chyflwyno i mi set o ffyn golff gan ddefnyddio'r *putter* yn unig ar gyfer y cyflwyno. Wrth gydnabod yr anrheg werthfawr, tynnais sylw at y ffaith mai *putter* a ddefnyddiodd i gynrychioli'r set gyflawn. Meddwn i: 'Mae'n rhaid fy mod i wedi meddalu yn ystod y blynyddoedd diwethaf; byddai staff Ysgol Rhydfelen wedi dewis *driver*!' Mewn geiriau mwy difrifol, mynegais fy niolch i'm cydweithwyr am flynyddoedd o fwynhad a gwaith tîm o'r safon uchaf.

Wrth adael sedd y Cyfarwyddwr Addysg, roedd llawer gennyf i fod yn ddiolchgar amdano ac roedd fy ngwerthfawrogiad o gefnogaeth a ffyddlondeb fy nghydweithwyr yn uchel ar y rhestr honno. Rhaid enwi rhai yn arbennig.

Bu Gwynn Jarvis yn ddirprwy delfrydol. Gyda'i feddwl dadansoddol a'i ddawn i gynllunio a chreu systemau, bu ei gyfraniad yn allweddol mewn cyfnod o newid parhaus. Roedd ei bapurau ar amryfal destunau yn gyson gaboledig ac yn dangos meistrolaeth fanwl o hanfodion y maes. Bu'n gredwr cryf a di-ildio yn swyddogaeth gymunedol addysg ac roedd llawer o bolisïau llywodraeth y dydd yn anathema iddo, fel i minnau. Yn aml, gwaith hawdd i mi fyddai cyflwyno pwnc mewn pwyllgor a chynhadledd oherwydd gwaith manwl Gwynn, a swyddogion eraill, yn y cefndir. Yr oeddem yn wirioneddol gefnogi ein gilydd drwy ein gwahanol arbenigeddau ond yn gyson ar yr un donfedd o ran ein gwaith a'n diddordebau – gan gynnwys ambell gêm o snwcer gyda'r nos.

Ymddeolodd Alwyn Evans o'i swydd yn Brif Ymgynghorydd ryw chwe mis o fy mlaen i – 'ymddeol' i barhau'n ymgynghorydd addysg ar ei liwt ei hun. Am naw mlynedd, arweiniodd y tîm ymgynghorol yn hynod effeithiol yn ei ffordd arbennig ei hun – dull a oedd yn golygu ei fod ei hun yn rhan weithredol o dîm a oedd yn ymateb i'w egni a'i gyfeillgarwch â hwy. Dyn *pobl* oedd, ac yw, Alwyn a byddai'n adnabod prifathrawon yn dda, a llawer o'u staff yn ogystal. Ymddiddorai yn eu problemau a doedd dim yn ormod o drafferth iddo wrth geisio'u cynnal a'u goleuo. Fe wyddai faint o'r gloch yr oedd hi o ran datblygiadau cwricwlwm a bûm yn pwyso'n drwm arno am ei gyngor a'i arweiniad – a'i gyfeillgarwch.

Cyfeiriais eisoes at afiechyd fy nirprwy cyntaf, Owain Owain, a'i gorfododd i ymddeol yn 1985, a thristwch o'r mwyaf oedd ei farwolaeth annhymig ar drothwy Nadolig 1993. Yr oedd dyn wedi dyfalu beth a wnâi Owain Owain ar ôl ymddeol ac yntau'n dal i fod yn ddyn cymharol ifanc. Nid syndod oedd iddo afael yng ngolygyddiaeth *Y Gwyliedydd*, cylchgrawn misol y Wesleaid. Go brin y gellid bod wedi cael person mwy cymwys ac, yn wir, ni allaf feddwl am unrhyw berson arall yng Nghymru a fyddai wedi cyflawni'r wyrth a wnaeth ef o godi cylchrediad *Y Gwyliedydd* i'r entrychion. Ac nid fel golygydd dychmygus a chreadigol yn unig; o faes Caernarfon i faes yr Eisteddfod Genedlaethol, byddai Owain yn sicrhau bod pob Cymro Cymraeg o fewn ei gyrraedd wedi derbyn copi. Yn ei farwolaeth collasom, fel cenedl, berson arbennig iawn – Cristion dewr, Cymro diwylliedig, addysgwr eang ei ddiddordebau, sicr o'i wreiddiau ac un oedd yn gwybod i ble'r oedd yn mynd.

Byddai'n hawdd enwi a chofnodi fy ngwerthfawrogiad o gyfraniad arbennig llu o gydweithwyr eraill, nifer ohonynt wedi dringo i swyddi allweddol yn y byd addysg yn dilyn ad-drefnu'r siroedd. Caf y pleser o'u gwylio o bell yn gweithredu mewn sefyllfaoedd gwahanol ond yn parhau i arddel gwerthoedd yr hen Wynedd y cawsant hwy a minnau y fraint a'r mwynhad o'i gwasanaethu mewn cyfnod eithaf anturus. Yn sicr, gadawodd blynyddoedd 1983-1994 yng ngwasanaeth Cyngor Sir Gwynedd eu hôl arnaf i cyn i mi 'ymddeol' i roi mwy o amser i heyrn eraill a oedd eisoes yn y tân.

PENNOD 10

Heyrn Eraill

Gallwn ddweud yn onest ar ddiwedd gyrfa broffesiynol hynod ddiddorol i mi fwynhau pob swydd y bûm ynddi dros gyfnod o ddeugain mlynedd. Ym mhob achos, teimlais fod profiadau'r swydd flaenorol yn gefndir da i'r nesaf ac yr oedd pob un mor wahanol. O safbwynt gofynion ymenyddol, bod yn Arolygwr Ysgolion oedd yr her fwyaf ond bod eich dylanwad yn fwy cuddiedig; roedd bod yn Gyfarwyddwr Addysg yn tynnu ar holl adnoddau dyn ac yn rhoi, yn y blynyddoedd cynnar o leiaf, y cyfle i arwain ac arloesi, er bod hynny o fewn hualau'r deddfau newydd parhaus a orfodwyd arnom gan Lywodraeth â'i gwerthoedd gwahanol. Ond mae'n rhaid gosod y swydd yn Rhydfelen, yn nyddiau'r nwyd a'r egni, yr un fwyaf creadigol, a dichon, o'r swyddi a ddeliais, mai hon oedd y fwyaf pellgyrhaeddol ei dylanwad ar addysg Gymraeg yng Nghymru. Yn ffodus, cefais iechyd a nerth a oedd yn caniatáu i mi roi fy ngorau i'r gwahanol swyddi. Rwyf erbyn hyn yn fwy ymwybodol o fy niffygion – llawer ohonynt yn codi o'r ffaith mai 'person preifat' ydw i, fel y dywedodd un o'm cyd-flaenoriaid yng Nghapel y Graig wrthyf rai blynyddoedd yn ôl. Ac yr oedd yn berffaith iawn; ni fu cymdeithasu cyffredinol a mân siarad yn rhai o'm hoff bethau ac eithrio gyda 'chyfeillion hoff cytûn' pryd y gallwn ymlacio'n braf. Diau i lawer fy nghael yn berson sych a ffurfiol, a rhaid i minnau gydnabod fy mod yn hapusach mewn sefyllfaoedd ffurfiol yn aml. Ond, fel y dywedodd yr awdur Betty Rhys, un a fu'n aelod o'r un criw â mi ar wyliau Hywel a Gwyneth Jeffreys, Caerdydd, yn yr wyth a'r naw degau i lefydd fel Twrci, gwlad Groeg, Provence, Dwyrain Ewrop a'r Eidal, fe wyddwn sut i ymlacio dim ond i'r cwmni fod yn iawn. Meddai hi amdanaf yn *I'r India a Thu Hwnt*: 'Yn ei gwmni ef y deuthum i ddeall gwir ystyr y gair ymlacio.'

Ar wahân i wyliau achlysurol, bu garddio, dros y blynyddoedd, yn ffordd dda o newid meddwl ac o gadw'n weddol heini. Er bod galwadau fy ngardd eang ym Modlondeb yn aml a thrwm ar ben fy ngwaith beunyddiol, roedd hefyd yn bleserus oherwydd ei lleoliad mor ddelfrydol.

Yn y tŷ gwydr helaeth sydd ar dir Bodlondeb, mae dwy winwydden (*Muscat* a *Black Hamburgh*) a choeden eirin gwlanog. Mae cryn waith gofalu am y rhain drwy gydol y flwyddyn ond mae'r cnwd yn ei dymor yn doreithiog – mwy na digon i'w rhannu â chymdogion a ffrindiau – ac i wneud gwin pan ganiatâ amser a hwyl, gwin na ellir dweud ei fod yn cymharu, o ran ei flas na'i gic, â gwin fy nghyfaill Kynric Lewis o Winllan Panteg, Caerdydd.

Fel y cyfeiriais eisoes, fy niddordeb ers dyddiau'r Rhos yw chwarae snwcer ac roedd cyfarfod unwaith yr wythnos dros y blynyddoedd yng nghwmni criw o'r un diddordeb – a thua'r un safon – yn adeilad y George, Y Coleg Normal, yn ffordd dda o anghofio am holl broblemau'r byd addysg am deirawr. Gan fod snwcer hefyd yn ddiddordeb i Gareth, yn ogystal â chwarae cardiau a gwyddbwyll, roedd ein diddordeb cyffredin yn fodd o gyd-gymdeithasu – a chystadlu. Yr oedd Clwb Snwcer y Normal dan arweiniad Harri Lloyd, Gwyn Morris a Morien Phillips, yn arena tra chystadleuol, ond cyfeillgar iawn yr un pryd. Roeddwn yn arbennig o falch o weld Gareth yn meistroli hanfodion y gêm cystal gan ennill rhai o'r cystadlaethau. Gorfu i'r clwb hwn symud i chwarae i'r Ganolfan Gymdeithasol ym Mhorthaethwy yn 1998 gan fod adeilad y George yn cael ei adnewyddu a'i ailgynllunio, a bu'n rhaid symud eto i Lanfairpwll ym Medi 1999 pan benderfynwyd cael gwared o'r byrddau yn y Borth. Mae'r ffaith i'r Clwb oroesi'r trafferthion hyn yn arwydd o wydnwch a brwdfrydedd yr aelodau presennol – J. Elwyn Hughes, Joe Lloyd, Richard Gwynedd Roberts a Tom Edwards – yn ogystal â'r rhai a enwais eisoes. Rhwng saith a deg ar nos Iau, fe setlir holl broblemau Cymru a'r byd – ac fe suddir ambell bêl rhwng y sgwrsio. Colled enbyd inni oedd ymadawiad un o'n haelodau ffyddlonaf, y cymeriad annwyl a ffraeth, Dafydd Morris Jones (Eic), yn ystod 1999.

✦ ✦ ✦

Pan ddechreuais fy ymddeoliad ym Medi 1994, yr oedd parhad y chwarae snwcer wythnosol yn un o'r elfennau a ysgafnhaodd yr ysgytiad i'r system a deimlais wrth dorri fy nghyswllt â swydd o gyfrifoldeb a rheolwaith dyddiol, ysgytwad yr oeddwn yn credu i mi baratoi'n feddyliol ar ei gyfer. Ond nid felly yr oedd, ac yn ystod yr wythnosau cyntaf roeddwn yn codi yn y bore gydag atebion i broblemau nad oedd yn bod!

Sylweddolais fod fy nghynhaliaeth ysgrifenyddol wedi mynd a'i bod yn bryd i mi droi at feistroli'r cyfrifiadur. Cefais Vivian Allan Jones, un o'm cyn-gydweithwyr yn yr Awdurdod a chiamstar ym maes technoleg, yn hael ei gyngor a'i gyfarwyddiadau pan brynais gyfrifiadur a dysgu o'r dechrau sut i'w drin. Ar ôl rhai misoedd o arbrofi a gwneud camgymeriadau lu, deuthum yn weddol hyfedr yn y sgiliau hanfodol – ac eithrio bysellu lle defnyddiwn ddau fys, a bûm edifar ganwaith na dderbyniais gynnig Carys i ddysgu bysellu'n briodol gyda dwy law. Fodd bynnag, mae'r gyfrol hon yn gynnyrch fy nhechneg gyntefig!

Er fy mod yn teimlo braidd ar goll yn y tŷ bob bore, buan y deuthum i werthfawrogi fy stydi a'r cyfle i ddarllen rhai cyfrolau a roeswn o'r neilltu ers blynyddoedd, ac i arbrofi gyda'r cyfrifiadur. Ni fûm heb ddim i'w wneud ac roedd galw am fy ngwasanaeth fel ymgynghorwr addysgol yn achlysurol – i roi cyngor ar benodiadau, problemau cwricwlaidd a phersonél, ac fel golygydd. Soniais eisoes fod Alwyn Evans wedi ymddeol o fy mlaen ac erbyn i mi ymddeol roedd wedi ffurfio'i gwmni ei hun, Gwynnon, i gynnig gwasanaeth golygyddol ac ymgynghorol yn ogystal ag arolygu ysgolion. Nid oedd gen i'r cymwysterau priodol i arolygu dan yr oruchwyliaeth newydd – nac unrhyw awydd, a dweud y gwir – ond fe ymatebais i gais Alwyn am fy ngwasanaeth fel golygydd pan oedd galw. Tybiais mai rhywbeth dros dro fyddai hynny, ond rwy'n parhau i wneud peth gwaith i Alwyn a theimlaf ei fod, o leiaf, yn fodd i gadw mewn rhyw gyswllt â'r hyn sy'n digwydd yn yr ysgolion, ac i gael argraff o safon yr arolygu!

Er i mi fwriadu chwarae golff – yn enwedig o dderbyn y set o ffyn gan fy nghydweithwyr – ac er i Carys a minnau gael nifer o wersi yn yr hanfodion, am ryw reswm neu'i gilydd ychydig o gemau a gefais dros y blynyddoedd ers ymddeol. Mae'n sicr mai'r ffaith nad oeddwn yn cael llawer o lwyddiant (neu'n ei ddisgwyl yn rhy gynnar a heb ddyfalbarhau) yw'r eglurhad gorau am hynny, ond canfûm yn fuan iawn hefyd fod fy wythnos yn fwy na llawn – ac mae golff yn gofyn am fwy nag orig achlysurol!

Cefais ddigon o alwadau am fy ngwasanaeth fel darlithydd, i grwpiau proffesiynol ac i gymdeithasau diwylliannol a chrefyddol. Yr oedd yn braf cael mwy o amser i baratoi darlithoedd nag oedd gen i pan oeddwn yn gweithio amser llawn a byddwn yn mwynhau ceisio ymateb i rai tueddiadau a pholisïau byd addysg. Roedd cael ambell wahoddiad i ddarlledu yn gorfodi dyn i barhau'n gyfoes o ran gwybodaeth a safbwynt.

✦ ✦ ✦

Roeddwn yn darlithio i Gymdeithas Eglwys y Bedyddwyr, Penuel, Bangor, yn Nhachwedd 1994, ac wedi paratoi darlith ar y testun amwys *O'r Gwich Sialc i'r Gwych Silicon* – darlith yn seiliedig ar fy mhrofiadau addysgol o ddyddiau'r bwrdd du (neu'r llechen, a dweud y gwir) i oes y cyfrifiadur. Cefais wrandawiad da a chwestiynau difyr i ymateb iddynt ar y diwedd. Ar derfyn y cyfarfod, daeth merch dal berswadiol ataf a dweud wrthyf ei bod o'r farn y byddwn i'n gartrefol mewn criw o rai a oedd yn ymweld â'r Wladfa ym mis Mawrth 1995 – roedd lle i ddau a gorau oll pe baent yn ŵr a gwraig. Cathrin Williams, gynt ar staff y Coleg Normal, oedd yr un yn rhoi'r gwahoddiad, un yr oeddwn wedi clywed sôn am ei sêl dros y Wladfa ac awdur llyfr tra diddorol, *Haul ac Awyr Las*, ar ei phrofiadau cyfoethog yno. Gan y gwyddwn y byddai diddordeb gan Carys i ymweld â Phatagonia, ni synnais pan ymatebodd yn dra brwdfrydig i'r gwahoddiad. Yr oeddwn mewn pwyllgor yng Nghaerdydd y diwrnod canlynol a phan ffoniais adref y noson honno, yr oedd Cathrin a Carys wedi cyfarfod yn gynharach ac yr oedd y cyfan wedi ei setlo. Dim ond fy nghytundeb i i dalu'r gost oedd eisiau a rhoddais hwnnw heb fawr betruster, yn enwedig o ddeall bod un dyn bach (dyn *mawr*, a dweud y gwir) ymhlith y fintai o un ar ddeg, a bod hwnnw, Gwynn Llywelyn – y cyn-filfeddyg o Bwllglas, Rhuthun – yn gobeithio cael cwmni un dyn o leiaf ar y daith o dros dair wythnos. Pan gyfarfûm ag ef a'i wraig, Gwyneth, mewn cyfarfod o'r un ar ddeg cyn mynd, roeddwn yn weddol sicr ei fod ef, a Gwyneth, yn debygol o fod yn gwmni da – ond, fel y deallais yn ddiweddarach ganddo ef, nid oeddwn i wedi creu'r un argraff arno ef yn y cyfarfyddiad cyntaf! Yn ddiweddarach y deallais fod ei dad ef a 'nhad innau yn bennaf ffrindiau pan oedd y ddau yn y coleg efo'i gilydd ac yna yn y Weinidogaeth ger glannau'r afon Merswy.

Ar wahân i'r pump ohonom a enwais yn barod, yr aelodau eraill o'r fintai a gychwynnodd ar y daith ar Fawrth, 20, 1995, oedd Edna Hamer (modryb Gwyneth Llywelyn) o gyffiniau Llanbrynmair; Betty Jones a Mary Jones o Bwllheli; Eirlys Williams o Gonwy; Annie Owen o Borthaethwy, a Joan Jones o Fae Colwyn. Yn ein dilyn drannoeth yr oedd Gwyn, mab Joan, a fwriadai chwilio am waith ym Mhatagonia. (Fe gafodd Gwyn waith, do, a gwraig hefyd – Monica – ac maent erbyn hyn yn cynnal busnes gwely a brecwast yn y Gaiman.) Yr oedd trefniant hefyd fod ein hen gyfeillion, Glyn a Rhiain (Phillips), a oedd yn yr Ariannin ar berwyl arall dros yr un cyfnod, yn ymuno yn ein gweithgareddau yn Nhrelew.

Patrwm yr ymweliad oedd hedfan o Fanceinion drwy Barcelona a Madrid i Buenos Aires; treulio dwy noson yn Buenos Aires ar ddechrau'r daith; yna hedfan i Drelew yn nwyrain Patagonia ac aros yno gyda theuluoedd am ddeng niwrnod – Homer ac Irfonwy (Monw) Hughes yn ein hachos ni – croesi'r paith tua'r gorllewin mewn bws i Esquel, Cwm Hyfryd, wrth droed yr Andes; treulio wythnos yn y Cwm; yn ôl i Buenos Aires am noson; hedfan i'r ffin gyda Brasil ac i raeadrau Iguazú; aros noson yno, hedfan yn ôl i Buenos Aires ac, ar ôl treulio noson yno, hedfan adref drwy Madrid i gyrraedd yn ôl ar Ebrill 13.

Gan fod llawer wedi ei ysgrifennu am y Wladfa dros y blynyddoedd (gan gynnwys *Haul ac Awyr Las* Cathrin Williams a'i chyfrol fwy diweddar *Y Wladfa – yn dy boced*; hefyd *Yr Hirdaith* gan un a aned ac a faged yno, sef Elvey MacDonald), does dim angen disgrifio'r ymweliad mewn unrhyw fanylder. Heb amheuaeth, bu'n brofiad unigryw ac yn un a fydd yn rhan ohonof tra byddaf byw.

O ystyried bod cymaint o bartïon yn mynd i'r Wladfa o Gymru yn ystod y blynyddoedd diweddar, mae'n anhygoel fod y croeso'n para mor danbaid a brwdfrydig – ein cwrdd gan Vali James de Irianni ac Alwina Thomas yn Buenos Aires i ddechrau, ac yna ein derbyniad mor gynnes a llawen gan griw mawr o Wladfäwyr ym maes awyr Trelew ac yn arbennig yn 'Troad', cartref Homer a Monw ar gyrion Trelew. Yn wir, ym mhob cyfarfod ar y daith, caech y teimlad eu bod yn falch o'ch gweld. Nid croeso ffurfiol fel mater o arfer ond croeso sy'n arwyddo eu bod yn llawenhau o weld Cymry o'r Hen Wlad ac yn awyddus i ddathlu hynny yn eu ffordd eu hunain. A'r ffordd honno oedd cynnal sosial lle byddai cymdeithasu brwd a digonedd o fwyd – a theisen hufen beryglus o dda yn nodwedd arbennig o'r fwydlen yn bur gyson. A dweud y gwir, roedd y croeso mor gynnes a'u gwerthfawrogiad o'n hymweliad mor ddidwyll nes gwneud i ddyn deimlo'n euog o orfod eu gadael ar ddiwedd y gwyliau gan eu bod yn tynnu cymaint o'r cysylltiadau hyn â Chymru. Meddai Alwen Roberts yn Esquel; 'Diolch i chi am ddod ac am ddod mewn criw digon bach inni allu rhoi croeso iawn ichi.' A 'chroeso iawn' a gafodd yr un ar ddeg ohonom ar hyd y daith.

Cyn gadael Cymru, yr oeddwn wedi cytuno gyda Cathrin y byddwn yn ceisio traddodi pregeth yn Tabernacl, Trelew, ar y Sul cyntaf yn y Wladfa a pharatoais ryw lun ar bregeth ar gyfer yr achlysur, ond nid oeddwn wedi meddwl y byddai'n rhaid i mi draddodi'r un bregeth yn Bethel, Gaiman, ac yn Seion, Esquel, y ddau Sul canlynol! Roedd fy nghyd-deithwyr yn gallu ei chydadrodd efo mi bron yn Esquel. Buom yn yr Ysgol Sul yn Nhrelew gan ymuno mewn dosbarth oedolion dan arweiniad y Parchedig Gareth Thomas o Borth Talbot a oedd yn y Wladfa, gyda Jean ei wraig, yn gweinidogaethu am rai misoedd. Teimlwn fod rhyw lawenydd yn addoliad y Wladfa, ac er nad yw llawer o siaradwyr Cymraeg y Wladfa byth yn mynychu addoliad bellach, mae'r gweddill, pobl hŷn gan fwyaf, yn addolwyr selog a brwdfrydig. Does dim amheuaeth nad yw cyfraniad Mair Davies, sy'n cadw siop lyfrau Cristnogol yn Nhrelew, i weinidogaeth eglwysi Cymraeg y Wladfa yn un cyfoethog iawn.

Wrth reswm, buom yn ymweld yn eang yn Nyffryn Camwy ac yng Nghwm Hyfryd ond mae rhai mannau'n aros yn y cof. Dyna Borth Madryn, porthladd braf erbyn hyn, lle glaniodd yr 'eiddil Fimosa' ar 28 Gorffennaf 1865 wedi'r fordaith o ddau fis o Gymru. Wrth syllu ar yr ogofâu lle bu'r fintai'n byw am gyfnod wedi'r glanio, ni allai rhywun ond dychmygu eu teimladau o sylweddoli nad oeddent wedi 'morio i wlad y mawr oludoedd'. Wrth edrych ar garreg fedd Mary Elizabeth Humphreys (y gyntaf i'w geni yn y Wladfa) ym mynwent capel Moreia, ger Trelew (lle, hefyd, y mae bedd Lewis Jones a nifer o'r ymfudwyr cynnar), roedd yr enw yn fy nghysylltu mewn modd arbennig â'r ymfudo ac â'r ymsefydlu cynnar. Allech chi ddim peidio â rhyfeddu at eu dewrder, eu dyfeisgarwch – yn croesi ac yn dyfrhau'r tiroedd anial, a rhyfeddu mwy at barhad y Gymraeg ar ôl chwe chenhedlaeth, nes ichi orfod eich pinsio eich hun i sicrhau ei fod yn wir. Beth bynnag yw dyfodol y Gymraeg yn y Wladfa, ac y mae'r ymdrechion diweddar gan Gwilym Roberts a'i debyg i addysgu'r Gymraeg i'r plant yn destun edmygedd, mae clywed yr iaith yn cael ei siarad wyth mil o filltiroedd o Gymru gan Archentwyr (a pheidied neb â chamgymryd nad dyna ydynt yn gyntaf) yn dystiolaeth o wydnwch yr iaith. Mae ei chlywed yn cael ei siarad yn ei phurdeb (gan gynnwys defnyddio geiriau Saesneg yn y llefydd iawn – *north* a *sowth*, er enghraifft) yn brofiad arhosol. Ond dylid gochel rhag camddefnyddio'r gair 'diolch' sy'n golygu 'dim diolch' dan rai amgylchiadau! 'Paned arall o de?' Os dywedwch 'diolch', 'chewch chi 'run!

Roeddwn wedi edrych ymlaen at y daith dros y paith o Drelew i Esquel yn y gorllewin, ar droed mynyddoedd yr Andes gwyn eu copaon. Roedd yn daith wyth awr mewn bws (hynod gyfforddus) ac roedd y rhan fwyaf ohoni drwy diroedd anial iawn. Erbyn hyn, mae wyneb caled i'r ffordd ond bod honno'n dyllog a chul mewn mannau. Doedd hi ddim yn anodd dychmygu gerwinder y daith i'r arloeswyr o Gymru. A chaech eich atgoffa o hynny o bryd i'w gilydd. Doedd brin neb i'w weld ar y paith, dim ond ambell *gaucho* ar gefn ceffyl, ambell orsaf betrol fechan, ambell hen deiar yn nodi'r ffordd i ffarm rywle yn yr anialwch. Ond yr enwau Cymraeg oedd yn cynnau cyffro ac yn atgoffa dyn mai Cymry a arloesodd y ffordd wrth chwilio am fwy o dir tua'r Andes i'r gorllewin nes cyrraedd Cwm Hyfryd dros 350 o filltiroedd o Ddyffryn Camwy. Enwau llawn arwyddocâd fel Dôl y Plu, Dôl yr Ymlid, Dyffryn yr Allorau, Pen yr Ych a Pant y Ffwdan (Portafuden i'r siaradwyr Sbaeneg). Ym mhen gorllewinol y paith y mae cymdeithasau bach Cymraeg eu hiaith – Esquel a Threvelin – a'r croeso yr un mor gynnes yn y rhain ag oedd yn y Dyffryn.

Mae'r ffin â Chile yn daith bws ryw awr a hanner o Drevelin ac roedd y diwrnod a dreuliasom yno yn gofiadwy oherwydd harddwch y wlad. Roedd y pentref cyntaf dros y ffin yn fan coediog, gwyrdd gyda golygfeydd mynyddig godidog. Ar ben hynny, roedd siopa yn Chile yn llawer rhatach ac fe âi llawer o Archentwyr yr ardal dros y ffin i brynu eu nwyddau.

Creodd y garreg fedd i 'Malacara' yn Nhrevelin gryn argraff arnaf am ryw reswm – mae'n debyg am fod y stori gysylltiedig yn cyffroi. Ceffyl oedd Malacara ('wyneb drwg' neu 'wyneb hyll' yw ei ystyr), ceffyl a achubodd fywyd John Evans. Roedd John Evans, a oedd yn arweinydd medrus yn nyddiau cynnar y Wladfa, yn gyfarwydd iawn â'r paith. Un tro, yn ôl yr hanes, cafodd helynt (anarferol) efo'r Indiaid wrth odre'r Andes. Gyda'r Indiaid yn erlid John Evans a'i dri chydymaith, llwyddodd

Malacara i lamu'n anhygoel dros hafn lydan a'r Indiaid yn methu ei ddilyn. Hyll, efallai, ond ceffyl arbennig o ddewr. Lladdwyd cyfeillion John Evans gan yr Indiaid yn Nyffryn Kelkein a elwir hyd heddiw yn Ddyffryn y Merthyron.

Mae dau ddigwyddiad ym Muenos Aires sydd wedi aros yn y cof. A ninnau'n cael ein tywys drwy strydoedd llydan prysur y ddinas, fe glywn sŵn lleisiau merched yn gweiddi'n ddolefus yn y pellter. Erbyn holi, merched oedd y rhain a ddeuai allan i wrthdystio'n wythnosol yn erbyn y Llywodraeth. Eu cwyn? Roedd eu gwŷr a'u meibion wedi diflannu ac ni wyddai'r merched ddim o'u hanes.

Yng nghanol y ddinas llawn rhuthr a sŵn, mae un man tawel lle ceir cofeb i filwyr ifanc o'r Ariannin a gollodd eu bywydau yn rhyfel erchyll y Malvinas, ynghyd â'u henwau. Wrth weld ambell enw o Batagonia ar y rhestr, nid oedd yn anodd dychmygu bod rhai o waed Cymreig wedi bod yn ymladd yn erbyn ei gilydd. Aeth ias drosof wrth feddwl am y peth a galaru'r tywallt gwaed a ddigwyddasai i borthi dim ond balchder.

Y siwrnai olaf ar ein gwyliau cyn cychwyn am adref oedd hedfan gymaint i fyny i'r gogledd o Buenos Aires ag oedd y Wladfa i'r de, i weld rhai o'r golygfeydd mwyaf anhygoel a welais i erioed – rhaeadrau Iguazú. Roeddem erbyn hyn ar ffin ogleddol yr Ariannin efo Brasil a gellir gweld y rhaeadrau o'r ddwy wlad. Yn wir, bu'n rhaid inni lanio yn Brasil oherwydd niwl a chan nad oeddem wedi mynd *i mewn* i'r wlad yn swyddogol, gorfu inni gael ein tywys yn llechwraidd *yn ôl* i'r Ariannin! Mae rhaeadrau Iguazú yn ddwy filltir a hanner o hyd a'r dŵr yn disgyn o 269 troedfedd o uchder gan greu'r distrych a'r niwl mwyaf rhyfeddol, y gellid ei weld o filltiroedd i ffwrdd a'i glywed fel sŵn môr di-baid. Meddai Eirian Davies:

> Yno mae rhaeadrau, fel gwlân yn y glaw,
> Tros wefus y creigiau yn ymarllwys islaw.

Ac yn yr amgylchedd llaith a chynnes yma y trigai miloedd ar filoedd o löynnod byw o bob maint a lliw, a rhai ohonynt yn anferth. Palas y pili palas yn wir, a nefoedd i Huw John Hughes!

Bu'n dair wythnos arbennig iawn ac ar fy ffordd adref fe deimlwn fy mod wedi ymddeol go iawn – a doedd yr atebion i broblemau dychmygol ddim yn y meddwl mwyach. Ond yr oedd digwyddiad real yn ein hwynebu. Wedi inni gysylltu â'r plant ar ôl glanio ym Manceinion, clywsom y newydd tristaf posib – roedd Dafydd Elwyn chwech oed, plentyn fy nith, Rhian, a Parry, ei gŵr, o Gaerfyrddin, wedi boddi ar draeth Llansteffan. Diolchais ganwaith fod ganddynt eu Ffydd i'w cynnal.

✦ ✦ ✦

Wedi i mi bregethu deirgwaith yn y Wladfa, nid oedd yn hawdd i mi ddal i wrthod y ceisiadau parhaus am bregethwr ar gyfer y Sul yng Nghymru. Ers blynyddoedd bellach, bûm yn ceisio helpu eglwysi sydd am wahanol resymau heb bregethwr ar y funud olaf – ac mae eu nifer yn cynyddu yn ôl y galwadau ffôn a dderbyniaf. Ar wahân i'r galwadau hyn, ychydig yw'r Suliau a drefnaf ymlaen llaw gan fy mod yn dymuno cael y rhyddid i fynd ar wyliau pan ddaw'r awydd. Ond mae rhai eglwysi yn cael blaenoriaeth – Capel Mawr, Dinbych, lle mae fy chwaer, Ann, yn flaenores ac, wrth gwrs, Capel Mawr y Rhos. Roedd esgyn i'r pulpud yno, rai blynyddoedd yn ôl bellach, yn brofiad arbennig ac yn gyfrifoldeb mawr. Ni honnaf fy mod yn bregethwr ond y mae ceisio paratoi neges ar gyfer ein hoes a'n dydd yn waith digon diddorol – a hynod anodd. Yn sicr, mae gwrandawiad ambell gynulleidfa, gan gynnwys, yn arbennig, gynulleidfaoedd sylweddol y ddwy eglwys a enwais uchod, yn gwneud gwaith pregethwr yn dipyn haws; mae pregethu i seddau gweigion yn waith caled a thorcalonnus.

Er fy mod yn flaenor o fewn yr Enwad er fy ethol yn Llangefni yn 1959 ac yna yng Nghaerdydd a Phenrhosgarnedd, Bangor, ni fûm tan yn gymharol ddiweddar yn ymddiddori llawer, oherwydd prinder amser yn bennaf, ym mheirianwaith cyfundebol yr Hen Gorff – y Dosbarth, yr Henaduriaeth (Cyfarfod Misol), y Gymdeithasfa (Sasiwn) a'r Gymanfa Gyffredinol. Ceisiais, pan ddaliwn swydd lawn amser, roi blaenoriaeth uchel i'r rhan fwyaf o gyfarfodydd fy eglwys fy hun a chan ymateb i geisiadau achlysurol i annerch ym mhob un o'r 'haenau' cyfundebol yn eu tro. Gwerthfawrogais bob amser y cyfle i annerch ar destunau o fyd addysg ac, o gael gwahoddiad i annerch yng Nghymanfa Gyffredinol Llanrwst yn 1988, manteisiais ar y cyfle i roi'r pwyslais ar *Y Plentyn yn y Canol*. Teimlwn bryd hynny fod tuedd i anghofio beth a ddylai fod yn ganolog i'n hystyriaethau addysgol.

Hwn oedd fy ymweliad cyntaf erioed â'r Gymanfa Gyffredinol sydd, ers blynyddoedd bellach, yn cael ei chynnal yn rheolaidd yng Ngholeg Llambed. Ers i mi ymddeol, bûm yn mynychu'r uchel lys cyfundebol hwn ar sawl achlysur (fel cynrychiolydd Bwrdd y Genhadaeth gan amlaf) a dod oddi yno bron yn ddi-feth gyda'r teimlad bod y peirianwaith yn rhy fawr a chymhleth i gyfateb i nifer ein haelodau ac, yn bendant, i nifer ein gweinidogion. A bod yn deg, addaswyd rhyw gymaint ar y drefn yn gymharol ddiweddar, ond fe erys y teimlad bod gennym ormod o haenau o fewn ein trefniadaeth enwadol a bod ein hychydig weinidogion druain yn cael eu llethu gan amledd pwyllgorau a'r angen i gael caniatâd ar wahanol lefelau cyn gallu gweithredu. (Efallai, ar y llaw arall, bod rhai gweinidogion yn ei chael hi'n haws mynd i bwyllgorau cyfundebol dyblygus nag ymgodymu gyda phriod waith y weinidogaeth!) Bûm yn gredwr mewn trefn erioed, dim ond bod y drefn yn hwyluso'r gwaith ac yn hyrwyddo dod i benderfyniadau ystyriol heb ormod o oedi.

Cefais fudd o nifer o anerchiadau a darlithoedd y Gymanfa Gyffredinol a gwerthfawrogais ymdrechion ein gweinidogion a siaradwyr eraill i roi arweiniad ar ffydd a buchedd mewn cyfnod mor anodd a chymhleth. Calonogol hefyd yw ymwneud ieuenctid â gweithgareddau'r Gymanfa yn ystod y blynyddoedd diwethaf. Fel aelod, cefais flas ar nifer o agweddau ar waith byrddau'r Gymanfa. Mae Bwrdd y Genhadaeth dan arweiniad y Parchedig Dafydd Andrew Jones yn ymgodymu â nifer o agweddau allweddol i'n cenhadaeth fel Eglwys ac yn fwy diweddar bu nifer o ystyriaethau Bwrdd yr Eglwys a Chymdeithas, gan gynnwys Papurau Gwyn ar Addysg a'r defnydd o arian y Loteri Genedlaethol, yn rhai o gryn bwys. Ar gwestiwn y Loteri, ein barn oedd, er ein bod yn anghymeradwyo'r Loteri, y dylid rhoi rhyddid i eglwysi a mudiadau'r enwad wneud cais am yr arian os oeddent yn dymuno gan na allwn, beth bynnag, yn y byd sydd ohoni, sicrhau 'purdeb' yr arian a dderbyniwn. Gwrthodwyd ein barn gan y Gymanfa Gyffredinol yn 1999.

Bûm yn cynrychioli Bwrdd y Genhadaeth ar Gywaith Joseff, cwmni elusennol o fewn yr Eglwys yng Nghymru, o dan gadeiryddiaeth Esgob Bangor, a'r Parchedig Ganon Geoffrey Hewitt yn swyddog gweithredol iddo. Mae gwaith y Cwmni hwn gyda'r digartref ym Mangor ac mewn materion megis hyfforddi rhieni yn y swyddogaeth honno yn hynod werthfawr ac effeithiol.

Cefais hefyd fy ethol ar un o bwyllgorau'r ail haen gyfundebol, y Sasiwn, sef Pwyllgor Materion Cymdeithasol dan gadeiryddiaeth y Parchedig E. R. Lloyd Jones, sydd hefyd yn olygydd bywiog *Y Goleuad*. Mae'n bwysig bod llais yr Eglwys yn cael ei fynegi ar y llu o faterion sy'n effeithio ar fywyd a gwaith yn ein cymunedau. Er mai gwan yw ein llais, mae ein consýrn yn bwysig a'n diddordeb yng ngwahanol amgylchiadau ein cyd-ddynion yn rhan bwysig o'n tystiolaeth Gristnogol. Yn aml, ysywaeth, oherwydd cymhlethdod y peirianwaith, gwanheir effeithiolrwydd ein consýrn a'n harweiniad. Mae materion y dydd yn gofyn am ymateb buan ac nid dri mis yn ddiweddarach!

✦ ✦ ✦

Yn Awst 1999, yn Eisteddfod Genedlaethol Môn, daeth fy nhymor fel Llywydd y Llys i ben. Hyd at hynny, yr oeddwn wedi dal swydd o gyfrifoldeb o fewn peirianwaith canolog yr Eisteddfod yn barhaus er pan benodwyd fi'n gadeirydd cyntaf y Panel Gwyddoniaeth yn 1982, ychydig fisoedd ar ôl fy ethol ar y Cyngor yn 1981. Etholwyd fi'n Is-gadeirydd y Cyngor yn 1989, yn Gadeirydd yn 1992 ac yn Llywydd y Llys yn 1996. Ar fy ymddeoliad yn 1994, roeddwn felly ar ganol fy nhymor fel Cadeirydd ac o hynny ymlaen, a hyd ddiwedd fy nhymor yn Llywydd, medrais roi mwy o'm hamser a'm hegni i weithgareddau'r Ŵyl y bûm yn ymddiddori ynddi ac yn ei chefnogi, mewn rhyw ffordd neu'i gilydd, ers trigain mlynedd.

Mae fy niddordeb yn yr Eisteddfod Genedlaethol yn mynd yn ôl i 1939 pan glywais y sôn cyntaf am yr Ŵyl ar yr aelwyd gartref – gŵyl a gynhaliwyd y flwyddyn honno yn Ninbych lle cartrefir hi unwaith eto yn 2001. Yn 1941 yr ymwelais â'r Eisteddfod gyntaf, i'r Ŵyl fechan adeg rhyfel a gynhaliwyd yn Hen Golwyn. Yr unig gof sydd gennyf ohoni ydi gweld a gwrando ar Lloyd George yn areithio ac mae'n amlwg i'r gwladweinydd o Ddwyfor wneud argraff fawr arnaf yn fachgen naw oed. Wrth gwrs, rwy'n cofio tipyn mwy am Eisteddfod 1945 gan mai yn y Rhos y cynhaliwyd hi'r flwyddyn honno – mewn pafiliwn tun a godwyd ar gae pêl-droed y Ponciau, a dyna i gyd oedd maes yr Eisteddfod. Cofiaf yn dda ganu yn y côr plant a chael fy newis i fod ymhlith yr ugain o leisiau 'dethol' i ganu ambell ran yn y perfformiad o 'Y Feinir o Sialót' yng nghyngerdd y plant. Gorffennwyd y cyngerdd, a oedd yn cynnwys hefyd lawer o alawon gwerin Cymraeg, drwy ganu emyn Luther 'Ein Craig a'n Cadarn Dŵr yw'r Iôr' a thrawyd fi gan rym y gymeradwyaeth – cymeradwyaeth sy'n eich dyrchafu. Nodaf y ffeithiau hyn nid oherwydd eu bod yn arbennig o wahanol ond er mwyn tanlinellu cymaint o werth arhosol sydd i roi 'profiadau mawr' i blant; maent yn para'n fyw yn fy nghof 55 mlynedd yn ddiweddarach. Yr un mor fyw yw'r atgof o'r cyhoeddiad a wnaed yn Eisteddfod y Rhos fod y rhyfel yn erbyn Siapan wedi dod i ben. Mae llais Elfed yn gweddïo a'r gynulleidfa fawr yn canu'r emyn 'Cyfamod Hedd' yn para i atseinio yn fy nghlustiau ar ôl yr holl flynyddoedd.

Nodwedd Eisteddfod Pen-y-bont ar Ogwr 1948 i mi yn llencyn un ar bymtheg oed oedd ei bod yn Eisteddfod arbennig o wlyb (ond nid cyn wlyped ag Ystradgynlais 1954 ac Abergwaun 1986!), fy mod i a dau gyfaill – Bryan Dodd a Joe Williams – wedi seiclo'r holl ffordd o'r Rhos i'r 'Steddfod (ar ôl galw yn Ysgol Haf y Blaid yn Aberdâr ar y daith), ac mai ein llety cyntefig dros yr wythnos oedd yr hen wersyll carcharorion rhyfel ar yr A48.

Ni chofiaf fawr ddim am Eisteddfod Caerffili 1950 ac eithrio un ffaith dra phwysig: yno y pennwyd mai'r Gymraeg yw iaith ein Prifwyl. Fe gofia'r hynaf ohonom fod tuedd i'r Saesneg lithro i mewn i lawer o'r gweithgareddau yn y blynyddoedd cyn 1950. Gwnaed rhai ymdrechion i geisio llacio'r rheol hon o bryd i'w gilydd ers hynny ond bu Cyngor yr Eisteddfod (ac eithrio caniatáu defnyddio'r Lladin i'r Offeren yn 1993) yn gyndyn i wanio dim ar y rheol iaith sydd, wrth gwrs, yn ei hanfod yn rheol i atal defnyddio'r Saesneg yng ngweithgareddau'r Eisteddfod. Diddorol ac arwyddocaol yw'r ffaith mai cefnogwyr pennaf y rheol bwysig hon yw'r dysgwyr – rhai a feistrolodd yr iaith *er mwyn* cael mwynhau'r Eisteddfod Gymraeg a'r diwylliant Cymreig o'i mewn.

Soniais ar ddechrau'r gyfrol am ein cysylltiad ag Eisteddfod Genedlaethol Môn 1957 drwy fod Carys yn gweithio yn swyddfa'r Eisteddfod yn Llangefni. Drwy lygaid Is-gadeirydd Pwyllgor Maes a Phabell y gwelais (os gweld o gwbl!) Eisteddfod Caerdydd 1978, yn y dyddiau hynny pan fyddai gofyn i dîm o wirfoddolwyr sgriwio seddau simsan y pafiliwn i'r llawr – a chael llawer o hwyl wrth y gwaith am nosweithiau lawer. Ond yr oedd 1978 yn flwyddyn bwysig am reswm arall, fel y soniaf yn ddiweddarach.

Rwy'n cofio eisteddfodau 1988 a 1990 yn bennaf oherwydd yr anrhydeddau y bûm yn ddigon ffodus i'w derbyn ynddynt; cael fy urddo'n dderwydd er anrhydedd (gwisg wen) yn yr Orsedd yng Nghasnewydd yn 1988 ac yn Llywydd y Dydd yng Nghwm Rhymni yn 1990. Cofiaf hefyd am gefnogaeth aruthrol pobl ddi-Gymraeg yr ardaloedd cyfagos i'r eisteddfodau hyn; bu dyfodiad yr Eisteddfod yn hwb mawr i'r iaith ac i addysg Gymraeg yno. Yn Eisteddfod Casnewydd, hefyd, cefais wahoddiad i draddodi un o ddarlithoedd swyddogol a chyhoeddedig yr Eisteddfod – Darlith Goffa Orleana Jones, *Camu 'Mlaen yn Hyderus* – a oedd yn ceisio rhoi darlun cyfredol o addysg ddwyieithog yng Nghymru. Gwerthfawrogais, dros y blynyddoedd, y cyfleoedd a gefais i ddarlithio ar faes y Brifwyl i wahanol gymdeithasau ar y thema hon – i UCAC ar fwy nag un achlysur a hefyd sawl tro i fudiad Rhieni dros Addysg Gymraeg [RhAG]. Yn Eisteddfod Bro Madog 1987, traddodais ddarlith i Gymdeithas Cynghorau Bro a Thref Cymru (a gyhoeddwyd yn ddwyieithog) ar y testun *Rhwng y Both a'r Cylch* – darlith yn tynnu sylw at y canoli peryglus ar addysg a'r duedd i or-ddirprwyo cyfrifoldeb i lywodraethwyr gan ddirymu'r Awdurdod Addysg a gwanhau democratiaeth leol.

Eisteddfod Meirion a'r Cyffiniau 1997 yn y Bala oedd y gyntaf i mi weithredu fel Llywydd ynddi ac y mae fy atgof o'r Eisteddfod hon, o Eisteddfod Bro Ogwr 1998 ac o Eisteddfod Môn 1999, yn arbennig o fyw. Yn yr Eisteddfodau hyn y sylweddolais gymaint oedd y fraint a roddwyd i mi dros gyfnod o dair blynedd fel Llywydd gan ddilyn rhai fel yr Athro Bedwyr Lewis Jones, y Prifathro Derec Llwyd Morgan a Dr Alwyn Roberts – ac enwi dim ond y tri olaf o'm rhagflaenwyr. Yn Eisteddfod Genedlaethol Môn, Llanbedrgoch, trosglwyddais y fantell lywyddol i eisteddfodwr o'r iawn ryw yn Dr Aled Lloyd Davies.

Mae cyfrifoldebau Llywydd yn drwm iawn yn ystod wythnos yr Ŵyl, a chyfrifioldebau Cadeirydd yn drymach yn ystod gweddill y flwyddyn gan fod angen iddo gadeirio'r Cyngor, y Pwyllgor Staffio a chyfarfodydd *ad hoc* gyda chyrff eraill – megis y Swyddfa Gymreig, a Bwrdd yr Iaith Gymraeg yn ystod y blynyddoedd diweddar. Drwy gydol wythnos yr Eisteddfod, y Llywydd yw prif lefarydd yr Ŵyl mewn seremonïau, derbyniadau a chyfarfodydd o bob math gan gynnwys cynadleddau'r Wasg. Ond os trwm y cyfrifoldeb, cofiaf yn arbennig yr hyfrydwch o gael llywyddu mewn tair seremoni yn arbennig – Urddo Cymrawd, Medal Goffa T. H. Parry-Williams – Er Clod, ac arwisgo Arweinydd y Cymry Tramor. Cefais urddo'n Gymrawd y Dr W. Emrys Evans (Cyn-Lywydd) a'r ddau Gyn-Archdderwydd, Dr W. R. P. George a James Nicholas. Arwisgais D. G. Jones (Selyf), Gwen Parry Jones a Frances Môn Jones â'r Fedal Goffa a chyflwynais Dlws y Cymry Tramor i Dr Arturo Roberts UDA, i Mair McGeever, India, ac i Catherine Huws Nagashima, Siapan. Peth braf yw cael anrhydeddu cyd-Gymry sydd wedi cyflawni gwaith mor glodwiw dros y blynyddoedd. Prin fy mod yn yr un cae â'r bobl dda hyn o ran gwasanaeth ond roedd cael fy ethol yn Gymrawd yng Nghyngor Ebrill 2000 a'm hurddo yn Llanelli gan fy olynydd yn Llywydd, Dr Aled Lloyd Davies, yn goron ar y cyfan gan fy ngwneud yn ddiolchgar iawn am yr anrhydedd a'r gydnabyddiaeth genedlaethol hon.

O'r holl ddigwyddiadau oddi ar lwyfan yr Eisteddfod yn ystod y blynyddoedd olaf, mae un yn atgof rhyfeddol o fyw. Nos Sul, Awst 4, 1996, oedd y dyddiad, ac yr oedd pafiliwn Eisteddfod Bro Dinefwr, Llandeilo, yn llawn i'w ymylon. Roedd yno ryw awyrgylch gynhyrfus-ddisgwylgar (*buzz* fyddai'r gair Saesneg amdano). Cymeradwyaeth wrth i'r artistiaid gerdded i'r llwyfan ar gyfer perfformiad o 'Elias'. Yna'r gynulleidfa'n mynd yn *hollol* dawel wrth i Bryn Terfel farfog godi ar ei draed i agor yn broffwydol-ddramatig ac urddasol, gyda'r geiriau 'Yn enw'r Iôr Duw Israel' yn atseinio'n drydanol drwy'r pafiliwn. Teimlais wallt fy mhen yn codi gan y wefr a aeth drwof. Dydi eiliadau fel hyn ddim yn digwydd yn aml.

Balchder, iach gobeithio, yn ei ddisgyblion (neu gyn-brifathro yn ei gyn-ddisgybl) sy'n peri fy mod yn cofio seremoni'r cadeirio yn Eisteddfod Nedd a'r Cyffiniau 1994 pan enillodd Emyr Lewis ar yr awdl, a chefais fod y cyntaf i'w longyfarch wrth iddo ddisgyn o'r llwyfan. Cefais achlysur arall i lawenhau hefyd pan enillodd Emyr y goron yn Eisteddfod Bro Ogwr yn 1998. Peth rhyfedd yw'r cwlwm rhwng prifathro a'i ddisgyblion. Ac yn yr un Eisteddfod ym Mhen-y-Bont ar Ogwr, cefais y fraint o gyflwyno gwobr am lwyddiant ym myd busnes i Owen Griffiths, Coety, un o nifer dda o gyn-ddisgyblion Rhydfelen sydd wedi torri ei gwys fasnachol ei hun – ac wedi llwyddo.

Daw un digwyddiad cerddorol arall, cysylltiedig â'r Eisteddfod, hefyd i'r cof. Roeddwn i (fel Cadeirydd y Cyngor ar y pryd) a Carys, ynghyd ag Emyr a Meira Jenkins (Cyfarwyddwr yr Eisteddfod a'i wraig), wedi ein gwadd i Wasanaeth i ddiolch am fywyd a gwaith Syr Geraint Evans yn Abaty Westminster, Llundain ar 27 Tachwedd 1992. Meddai plismon wrthyf pan holais ynglŷn â pha fynediad y dylem ei ddefnyddio: '*This is the first time ever for me to see the Welsh Dragon on the Abbey*'. Roedd yr

Abaty'n rhwydd lawn a 'dwn i ddim pryd o'r blaen y gwelwyd cymaint o gerddorion byd enwog gyda'i gilydd yn yr un man. Roedd yr hyn a glywsom dros yr awr a chwarter nesaf gyda'r profiadau mwyaf cofiadwy a brofais i erioed. Yn ystod y gwasanaeth, cafwyd gweddïau ac emynau cwbl briodol i'r achlysur, darlleniad nodweddiadol ddramatig o'r Datguddiad gan Donald Sinden a theyrnged loyw gan Syr John Tulli, Cyfarwyddwr Cyffredinol Convent Garden – a llawer mwy. Yn cymryd rhan yr oedd Côr Abaty Westminster, Côr a Cherddorfa Tŷ Opera Brenhinol Convent Garden gyda rhai o arweinyddion mwya'r byd yn cymryd eu tro i arwain – Syr George Solti, Syr Edward Downes, Syr Colin Davies a Bernard Haitink. Heblaw am yr enwogion cerdd a oedd yn y gynulleidfa (cofiaf weld Joan Sutherland yn eu mysg), yr oedd y casgliad o gantorion enwog o fyd yr opera a ganodd – y mwyafrif ohonynt yn Gymry – yn un rhyfeddol. Cawsom unawdau, triawd a phumawd yn ystod y bore ac ymhlith y cantorion yr oedd Thomas Allen, Amanda Roocroft, Ann Howells, Stafford Dean, Gwyneth Jones, Elizabeth Bainbridge, Arthur Davies, Ryland Davies, Gwyn Howell, Dennis O'Neill – ac un a oedd, yn 1992, ar ddechrau ei yrfa ddisglair, Bryn Terfel. Y bas-bariton o Bantglas oedd yr unig un ohonynt i ganu dau unawd ac roedd ei ddatganiad o '*Lord God of Abraham*', allan o 'Elias', ar ddechrau'r gwasanaeth yn ysbrydoledig, a'i fonolog o Falstaff – y rhan yr oedd Syr Geraint wedi disgleirio mor aml ynddi – yn arwyddo bod y fantell wedi ei throsglwyddo. Ac, yn wir, roedd yr holl ganu y bore hwnnw o Dachwedd, gan gynnwys y cytgan 'Deffrowch' o'r 'Meistri Cerdd', yn eneiniedig.

Ar ein ffordd i orsaf Euston ar ôl y gwasanaeth, roedd dynes ganol oed yn eistedd gyferbyn â ni yn y tiwb a gofynnodd (a ninnau yn ein 'dillad dydd Sul' ac yn siarad Cymraeg) a fuom yn yr Abaty i'r gwasanaeth. Wedi deall inni fod, holodd a oeddem yn adnabod Syr Geraint. Atebais innau fy mod: yr oeddwn wedi bod yn ei gwmni droeon pan oedd ganddo ef a Brenda fflat yng Nghaerdydd, ac roeddwn wedi cyfarfod Geraint pan oedd yn un o gyfarwyddwyr HTV a minnau ar yr IBA yn ôl yn y chwe degau. Roedd y ddynes wedi rhyfeddu ac meddai, '*Do you mind if I touch you?*'

Soniais fod 1978 yn flwyddyn cynnal Eisteddfod Caerdydd – y flwyddyn y canodd Syr Geraint 'Y Dymestl' pan gyhoeddwyd nad oedd dim cadeirio i fod. (Os gwelwch chi Bryn Terfel neu Gwyn Hughes Jones yn llechu adeg seremonïau'r Orsedd, mae siawns eu bod am wneud yr un peth – rywbryd!) Ond yr hyn a oedd yn arwyddocaol am 1978 oedd mai yn y flwyddyn honno y sefydlwyd y Swyddfa Ganolog ac y penodwyd Emyr Jenkins yn Gyfarwyddwr cynta'r Brifwyl. Yr hyn a alluogodd yr Eisteddfod i fentro fel hyn oedd yr addewid o grant gan y Swyddfa Gymreig i ganiatáu sefydlu'r peirianwaith canolog hwn. Cyn sefydlu'r

Swyddfa Ganolog, yr oedd y Brifwyl wedi cael peth trafferth i berswadio ardaloedd i wahodd yr Eisteddfod, ac yn ystod y saith degau yr oedd sôn o ddifrif am gael un neu ddau o safleoedd parhaol. O gael Cyfarwyddwr a Swyddfa Ganolog i gymryd cyfrifoldeb dros sawl agwedd o'r Ŵyl, gan gynnwys cynllunio strategol, fe weddnewidiwyd y sefyllfa dros nos a chododd hyder y gwahanol fröydd i ystyried gwahodd yr Ŵyl yno. Dros y blynyddoedd, cododd swm y grant o'r Swyddfa Gymreig, grant a oedd nid yn unig yn allweddol o ran ffynhonnell *gyson* o gyllid ond a oedd hefyd yn symbol o gefnogaeth Llywodraeth i brif Ŵyl ddiwylliannol y genedl. Y ffaith olaf hon, ymhlith eraill, a'n gwnaeth fel swyddogion yn anniddig pan drosglwyddwyd y cyfrifoldeb o ddyrannu'r grant i Fwrdd yr Iaith yn 1996 – anniddigrwydd a drodd yn bryder yn 1999 pan gyhoeddodd Cadeirydd Bwrdd yr Iaith mai ei nod oedd lleihau'r grant i'r Eisteddfod gan fod ganddynt fel Bwrdd flaenoriaethau uwch.

Bu cyfnod Emyr Jenkins yn Gyfarwyddwr yn gyfnod o ddatblygu cyson ac o sicrhau cynnydd yn yr arian a dderbyniai'r Eisteddfod gan awdurdodau lleol, ac yn arbennig drwy nawdd gan ddiwydiant a masnach. Ymddiddorai Emyr yn bersonol yn yr agweddau hyn ac elwodd yr Eisteddfod yn fawr o'i allu a'i ddawn i ennill cefnogaeth cyrff nad oeddent cyn hynny wedi meddwl am gefnogi gŵyl ddiwylliannol fel yr Eisteddfod nac wedi ystyried y fantais a ddeilliai iddynt hwy o'r cysylltiad. Pan adawodd Emyr yn 1993 i fynd yn Gyfarwyddwr Cyngor Celfyddydau Cymru, roeddem yn ddyledus iawn iddo am bymtheng mlynedd o waith caled ac am ei arweiniad sicr.

Cofiaf yn dda y diwrnod, a'r lle, y penodwyd Elfed Roberts, Trefnydd y Gogledd cyn hynny, yn Gyfarwyddwr i'r Eisteddfod i olynu Emyr Jenkins. Y diwrnod oedd Mawrth 16, 1993, a'r lle: San Ffagan – nid yr Amgueddfa Werin ond swyddfa cwmni arbennig yr oedd Eddie Rea, (cadeirydd cadarn y Pwyllgor Cyllid dros gyfnod o ugain mlynedd), yn gysylltiedig ag ef ac wedi trefnu inni ei defnyddio i gynnal y cyfweliadau. Ond, heb ddim amarch i'r ymgeiswyr, nid yr hyn a glywsom yn y cyfweliadau sydd wedi aros yn fy nghof i ond digwyddiad arall a'r hyn a'i dilynodd.

Lleolid swyddfa'r cyfweliad ar ben rhodfa go hir ac ar ei diwedd roedd clwyd bren. Cofiaf i mi stopio'r car o flaen y glwyd a mynd allan i weld sut yr oedd modd ei hagor. Wedi pendroni gryn dipyn, gwelais fod lle i siarad i mewn iddo ar un o'r pyst ac fe geisiais gyfarch hwnnw. Ar ôl cynnig sawl tro a chael dim ymateb, o'r diwedd clywais lais cyfeillgar Alma Carter (ysgrifenyddes y Cyfarwyddwr) y pen arall yn dweud ei bod am beri bod y glwyd yn agor i mi dim ond i mi wasgu'r botwm priodol. Hynny a fu ac fe euthum drwyddi ac i'r cyfarfod penodi. Ymhen rhai munudau, fe'm dilynwyd i mewn gan Aled Lloyd Davies (Is-gadeirydd y Cyngor ar y pryd) a Desmond Healy (Cyd-ysgrifennydd y Llys) ac roeddent yn amlwg wedi cael modd i fyw o fod yn dystion, o'u car, o'm symudiadau ger y glwyd – gweld ond heb glywed.

Ymhen rhai dyddiau, derbyniais yr epistol a ganlyn drwy'r post:

> Annwyl Syr,
>
> Ysywaeth, ar yr unfed ar bymtheg dydd o fis Mawrth gwanwynol ym mlwyddyn 1993, pan oedd yr haul yn Alban Eilir, gerllaw pentre hynafol San Ffagan, ataliwyd Cyfarwyddwr Addysg blaengar gan glwyd bren ar draws ei ffordd, a honno wedi ei chloi. Cofiodd hanes terfysg Beca. Safodd ac ystyriodd ei sefyllfa'n ddwys.
>
> Yna chwaraeodd ddrama fer ddefodol gwbl anarferol a rhyfedd . . . o'r hon yr ydym ni'n dystion. Croniclasom yr hyn a welsom ac a glywsom mewn dull a fydd yn adlewyrchu munudau theatrig yr achlysur.
>
> (Annormalrwydd y cyfan, o bosib, sy'n gyfrifol am y llinell wythsill sy'n cloi'r englyn!)
>
> Arthio'i apêl wrth y polyn! – Methu!
> Mwytho'r dam peth wedyn.
> Sadio, cyn rhoi cri sydyn:
> 'Y byddar diawl! Be' ddaru'r dyn!'
>
> *ALlD ac HDH a'i cant.*

Ac yna daeth y canlynol mewn ysgrifen od o debyg i un Derec Llwyd Morgan:

> Os coelio Des ac Aled – a daera
> Fod Cadeirydd cystled
> Yn syn o flaen polyn sied?
> Beirddion ofer, bu'r ddau'n yfed.
>
> *Llinellwr Olaf Wythsill Arall a'i cant*

A minnau heb fod yn englynwr o unrhyw fath, yn y traddodiad Cymreig llysol gorau fe gomisiynais gyfaill i mi, Richard Jones, Llanfechell, i ateb y beirdd eisteddfodol.

'Apeliais at y Polyn'

Apeliais, do, at y polyn! – Nid wyf
Edifar un gronyn,
Er odied i rai wedyn
A wnes i, o flaen dau syn.

Yn ddi-lol, meddai'r polyn – da ei air:
'Modura di, ddoethyn,
Ond, o Dduw, y mae dau ddyn
Od o ddwl yn dy ddilyn.

Daethost â gwedd fonheddig – heibio im
Gan roi bow osgeiddig,
Yna daeth dau wenwynig,
A bwriadau'r ddau yn ddig.

Rho imi'r moesymgrymwr, – un fel ti
Fel 'tae – sy'n fonheddwr,
Nid y swèl, gwybodus ŵr
Di-fanars' nad yw fonwr.

Diolch, cyn imi dewi – am dy sêl
Am dy sylw imi,
Am arddel un sydd fel fi
Yn lol i Al a Healy.'

RJ ac GEH a'u cant*
(*Bardd personol Cadeirydd y Cyngor)

Mae hyn yn arwyddo, mi dybiaf, nad yw swyddogion yr Eisteddfod Genedlaethol yn eu cymryd eu hunain ormod o ddifrif – hyd yn oed ar ddiwrnod penodi Cyfarwyddwr!

Cefais yn agos at saith mlynedd o weithio'n agos efo Elfed Roberts a'i gael, er yn wahanol ei steil i Emyr Jenkins, yn un sy'n fawr ei gonsýrn dros fuddiannau gorau'r Eisteddfod a'i datblygiad. Dyn *cool* yw Elfed a dim, bron, yn ei darfu; mae ganddo weledigaeth glir ar gyfer yr Eisteddfod i'r dyfodol a'r amodau i sicrhau ei llwyddiant. Ac yntau'n gwybod fy mod i'n codi cyn cŵn Caer, byddai'n aml yn fy ffonio o'i swyddfa cyn saith y bore! Ar yr awr gynnar honno, byddai Elfed yn bwrw ambell syniad i gyfeiriad y Llywydd a minnau'n ymateb yn ôl fy ngoleuni a'm hargyhoeddiadau. Pe bai fy ymateb yn llugoer y tro cyntaf, byddai Elfed weithiau'n rhoi cynnig arall arni ac weithiau'n cael mwy o lwyddiant yr eildro!

Gwerthfawrogais hefyd dros y blynyddoedd waith caled a gwasanaeth ail filltir y trefnyddion yn y gogledd a'r de. Yn ystod fy nghyfnod i o fewn peirianwaith yr Eisteddfod, bu Osian Wyn Jones, Elfed Roberts a Hywel Wyn Edwards yn drefnyddion y gogledd ac Idris Evans, Penri Roberts, a Neville Evans yn y de. Fel y soniais eisoes, roedd Idris yn gydfyfyriwr â mi ym Mangor a thrist iawn oedd ei farwolaeth ychydig ddyddiau wedi iddo ymddeol yn 1988. Cofiaf y deyrnged gynnes a roddodd yr Athro Bedwyr Lewis Jones, y Llywydd ar y pryd, iddo ddydd ei angladd. Bedair blynedd yn ddiweddarach, fe'n syfrdanwyd gan farwolaeth annhymig Bedwyr ei hun. Ni chafodd Alwyn Roberts, fel Llywydd, yr un dasg anoddach na ffarwelio â'i gyfaill agos, ond un a oedd yn hawdd ei ganmol i'r gynulleidfa anferth a lanwodd Gapel Twrgwyn, Bangor ar Fedi 3, 1992. Ymysg ei ddoniau disglair eraill, fel ysgolhaig, darlledwr a darlithydd poblogaidd, roedd Bedwyr yn eisteddfodwr brwd a chanddo syniadau clir ar gyfeiriad y Brifwyl i'r dyfodol.

Ymhlith newidiadau staff yn swyddfeydd yr Eisteddfod, bu Alma Carter, ysgrifenyddes y Cyfarwyddwr, yn bresenoldeb cyson yn y swyddfa ganolog yng Nghaerdydd ers ei sefydlu yn 1978 a than iddi hithau ymddeol yn ystod haf 2000. Bu'n gefn mawr i'r ddau Gyfarwyddwr a gallaf innau dystio'n ddiolchgar i'w gwasanaeth parod a siriol i mi drwy gydol fy nghyfnod mewn swydd gyda'r Eisteddfod.

Gwelais lawer o ddatblygiadau yn yr Eisteddfod ers i mi ymuno â'r Cyngor yn 1981. Bryd hynny, byddai'r Ŵyl yn agor yn swyddogol ar ddydd Llun yr wythnos gyntaf lawn yn Awst. Ychwanegwyd y Sadwrn yng Nghaernarfon yn 1979 ac erbyn Eisteddfod Genedlaethol Môn 1999, cynhaliwyd y Seremoni Agor ar nos Wener gan ddechrau'r cystadlu ben bore ar y Sadwrn cyntaf. Hefyd, am y tro cyntaf, yn dilyn y gwasanaeth arferol ar y Sul, bu cystadlu yn y pafiliwn drwy'r pnawn ac roedd cyfran dda o stondinau'r maes yn agored. Pwysau ar amser ar gyfer cystadlaethau a barodd yr ehangu hwn yn hyd yr Eisteddfod, ac y mae hynny'n arwydd o lwyddiant yn sicr, ond go brin y gwelir mwy o ehangu ar gyfnod yr Ŵyl. Fe ellir dadlau bod angen ei chwtogi, a chwynnu efallai ar rai o'r gweithgareddau nad ydynt mor llwyddiannus ag eraill. Hefyd y mae cost mynychu Eisteddfod naw diwrnod yn ddrud i'r eisteddfodwr brwd.

Yn dilyn adolygiad manwl o'r Eisteddfod gan yr Athro Terry Stephens yn 1995, cytunwyd bod angen rhoi sylw rhag blaen i rai agweddau o'r Ŵyl. Yr oedd gofyn inni roi mwy o bwyslais ar weithgareddau ieuenctid a dysgwyr, ar ddenu mwy o gystadleuwyr a gofalu amdanynt, ar wella safonau arlwyo a'r ddarpariaeth groesawu yn gyffredinol.

Treuliwyd cryn amser yn ystyried pa ddarpariaeth ychwanegol y dylid ei gwneud ar gyfer ieuenctid fin nos. Yr oedd aelodau'r Cyngor yn unfarn bod angen gwella ein darpariaeth i'r ieuenctid ond y mater a ddenodd y sylw oedd hwnnw'n ymwneud â gwerthu alcohol yn y *gigs* a ddarperid mewn pabell ar Faes B. (Defnyddiwyd yr enw Maes B am mai dyna oedd enw'r maes ieuenctid answyddogol yn Eisteddfod y Bala yn 1967 a oedd yn un arbennig o fywiog yn ôl pob hanes). Dadleuai'r Pwyllgor Gweithredol, dan gadeiryddiaeth R. Alun Evans, na ellid cynnal *gigs* a fyddai'n denu'r ifanc heb y gallu i ddarparu alcohol ynddynt ac mai'r oruchwyliaeth a'r stiwardio oedd yn allweddol. Yr oedd lleiafrif, a minnau'n eu plith, yn deall y dadleuon ond yn ofni y byddai gwerthu alcohol ar y maes ieuenctid yn gosod cynsail ar gyfer maes yr Eisteddfod ei hun – symudiad a oedd wedi ei wrthod yn gadarn bob tro y codwyd ef yn y Cyngor. Dadleuai rhai y byddai'n onestach i ddechrau darparu alcohol ar faes yr Eisteddfod ei hun yn hytrach nag ar y maes ieuenctid. Beth bynnag, ar ôl cryn drafod a dadlau, o fewn a'r tu allan i bwyllgorau'r Eisteddfod Genedlaethol, fe benderfynodd y Llys yn ei gyfarfod blynyddol ar faes Eisteddfod Bro Dinefwr yn 1996, drwy fwyafrif helaeth, i sefydlu, fel arbrawf, Faes Ieuenctid gyda chaniatâd i werthu alcohol yno. Pwysleisiwyd cyfrifoldeb yr Eisteddfod am ddiogelwch a stiwardio a chytunwyd y dylid adolygu'r ddarpariaeth ar ddiwedd cyfnod o dair blynedd o'i gweithredu. (I raddau, fe leihaodd y gwrthwynebiad wedi cael y sicrwydd hwn – a bwysleisiwyd fwy, efallai, oherwydd y gwrthwynebiad ar dir gofal ac iechyd.) Gwahoddwyd fi fel Llywydd i fod yn aelod o bwyllgor a sefydlwyd yn y Bala i drefnu'r Maes Ieuenctid ar gyfer Eisteddfod 1997. Yr oedd y pwyllgor hwn, dan gadeiryddiaeth Aled Lloyd Davies yn cynnwys pob corff ac asiant a fyddai â diddordeb yn y fenter – yr heddlu, y gwasanaeth tân, darparwyr adloniant a'r Gorlan Goffi, gwerthwyr diodydd, gwasanaethau cynghori ieuenctid, y Cyngor Sir, ynghyd â swyddogion yr Eisteddfod. Profodd hwn yn batrwm o bwyllgor trylwyr ac effeithiol a phan gynhaliwyd y Maes Ieuenctid arbrofol yn y Bala yn Awst 1997, fe dalodd yr holl waith cynllunio ar ei ganfed gan i'r wythnos fynd rhagddi yn bur ddidrafferth a chan ennill canmoliaeth gan y bobl ifanc a'u gwarchodwyr fel ei gilydd. Ailadroddwyd y llwyddiant i raddau helaeth yn 1998, 1999 a 2000. Yn Eisteddfod Genedlaethol Môn 1999 a Llanelli 2000, gwelwyd mwy o ieuenctid yn mynychu maes yr Eisteddfod ei hun ac yn chwarae rhan allweddol mewn nifer helaeth o'r gweithgareddau.

Cyn gadael y maes ieuenctid, mae'n rhaid i mi gyfeirio at waith diarbed ac effeithiol Emlyn Dole yn y cyfeiriad yma, a'i waith ef, Lowri (ei briod) ac eraill yn y Gorlan Goffi ers Eisteddfod 1984, gyda chefnogaeth Arfon Jones ac arweiniad Kevin Adams yn ystod y blynyddoedd diwethaf. Bu cyfraniad y tîm yma o weithwyr yn aruthrol i les pobl ifanc yr Eisteddfod ac yn fwy na hafan amserol i ambell un. Yn ystod fy ymweliad â Maes B yn ystod eisteddfodau diweddar, dyma'r unig fan y gallai hynafgwr fel fi ddianc o boen y sŵn annaearol; ond gwelais gyda'm llygaid fy hun faint y gymwynas, a'r genhadaeth, a gyflawnai'r bobl dda hyn.

Ym myd y cystadlu, gwelwyd nifer gynyddol o bobl ifanc yn perfformio mewn corau a phartïon yn ystod y blynyddoedd diwethaf. O ran canu corawl, mae'r safonau a osodir yn ddiweddar gan y Côr Ieuenctid Cenedlaethol, ysgolion cerdd Ceredigion a Glanaethwy, Côr Adlais ac eraill, yn glod i'r bobl ifanc a'u hyfforddwyr dawnus. Erbyn hyn, y corau ieuenctid hyn sy'n gosod y safonau i gorau hŷn ond mae'n resyn na welir mwy o fechgyn ifainc yn ymuno â'n corau meibion.

Yn ystod y blynyddoedd diwethaf, bu inni fel Eisteddfod roi cryn sylw i ganu corawl ac i hyfforddiant lleisiol a darllen cerddoriaeth. Bu'r Seminar ar ganu corawl a gynhaliwyd yng Ngregynog ym Medi 1995 yn llwyddiant mawr. Dan arweiniad Jean Stanley Jones a'i chôr, Cantorion Cyrenean, treuliwyd oriau difyr, difyr yn gwrando a thrafod dull yr arweinydd talentog o Wrecsam o hyfforddi ac o ysbrydoli ei chôr. Er mawr syndod i'r rhan fwyaf ohonom, cynhwysai'r sesiwn ymarfer wythnosol bwyslais arbennig ar ystum corff ac anadlu yn ogystal ag ar greu sain briodol a darllen cywir. Rwy'n sicr i'r arweinyddion a oedd yn bresennol elwa llawer o'r diwrnod – a'r gweddill ohonom a oedd yno o ran diddordeb.

Pan ddaeth yr Eisteddfod yn ymwybodol o broblemau corau Cymru oherwydd prinder darllenwyr cerddoriaeth – problemau a fynegwyd mewn cyfarfod cyhoeddus ar faes Eisteddfod Bro Dinefwr 1996 – sefydlwyd gweithgor o gerddorion profiadol i ddadansoddi'r sefyllfa ac i argymell ffyrdd o weithredu. Cefais, fel yr unig leygwr yn eu plith, y fraint o gadeirio'r gweithgor diddorol hwn. Yr oeddem yn ymwybodol fod prinder darllenwyr cerddoriaeth gorawl yn effeithio ar gôr mawr yr Eisteddfod yn ogystal ag ar gorau a ddeuai i gystadlu.

I grynhoi adroddiad y gweithgor, priodolwyd y dirywiad yng Nghymru i leihad yn nylanwad cerddorol ein capeli a'n hysgolion Sul, y mannau lle'r arferid dysgu'r modiwletor a'r tonic sol-ffa. A hefyd i'r lleihad mewn pwyslais ar ganu yn ein hysgolion, o'r ysgolion meithrin i'r ysgolion uwchradd. Yn ein hadroddiad, yr oeddem yn galw ar Awdurdod Cwricwlwm ac Asesu Cymru i ddiwygio'r cwricwlwm cerddoriaeth yn ein hysgolion cynradd ac uwchradd rhag blaen fel bod mwy o bwyslais ar ddarllen cerddoriaeth ac ar ganu corawl. Roedd yna alw am gefnogaeth y Llywodraeth i ganu corawl yng Nghymru, ac yn benodol ar iddynt sefydlu peirianwaith cenedlaethol i hyrwyddo, cynnal a chefnogi ein corau. Ac roedd galw yn ein hadroddiad hefyd am gefnogaeth llywodraethwyr ysgolion Cymru, awdurdodau addysg Cymru a Chyd-bwyllgor Addysg Cymru i neges adroddiad y gweithgor.

Ar wahân i gysylltu â'r cyrff priodol i'w hannog i ymateb i'n hargymhellion, penderfynodd yr Eisteddfod Genedlaethol weithredu ei hun yn y dull a ganlyn.

Y peth cyntaf a wnaed oedd cynnal seminar i arweinyddion corau yn Aberystwyth yn Ionawr 1998 lle cafwyd cyflwyniadau ar y broblem o ddarllen cerddoriaeth gan arbenigwyr yn y maes. Ond canolbwyntiwyd yn bennaf ar rannu arfer dda – y dulliau a fabwysiedir mewn rhai awdurdodau addysg gan ddefnyddio'r dull Curwen ynghyd â strateg-aethau eraill. Daeth 120 i'r seminar yn cynrychioli 40 o gorau ledled Cymru. Agwedd arall ar y gweithredu oedd trefnu sesiwn wythnosol o ddarllen cerddoriaeth i 35 aelod o gôr mawr Eisteddfod Bro Ogwr. Ac yn olaf ac yn bwysig, mewn cydweithrediad ag Awdurdod Addysg Môn, sefydlwyd cynllun darllen cerddoriaeth mewn 25 o ysgolion cynradd yr ynys dan arweiniad Joan Wyn Hughes a gwasanaeth pum tiwtor. Rhoddwyd nid yn unig bwyslais ar addysgu'r plant i ddarllen cerddor-iaeth ond hefyd ar hyfforddi'r athrawon ar sut i addysgu'r disgyblion. Ar faes Eisteddfod Genedlaethol Môn 1999 yn Llanbedrgoch, cafwyd cyflwyniad o'r gwaith a wnaed yn ystod dau dymor y prosiect – patrwm o gydweithio llwyddiannus rhwng yr Eisteddfod a'r Awdurdod Addysg, er budd addysg gerddorol y plant.

Yn fy marn i, roedd y pwyslais cynyddol a roddai'r Eisteddfod ar agweddau artistig yr Ŵyl yn symudiad i'r cyfeiriad iawn. Penodwyd swyddogion Celf a Chrefft a Drama (mewn cydweithrediad â Chyngor y Celfyddydau) i hyrwyddo'r gwaith yn y meysydd hyn. Byth er pan newidiwyd y pwyslais i arddangos gwaith artistiaid yn yr Arddangosfa Gelf a Chrefft yn 1992, tyfodd hon i fod yn un o'r arddangosfeydd teithiol mwyaf ym Mhrydain. Tua'r un adeg (1998) ag y rhoddwyd sylw i ganu corawl, sefydlwyd gweithgor i ddwyn argymhellion ar y ffordd orau o hybu dramodwyr newydd. Comisiynwyd cyn-enillwyr cyfansoddi dramâu i gyfansoddi rhai byrion ac yn Eisteddfod Genedlaethol Môn lansiwyd strwythur o weithdai a hyfforddiant ar gyfer egin ddramodwyr. Cynyddwyd gwobrau'r Eisteddfod yn sylweddol yn ystod y blynyddoedd diwethaf ac mae'r costau teithio a delir i gorau yn eithaf anrhydeddus erbyn hyn – fel y dylent fod gan fod costau cludo côr i'r Brifwyl mor uchel. Dros y blynyddoedd, rwy'n falch fod y cyfleusterau cefn llwyfan wedi gwella'n sylweddol a rhoddir pwyslais cynyddol ar ofalu am y cystadleuwyr. Wedi'r cwbl, nhw yw'r bobl bwysicaf yn yr Eisteddfod. Wrth gadw adeiladau'r Eisteddfod dan ystyriaeth yn gyson, yn bafiliwn mawr a phafiliynau llai, y nod yw gofalu hefyd am y garfan bwysig arall – y gwrandawyr/gwylwyr, yn ogystal â'r perfformwyr. Does dim amheuaeth nad yw'r pafiliwn cynfas a godwyd gyntaf yn Eisteddfod Casnewydd yn 1988 yn welliant mawr ar yr un a'i rhagflaenodd ac y mae bwriad, pan ganiatâ amgylchiadau, i brynu pafiliwn gwell eto gan roi cyfle i bawb weld y llwyfan i gyd o bob rhan o'r pafiliwn. Gwelwyd gwelliannau cyson yn y Babell Lên, yn yr Arddangosfa Celf a Chrefft ac yn y Babell Ddrama. Erbyn hyn, gellid dweud bod y cyfleusterau'n rhyfeddol o dda o gofio mai gŵyl symudol sydd gennym; ond mae'n bwysig cofio bod pen draw i'r hyn y gellir ei ddarparu ar gae sy'n agored i'r holl elfennau. Ymfalchïwn yn ein Pabell Groeso a'r gwelliannau cyson a wnaed iddi ers Eisteddfod Nedd, 1994. Sylweddolwyd ers blynyddoedd, a chyda sbardun adroddiad Terry Stephens, fod y derbyniad a'r croeso a'r sylw a roddir i eisteddfodwyr o bob oed, y rhai achlysurol a'r selogion, Cymry Cymraeg ac ymwelwyr di-Gymraeg, yn rhyfeddol o bwysig i ddelwedd a llwyddiant yr Ŵyl.

Mae ein hymdrechion i ofalu am y di-Gymraeg ac ymwelwyr newydd i'r Ŵyl wedi ennyn ymateb da. Mae'r 'teclyn bach Cymreig' gyda'i sylwebaeth Saesneg i dywys ymwelwyr drwy'r maes, gwaith y tywyswyr ifanc ynghyd â'r offer cyfieithu ar y pryd, yn agweddau pwysig o'n croeso i'r rhai nad ydynt yn deall yr iaith, ac fe wneir mwy eto yn y dyfodol yn ddiamau. Ers llawer blwyddyn bellach, bu'r ddarpariaeth ar y maes i'r Dysgwyr yn nodwedd amlwg a llwyddiannus o'r Eisteddfod. O ddyddiau penodi Swyddog Dysgwyr yn 1993, cryfhaodd y peirianwaith i ofalu am y Dysgwyr gan gynnwys darparu gwersi Cymraeg, mewn cydweithrediad â chyrff eraill, yn ardal yr Eisteddfod, cyn ac ar ôl yr Ŵyl.

Gwaith anodd, a diddiolch ar sawl cyfrif, yw bod yn feirniad eisteddfodol ond swyddogaeth gwbl hanfodol mewn gŵyl gystadleuol. Ceisiodd yr Eisteddfod hwyluso gwaith y beirniaid a rhoi iddynt bob cymorth ac arweiniad gan gofio bod modd i feirniaid, mewn amrantiad, ddifetha llawer o'r gwaith effeithiol a wnaed y tu ôl i'r llenni i ddenu cystadleuwyr, a chorau'n arbennig, i gystadlu – gwaith a ddygodd ffrwyth yn ystod y blynyddoedd diwethaf. Yn y canllawiau a roddwyd i feirniaid, gofynnwyd iddynt ochel rhag darnio cystadleuwyr yn gyhoeddus, gan fanteisio ar y feirniadaeth ysgrifenedig i fanylu ar y brychau. Yn gyhoeddus, yr hyn sy'n bwysig yw gosod y meini prawf a nodi rhagoriaethau pob unigolyn neu gôr yn erbyn y meini prawf hyn. Ond rhaid i mi fynegi fy siom bod sawl beirniad, cerddorol yn arbennig, wedi anwybyddu'r canllawiau hyn yn ystod y blynyddoedd diwethaf ac wedi defnyddio'u hamser ar y llwyfan i restru holl fân frychau'r corau gan ddiflasu'r gynulleidfa a thanseilio hyder arweinyddion sydd wedi treulio oriau'n dysgu darnau digon heriol. Daw dau achos penodol i'r cof pan wnaed niwed mawr i ddelwedd yr Eisteddfod, ac i hunan-barch y corau, gan feirniaid gor-negyddol – a oedd, fel roedd yn digwydd, yn arweinyddion corau eu hunain ac a ddylai fod wedi gwybod yn well.

Bu seremonïau'r Eisteddfod yn destun trafodaeth gyson gan y Cyngor yn ystod y cyfnod y bûm i'n aelod ohono. Yn 1992, ar ôl cryn drafodaeth, cytunodd Bwrdd yr Orsedd i gynnal trydedd seremoni a chynnwys seremoni orseddawl i anrhydeddu'r prif lenor rhyddiaith – pwnc a fu'n destun trafodaeth ers blynyddoedd lawer. I ganiatáu i hyn ddigwydd, ad-drefnwyd dyddiau'r seremonïau a chynnal seremoni'r Goron ar ddydd Llun, y Fedal Ryddiaith ar ddydd Mercher, a seremoni'r Gadair ar ddydd Gwener. Bu'r arbrawf dros ddwy flynedd yn llwyddiant yn ôl yr ymateb cyffredinol ond roedd gofyn i orseddogion dreulio gormod o amser yn teithio o'r maes i'r ganolfan wisgo a oedd mewn adeilad arall yn nhre'r Eisteddfod. Yn 1996, fe wnaed darpariaeth i wisgo y tu cefn i'r llwyfan gan hepgor yr angen i gludo'r gorseddogion mewn bysus rhwng y ganolfan wisgo a'r pafiliwn ac arbed iddynt fynd o'r maes i newid. Hwylusodd hyn drefniadau'r Orsedd yn fawr – yn arbennig gan fod gofyn i'r gorseddogion wisgo ar gyfer tair seremoni orseddawl. Roedd un agwedd arall o'r seremonïau'n gofyn sylw. O gynnal y seremoni am hanner awr wedi dau y pnawn, deuai penllanw'r dydd am bedwar o'r gloch, ar ddiwedd y seremoni, ac anodd, yn ôl profiad blynyddoedd, oedd ailgynnau'r awyrgylch ar gyfer cystadlu yn y pafiliwn o hynny ymlaen tan ddiwedd y pnawn. O 1996 ymlaen, cynhaliwyd y seremonïau am hanner awr wedi pedwar gan ddiweddu'r Eisteddfod am y dydd ar derfyn y seremoni drwy ganu'r anthem genedlaethol. At ei gilydd, derbyniwyd bod y drefn newydd yn welliant; yn sicr, roedd yn llawer gwell trefn o safbwynt y cystadlu hyd yn oed os golygai, ar adegau, beth anhwylustod o gael torf yn gadael y maes yr un pryd ar ddiwedd y seremonïau. Dros y blynyddoedd, addaswyd ac arbrofwyd gyda nifer o seremonïau eraill yr Eisteddfod – y Seremoni Agor, y Cymry Tramor, Medal Syr T. H. Parry-Williams – gan edrych o hyd am liw, symud a bywiogrwydd lle bo hynny'n bosib. Ymddiddorodd Norah Isaac, un o'n Cymrodyr brwdfrydig, yn fawr yn y seremonïau hyn ac ar ei hanogaeth gyson hi y'u haddaswyd – er gwell, gobeithio, gan roi mwy o le i ieuenctid ynddynt.

Bu ceisio ffitio'r holl gystadlaethau llwyfan o fewn rhaglen y pafiliwn yn dipyn o gur pen i'r Trefnyddion erioed ac edrychwyd am gyfle i ddod o hyd i fwy o amser i gystadlu. Gan ein bod hefyd yn awyddus i gynyddu'r pwyslais ar gystadlaethau ieuenctid, penderfynwyd o 1996 ymlaen (blwyddyn nifer o newidiadau fel y digwyddodd pethau) gynnal noson arall o gystadlu yn y pafiliwn a neilltuo'r noson honno i gystadlaethau ieuenctid. Does dim amheuaeth nad ydi'r nos Fercher pan ddigwydd hyn wedi tyfu i fod yn un o nosweithiau gorau'r wythnos gyda'n pobl ifanc yn gosod safon arbennig o uchel i gystadlaethau'r Brifwyl. Yr angen yn awr yw denu mwy o'u cymheiriaid i ddod i wrando arnynt.

Ar anogaeth gyson Aled Lloyd Davies, buom fel Eisteddfod Genedlaethol yn ymddiddori fwyfwy yn yr eisteddfodau llai – taleithiol a lleol – gan sylweddoli bod eu llwyddiant hwy a'n llwyddiant ni ynghlwm â'i gilydd. Pennwyd aelodau o'r Cyngor i fod yn gyswllt gyda nifer o eisteddfodau llai yn eu hardal; er enghraifft, bydd Carys a minnau'n ceisio cefnogi eisteddfodau Dyffryn Ogwen (Bethesda) a Llandegfan (Sir Fôn). Ffurfiwyd Cymdeithas Eisteddfodau Cymru ac ers blynyddoedd bellach, cynhaliwyd cyfarfod o'r Gymdeithas hon ar faes y Brifwyl er mwyn datblygu gwell partneriaeth ac i ddod i wybod pa wasanaethau y gall yr Eisteddfod eu cynnig iddynt. Erbyn hyn, cyhoeddir manylion yr holl eisteddfodau yn Rhaglen y Dydd. Ar gyfer Eisteddfod Llanelli a'r cylch 2000, drwy waith caled a brwdfrydedd Aled, trefnwyd cystadleuaeth unawd arbennig ar gyfer rhai dan ddeg ar hugain oed. Mae'r gystadleuaeth, y gwahoddir yr eisteddfodau lleol i'w cynnwys yn eu rhaglen, yn gofyn i bob cystadleuydd ganu un o bedair cân a gomisiynwyd a bydd y rhai fydd wedi ennill y gystadleuaeth hon mewn unrhyw ddwy eisteddfod leol yn cael ymddangos yn y prawf terfynol ar lwyfan y Brifwyl. Cafwyd dechrau safonol iawn yn Eisteddfod Llanelli ac mae'n ddatblygiad i'w groesawu.

Pan gyhoeddwyd yn 1997 bod cwmni Grant Thornton wedi ei ddewis i edrych ar y defnydd gan yr Eisteddfod o arian y Llywodraeth a ddyrannwyd inni gan Fwrdd yr Iaith Gymraeg, roeddem yn croesawu arolygiad o'n heffeithlonrwydd. Yn yr adroddiad a luniwyd, yr oeddem yn falch fod yr ymgynghorwyr yn datgan ein bod yn rhoi gwerth am arian ac yn falch hefyd o dderbyn awgrymiadau ar gyfer nifer o feysydd cyllidol a threfniadol. Cafwyd trafodaethau buddiol rhwng swyddogion yr Eisteddfod a'r

Bwrdd er ein bod yn teimlo bod y Bwrdd yn tueddu i ymyrryd mewn materion y tu hwnt i'r rhai a gyllidid gan y grant a ddyrannwyd ganddynt. Daeth yn amlwg mai'r hyn a ddymunai'r Bwrdd oedd ceisio gwneud yr Eisteddfod yn fwy hunangynhaliol er mwyn torri'r grant – ac fe wnaed felly yn ystod y tair blynedd ddiwethaf (1998-2000). O safbwynt Bwrdd yr Iaith a'i flaenoriaethau, gellid deall hyn ond nid oedd yn newydd da i Ŵyl â'i ffynonellau incwm yn amrywio cymaint o flwyddyn i flwyddyn ac a fanteisiodd ar sefydlogrwydd grant y Swyddfa Gymreig dros y blynyddoedd. Yr hyn a'm trawodd i oedd bod tuedd i anghofio mai gŵyl yw'r Eisteddfod sy'n dibynnu llawer ar wasanaeth gwirfoddolwyr – yn arbennig o fewn ardal lle cynhelir yr Eisteddfod – ac na ellir cymhwyso egwyddorion busnes i'r un graddau i lawer o'r gweithgareddau. Fel Llywydd yr Ŵyl, ni allwn lai na datgan bod ein hofnau gwaethaf wedi eu gwireddu; nid oedd yr Eisteddfod, sy'n ehangach ei dibenion na hyrwyddo iaith yn unig, yn gorwedd yn esmwyth ar agenda Bwrdd yr Iaith lle mae sefydlu mentrau iaith yn gymaint o flaenoriaeth – ac yn symudiad a gefnogaf yn llwyr. Amser a ddengys a ellir osgoi'r gwrthdaro hwn sy'n codi yn ei hanfod o drefn ariannu amhriodol, fel y bu inni ddadlau o'r dechrau. Rwy'n mawr obeithio y bydd y Cynulliad yn sicrhau bod ein Gŵyl genedlaethol yn cael ei hariannu'n deilwng.

Drwy gyfrwng fy ymwneud â'r Eisteddfod Genedlaethol yn ei hamrywiol agweddau, deuthum i gysylltiad â llu mawr o Gymry brwd a gweithgar, gan gynnwys llawer o Gymry di-Gymraeg. Mae ein dyled fel cenedl i'r gweithwyr a'r selogion hyn yn fawr. Go brin fod gan unrhyw genedl arall ganran mor uchel o'i phoblogaeth yn cefnogi mewn modd ymarferol un ŵyl genedlaethol flynyddol debyg i'r Eisteddfod. Yn ôl pob arwydd, mae'r brwdfrydedd i'w chynnal yn mynd â ni ymhell i ddiwedd degawd cyntaf y milflwydd newydd.

Er nad oes a wnelo Ymddiriedolaeth Pantyfedwen ddim yn uniongyrchol â'r Eisteddfod Genedlaethol, mae Cadeirydd y Cyngor yn eistedd ar bwyllgor yr Ymddiriedolaeth yn rhinwedd ei swydd. Ymunais i â'r Ymddiriedolaeth yn 1996 ac ar ddiwedd fy nhymor fel Cadeirydd cefais fy ethol yn aelod 'cyffredin' fel fy mod yn parhau i fynd i 'Bantyfedwen', Aberystwyth, i bwyllgora ryw bedair gwaith y flwyddyn. 'Fyddwn i ddim wedi trafferthu i barhau i fynd nac i nodi yn y fan hon fy aelodaeth o bwyllgor arall oni bai fod hwn yn bwyllgor go arbennig. Mae ei waith yn bleserus i ddechrau – rhannu arian i eglwysi, Ysgolion Sul, myfyrwyr, gweddwon gweinidogion, eisteddfodau, neuaddau pentref, a noddi cyhoeddiadau a darlithoedd; mae hi bob amser yn braf cael bod yn Siôn Corn am fore. Mae'n bleserus hefyd am resymau eraill. Caiff yr Ymddiriedolaeth ei gweinyddu'n hynod effeithiol gan yr ysgrifennydd galluog a hynaws, Richard Morgan. Mae'r bartneriaeth rhyngddo ef a'r Cadeirydd medrus a gofalus, yr Athro Graham Rees, ymysg y perffeithiaf a welais i erioed. Rhed y pwyllgor yn hwylus yn ddi-feth a hynny oherwydd bod llawer o'r gwaith manwl wedi ei wneud cyn inni gyfarfod, er mai ni sy'n gwneud y dyfarniadau. Yn eistedd ar y Pwyllgor, mae cynrychiolwyr yr holl enwadau yng Nghymru, cynrychiolwyr yr Eisteddfod Genedlaethol, y Llyfrgell Genedlaethol, yr Urdd a'r Brifysgol, ynghyd â nifer fechan o aelodau cyfetholedig, fel finnau erbyn hyn. Mae'r gyfeillach yn gynnes a'r drafodaeth a'r penderfyniadau'n hynod gyfrifol a chydwybodol. O'r holl bwyllgorau y bûm ynddynt erioed, ni roddodd yr un fwy o foddhad na hwn; mae cemeg arbennig rhwng yr aelodau a'i gilydd – ac nid yw'r cinio hwyliog a gawn wedi'r cyfarfod ynghyd â chroeso Dilys ym mwyty Gannet, Aberystwyth, ddim ond yn ychwanegu at y mwynhad ar ôl gwaith y bore. Gresyn na fyddai pob pwyllgor ariannol mor bleserus – ond mae cadeiryddion ac ysgrifenyddion o safon yr Ymddiriedolaeth hon yn brin.

✦ ✦ ✦

Wedi i mi ymddeol, cynyddodd yn sylweddol fy ymwneud ag addysg uwch, yn lleol ym Mangor ac yn genedlaethol. Ers blynyddoedd, yr oeddwn yn aelod o Gyngor a Llys Prifysgol Cymru ac ar nifer o'i bwyllgorau megis y Pwyllgor Gwasanaethau Canolog ac, o 1993, o'r Bwrdd Dysgu Drwy'r Gymraeg.

Cwbl amhosibl, ac amhriodol, fyddai i mi geisio darlunio'r holl newidiadau y bûm yn dyst ohonynt, ac yn ymateb iddynt, yn ystod blynyddoedd fy ymwneud ag addysg uwch o fewn Prifysgol Cymru. Bu twf aruthrol yn ei maint yn ystod y deugain mlynedd yn dilyn cyhoeddi Adroddiad Robbins yn 1961, adroddiad a oedd yn argymell dyblu'r rhifau mewn addysg uwch, a oedd yn 7% o'r grŵp oedran bryd hynny. Yn 1990, anogodd y Prif Weinidog y dylai'r ganran fod yn 30% erbyn 2000 ac, yn wir, fe gyrhaeddwyd y ffigur hwn yng Nghymru ymhell cyn y flwyddyn honno. Erbyn diwedd yr wyth degau, yn gyson ag athroniaeth llywodraeth y dydd, gwelwyd gwasgu am fwy o gost-effeithlonrwydd o fewn y prifysgolion a'u gwneud yn fwy agored i rymoedd y farchnad. Yr oedd llawer ohonom yn credu bod y defnydd o rymoedd y farchnad yn gyfyngedig o fewn y byd addysg a bod diffinio effeithlonrwydd yn nhermau dangosyddion perfformiad syml, hawdd eu deall, yn anodd. O fewn sefyllfa fwy cystadleuol a mwy coleg-ganolog, roedd yn amlwg fod yma fygythiad i ddyfodol Prifysgol Cymru fel corff ffederal. Sefydlwyd pwyllgor dan gadeiryddiaeth Syr Goronwy Daniel i argymell ffyrdd o gael y strwythur ffederal, yr oedd cefnogaeth gref iddo o fewn y Llys, i weithio'n fwy effeithiol o fewn yr hinsawdd newydd. Adroddodd Pwyllgor Daniel yn 1989, gan argymell, fel prif newidiadau: penodi Is-Ddirprwy Ganghellor rhan amser; sefydlu Cyd-bwyllgor Cynllunio ac Adnoddau;

sefydlu Pwyllgor Gwasanaethau Canolog; a chreu nifer o banelau pwnc.

Derbyniwyd yr adroddiad gan y Llys fel modd o gryfhau'r Brifysgol Ffederal a phenodwyd gŵr arbennig iawn, yr Athro John Meurig Thomas – Cymro Cymraeg ac academydd a gwyddonydd disglair, Cyfarwyddwr Sefydliad Brenhinol Prydain Fawr – i swydd Is-Ddirprwy Ganghellor ac i fod yn gyfrifol am gynllunio strategol. Yr oedd hyn yn newydd da i'r rhai hynny ohonom a ddymunai weld parhad y Brifysgol Ffederal ac yn arbennig gan fod cymaint o weithgareddau canolog pwysig i'w diogelu. Gweithredwyd hefyd yr argymhellion eraill gan sefydlu'r pwyllgorau a'r panelau newydd er hyrwyddo cydgyfeiriad a chynllunio strategol. Roedd yn amlwg, fodd bynnag, fod tensiynau sylweddol o fewn y Brifysgol – rhai ohonynt yn codi o'r frwydr am statws rhwng uchel swyddogion, sefyllfa a oedd yn dipyn o boendod i ni'r aelodau lleyg ac yn arbennig i'r Dirprwy-Ganghellor, yr Arglwydd Cledwyn. Ar ben hyn, daeth Deddf Addysg Bellach ac Uwch 1992 i weithrediad gan sefydlu, yn 1993, Gyngor Cyllido Addysg Uwch i Gymru. Yn sgîl y Ddeddf, caniatawyd i golegau technolegol a cholegau politechnig wneud cais am statws prifysgol a gwelwyd Coleg Politechnig Morgannwg yn Nhrefforest yn dod, yn y man, yn ail Brifysgol o fewn Cymru – er mawr ofid ar y pryd i nifer ohonom. Cododd y newidiadau a ddaeth drwy'r Ddeddf gwestiynau sylfaenol unwaith eto ynglŷn â natur y Brifysgol a sefydlwyd pwyllgor arall dan gadeiryddiaeth Syr Melvyn Rosser i ailystyried argymhellion Adroddiad Daniel a goblygiadau'r Ddeddf newydd o ran cyllido a strwythurau'r Brifysgol. O blith carfanau o academyddion, ac mewn rhai o'r colegau – Caerdydd yn arbennig – roedd arwyddion fod yr awydd i ymryddhau o'r strwythur ffederal yn cryfhau.

Yn Adroddiad Rosser a gyflwynwyd ym Mehefin 1993, nodwyd yr angen i ddiogelu'r Brifysgol fel symbol o hunaniaeth genedlaethol, i roi rhan swyddogaethol go iawn iddi ac i gyd-ategu, nid llesteirio'r colegau. Credid nad oedd angen parhau, fel yr argymhellodd Adroddiad Daniel, gyda'r peirianwaith strategol canolog yn yr hinsawdd mwy cystadleuol, ac argymhellwyd bod y Cyd-bwyllgor Cynllunio ac Adnoddau a swydd yr Is-Ddirprwy Ganghellor yn cael eu dileu. Yn eu lle, argymhellwyd ffurfio Bwrdd yr Is-Gangellorion a'r Is-Ganghellor Hŷn i fod yn brif swyddog academaidd a gweithredol y Brifysgol gan lywyddu'r Bwrdd Academaidd a Bwrdd yr Is-Gangellorion. Hefyd, crëwyd swydd newydd Ysgrifennydd Cyffredinol a oedd i gynnwys swyddogaethau a chyfrifoldebau'r Cofrestrydd; ac fe nodwyd y fantais o gael un cyfarfod o'r Llys yn flynyddol ond bod hwnnw'n un estynedig ac yn cynnwys adroddiadau gan Is-Gangellorion y colegau yn eu tro. Ac roedd argymhelliad hefyd mai 'Is-ganghellor' ac nid 'Prifathro' oedd y teitl priodol!

Fel un a oedd yn gwylio'r digwyddiadau hyn fel aelod o'r Cyngor, roeddwn yn ymwybodol iawn o'r posibilrwydd y byddai rhai colegau'n ceisio ymryddhau o'r Brifysgol oni dderbynnid y gyd-ffederaliaeth lacach a argymhellid gan Adroddiad Rosser, ond ffederaliaeth a fyddai'n diogelu Gwasg y Brifysgol, Gregynog, y Bwrdd Academaidd, y Ganolfan Uwch-efrydiau Cymreig a Cheltaidd a'r Bwrdd Dysgu Drwy'r Gymraeg. Pan dderbyniwyd yr Adroddiad gan y Llys, yr oeddem yn cytuno i gyfaddawd a fyddai'n diogelu'r Brifysgol Ffederal am gyfnod, o leiaf, ac yn caniatáu i'r colegau beidio â chael 'eu llethu' gan gynllunio strategol a ystyrid gan y mwyafrif ohonynt yn rhy lawdrwm a biwrocrataidd. Fy hun, roeddwn yn pryderu o weld bod y grym wedi symud yn ormodol i ddwylo'r academyddion, yn drist o weld Prifysgol Cymru yn methu manteisio ar arweiniad un o'i chyn-fyfyrwyr disgleiriaf, ond yn gobeithio bod cyfnod o ymrafael digon milain y tu cefn inni.

Fel y nodais eisoes, cefais fy ethol ar y Bwrdd Dysgu Drwy'r Gymraeg yn 1993, a dyma fi yn fy nghael fy hun unwaith eto yn ymwneud â maes cyfarwydd. Yr argraff gyntaf a gefais oedd nad oedd pethau wedi symud ymlaen fawr ddim ers diwedd y chwe degau a dechrau'r saith degau pan fûm olaf yn rhan o'r trafodaethau swyddogol ar addysg Gymraeg yn y Brifysgol.

Yn 1969, bu penderfyniad i ganoli addysg cyfrwng Cymraeg yn Aberystwyth a Bangor i ateb y galw o'r ysgolion uwchradd Cymraeg ond yn 1973 cefais fy hun yng nghanol ymgyrch i wneud amgenach darpariaeth. Ar faes y Brifwyl yn Rhuthun, bu Iorwerth Morgan a minnau yn annerch ar *Y Gymraeg mewn Addysg Uwch* i gyfarfod UCAC, ac yn Nhachwedd 1973 bu'r ddau ohonom yn siarad mewn cynhadledd o fudiadau Cymreig i drafod sefydlu Coleg Cyfun Cymraeg ar wahân. Cofiaf fod Jac L. Williams yn gwrthwynebu'r syniad o ffurfio coleg arall am resymau digon tebyg i'w ddadl yn erbyn sefydlu sianel deledu ar wahân. Erbyn hyn, rwy'n tueddu i gredu ei fod yn iawn. Beth bynnag am hynny, rwy'n weddol sicr mai camgymeriad oedd inni geisio ymladd am Goleg Cymraeg yr un pryd â galw am Goleg Cyfun. Roedd gobeithio ennill cefnogaeth i'r ddwy egwyddor yr un pryd yn gwbl afreal. Cefais fy ethol i gadeirio gweithgor i lunio argymhellion ar gyfer Coleg Cyfun Cymraeg. Cyflwynwyd penderfyniad y Gynhadledd i ffurfio Coleg Cyfun Cymraeg i Lys y Brifysgol yn Rhagfyr 1973 lle y penderfynwyd y dylai'r Cyngor dderbyn adroddiad y gweithgor a chyfarfod dirprwyaeth. Gwnaed hyn ym Mawrth 1974. Yn Nhachwedd 1974, cyfarfu gweithgor a sefydlwyd gan Gyngor y Brifysgol (a minnau'n aelod ohono) am y tro cyntaf. Ymhen rhai misoedd, adroddodd y gweithgor gan argymell i'r Cyngor nad oedd yn ddymunol nac yn ymarferol i sefydlu coleg ar wahân ac y dylid parhau gyda'r drefn a sefydlwyd ym Mangor ac Aberystwyth lle cynigid nifer gyfyngedig o bynciau drwy'r Gymraeg gyda swyddi darlithwyr penodol yn cael eu cyllido i wneud y gwaith.

Pan ailafaelais yn y maes fel aelod o'r Bwrdd Dysgu Drwy'r Gymraeg yn 1993, bron ugain mlynedd yn ddiweddarach, roedd yn amlwg, fel y dywedais, na fu fawr o gynnydd yn y ddarpariaeth. Cefais yr argraff, yn gam neu'n gymwys, mai'r pwnc pwysicaf yng nghyfarfodydd y Bwrdd oedd ceisio diogelu swyddi darlithwyr cyfrwng Cymraeg ym Mangor ac Aberystwyth yn hytrach nag edrych am strategaeth newydd. Wrth fynd heibio, mae'n werth nodi y cynhelid cyfarfodydd y Bwrdd, ar adegau, drwy'r rhwydwaith fideo gan ddefnyddio'r stiwdios pwrpasol ym mhob un o'r colegau. Gwelais ar unwaith fanteision cysylltu yn y dull hwn yn hytrach na threulio oriau lawer yn teithio i gyfarfodydd – i *bob* cyfarfod, o leiaf. Yr oedd yn amlwg i mi hefyd fod yma gyfrwng defnyddiol ar gyfer rhannu cyrsiau rhwng colegau ond rhywbeth na ddigwyddai bryd hynny – efallai oherwydd yr awyrgylch cystadleuol a fodolai a'r diffyg hyder ynglŷn â'r defnydd o'r dechnoleg.

Yn 1993 y dechreuodd Cyngor Cyllido Addysg Uwch Cymru ar ei waith ac yn weddol fuan yn ei hanes sefydlodd weithgor i roi sylw i addysgu drwy'r Gymraeg. Cytunwyd ar amgenach dull o gyllido drwy roi premiwm am dwf mewn niferoedd yn hytrach na chyllido swyddi ac anogwyd dull modiwlaidd o gyflwyno cyrsiau, sef rhannu'r cyrsiau yn gasgliad o becynnau llai gan greu mwy o hyblygrwydd. Hefyd, argymhellodd y Cyngor Cyllido fod angen ailgyfansoddi'r Bwrdd Dysgu Drwy'r Gymraeg i gynnwys holl sefydliadau addysg uwch Cymru yn hytrach na Bwrdd lle'r oedd cynrychiolwyr Bangor ac Aberystwyth, y prif ddarparwyr, yn y mwyafrif. Derbyniodd Cyngor y Brifysgol yr argymhelliad a rhoi i'r Bwrdd newydd swyddogaethau, ymysg eraill, o gynnig arweiniad proffesiynol, cyd-drefnu, cynnal a hyrwyddo addysgu cyfrwng Cymraeg mewn addysg uwch yng Nghymru. Er mawr syndod i mi, cefais fy mhenodi gan y Cyngor i gadeirio'r Bwrdd ac yn rhinwedd y swydd honno deuthum hefyd yn aelod o Fwrdd Academaidd y Brifysgol a oedd wedi ei ailgyfansoddi yn dilyn Adroddiad Rosser.

Galwyd cyfarfod cynta'r Bwrdd Dysgu Drwy'r Gymraeg newydd yn Nhachwedd 1997 gan Ruth ab Ieuan, ei ysgrifennydd gofalus, a dechreuwyd rhag blaen ar y gwaith o adolygu'r ddarpariaeth a rhoi ystyriaeth i fodd i'w hehangu ac o ddefnyddio dulliau newydd o gyflwyno cyrsiau. Yn Ionawr 1998, cynhaliwyd cynhadledd ym Mangor i drafod datblygiadau cyfrwng Cymraeg yn yr holl sectorau addysg – yn arbennig mewn addysg uwchradd, addysg bellach ac addysg uwch – a chafwyd papurau buddiol a diddorol yn dadansoddi llwyddiannau a methiannau. Gan mai Canolfan Astudiaethau Drwy'r Gymraeg Prifysgol Cymru Bangor a drefnodd y Gynhadledd gyda chefnogaeth y Bwrdd Dysgu Drwy'r Gymraeg a Chanolfan Bedwyr (newydd ei sefydlu – gweler yn ddiweddarach), fe gafodd y defnydd o'r Gymraeg mewn addysg uwch sylw dyladwy. Yn wir, cyflwynwyd papur heriol, *Problemau Prifysgol*, gan Dafydd Glyn Jones o Adran y Gymraeg, Bangor, ac ar ddiwedd y gynhadledd cytunodd pawb fod ei ddelfryd o Goleg Cymraeg yn un a oedd yn haeddu cefnogaeth. Yn enw'r Bwrdd, addewais y byddem yn rhoi sylw i'r papur yn ein trafodaethau.

Cafwyd ail bapur gan Dafydd Glyn Jones cyn ein cyfarfod nesaf a derbyniwyd gan y Bwrdd bod Coleg Ffederal Cymraeg yn nod i anelu ato. Ond wrth baratoi ein papur, *Datblygu'r Ddarpariaeth: Y Ffordd Ymlaen*, nododd y Bwrdd mai'r tymor byr a gâi'r flaenoriaeth gennym. Wrth ddadansoddi'r sefyllfa bresennol, pwysleisiem mai'r brif sialens oedd symbylu twf yn y farchnad ac yn y ddarpariaeth ar yr un pryd, a hynny mewn cyfnod pan fo adnoddau'n gyfyngedig iawn.

Buom yn ymgynghori'n eang ar sawl drafft o'n papur a chefais gyfle i'w gyflwyno i Benaethiaid Addysg Uwch Cymru, y Bwrdd Academaidd, Bwrdd yr Is-Gangellorion ac yn y Cyngor deirgwaith. Yng nghyfarfod y Cyngor ar 10 Rhagfyr 1999, wedi derbyn ymateb yr holl golegau, derbyniwyd prif argymhellion yr adroddiad a oedd yn cynnwys: cydnabod bod yn rhaid darganfod ffyrdd newydd o ddatblygu ac ehangu'r ddarpariaeth drwy'r Gymraeg, gan gynnwys meysydd academaidd a galwedigaethol; cydnabod yr angen am gyd-drefnu a marchnata canolog mewn cydweithrediad â'r sefydliadau addysg uwch ac, i gyflawni hyn, y dylid penodi Swyddog Datblygu Addysg Gymraeg (Addysg Uwch); cynnal trafodaethau gyda'r Cyngor Cyllido a chyda sefydliadau perthnasol eraill er mwyn sicrhau cyllid digonol ar gyfer sefydlu Uned Ddatblygu ac i gynnal rhaglenni datblygu a chynlluniau peilot.

Yn ystod misoedd cyntaf y ganrif newydd, bu ymgynghori manwl gyda'r sefydliadau ar y modd o gyllido'r gwaith datblygu. Yn amodol ar gefnogaeth ganolog y Brifysgol ac ar gefnogaeth y sefydliadau unigol, roedd y Cyngor Cyllido wedi mynegi eu bod yn barod i gefnogi'r gwaith, am gyfnod o ddwy flynedd yn y lle cyntaf. Yng nghyfarfod Cyngor y Brifysgol ym Mehefin 2000, datgelwyd bod yr holl sefydliadau (ac eithrio Athrofa Abertawe) yn barod i gefnogi'r datblygiad ac i gyfrannu yn ôl fformiwla gyllidol gytunedig; derbyniwyd ein cynllun busnes ar gyfer gwaith yr Uned Ddatblygu a phenderfynwyd symud ymlaen i sefydlu'r Uned a phenodi Swyddog Datblygu o statws Athro prifysgol. Ymhen ychydig wythnosau, roedd y swydd wedi ei hysbysebu a phenodiad rhagorol wedi ei wneud ym mherson Dr Cen Williams o Brifysgol Cymru, Bangor – un sydd â phrofiad cyfoethog o ddatblygu'r defnydd o'r Gymraeg yn gyfrwng ym mhob sector, o'r cynradd i addysg uwch.

Yr oedd hwn yn symudiad a oedd yn fy llonni'n fawr ar ôl yr holl ymgynghori a thrafod dros gyfnod go hir ac roedd cael cefnogaeth Prifysgol Morgannwg yn ogystal â sefydliadau Prifysgol Cymru yn argoeli'n dda ar gyfer y dyfodol. Rwy'n ffyddiog y gwelwn gynnydd yn y galw am addysg uwch drwy'r Gymraeg ac yn y ddarpariaeth yn ystod y blynyddoedd sydd o'n blaenau. Synhwyraf fod yna awydd gwirioneddol bellach i weld datblygiad arwyddocaol yn y colegau o fewn y maes hwn.

Roeddwn yn hynod o falch mai'r coleg cyntaf i fynegi ei gefnogaeth gref i argymhellion y Bwrdd oedd fy hen goleg i ym Mangor a bu cefnogaeth yr Is-Ganghellor, yr Athro Roy Evans, yn ystod yr ymgynghori â'r gwahanol bwyllgorau o fewn y Brifysgol, yn gadarn, fel hefyd y bu cefnogaeth yr Athro Derec Llwyd Morgan, Is-Ganghellor Aberystwyth. Ond mae'n galonogol hefyd fod yr holl Is-Gangellorion eraill bellach, heblaw un, yn gefnogol.

Yma ym Mangor, ers blynyddoedd cyn i mi ymddeol, roeddwn wedi sefydlu perthynas â'r Brifysgol fel aelod o'r Cyngor a'r Llys ac o'r pwyllgorau Penodiadau Academaidd ac Ystadau. Fel y nodais eisoes, roeddwn wedi fy ethol yn gadeirydd llywodraethwyr y Coleg Normal ers Rhagfyr 1991 ac yr oedd un mater yn anad dim yn codi'n barhaus, sef gallu'r Coleg Normal, coleg bychan yn ôl safonau'r dydd, i oroesi dan gyfundrefn ariannu a oedd yn edrych am wella effeithlonrwydd a chreu unedau mwy economaidd hyfyw. Yr oedd Prifathro'r Brifysgol ym Mangor, Eric Sunderland, wedi codi'r cwestiwn o gydweithredu/uno gyda Phrifathro'r Coleg Normal, Ronnie Williams, a minnau er 1993. Yn dilyn hyn, rhoddwyd ar waith elfen o gydweithio rhwng adrannau addysg y ddau sefydliad ond ymateb cosmetig oedd hyn i broblem fwy sylfaenol wyneb yn wyneb â hinsawdd y cyfnod. Cyfarfûm i a Ronnie Williams â Phrif Weithredwr a Chadeirydd y Pwyllgor Cyllido, yr Athro John Andrews a Syr Idris Pearce, ar sawl achlysur, ac erbyn i Dr H. Gareth Ff. Roberts ddod yn Brifathro ar y Coleg Normal yn Ionawr 1994, yr oedd trafodaethau integreiddio gyda'r Brifysgol ar frig yr agenda.

Yr oedd cyflwr adeiladau'r Coleg Normal, yn enwedig yr Hen Goleg yn Siliwen, wedi bod yn destun pryder ers blynyddoedd a phan oedd y coleg dan ofal Awdurdod Addysg Gwynedd, cyn iddo fynd yn gorfforaeth annibynnol yn 1992, roeddwn yn ymwybodol nad oedd gan yr Awdurdod arian i wario'n sylweddol i adfer yr adeilad nodedig hwn. Ond, yn rhyfeddol, neilltuwyd arian ar unwaith gan y Swyddfa Gymreig ac erbyn Chwefror 1994 roedd yr Hen Goleg wedi ei adnewyddu i'w hen ogoniant a daeth Syr Wyn Roberts draw i'w agor. Flwyddyn yn ddiweddarach, fe ddifrodwyd rhai o adeiladau'r Normal yn Ffordd y Coleg (to'r ffreutur yn bennaf) gan dân. (Cofiaf glywed y newydd a minnau'n bur bell o Gymru – yn y Wladfa.) Ond ymhen blwyddyn, roedd yr adeilad hwn hefyd wedi ei adnewyddu a'i agor gan yr Arglwydd Cledwyn dan yr enw 'Adeilad Syr Hugh Owen'.

Ym Mehefin 1994, penderfynodd Bwrdd Llywodraethu'r Coleg Normal a Chyngor Prifysgol Cymru Bangor, mewn cyfarfodydd ar wahân, y dylid cynnal trafodaethau ffurfiol i ystyried a oedd modd i'r ddau sefydliad ymestyn cydweithredu. Sefydlwyd Gweithgor Integreiddio gyda chwe chynrychiolydd o'r naill sefydliad a'r llall dan gadeiryddiaeth John

Howard Davies, Cadeirydd Cyngor y Brifysgol, a minnau am yn ail. Ein gwaith oedd archwilio'r posibiliadau, a gwnaed datganiad gennym yn dilyn ein cyfarfod cyntaf a oedd yn nodi inni gytuno 'i archwilio rhag blaen yr egwyddor o integreiddio gan gynnwys cydnabod cymeriad a chenhadaeth y naill sefydliad a'r llall ac, yn arbennig, ddyheadau'r ddau sefydliad i gynnal, cryfhau a datblygu ym Mangor ganolfan genedlaethol o ragoriaeth ym maes dysgu ac ymchwil cyfrwng Cymraeg a dwyieithog'.

Sefydlwyd panelau gan y Gweithgor i drafod gwireddu dymuniadau'r ddau goleg mewn pedwar maes – panelau Addysg, Cyrsiau BA, ac Adnoddau, a phanel Canolfan o Ragoriaeth mewn Addysg drwy gyfrwng y Gymraeg. Ar ôl derbyn ac ystyried adroddiadau'r panelau hyn, roedd y gweithgor o'r farn eu bod yn cynnig ffordd ymlaen i integreiddio'r ddau goleg gan roi gwell sicrwydd i'r dyfodol, i hybu dysg ac ymchwil mewn addysg uwch ac yn arbennig i hyrwyddo datblygiad Bangor fel canolfan genedlaethol a rhyngwladol mewn addysg cyfrwng Cymraeg a dwy-ieithog. Felly argymhellodd y Gweithgor y dylid: derbyn yr egwyddor o integreiddio'r Coleg Normal Bangor a Phrifysgol Cymru Bangor; awdurdodi'r Gweithgor i lywio'r gwaith o hyrwyddo integreiddiad erbyn Mawrth 1, 1996, ac i fod yn weithredol o Awst 1, 1996; a cheisio gan y Cyngor Cyllido yr adnoddau angenrheidiol i hwyluso'r integreiddio.

Yn eu cyfarfodydd ym mis Mawrth 1995, cymeradwywyd yr argym-hellion gan gyrff llywodraethol y ddau goleg. I hwyluso'r integreiddio ac i drafod ei amrywiol agweddau, sefydlwyd ddeuddeg o weithgorau ar draws y ddau sefydliad ynghyd â Gweithgor Cyd-drefnu o uchel swyddogion gydag Alwyn Roberts, Dirprwy Is-Ganghellor y Brifysgol, a Dr H. Gareth Ff. Roberts yn arwain.

Yr oedd llawer i'w drafod a sawl pont i'w chroesi gan gynnwys cytundeb ar faterion hynod o sensitif megis staffio a phensiynau. Yn rhinwedd fy swydd fel Cadeirydd y Coleg Normal, deuthum yn ymwybodol o waith y Prifathro yn ymgynghori'n fanwl ac yn agored gyda'i staff ac yn ceisio'i orau i gyfleu eu pryderon a'u gobeithion o fewn y trafodaethau ffurfiol. Un maes lle'r oedd teimladau ac ofnau cryf oedd maes cyfrwng Cymraeg; roedd staff y Coleg Normal yn awyddus iawn i gadw'r ethos Cymraeg o fewn gweinyddiad y coleg a diogelu'r Gymraeg yn gyfrwng. Roedd yn hawdd deall yr ofnau o uno coleg cymharol fach, Cymraeg ei ethos a'i weinyddiad, gyda sefydliad llawer mwy ei faint a mwy Seisnig ei natur a'i weinyddiaeth. Ond a fyddai'r Coleg Normal yn goroesi i gyflawni ei amcanion o ran addysg a hyfforddiant heb iddo fod yn rhan o sefydliad mwy?

Un o'r deuddeg gweithgor a sefydlwyd oedd hwnnw'n ymwneud â dwyieithrwydd. Cynrychiolid Cyngor y Brifysgol ar y gweithgor pwysig hwn gan Dafydd Orwig, a minnau'n cynrychioli llywodraethwyr y Normal. Dafydd a minnau fyddai'n cadeirio am yn ail. O safbwynt y

Coleg Normal, yr oedd hi'n allweddol bwysig fod yr integreiddio'n diogelu safle'r Gymraeg – a mwy na hynny. Yn ffodus, roedd y Cyngor Cyllido, mewn llythyr dyddiedig Awst 1994 at Eric Sunderland a H. Gareth Ff. Roberts, wedi nodi fel a ganlyn:

> *Hoffai'r Cyngor weld CPGC Bangor a'r Coleg Normal yn datblygu strategaeth integredig a chydweithiol a fyddai'n galluogi'r sefydliadau unigol i fanteisio ar gryfderau ac arbenigedd ei gilydd ym maes darpariaeth drwy gyfrwng y Gymraeg. Ni fyddai hyn yn ymwneud â dysgu'n unig ond â gofal bugeiliol ac amgylchedd a naws briodol i fyfyrwyr Cymraeg yn gyffredinol, ac â chysylltiadau lleol yn y gymuned a chyda diwydiant a busnes. Gyda strategaeth integredig o'r fath, teimla'r Cyngor fod potensial yma i ddatblygu* ***canolfan egnïol a nerthol*** *ar gyfer darpariaeth cyfrwng Cymraeg ym Mangor a fyddai'n gwneud y defnydd gorau o'r holl adnoddau, dynol ac ariannol, ac yn gwasanaethu anghenion myfyrwyr lleol yn ogystal â myfyrwyr sy'n dod o bellach i ffwrdd.*

Onid oedd y cyfeiriad yn y llythyr hwn at *ganolfan egnïol a nerthol* yn cynnig inni gyfle, drwy'r integreiddio, i dorri tir newydd a sefydlu canolfan o ragoriaeth i hyrwyddo, ysgogi a meithrin y defnydd o'r iaith yn weinyddol ac, yn bwysicach na hynny, y defnydd o'r Gymraeg yn gyfrwng yn y gwahanol ddisgyblaethau? Yn y gobaith o gael arian i'w sefydlu drwy'r integreiddio, daeth sicrhau canolfan newydd i'r Gymraeg yn un o'r prif flaenoriaethau.

Erbyn cyfarfod Ionawr 1996 o'r Gweithgor Integreiddio, pryd y croesewais yr Athro Roy Evans i'w gyfarfod cyntaf fel Is-Ganghellor, yr oeddem, ar sail yr holl waith a gyflawnwyd gan y gwahanol weithgorau dros y deunaw mis blaenorol, mewn sefyllfa i gyflwyno datganiad ac argymhelliad i integreiddio erbyn Awst 1, 1996. Yn y datganiad, nodwyd cefnogaeth y Cyngor Cyllido i gynlluniau'r ddau sefydliad i ddiogelu a chryfhau eu cenhadaeth Gymraeg. Nodwyd hefyd nad oedd y swm o arian a neilltuwyd ar gyfer integreiddio'r elfennau eraill gymaint â'r hyn a obeithiwyd. Ond roedd y manteision a ragwelid drwy'r integreiddio yn cynnwys datblygu Bangor fel canolfan ragoriaeth mewn addysg Gymraeg; cryfhau sylfaen academaidd Bangor o ran addysgu ac ymchwil; cyfannu ac ehangu'r ddarpariaeth ar gyfer hyfforddiant proffesiynol athrawon a gwella a chynyddu'r gwasanaeth i fyfyrwyr. Rhagwelwyd hefyd y byddid, drwy'r integreiddio, yn gwella effeithlonrwydd ac yn gwella sefydlogrwydd cyllidol tymor hir addysg uwch ym Mangor.

Digwyddodd yr integreiddio ac, yn ôl pob hanes, bu'n weddol ddi-boen – diolch i'r gwaith manwl a sensitif a gyflawnwyd gan arweinyddion y ddau goleg, a neb yn fwy felly nag Alwyn Roberts. Bu ymgais flaenorol i integreiddio'r Coleg Normal a'r Brifysgol, yn ôl yn 1975/76 yn nyddiau Syr Charles Evans (dringwr Everest) yn Brifathro. Oni bai am ymgyrch benderfynol Dr Jim Davies, Prifathro'r Coleg Normal bryd hynny, byddai'r uniad wedi digwydd dan amgylchiadau tra anffafriol i hyfforddiant athrawon cynradd ac i'r Gymraeg. Yr oedd yr uniad yma yn digwydd dan amgylchiadau llawer mwy cefnogol ac yn fodd o *ddiogelu* hyfforddiant athrawon cynradd a lle'r Gymraeg o fewn yr hyfforddiant hwnnw.

Sefydlwyd y ganolfan o ragoriaeth mewn addysg Gymraeg dan yr enw Canolfan Bedwyr gan goffáu'r diweddar Athro Bedwyr Lewis Jones a gyfrannodd gymaint i boblogeiddio a defnyddio'r Gymraeg mewn ffordd mor glir a naturiol. Ac yn wir, bu'r Ganolfan yn datblygu'r syniad o Gymraeg Clir ar y cyd â Chyngor Gwynedd gan gyhoeddi'r llyfr a ddeilliodd o'r gwaith. Dan arweiniad Dr Cen Williams, ei Chyfarwyddwr o'i sefydlu nes ei benodi'n Swyddog Datblygu Addysg Gymraeg y Brifysgol Ffederal o Fedi 2000, gwnaeth Canolfan Bedwyr argraff o fewn y coleg integredig. Bu'n darparu cyrsiau gloywi iaith i staff a myfyrwyr, yn cynnig cefnogaeth i ddatblygiadau cyfrwng Cymraeg mewn adrannau ac yn datblygu dulliau addysgu dwyieithog o fewn cyrsiau megis nyrsio a chymdeithaseg. Y tu allan i'r coleg, bu'r Ganolfan yn hyrwyddo dulliau dysgu ac addysgu mewn colegau addysg bellach a thrydyddol ac yn cynnig arweiniad ar addysgu dwyieithog yn y colegau hyn. Mae'r gwaith datblygu ar raglenni cyfrifiadurol megis Cysill (y gwirydd sillafu a gramadeg) a Cysgair (y Geiriadur Cymraeg/Saesneg-Saesneg/Cymraeg) yn gaffaeliad i bawb sy'n defnyddio'r iaith, fel y bydd y Thesawrws Cymraeg ar gyfer y cyfrifiadur pan gaiff ei gyhoeddi. Edrychir ymlaen at gyfnod o ddatblygu parhaus rhwng y Ganolfan ac Uned Ddatblygu Addysg Gymraeg mewn Addysg Uwch.

Gyda diflaniad y Normal fel coleg ar wahân, daeth llywodraethwyr y Coleg Normal yn aelodau o Gyngor y Brifysgol a minnau'n Is-Gadeirydd y corff hwnnw. Er mawr syndod i mi, cefais fy ethol yn Is-Lywydd y coleg o Ionawr 1999 a chefais y fraint o lywyddu mewn seremonïau graddio yn 1999 a 2000. Cefais gryn bleser o gael derbyn nifer o wŷr a merched, amlwg yn eu gwahanol feysydd, i gymrodoriaeth Prifysgol Cymru, Bangor – Emlyn Evans, Caryl Parry-Jones, Gwyn Hughes Jones, Alan Llwyd a Menai Williams yn 1999 a Dewi Llwyd a Betty Williams AS flwyddyn yn ddiweddarach.

Dros y blynyddoedd, drwy fy ymwneud â gwahanol bwyllgorau'r Brifysgol, ym Mangor ac yn genedlaethol, cefais gyfle i gael cipdrem ar fywyd a meddwl yr academydd cyfoes. At ei gilydd, gellir dweud mai ynysig yw gorwelion llawer ohonynt heb lawer o gonsýrn y tu hwnt i'w 'hysgol' neu eu hadran eu hunain. Yn yr hinsawdd sydd ohoni, gydag arian yn dilyn y myfyrwyr, cynyddodd y duedd hon gan ei gwneud yn anoddach i sicrhau cydweithrediad o fewn un coleg heb sôn am gydweithrediad rhyng-golegol. Bydd galw am newid yr agweddau hyn er mwyn sicrhau datblygiad pellach addysg drwy'r Gymraeg a fydd yn gynyddol ddibynnu ar addysgu modiwlau mewn gwahanol golegau – o bosib trwy ddulliau electronig.

Drwy fod yn aelod o Bwyllgor Cynllunio ac Adnoddau Bangor, gwelais enghreifftiau o gynllunio strategol o'r radd uchaf ynghyd â chynlluniau cyllidol manwl a chynlluniau recriwtio dychmygus. Rhyfeddais hefyd at allu'r Is-Ganghellor i fod â'i fys ar y pyls ac mor wybodus am bob agwedd o waith cymhleth y Brifysgol.

Mae'r Pwyllgor Penodiadau Academaidd ym Mangor, a gadeirir bron yn ddi-feth gan yr Is-Ganghellor, yn cynnwys nifer ohonom fel lleygwyr ac mae eistedd ar y pwyllgor hwn, ac yn achlysurol ar yr un ar gyfer penodi Athrawon, yn brofiad hynod ddiddorol. Deuwn fel aelodau'r pwyllgor wyneb yn wyneb yn aml â gwŷr a merched ifanc hynod ddisglair sy'n gwneud i rywun deimlo'n wylaidd ac anwybodus iawn. Rhyfeddaf fod cariad cynifer ohonynt at eu pwnc gymaint nes eu bod yn barod i gynnig am swydd ar gyflog digon annheilwng o ystyried eu hysgolheictod. Fel addysgwr, poenaf ar adegau fod ymchwil – oherwydd yr arian a ddaw yn ei sgîl – yn cael y fath flaenoriaeth ar fedrau addysgu. Er bod yr olaf yn cael ei asesu, fel y mae ansawdd cyhoeddiadau'r ymchwilwyr yn cael ei werthuso, nid yw'n denu'r un wobr ariannol i'r adran. Onid traddodiad o addysgu bywiog ac ysgogol gan ddefnyddio dulliau amrywiol i gyfateb i allu a diddordeb y myfyrwyr sy'n fwyaf tebygol o ddenu myfyrwyr i'r adran, gan gynnwys myfyrwyr cyfrwng Cymraeg?

Trist yw gorfod nodi mai prin yw'r ymgeiswyr o Gymru am lawer o'r swyddi a phrinnach fyth y rhai sy'n medru'r Gymraeg. Ar wahân i'r ymdrech i ddenu myfyrwyr i ddysgu drwy'r Gymraeg, mae denu staff, cymwys o ran iaith ac arbenigedd, yn mynd i fod yn sialens fawr i'r dyfodol ond yn un y mae'n rhaid ei hwynebu.

✦ ✦ ✦

Mae'r ymadrodd, 'mae'n anodd gwybod sut y cafodd rhywun amser i weithio', yn un a ailadroddir hyd syrffed ond mae'n wir serch hynny. Mae'n wir i Carys a minnau fwynhau gwyliau tramor yn weddol gyson ers i mi ymddeol a chael mynd i gyngherddau neu operâu yng Nghaerdydd neu Landudno neu Lerpwl. Ond at ei gilydd, mae fy nyddiau'n llawn i'r ymylon – yn rhy lawn efallai, gyda gormod o heyrn yn y tân o hyd. Credaf fod siawns go lew wedi i mi orffen dweud fy stori, neu'n hytrach gorffen dweud y rhannau ohoni sy'n briodol i mi eu rhannu, y gallaf droi, os pery fy iechyd yn weddol, at bethau fel golff, a garddio a hel achau yn ogystal â gweithgareddau sy'n fwy cymdeithasol nag eistedd o flaen cyfrifiadur. Ond mae'n rhaid i mi ddiolch i'r cyfaill da hwn am ei wasanaeth ffyddlon dros fisoedd dweud fy stori. Does ond gobeithio y bydd o ryw ddiddordeb – yn arbennig i'r rhai a gerddodd ambell un o'r llwybrau gyda mi yn ystod yr un cyfnod.

Gwaith anodd ydi cloi hunangofiant sy'n sôn am lafur deugain mlynedd a mwy. Ond y mae yna bedwar cyfnod amlwg sy'n ganllaw i'r blynyddoedd. Pan ofynnwyd i mi'n ddiweddar (ar ganol pregeth yng Nghapel y Graig fel mae'n digwydd!) ym mhle mae fy milltir sgwâr, fe atebais 'Y Rhos' heb betruso. Yno, ym mhentref mawr a chynnes y ffin y cefais brofiadau cofiadwy a magwraeth arbennig o hapus. Ac fe estynnodd yr hapusrwydd hwnnw draw dros flynyddoedd chwerthin diniwed ac anfeirniadol coleg Bangor a'r ysgol uwchradd yn Llangefni. Ein cenhedlaeth ni oedd y genhedlaeth Gymraeg olaf i fwynhau'r moethusrwydd hwn. Ac yna, Rhydfelen, pan oedd curiad calon yn cyflymu a'r cynnwrf creadigol yn ein cynnal ddydd ar ôl dydd. Yr oedd pethau mawr yn digwydd yn y de ddwyrain bryd hynny, ac mae'r cynhaeaf yn parhau'n wyrthiol yn y bröydd cyfareddol hynny. Blynyddoedd y ddisgyblaeth oedd y cyfnod yn yr arolygiaeth, dyddiau'r ddisgyblaeth lem ond disgyblaeth a dalodd ar ei chanfed pan ddaeth her fawr Gwynedd i'm rhan. Her hir yw adeiladu gofalus, ond diolchaf am gael chwarae rhan yn adeiladu'r ddarpariaeth addysgol Gymraeg ehangaf yn hanes ein hiaith ers dyddiau Griffith Jones, Llanddowror, a Thomas Charles o'r Bala. Pedwar cyfnod yn cael eu dolennu gyda'i gilydd gan bobl ydi'r rhain. A dyna'r fraint fwyaf a gefais yn fy ngyrfa, cwmni eneidiau hoff. Cael cefnogaeth ddiamod fy nheulu a phrofi gwir gyfeillgarwch dro ar ôl tro, ar hyd y blynyddoedd. Ac yna, cael cyd-lafurio yn y winllan gyda rhai o feddyliau gloywaf ein Cymru ni, a'r bobl hynny yn credu, fel yr ydw i'n dal i gredu, yn nyfodol ein hiaith, ac yn dal i gredu mai'r gorau, a'r gorau'n unig, sy'n etifeddiaeth deilwng i blant ac ieuenctid ein gwlad. Am y cyfan, diolch.

MYNEGAI

B

C